HET KOLONIALE VERLEDEN VAN ROTTERDAM

HET KOLONIALE VERLEDEN VAN ROTTERDAM

GERT OOSTINDIE (RED.)

BOOM – AMSTERDAM

Dit boek is onderdeel van een serie van drie boeken die tot stand kwamen ingevolg van een opdracht van de stad Rotterdam aan het Koninklijk Instituut voor Taal-, Land- en Volkenkunde (KITLV-KNAW) om het koloniale en slavernijverleden van de stad te onderzoeken.
De drie boeken werden gelijktijdig gepubliceerd:

Gert Oostindie (red.), *Het koloniale verleden van Rotterdam*
Alex van Stipriaan, *Rotterdam in slavernij*
Francio Guadeloupe, Liane van der Linden en Paul van de Laar (red.), *Rotterdam, een postkoloniale stad in beweging*

Afbeelding omslag: Schilderij door Charley Toorop, 1926, indertijd getiteld *Negers, Rotterdam* (HET CURAÇAOSCH MUSEUM); verdere informatie over de geportretteerde zwarte mannen ontbreekt.
Vormgeving: Bart van den Tooren

ISBN 9789024432257
NUR 680

WWW.BOOMGESCHIEDENIS.NL
WWW.BOOMUITGEVERSAMSTERDAM.NL

INHOUD

Het Rotterdamse slavernijmonument aan de Lloydkade, ontworpen door Alex da Silva en onthuld in 2013. (Foto: Engelien de Ruijter)

GERT OOSTINDIE

ROTTERDAM, KOLONIAAL EN POSTKOLONIAAL

ROTTERDAM STOND LANG BEKEND ALS DE STAD VAN NOESTE WERKERS, VAN 'NIET lullen maar poetsen', de stad die met zijn havens de Nederlandse economie voortstuwde, de stad die onverdroten voortwerkt – 'Rotterdam durft', zo luidde de slogan van de *city-branding* in 2004. Dat geldt uitdrukkelijk ook voor de stedenbouw. Rotterdam wordt geroemd om zijn imposante skyline en moderne architectuur. En 010 geldt inmiddels internationaal als een hippe bestemming voor toeristen die een beetje klaar zijn met het door hordes bezoekers overspoelde Amsterdam. Want ook Rotterdam is een dynamische, multiculturele stad met een brede waaier van culturele voorzieningen en, niet te vergeten, horeca en uitgaansgelegenheden.

Er is een rauwe keerzijde aan dit succesverhaal: sociaaleconomische tegenstellingen, een ernstige grootstedelijke problematiek, en scherpe politieke en soms ook etnische tegenstellingen. Daarbij speelt de naoorlogse migratiegeschiedenis van de stad een belangrijke rol. Net als in andere grote steden van Nederland vestigden zich grote aantallen migranten in de stad, uit de voormalige koloniën en uit vele andere delen van de wereld. En daarmee ontstond ook in Rotterdam een debat over het karakter van de stad en zijn bewoners, over wie erbij hoort, over oude en nieuwe rechten en plichten. Dat is geen gemakkelijk debat, en het is vermoedelijk ook geen debat dat op een goede dag zal verstommen. Maar hoe dan ook hoort in dat debat ook kennis van, en serieuze reflectie op, het koloniale en slavernijverleden van Rotterdam. Daaraan wil dit boek bijdragen – als een serieuze verkenning, niet als een laatste woord.

DE HEDENDAAGSE BETEKENIS VAN HET KOLONIALE VERLEDEN

Net als elders in Nederland wordt in debatten over onze identiteit veelvuldig gesproken over het koloniale verleden. Die geschiedenis begint zo rond 1600, toen Nederland – toen nog een republiek verwikkeld in een onafhankelijkheidsoorlog met Spanje – zich gelijktijdig als handels- en militaire macht ging richten op de wereld buiten Europa. De oprichting van de Verenigde Oost-Indische Compagnie (VOC, 1602) en de West-Indische Compagnie (WIC, 1621) zijn mijlpalen. Een halve eeuw later had de Republiek overal in de wereld handelsposten en ook koloniën; soms was dat gelukt met medewerking van lokale machthebbers, vaker was er gedreigd of geweld gebruikt (kaart 1). Al snel gingen de handel in en de gedwongen tewerkstelling van mensen tot het koloniale repertoire behoren; de slachtoffers waren vooral Afrikanen en Aziaten.

Kaart 1. Het Nederlandse imperium door de eeuwen heen

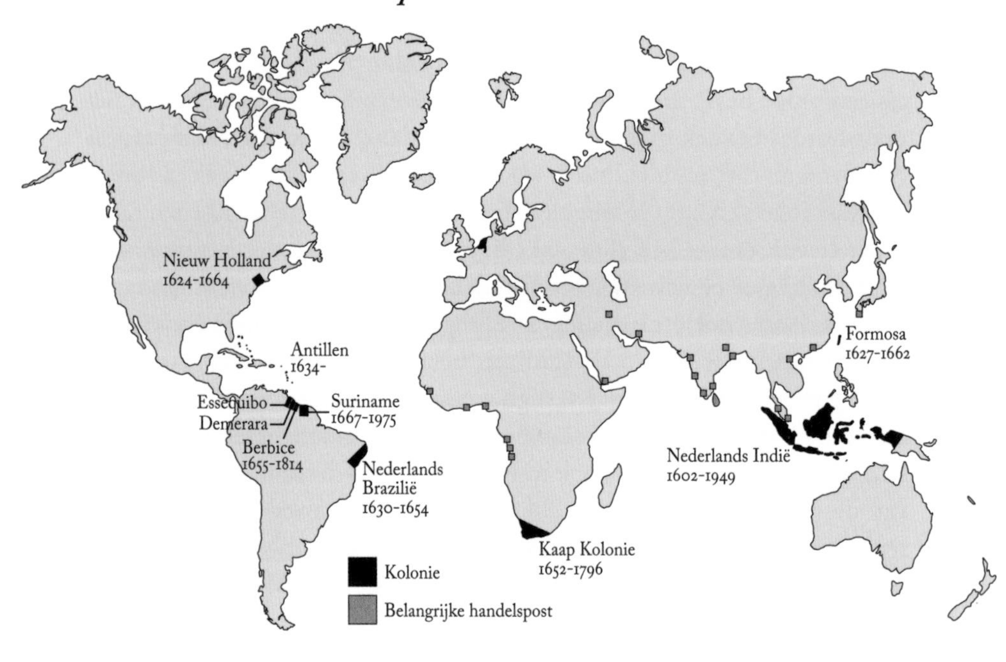

In de loop van de tijd verloor Nederland een reeks koloniën, vooral aan de Britten. In de negentiende eeuw bleven het huidige Indonesië, Suriname en de zes eilanden die voorheen als de Nederlandse Antillen werden aangeduid over. Indonesië verklaarde zich in 1945 onafhankelijk; pas na vier jaar vechten en onderhandelen accepteerde Nederland dat, eind 1949. Suriname werd in 1975 onafhankelijk, na een kort, soms hectisch maar geweldloos onderhandelingsproces. De Nederlandse Antillen weigerden ondanks Haags aandringen dezelfde keuze te maken en opteerden er juist voor los van elkaar te komen maar de band met Nederland te behouden; daarom ligt het Koninkrijk der Nederlanden nog steeds zowel in Europa als in de Cariben, een staatkundig restant van de koloniale geschiedenis.

Ook om andere redenen is de koloniale geschiedenis geen voltooid verleden tijd. In de naoorlogse jaren vestigden zich grote aantallen migranten uit de koloniën in Nederland – eerst uit Indonesië, vervolgens uit Suriname, daarna en tot op heden van de Caribische eilanden. Het aantal van deze migranten en hun nakomelingen ligt, afhankelijk van hoe precies wordt geteld, tussen de een en ruim twee miljoen, zes tot ruim twaalf procent van de bevolking. Met hun komst en de verdere ontwikkeling van deze gemeenschappen van postkoloniale migranten kwam de koloniale geschiedenis dus letterlijk terug, thuis in Nederland. 'Wij zijn hier omdat jullie daar waren!'

Zo werden verhalen uit en over Indonesië, Suriname en de Antillen langzamerhand ook steeds meer als *Nederlandse* verhalen erkend. Dat was nogal een omslag. Voor de Tweede Wereldoorlog gold het feit dat Nederland een koloniale mogendheid was in eigen land als een vanzelfsprekendheid. De koloniale geschiedenis werd vooral verteld als een verhaal van avontuur en ondernemingszin en vervolgens ook van een ethische roeping. Nog in 1941 – Rotterdam was al gebombardeerd, de nazi's heersten in Nederland, Japan stond op het punt een einde te maken aan Nederlands-Indië – werd een balans opgemaakt van het kolonialisme onder de ronkende titel 'Daar wèrd wat groots verricht...'. Het 'verlies van Indië' kwam hard aan; decennialang werd het koloniale verleden daarna verdrongen. En als het in de oude, triomfantelijke zin werd teruggeroepen – denk aan de lofprijzing, in 2006, van de toenmalige minister-president Jan-Peter Balkenende over 'de VOC-mentaliteit' – dan riep dat direct veel ongemak en kritiek op.[1]

De kritische 'herontdekking' van het koloniale verleden heeft alles te maken met de dekolonisatie en met de daaraan verbonden postkoloniale migraties. De dekolonisatie van Azië en Afrika maakte korte metten met het idee dat de gekoloniseerde volkeren het kolonialisme als vanzelfsprekend accepteerden. In Nederland sloeg de Indonesische onafhankelijkheidsverklaring van 17 augustus 1945 in als een bom, en het breed gedragen antwoord was weigering en vervolgens oorlog – in 2005, zestig jaar later, zou de toenmalige minister van Buitenlandse Zaken Ben Bot namens de regering verklaren dat Nederland in 1945-1949 'aan de verkeerde kant van de geschiedenis' had gestaan. Veruit de meeste politici, maar ook de grote meerderheid van de bevolking, had niet begrepen of had niet willen accepteren dat de tijd van het kolonialisme voorbij was.

Wat direct de vraag oproept of het kolonialisme dan ooit wél acceptabel is geweest. Dat is een discussie op zich, waarbij steeds meer het besef is gegroeid dat de drijfveren van het Europese kolonialisme primair zelfzuchtig waren (economische en geopolitieke belangen) en de toenmalige Europese rechtvaardiging gestoeld was op een racistisch of op zijn best paternalistisch superioriteitsgevoel. In veel bredere zin 'aan de verkeerde kant van de geschiedenis' dus. Dat besef is de laatste decennia steeds meer doorgedrongen in het publieke en politieke debat, en zo is er een brede erkenning ontstaan van wat wel wordt aangeduid als de 'schaduwzijden', of ook met de in dit verband uiterst ongelukkige uitdrukking 'zwarte bladzijden' van de Nederlandse geschiedenis. Vrijwel niemand zal vandaag nog de toenmalige mensenhandel in Afrikanen of Aziaten goedpraten, of de vele bloedige koloniale oorlogen die Nederland voerde. Velen veroordelen of betreuren inmiddels álle aspecten van die koloniale geschiedenis. De discussie is deels ook verschoven, naar de vraag welk gewicht aan dit koloniale verleden moet worden toegekend in het bredere verhaal van de Nederlandse geschiedenis. En ook daar zijn we nog lang niet uit.

In deze discussies zijn Nederlanders met een verleden in de koloniën een steeds prominentere rol gaan spelen. Dat is logisch, zij kenden hun geschiedenis en zij bleven steeds weer ontdekken dat hun landgenoten in het 'moederland' waarin zij zich vestigden bar weinig wisten van die koloniale geschiedenis en er meestal ook weinig van wilden weten. De frustratie daarover was en blijft groot. Nederlandse migranten uit de voormalige koloniën hebben de eerder aangehaalde uitdrukking 'Wij zijn hier omdat jullie daar waren' niet zelden verontwaardigd gebezigd, juist als hun werd verweten dat zij niets in dit land te zoeken hadden.

Dat wil niet zeggen dat alle Nederlanders met een (post)koloniale achtergrond hetzelfde denken over die geschiedenis en de hedendaagse betekenis ervan. Om te beginnen, ieder individu verhoudt zich anders tot het verleden en heeft eigen ideeën over de rol die dat verleden vandaag speelt. Maar er zijn ook wel verschillen te zien die meer op een collectief niveau kunnen worden geduid. En daar begint het verhaal van één koloniaal verleden te verbrokkelen, en is het ook niet erg zinvol om de hedendaagse beleving ervan over één kam te scheren.[2]

Veruit het grootste deel van de migranten uit Nederlands-Indië waren op een of andere manier verbonden met het koloniale regime en een koloniale manier van leven. Rond 1940 werd een half procent van de bevolking als 'Europees' geclassificeerd; het ging om zo'n 300.000 mensen op een bevolking van zeventig miljoen. Ruwweg een derde van deze groep was wit, twee derde gemengd Indonesisch-Europees – deze laatste groep is wel aangeduid als 'indo' en betitelt zichzelf soms nog wel, of weer, zo. Veruit het grootste deel van deze Europese groep zou zich tijdens of in de jaren na de onafhankelijkheidsoorlog in Nederland vestigen. Daarnaast kwamen er nog kleinere groepen uit Indonesië, enerzijds Molukse families waarvan de mannen hadden gediend in het Koninklijk Nederlands-Indisch Leger, anderzijds Chinezen, veelal uit de hogere middenklasse van de kolonie. Wat deze groepen, wellicht met uitzondering van die laatste, gemeen hadden was dat zij met de onafhankelijkheid van Indonesië hun vaderland verloren. Indië was voorbij, in Indonesië was voor hen, als representanten of 'handlangers' van de koloniale staat, geen plaats meer. Decennialang draaiden hun verhalen daarom om dit verlies van hun land en over de 'kille ontvangst' in Nederland. Pas recentelijk wordt er meer gesproken over heikele thema's als hun eigen plaats en betrokkenheid bij het koloniale, raciaal geordende systeem.

Waar dus in zekere zin veel van de postkoloniale frustraties in Indische en Molukse kring verbonden waren met het *einde* van de koloniale geschiedenis, is er in kringen van Surinamers van Afrikaanse afkomst en van Antillianen juist sprake van soms heftige emoties – woede, verdriet, schaamte – over het kolonialisme op zich, dat hun voorouders immers slavernij en racisme bracht. Dat leverde een totaal ander discours en een totaal andere politieke mobilisatie op. De Indische en Molukse gemeenschap in Nederland ijverde vooral voor erkenning van, en genoegdoening voor het lijden tijdens de Japanse bezetting en de onafhankelijkheidsoorlog en voor de als kil ervaren ontvangst in Nederland. Vanuit de Afro-Surinaamse en Antilliaanse gemeenschappen werd vooral geijverd voor erkenning van het onmetelijke onrecht van de slavernij en de – veronderstelde, ervaren – erfenissen daarvan.

Viering, in 2019, van de afschaffing van de slavernij bij het Rotterdamse slavernijmonument aan de Lloydkade, ontworpen door Alex da Silva en onthuld in 2013. (Foto: Alex van Stipriaan)

Min of meer in de marge ontwikkelde zich in Nederland ook een Hindoestaans- en Javaans-Surinaamse gemeenschap. Deze groepen, samen ruwweg de helft van de Surinaams-Nederlandse bevolking, stammen af van contractarbeiders die Nederland na de afschaffing van de slavernij (1863) naar de kolonie aanvoerde. Hoewel dit systeem wel is aangeduid als 'slavernij in een nieuw jasje' lijkt zeker in Hindoestaanse kringen een ander vertoog te overheersen, namelijk trots over de maatschappelijke vooruitgang in Suriname en vervolgens in Nederland, en een culturele en religieuze oriëntatie op India of – in mindere mate – Indonesië.

Het is, met andere woorden, niet goed mogelijk en ook niet erg zinvol om te proberen de hele koloniale geschiedenis van Nederland en vooral de beleving ervan door Nederlanders met een (deels) koloniale achtergrond als één en hetzelfde verhaal te begrijpen en te vertellen. Voorbij de al te

ware algemeenheden – het kolonialisme als zelfzuchtige onderneming, gebaseerd op racisme en waar nodig geweld – zijn er vele verhalen te vertellen en wordt de geschiedenis en de latere beleving ervan minder eenduidig. Wellicht moeten we zeggen: ook minder zwart-wit.

Dit is overigens ook goed te zien in de wijze waarop Nederland na de oorlog, schoorvoetend, ruimte heeft gegeven aan het koloniale verleden.[3] In de publieke ruimte werd met monumenten eerst aandacht gegeven aan het Nederlandse, en daarna aan het Indische en het Molukse lijden in de oorlog in Indonesië en vervolgens aan de vestiging in Nederland. Het Caribische slavernijverleden werd pas na 2000 monumentaal verbeeld, eerst in Amsterdam en met het in 2013 onthulde slavernijmonument in Rotterdam. Zo worden langzamerhand, ruim een eeuw nadat alle grote Nederlandse steden hun 'Indische' buurten en andere buurten met koloniale naamgeving hadden gekregen, ook nieuwe straatnamen toegewezen die juist strijders tegen het kolonialisme eren – denk aan de Hattasingel in Rotterdam, vernoemd naar Mohammad Hatta, ooit afgestudeerd in Rotterdam, die in 1945 met Soekarno de onafhankelijkheid van Indonesië uitriep.

HET ROTTERDAMSE AANDEEL

In deze context van maatschappelijke erkenning van, en bezinning op het kolonialisme als onlosmakelijk onderdeel van de Nederlandse geschiedenis paste de op 14 november 2017 door de gemeenteraad aangenomen motie van Peggy Wijntuin (PvdA), waarin een onderzoek naar het koloniale en slavernijverleden van Rotterdam werd bepleit. De achterliggende gedachte was dat 'kennis van het koloniale en slavernijverleden ons sterkt in wederzijds begrip en verbondenheid naar de toekomst' en dat 'gedeelde kennis van een verleden vanuit meerdere perspectieven bijdraagt aan hedendaagse en toekomstige inclusiviteit, d.w.z. saamhorigheid'. De Rotterdamse gemeenteraad nam de motie aan, zij het niet unaniem.[4] Zoals Peggy Wijntuin schrijft in haar voorwoord bij de bundel *Rotterdam, een postkoloniale stad in beweging*: 'Rotterdam heeft als havenstad eeuwenlang een actieve rol vervuld in het Nederlandse koloniale en slavernijsysteem. De directe nazaten van die geschiedenis vormen thans een substantieel deel van deze havenstad. De sporen van dat verleden zijn diep verankerd in onze samenleving; veel van de huidige Nederlanders ervaren nog altijd de naweeën daarvan.' Zij noemt de bundel een 'instrument tegen de onwetendheid. Immers, zonder kennis van het verleden is het onmogelijk te weten en te voelen waarom onze samenleving er op dit moment zo uitziet.' En wat Peggy Wijntuin over die bundel schrijft, dat geldt eigenlijk voor het drietal boeken dat dit onderzoek opleverde: zij willen bijdragen aan 'het wederzijds begrip en verbondenheid naar de toekomst. Ze dragen bij aan wat heet *Rotterdams burgerschap*.'

Met de gelijktijdige publicatie van drie boeken probeert een groep onderzoekers en auteurs aan deze verwachting te voldoen. In deze bundel, *Het koloniale verleden van Rotterdam*, wordt de geschiedenis in brede zin belicht, van economie en politiek tot architectuur en museale collecties, van een 'ethische roeping' en voor- en naoorlogse migratieverhalen tot hedendaagse debatten in de stad. Alex van Stipriaan schreef een tweede boek, *Rotterdam in slavernij*, dat volledig is gewijd aan het slavernijverleden van Rotterdam. Francio Guadeloupe, Paul van de Laar en Liane van der Linden ten slotte stelden een derde boek samen, *Rotterdam, een postkoloniale stad in beweging*, waarin de hedendaagse betekenis van deze geschiedenis centraal staat, in een stad die de afgelopen decennia steeds meer het etiket 'superdivers' kreeg opgeplakt.

Er is veel geschreven over de geschiedenis van Rotterdam, en de thema's 'havenstad' en de sfeer van 'durf' lijken alomtegenwoordig. Voor de twintigste eeuw is er allereerst het verhaal van de verwoesting in mei 1940 en de wederopbouw daarna; daarnaast zijn er de naoorlogse sociale geschiedenis en in het bijzonder de ingrijpende demografische veranderingen waardoor Rotterdam een sterk multiculturele stad werd. Over het eerste thema verschenen aanmerkelijk meer historische studies dan over het tweede.[5]

Een wetenschappelijke studie of publieksboek gewijd aan het koloniale verleden van Rotterdam bestond nog niet. Dat wil niet zeggen dat historici het thema 'Rotterdam en kolonialisme' bewust hebben genegeerd. In de rijke economisch-historische literatuur over Rotterdam wordt uiteraard aandacht besteed aan de koloniale handel en nijverheid, maar niet als centraal thema; hetzelfde geldt voor de meeste studies over de Rotterdamse economische en politieke elite en haar koloniale banden. Ook in historische studies over onderwerpen als onderwijs, wetenschap, cultuur en stedenbouw zijn wel verwijzingen naar de koloniale geschiedenis te vinden maar werd dat thema nooit in het middelpunt geplaatst. Anderzijds hebben historici die schreven over de koloniale en postkoloniale geschiedenis van Nederland weliswaar aandacht besteed aan de Rotterdamse connectie en ruim gebruikgemaakt van Rotterdamse archieven, maar nooit die Rotterdamse casus centraal gesteld.[6]

In *Het koloniale verleden van Rotterdam* brengen de auteurs deze beide benaderingen bij elkaar, net zoals Van Stipriaan dat doet in zijn specifiek op de Atlantische slavenhandel en Caribische slavernij gerichte studie. In beide boeken wordt dankbaar gebruikgemaakt van de beschikbare studies over de geschiedenis van Rotterdam en over het Nederlandse kolonialisme; daarnaast hebben de auteurs nieuw onderzoek gedaan. Leidend was de vraag welk aandeel Rotterdam had in de bredere koloniale geschiedenis van Nederland en welke gevolgen dat had voor Rotterdam. Daaraan worden ook reflecties geknoopt over de hedendaagse betekenis van dit verleden; in de derde bundel, geredigeerd door Guadeloupe, Van de Laar en Van der Linden, staan die reflecties centraal.

Hiermee is meteen een wezenlijke beperking van deze boeken aangegeven. Wij kijken vooral naar Rotterdam, en veel minder naar de gevolgen in de koloniën en voor de toenmalige 'onderdanen', al dan niet in slavernij levend. Natuurlijk speelt deze dimensie voortdurend mee, op de achtergrond, en bijvoorbeeld in het hoofdstuk over stedenbouw en architectuur wordt ook wel summier aandacht besteed aan Rotterdamse bouwkunst in de koloniën. Maar wij bieden geen studie over de overzeese effecten van het Nederlandse kolonialisme, waarin zoals wij zullen zien Rotterdam een belangrijke rol speelde. Over die brede Nederlandse koloniale geschiedenis zijn al boekenkasten vol geschreven, zonder dat er maar een begin is van een laatste woord. Maar ook ten aanzien van de meer beperkte opdracht die wij ons hebben gesteld hebben wij bescheiden pretenties. Over de Rotterdamse dimensie van het Nederlandse koloniale verleden is nog veel meer te onderzoeken en te schrijven dan wij in dit eerste verken-

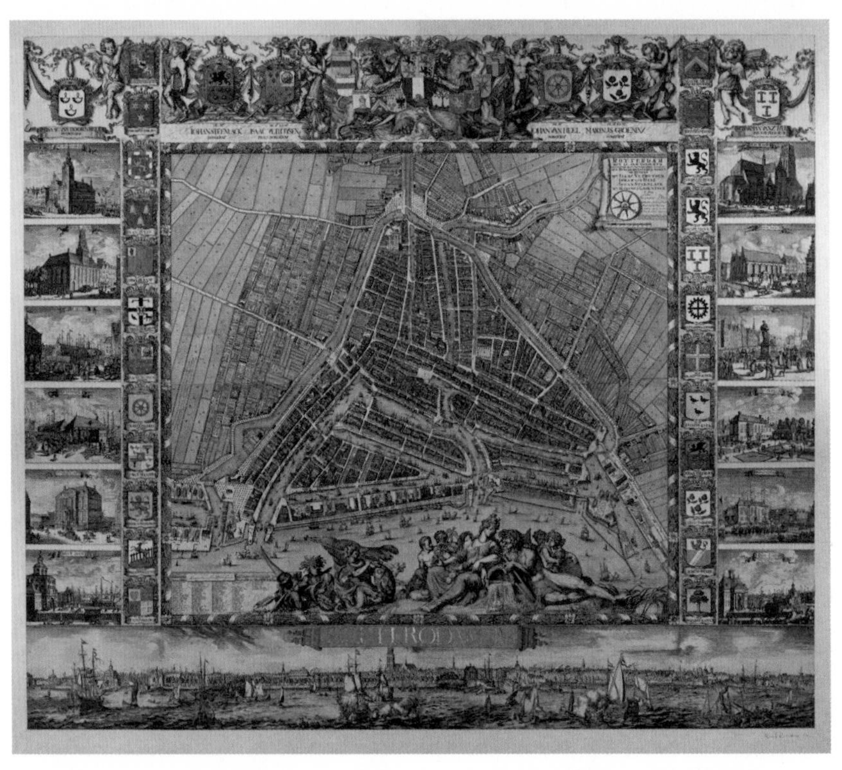

Wandkaart van Rotterdam van Johannes de Vou en Romeyn de Hooghe, 1694. Op de kaart zijn koloniale locaties in de stad aangeduid, zoals het Oost-Indisch Huis en het West-Indisch Huis, voorts een 'hoorn van overvloed' met onder meer koloniale producten. Bij die hoorn en rond de stedemaagd zijn verschillende personen van kleur te zien, die hier tot symbolen van de koloniale expansie worden gemaakt. (Stadsarchief Rotterdam)

nende project hebben gedaan.[7] Wij zien deze boeken daarom niet alleen als een eerste en belangrijke poging om gevolg te geven aan de inspiratie en vragen die ten grondslag lagen aan de motie-Wijntuin, maar ook als uitnodiging aan volgende generaties onderzoekers.

Wat is nu het algemene beeld? Rotterdam heeft een lang koloniaal en slavernijverleden. Hoe kan het ook anders? Kolonialisme begon met scheepvaart, en Rotterdam was in de zeventiende en achttiende eeuw na Amsterdam en met Vlissingen/Middelburg de belangrijkste havenstad van de Republiek der Verenigde Nederlanden. In de late negentiende eeuw – inmiddels was Nederland een koninkrijk geworden – ging de Rotterdamse haven zelfs die van Amsterdam overvleugelen. In de twee hoofdstukken van de hand van Gerhard de Kok wordt deze ontwikkeling zichtbaar gemaakt. De Rotterdamse betrokkenheid bij kolonialisme en slavernij begint al vroeg, nog voor de oprichting van de VOC en de WIC; zowel de eerste Nederlandse reis rond de wereld als het eerste Nederlandse slavenschip had een Rotterdams tintje. In het hoofdstuk 'De koloniale connectie' reconstrueert De Kok deze handelsgeschiedenis. De stad was in bescheiden mate partner in de VOC en de WIC. Voor de meeste betrokken Rotterdammers was hun aandeel in de compagnieën onderdeel van een breder pakket van activiteiten. Amsterdam overheerste de VOC en de WIC, de trans-Atlantische slavenhandel werd gedomineerd door Zeeland en Amsterdam; dit neemt niet weg dat ook Rotterdamse ondernemers hierbij betrokken waren, zonder merkbare scrupules. In de vroege negentiende eeuw werd de slavenhandel gestaakt en zou de handel op de Cariben marginaal worden. De handel op Nederlands Oost-Indië daarentegen werd steeds belangrijker en droeg sterk bij aan de ontwikkeling van Rotterdam tot de wereldhaven die het vandaag is. Gedurende de gehele periode was Rotterdam bovendien actief betrokken bij de handel op koloniën van andere Europese landen. De Kok stelt dat de bijdrage van deze koloniale handel aan de Rotterdamse economie op zich niet heel groot was, maar mede door spin-off naar andere sectoren en de ontwikkeling van de stedelijke en maritieme infrastructuur wel significant bijdroeg aan de groei van Rotterdam naar de status van wereldhaven.

In zijn tweede bijdrage gaat Gerhard de Kok in op de betekenis van de koloniale connecties op de ontwikkeling van de Rotterdamse industrie en financiële dienstverlening. Hij doet dit aan de hand van de belangrijkste sectoren. Voor de nijverheid en industrie waren dat de suiker- en tabaksindustrie en de scheepsbouw. Voor de financiële sector analyseert

Affiche van de Rotterdamsche Lloyd als maildienst op Nederlands-Indië, circa 1880-1910. (Stadsarchief Rotterdam)

hij achttiende-eeuwse 'negotiaties' in Surinaamse slavenplantages en negentiende-eeuwse investeringen in Nederlands Oost-Indië, alsmede de verzekeringssector, met onder meer belangen in de VOC en de slavenhandel. Dat er ook hier een Rotterdams economisch belang aanwijsbaar is, is duidelijk. Maar hoe zwaar telde dit? De Kok trekt hierover voorzichtige conclusies. Hij meent dat de bijdrage van de koloniale handel – niet alleen met Nederlandse, maar ook met Britse en Franse koloniën – vooral tussen 1750 en 1850 belangrijk was voor de industriële ontwikkeling van de stad. Daarna werd de koloniale relatie juist belangrijk voor de financiële sector. De Kok concludeert dat de uiteindelijke ontwikkeling van Rotterdam tot wereldhaven in de eerste plaats te danken was aan de transito-functie naar het Europese, vooral Duitse achterland en aan het bredere proces van globalisering, maar dat in de voorgaande periode de koloniale connectie sterk had bijgedragen aan de positionering van de Maasstad.

De Rotterdamse handelselite had traditioneel nauwe banden met het stadsbestuur en het is dan ook niet verwonderlijk dat de koloniale belangen doorgaans goed werden behartigd in het stedelijke beleid, van stadspensionaris Johan van Oldenbarnevelt eind zestiende eeuw tot burgemeester Pieter Oud in de twintigste. In het hoofdstuk 'Rotterdamse ondernemers en bestuurders: een koloniale kruisbestuiving' onderzoekt en beschrijft Henk den Heijer de sterk verweven economische en bestuurlijke betrokkenheid van de Rotterdamse elite bij de koloniën. Die innige verstrengeling tekende zich al af in de periode van de compagnieën, waarbij overigens net als landelijk van toepassing was, de VOC veel belangrijker was dan de WIC. Wel waren Rotterdamse koopmanshuizen nauw betrokken bij het Surinaamse plantagewezen, en daarmee ook bij de slavenhandel en slavernij. Aan die slavenhandel kwam begin negentiende eeuw een eind, en al snel verdwenen de Caribische koloniën vrijwel uit het zicht van de Rotterdamse bestuurlijke en economische elite. West-Afrika speelde nog wel enige tijd een rol, maar allengs kwam alle belang te liggen bij Neder-

Plaquette van Van Nelle, 1906. Twee witte heren, de ene gekleed als in 1806, de andere als in 1906, domineren het beeld, maar bovenaan zijn vier andere consumenten afgebeeld, die andere continenten symboliseren en ook de vrouw een plaats geven. (Museum Rotterdam)

lands Oost-Indië. Den Heijer laat zien hoe de stedelijke bestuurders deze koloniale banden met overtuiging stimuleerden – wat weer geen wonder was omdat deze niet alleen de stedelijke economie en daarmee de ontwikkeling van Rotterdam tot een prominente havenstad ondersteunden, maar vaak ook hun persoonlijke economische belangen ten goede kwamen. Zo waren de bestuurders van de stad Rotterdam van het begin tot het einde nauw betrokken bij kolonialisme en ook bij de slavernij. Van merkbare twijfels, laat staan scrupules, was daarbij geen sprake, de bestuurders vonden dit kennelijk *business as usual*, goed voor de stad, goed voor hun eigen belangen.

De commerciële, industriële en demografische groei van Rotterdam was mede verbonden aan de expansie van de koloniale handel. De weerspiegeling van de koloniale geschiedenis in de stadsuitbreiding, architectuur en topografie van Rotterdam wordt geanalyseerd door Pauline van Roosmalen in haar bijdrage 'Een ander Rotterdam'. Hoewel zij benadrukt dat de resultaten van haar speurwerk niet uitputtend zijn, beschrijft zij een groot aantal van zulke erfenissen, variërend van straatnamen, standbeelden en ornamenten in de openbare ruimte tot een groot aantal gebouwen die in de stad verrezen, alsook stedenbouwkundige ontwikkelingen die mede waren verbonden aan de koloniale relaties van de stad. Vele van de oorspronkelijke huizen, villa's, magazijnen en werven die ooit werden gebouwd door belanghebbenden bij de VOC, de WIC of latere koloniale ondernemingen stonden in het hart van de stad, dat in mei 1940 door het Duitse bombardement werd verwoest. Die gebouwen onttrekt Van Roosmalen aan de vergetelheid op basis van vooroorlogse documenten en afbeeldingen. Andere staan nog overeind, veelal elders, maar ook die spreken niet voor zichzelf, en hebben, zoals zij schrijft, verhalen nodig om het verleden te vertellen. Heel kort schrijft Van Roosmalen ook over Rotterdamse sporen 'overzee', van het Fort Rotterdam in Makassar tot de kantoren van de Rotterdamsche Loyd die inmiddels in veel steden in Indonesië tot cultureel erfgoed worden gerekend. Het beeldessay van Isabelle Boon biedt treffende impressies van de sporen van het koloniale verleden in de hedendaagse stad.

In de latere fase van het kolonialisme gingen de Europese staten zich meer dan voorheen bekommeren om wat zij zagen als een 'ethische roeping' en gingen zij zich ook richten op taken die enigszins vergelijkbaar zijn met wat later ontwikkelingshulp zou gaan heten. Dit was zeker geen afscheid van het winstbejag, racisme en koloniale geweld van de voorgaande jaren, en ook het ethische denken was doordrenkt van paternalis-

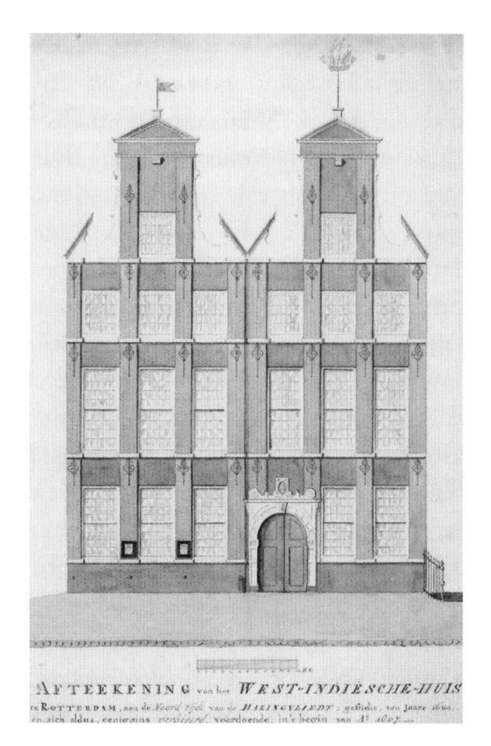

West-Indisch Huis aan het Haringvliet in Rotterdam. Ingekleurde tekening van P. van Leeuwen, 1807. De West-Indische Compagnie was overigens al in 1792 failliet gegaan. (Stadsarchief Rotterdam)

me. Niettemin was dit wel een draai die een belofte in zich droeg en ook als zodanig werd begrepen in de koloniën. Het inzicht in de tegenstrijdigheden van het koloniale beleid en in het falen van de nieuwe missie zou in Indonesië juist een belangrijke impuls geven aan de groei van het nationalisme. Tom van den Berge onderzoekt in zijn bijdrage de geschiedenis van de Nederlandse zending en missie in de koloniën, waarin Rotterdam een zeer belangrijke rol speelde. Hij maakt duidelijk hoe in deze nieuwe fase weliswaar christelijke-humanitaire doeleinden veel belangrijker werden, maar dat tegelijkertijd de zienswijze op 'de Ander', de koloniale onderdaan, onversneden paternalistisch en niet zelden uitgesproken racistisch bleef. In zijn analyse bespreekt Van den Berge tevens hoe de inspanningen van zending en missie bijdroegen aan de ontwikkeling van tropische geneeskunde – al was die aanvankelijk voornamelijk bedoeld om de zendelingen en missionarissen te beschermen.

De koloniale relaties waren dan wel primair gericht op economische transacties, maar zij leverden de stad ook heel andere producten op. In hun bijdrage 'Een geschiedenis zonder einde. Koloniale collecties in Rotterdam' beschrijven Alexandra van Dongen en Liane van der Linden hoe welgestelde Rotterdammers, zendelingen, wetenschappers en later ook museumprofessionals vanaf de late negentiende eeuw bijzondere verzamelingen aanlegden van oudheden, kunstnijverheid en alledaagse voorwerpen uit de koloniën, vooral uit Nederlands-Indië. Die collectioneurs legden de basis voor belangrijke museale collecties, vooral van het Wereldmuseum maar ook van het Maritiem Museum, Museum Boijmans Van Beuningen en Museum Rotterdam. Van Dongen en Van der Linden houden het niet bij deze beschrijving, zij analyseren ook hoe de betekenis van het verzamelen en de blik vanuit de musea en ook van hun publiek in de afgelopen anderhalve eeuw veranderden: van een sterk raciaal perspectief, waarin de 'Ander' al dan niet met waardering werd gevangen in koloniale tegenstellingen, tot hedendaagse museale praktijken waarin de koloniale erfenissen kritisch worden bevraagd en het museum ook zichzelf tot onderwerp van dekolonisatie maakt. Hun analyse gaat vergezeld van een pop-uptentoonstelling van vijftien objecten uit Rotterdamse collecties die deze ontwikkeling als het ware in beeld brengen.

Vanaf de vroege koloniale tijd kwamen er mensen uit de koloniën naar Nederland, al dan niet uit vrije wil. Esther Captain beschrijft deze migraties, beginnend met de vaak slaafgemaakte 'bediendes' die met hun meesters uit de koloniën kwamen via 'zeebaboes' en zeelieden tot de eerste student Mohammad Hatta, een van de hoofrolspelers in de onafhankelijkheidsstrijd van Indonesië. In de Tweede Wereldoorlog waren verschillende migranten in de koloniën betrokken bij het verzet tegen de nazi's, sommige gaven hun leven voor deze strijd. Direct na 1945 kwam Indië/ Indonesië even heel dichtbij te liggen doordat tienduizenden jongemannen vanuit Rotterdam als militair werden ingescheept voor de laatste grote koloniale oorlog. Maar na de soevereiniteitsoverdracht in 1949 werd de afstand in figuurlijke zin juist veel groter. Indische Nederlanders en Molukkers vestigden zich min of meer gedwongen in een land dat zij vaak alleen uit verhalen of van school kenden. Daarna vestigden zich ook andere (post)koloniale migranten in Nederland, en specifiek Rotterdam, eerst uit Suriname, later ook de Antillen. Dit levert verhalen op van bonte ervaringen: van soms een kille, dan weer een warme ontvangst, van soms schrijnende situaties qua wonen en werk, maar ook verhalen over levenslust en successen. En zo komen wij bij de superdiverse stad die Rotterdam nu is, een stad waaraan deze postkoloniale migranten zo'n belangrijke bijdrage hebben geleverd.

In het laatste hoofdstuk, 'Postkoloniaal Rotterdam', stellen Francio Guadeloupe, Paul van de Laar en Liane van der Linden de vraag hoe de koloniale geschiedenis, met inbegrip van de postkoloniale geschiedenis, resoneert in het hedendaagse Rotterdam. Dit slothoofdstuk is tevens een introductie tot de aparte bundel die zij gelijktijdig publiceren. Aan de hand van drie cases beschrijven zij hoe het koloniale verleden doorwerkt in het huidige, niet alleen postkoloniale maar ook superdiverse, Rotterdam. Die cases betreffen Indische fotoalbums en de verwerking daarvan in hedendaagse kunstprojecten; het ooit Antilliaanse, nu veel bredere Rotterdamse Zomercarnaval, en de oer-Rotterdamse snack 'kapsalon'. Enerzijds maakt hun bijdrage duidelijk dat 'postkoloniaal' allerminst betekent dat de koloniale geschiedenis eenvoudig voorbij is, vergeten en begraven; anderzijds is hun bijdrage ook een pleidooi om als Rotterdamse gemeenschap verder te groeien, voorbij de tegenstellingen uit het verre en recente verleden.

Uit deze bijdrage aan deze bundel wordt overigens ook duidelijk dat het steeds minder zin heeft om een scherp onderscheid te maken tussen postkoloniale migranten uit de voormalige Nederlandse koloniën en migranten uit andere Europese koloniën, zoals de grote Kaapverdische gemeenschap. Daar is het weer: 'superdiversiteit'. En in die superdiverse stad worden gelijktijdig talloze debatten gevoerd, soms alleen in *bubbles* van gelijkgestemden, soms tussen allerlei groepen van uiteenlopende opvattingen en pluimage. Met de komst van de nieuwe media is het debat niet overzichtelijker geworden, en helaas ook niet vriendelijker. Met deze boeken proberen de auteurs, in de geest van de motie-Wijntuin, echter niet de polarisatie te zoeken, maar de verbinding.

NEDERLANDSE EN EUROPESE VRAGEN EN HERDENKINGEN

Dit boek, en ook dit hele project, gaat over Rotterdam, maar het is duidelijk dat dezelfde vragen kunnen worden gesteld over de geschiedenis van andere steden in Nederland. Dit gebeurt dan ook, en in toenemende mate wordt hieraan in de media en in musea aandacht besteed. Er is in de afgelopen jaren vooral veel aandacht besteed aan het slavernijverleden. Dat leidde tot diverse publicaties. In 2007 jaar verscheen het boek *Op zoek naar de stilte. Sporen van het slavernijverleden in Nederland.* Sindsdien werden verschillende wandelgidsjes gepubliceerd van steden als Amsterdam, Groningen, Haarlem, Leiden en Utrecht, waarvan veel materiaal weer werd gecombineerd in de *Gids slavernijverleden Nederland*. In die gids wordt overigens ook enige aandacht besteed aan Rotterdam. Het Rotterdamse Wereldmuseum wijdde in 2003 een eerste tentoonstelling aan de slavernij, met als gastconservator de Curaçaose kunstenaar Felix de Rooy. Met deze tentoonstelling – die in deze bundel uitvoerig aan de orde komt – wilde hij 'een bijdrage leveren aan het historisch inzicht en de maatschappelijke emotie die onontbeerlijk zijn in het detraumatiserings- en helingsproces van onze maatschappij'.[8]

Een vergelijkbare publicatie als deze, waarin de sporen van het kolonialisme in Nederland in bredere zin worden belicht, is er nog niet. Voor Amsterdam is er wel het publieksboek *Amsterdam in de wereld*, dat echter niet alleen het koloniale verleden belicht. Ook Den Haag is in het verleden ('weduwe van Indië') en ook recentelijker wel regelmatig gekoppeld aan het koloniale verleden, maar dan juist weer voornamelijk aan de Indische aanwezigheid in de stad.[9] Het zou overigens niet meevallen om de sporen in Nederland van het kolonialisme in het bestek van één boek samen te vatten. Natuurlijk zou dan moeten worden geschreven over de postkoloniale migranten en hun voorouders, en over wat zij bijdroegen aan de Nederlandse cultuur. Maar dat is lang niet alles. Wie gaat zoeken, komt er al snel achter dat de Nederlandse geschiedenis en economische, politieke en culturele ontwikkeling nauw zijn verbonden met dat kolonialisme, dat Nederland talloze gebouwen, monumenten, parken, stadswijken en wetenschappelijke en kunstcollecties heeft die op een of andere manier verbonden zijn met deze koloniale geschiedenis. Met dit boek proberen wij voor één Nederlandse stad – en bepaald niet de minste – te laten zien wat zo'n zoektocht kan opleveren. Dat wij dit mogen doen in opdracht van burgemeester en wethouders van Rotterdam, op aandringen van de gemeenteraad, getuigt van een bereidheid het eigen verleden kritisch onder ogen te zien, een bereidheid die heel lang allerminst vanzelfsprekend was. Rotterdam is daarmee een voorloper.

Nederland is natuurlijk niet het enige Europese land met een koloniaal verleden, en ook in die andere landen is er steeds meer ruimte om dat verleden kritisch tegen het licht te houden. Daarbij vallen enkele zaken op.[10] Allereerst dat veruit de meeste aandacht is gericht op de trans-Atlantische slavenhandel en de slavernij in de Cariben, en dat de aandacht die daaraan nu wordt besteed vrijwel altijd in het teken staat van erkenning, van schuld en van spijtbetuigingen enerzijds, en aandacht voor de overlevingskunst van de slachtoffers en hun nazaten anderzijds. Daarbij valt op dat deze berouwvolle herontdekking – en aarzelende aanzetten tot debatten over genoegdoening, *reparations* – vooral aan de orde is in Frankrijk, het Verenigd Koninkrijk en Nederland, en veel minder in Spanje of Portugal, terwijl die landen toch ook een vergelijkbare en ook nog eens langere geschiedenis van daderschap hebben. Een goed deel van het antwoord op dit raadsel kan worden gevonden in de postkoloniale migratiegeschiedenis: in de Iberische landen bestaan anders dan in Frankrijk, het Verenigd Koninkrijk en Nederland geen omvangrijke gemeenschappen van nazaten die dit thema op de politieke agenda wisten te krijgen.

Dit wil niet zeggen dat er in de landen om ons heen alléén aandacht wordt besteed aan het slavernijverleden, en nog minder dat het bredere koloniale verleden overal even kritisch wordt benaderd. Integendeel. In Frankrijk zijn en worden heftige debatten gevoerd over het koloniale verleden; er werd in het vorige decennium wel gesproken van een *guerre des mémoires*, een oorlog over de herinnering aan het koloniale verleden, waarin ook de Franse staat zich uitdrukkelijk mengde. Centraal in dat nog altijd voortdurende debat staat de kolonisatie van Algerije en de uiterst bloedige onafhankelijkheidsoorlog daar (1954-1962). Anders dan ten aanzien van het Franse slavernijverleden is hier sprake van een sterke stroming, gedragen door repatrianten en hun nazaten, die de nadruk legt op wat zij zien als de positieve kanten van het Franse kolonialisme.

Iets vergelijkbaars, een benadrukking van goede bedoelingen en resultaten, is aanwijsbaar in het Verenigd Koninkrijk, maar bijvoorbeeld ook in België, met zijn betrekkelijk korte maar uiterst omstreden koloniale geschiedenis in Congo. Opnieuw lopen Spanje en Portugal nogal achter als het gaat om het kritisch beschouwen van de eigen koloniale geschiedenis en de bloedige dekolonisatieoorlogen – maar laten we niet vergeten dat ook Nederland decennialang leed aan wat Abraham de Swaan ooit aanduidde als 'koloniale absences' – 'We willen niet weten wat we weten.'[11] Zoals dat in de oorlog in Indonesië, 1945-1949, tegenover iedere dode in Nederlandse krijgsdienst ten minste twintig Indonesiërs sneuvelden.

Het Rotterdamse initiatief om de eigen betrokkenheid bij het gehele koloniale en slavernijverleden te laten onderzoeken is niet alleen in Nederlands, maar ook in Europees perspectief uniek. Wel hebben andere Europese steden, vooral Franse en Britse, de afgelopen jaren veel aandacht besteed aan hun eigen betrokkenheid bij de trans-Atlantische slavenhandel en slavernij. In Frankrijk zijn dat vooral de havensteden Le Havre,

La Rochelle, Nantes, Bordeaux en zelfs Marseille, maar ook Parijs als bestuurlijk centrum van het koloniale systeem. In deze steden zijn inmiddels monumenten opgericht, permanente musea gevestigd of tentoonstellingen ingericht, en altijd ging dat gepaard met historisch onderzoek naar de eigen betrokkenheid en hedendaagse sporen.

In het Verenigd Koninkrijk hebben de hoofdstad Londen en de belangrijkste betrokken havensteden Bristol en Liverpool vergelijkbare initiatieven genomen, maar ook steden die een belangrijke rol speelden in de afschaffing van slavenhandel (1807) en later slavernij (1834-1838), zoals Hull. De *bicentennial* van die afschaffing, in 2007, leidde tot een hausse van herdenkingen, onderzoek, tentoonstellingen, documentaires, publicaties en debatten waaruit onder meer duidelijk werd dat deze geschiedenis zich ook in de verste uithoeken van het koninkrijk afspeelde en daar sporen achterliet – dit werd en/of wordt herdacht in steden als Belfast, Glasgow en Nottingham. Uit de stapel boeken die tijdens en vooral na dit bicentennial verschenen blijkt overigens wel overduidelijk hoe de perspectieven en intenties van de verschillende betrokken partijen uiteenliepen en hoe dit onvermijdelijk tot pijnlijke misverstanden en conflicten leidde.[12] Daaruit zijn ook voor Rotterdam lessen te trekken.

Buiten deze drie landen zijn er her en der wel wat stedelijke initiatieven, bijvoorbeeld in Spanje (Barcelona) en Portugal (Lissabon), maar die lijken meer particulier dan gemeentelijk van aard en vrijwel altijd gaat het daarbij uitsluitend om slavenhandel en slavernij. Hetzelfde geldt voor Denemarken (Kopenhagen) en Zweden (Stockholm en Göteborg).

Opmerkelijk genoeg is het enige bredere initiatief, dat dus het meest vergelijkbaar is met het Rotterdamse, in Hamburg gevestigd. Het is niet erg bekend dat Duitsland ook een koloniale geschiedenis heeft, beginnend in de vroege zeventiende eeuw en eindigend na de Eerste Wereldoorlog. Omdat na de nederlaag in die oorlog Duitsland alle koloniën moest overdragen – aan de Britten en Fransen – bleef dit verleden lang 'vergeten'. Nu het weer wordt opgegraven gaat dat gepaard met debatten over uiterst schokkende episodes, vooral de in 2016 door Duitsland officieel als genocidaal erkende onderwerping van de Herrero en Nama in het toenmalige Duits-Zuidwest-Afrika, nu Namibië, van 1904 tot 1908. Dat behoort tot de context waarin Hamburg, net als Rotterdam bij uitstek een internationale havenstad, de eigen rol in de koloniale geschiedenis is gaan onderzoeken en tentoonstellen. Ook in Berlijn en Bremen worden dergelijke 'postkoloniale' initiatieven ontwikkeld.

PERSPECTIEVEN, TERMINOLOGIE EN VERVOLG

Er is maar één geschiedenis, maar er zijn vele perspectieven op die geschiedenis. Iedere generatie herschrijft de geschiedenis, zo is vaak vastgesteld. Dat is waar, maar ook het halve verhaal. Mensen van verschillende achtergrond – waaronder klasse, etniciteit, gender, leeftijd – stellen soms heel andere vragen, interpreteren en ervaren het verleden heel verschillend. Voor een thematiek als het koloniale verleden geldt dat zeker, en daarbij is het onderscheid tussen mensen die wel of niet een persoonlijke band hebben met dat koloniale verleden vrijwel onontkoombaar. Het koloniale verleden is en wordt vooral onder druk van migranten uit de voormalige koloniën en hun nazaten 'herontdekt' en in toenemende mate serieus genomen. De meeste andere, 'witte' Nederlanders wisten weinig van deze geschiedenis, wilden er althans tot voor kort ook niet veel van weten en willen vooral niet worden aangesproken als 'daders' van die geschiedenis. 'Toen waren mijn ouders nog niet eens geboren!' 'Mijn voorouders waren arme boerenknechten in Gelderland!' Enzovoorts.

Het behoort tot de taken van historici die zich bezighouden met de koloniale geschiedenis om niet alleen te proberen een overtuigend verhaal te destilleren uit alle chaotische en elkaar soms tegensprekende gegevens, maar ook om goed na te denken over de betrouwbaarheid en perspectieven van de dragers van informatie over dat verleden – of dat nu archieven en museale collecties zijn, of verhalen van mensen die in die koloniale wereld leefden of van hun nazaten die van generatie op generatie verhalen doorgeven. Dat is geen eenvoudige opgave, getuige de hartstochtelijke wijze waarop wordt gedebatteerd over wat nu de kern was van het koloniale systeem, welke rol racisme en geweld daarin speelden, of Nederland nu juist door het kolonialisme zo welvarend is geworden, of dit verleden vandaag nog trauma's meebrengt, of alle Nederlanders zich betrokken zouden moeten voelen bij dit koloniale en slavernijverleden en er wellicht ook wel beschaamd over zouden moeten zijn. Ogenschijnlijk zakelijke vragen blijken niet eenvoudig te beantwoorden, en morele vragen niet goed te ontwijken.

De auteurs in deze bundel denken hier niet allemaal hetzelfde over. Wat zij wel delen is de overtuiging dat grondige kennis van het koloniale verleden aan de basis staat van zinvolle gesprekken over de hedendaagse betekenis ervan, ook in een stad als Rotterdam. En mocht daar nog twijfel over zijn: ook dit onderzoek leverde weer vele en soms heel verrassende nieuwe informatie op over een tot op heden onderbelichte dimensie van de Rotterdamse geschiedenis. Wil dat zeggen dat Rotterdam alleen dankzij dit verleden de stad is geworden die het is, of dat dit verleden het enige of belangrijkste verhaal is dat over de stad kan of mag worden verteld? Natuurlijk niet. Maar zoals zal blijken is het wel een belangrijke verhaallijn in de Rotterdamse geschiedenis.

Woorden doen ertoe, juist omdat de thematiek van dit boek soms heftige emoties oproept. De auteurs van deze bundel, maar ook van de twee andere boeken, kiezen hun woorden met zorg. Woorden die niet lang geleden nog neutraal en aanvaardbaar leken, zoals 'neger', gelden nu niet meer als acceptabel en worden dus – behalve in citaten en in de verantwoording van het schilderij op de omslag van dit boek, door Charley Toorop immers zelf zo genoemd – vermeden. Maar wat te doen met recentelijk geagendeerde terminologische kwesties, zoals de keuze tussen 'slaaf' en 'tot slaaf gemaakte' of kortweg 'slaafgemaakte'? Dat is aan de auteurs overgelaten, in de overtuiging dat het ook wie de traditionele keuze maakt niet aan respect ontbreekt.

Het grootste deel van dit boek biedt kennis en stof tot nadenken over het koloniale en slavernijverleden van Rotterdam. Alleen in de laatste bijdrage staat de vraag centraal wat deze kennis en de debatten erover voor de stad betekenen – de achterliggende vraag die vermoedelijk de indiener en ondersteuners van de motie-Wijntuin inspireerde, maar die wellicht de tegenstemmers juist weerhield om het initiatief te ondersteunen tot een ogenschijnlijk toch vrij onschuldig onderzoek naar blinde vlekken in de stedelijke geschiedenis. Het is erg jammer dat hun tegenstem wel in de pers en vooral in de sociale media te horen waren of zijn, maar dat zij niet bereid waren mee te werken aan dit onderzoek, al was het maar om hun bezwaren ertegen nader voor het voetlicht te brengen.[13]

Als we verder denken in de richting van de motie-Wijntuin, gaat het al snel over de plaats die dit verleden moet krijgen in het onderwijs, in musea en niet te vergeten in de publieke ruimte. En dan gaat het ook over altijd weer enerverende kwesties als het wel of niet aanbieden van excuses voor de slavernij, over het standbeeld van Piet Hein of de naamgeving van uitgaansstraat en kunstcentrum Witte de With. Het is aan de politiek om daarover beslissingen te nemen. Niet alle auteurs van de drie boeken die voortvloeiden uit dit onderzoek zullen daarover hetzelfde oordeel hebben. Maar zij zijn het vermoedelijk allemaal wel eens met de stelling dat we het ongemakkelijke

In 1956 leggen jongens bloemen bij het uit 1870 daterende standbeeld van Piet Hein. Nog niet zo lang geleden gold Piet Hein, die voor de WIC in 1628 de Spaanse zilvervloot veroverde, als een nationale held. Tegenwoordig wordt er vaak kritischer over hem geoordeeld gezien zijn koloniale verleden. In juni 2020 werd zijn standbeeld in Delfshaven beklad en vervolgens van camerabewaking voorzien. (Stadsarchief Rotterdam, collectie fotograaf Ary Groeneveld)

verleden beter in een nieuw licht kunnen plaatsen dan het weg te moffelen. Of, zoals de burgemeester van Rotterdam, Ahmed Aboutaleb, het uitdrukte: het gaat om 'de bereidheid onze geschiedenis onder ogen te zien', als verantwoordelijkheid en 'verworvenheid van onze samenleving', als gebaar van 'zorgvuldige verwerking' gericht op 'het omslaan van een bladzijde'.[14]

Daarmee staan we weer helemaal in het heden. Uit het verleden kunnen we leren over de verschrikkingen van slavernij en kolonialisme, in de Nederlandse en specifiek Rotterdamse geschiedenis, maar eigenlijk in de hele geschiedenis van de mensheid. Diezelfde geschiedenis leert ons echter ook over tegenstemmen en verzet. Dat is een geschiedenis waarin uiteindelijk, nog niet zo lang geleden, internationaal werd vastgelegd dat slavernij een misdaad tegen de menselijkheid is en dat elk gekoloniseerd volk het recht heeft op zelfbeschikking. Dat is vooruitgang, reden tot blijdschap. Maar iedereen kan zien dat de werkelijkheid nog steeds anders is, dat er nog veel onvrijheid is in de wereld en dat slavernij, al dan niet verbonden met racisme, in allerlei verkapte vormen (dwangarbeid, kinderarbeid, seksslavernij, noem maar op) nog steeds bestaat – zelfs in een stad als Rotterdam. Dus er blijft werk te doen.

NOTEN

1 Van Helsdingen, *Daar wèrd wat groots verricht...* *Handelingen Tweede Kamer*, 28-09-2006.
2 Het volgende is gebaseerd op Oostindie, *Postkoloniaal Nederland.*
3 Oostindie, Schulte Nordholt & Steijlen, *Postkoloniale monumenten.*
4 Motie-Wijntuin, ingediend 9-11-2017. Behalve de PvdA stemden D66, NIDA, SP, Groenlinks en PvdD voor; Leefbaar Rotterdam en VVD stemden tegen.
5 In de naoorlogse historiografie over Rotterdam komt de (post)koloniale geschiedenis wel terloops aan bod, maar nooit als dominant thema; zie bv. Van der Schoor, *Stad in aanwas* en Van de Laar, *Stad van formaat.* In Van de Laar, Lucassen & Mandemakers, *Naar Rotterdam* komt de (post)koloniale migratie nauwelijks ter sprake. In zijn latere boek *Coolsingel* besteedt Van de Laar aandacht aan het Zomercarnaval (214-217), en aan het ontstaan van een multicultureel Rotterdam en de reacties daarop, vooral de opkomst van Pim Fortuyn (224-229).
6 Zo maakte Van Stipriaan voor zijn studie *Surinaams contrast* uitvoerig gebruik van de archieven van Rotterdamse handelshuizen; ik deed hetzelfde voor *Roosenburg en Mon Bijou.* Beide studies gaan over slavernij in Suriname en de Nederlandse belangen daarbij.
7 Zo ontbreekt in deze bundel Henk Sneevliet (1883-1942), die zijn eerste drie levensjaren in Rotterdam doorbracht en medeoprichter was van de communistische partijen van zowel Indonesië (1914) als China (1921).
8 Van Stipriaan et al., *Op zoek naar de stilte;* Hondius et al., *Gids slavernijverleden;* De Rooy, 'De erfenis van de slavernij'.
9 Hageman, *Amsterdam in de wereld*; in studies over het Nederlandse kolonialisme in algemene zin gaat het vaak specifiek ook over Amsterdam. Over Den Haag: Captain et al., *Indische zomer.*
10 Het volgende wordt uitvoeriger besproken in Oostindie, *Postkoloniaal Nederland,* 207-237.

11 De Swaan, 'Postkoloniale absences'.
12 Zie bijvoorbeeld Smith et al., *Representing Enslavement* en Hanley, Donington & Moody, *Britain's History*.
13 Zie wel de eerste, afwijzende reactie van Tim Versnel, vanuit de VVD-fractie: 'Wat lost dit op? Wat zal het ons leren, dat we niet al weten? Waar is men op uit? Is het genoegdoening? Wil men, nog meer dan al is gedaan, boetedoening? Of een verdere herwaardering van onze nationale geschiedenis? Zoekt men excuses? Of zoekt men in dat verleden naar een verklaring voor onrecht in de samenleving van vandaag?' (Vragen aan B&W Rotterdam, 28-08-2018)
14 Burgemeester Ahmed Aboutaleb, beantwoording van schriftelijke vragen van Tim Versnel (VVD) over zijn pleidooi voor nationale excuses voor de slavernij, 30-07-2019 (gemeente Rotterdam, Raadsinformatie, 7839321).

LITERATUUR

Captain, Esther, et al., *De Indische zomer in Den Haag. Het cultureel erfgoed van de Indische hoofdstad.* Leiden: KITLV Uitgeverij, 2005.

Hageman, Mariëlle, *Amsterdam in de wereld. Sporen van Nederlands gedeelde verleden.* Amsterdam: Ambo/Anthos, 2016.

Hanley, Ryan, Katie Donington & Jessica Moody, *Britain's History and Memory of Transatlantic Slavery.* Liverpool: Liverpool University Press, 2016.

Helsdingen, W.H. van (red.), *Daar wèrd wat groots verricht... Nederlandsch-Indië in de XXste eeuw.* Amsterdam: Elsevier, 1941.

Hondius, Dienke, et al., *Gids slavernijverleden Nederland/Slavery Heritage Guide.* Volendam: LM Publishers, 2019.

Laar, Paul van de, *Stad van formaat. Geschiedenis van Rotterdam in de negentiende en twintigste eeuw.* Zwolle: W. Books, 2009.

Laar, Paul van de, *Coolsingel. 700 jaar Rotterdammers en hun stad.* Amsterdam: Bas Lubberhuizen, 2017.

Laar, Paul van de, Leo Lucassen & Kees Mandemakers (red.), *Naar Rotterdam. Immigratie en levensloop vanaf het einde van de negentiende eeuw.* Amsterdam: Aksant, 2006.

Oostindie, Gert, *Roosenburg en Mon Bijou. Twee Surinaamse plantages, 1720-1870.* Dordrecht/Providence: Foris, 1989.

Oostindie, Gert, *Postkoloniaal Nederland. Vijfenzestig jaar vergeten, herdenken, verdringen.* Amsterdam: Bert Bakker, 2010.

Oostindie, Gert, Henk Schulte Nordholt en Fridus Steijlen, *Postkoloniale monumenten in Nederland/Post-colonial monuments in the Netherlands.* Leiden: KITLV Press, 2011.

Rooy, Felix de, 'De erfenis van de slavernij', in *De erfenis van slavernij. Tekstboek* 1. Rotterdam: Wereldmuseum, 2003.

Schoor, Arie van der, *Stad in aanwas. Geschiedenis van Rotterdam tot 1813.* Zwolle: Uitgeverij Waanders, 1999.

Smith, Laurajane, et al., *Representing Enslavement and Abolition in Museums: Ambiguous Engagements.* Londen: Routledge, 2011.

Stipriaan, Alex van, *Surinaams contrast. Roofbouw en overleven in een Caraïbische plantagekolonie 1750-1863.* Leiden: KITLV Uitgeverij, 1993.

Stipriaan, Alex van, et al., *Op zoek naar de stilte. Sporen van het slavernijverleden in Nederland.* Leiden: KITLV Uitgeverij/NiNsee, 2007.

Swaan, Abraham de, 'Postkoloniale absences', *De Groene Amsterdammer* 141/19 (2017).

ROTTERDAMSCHE LLOYD

MAILDIENST OM DE VEERTIEN DAGEN

VAN ROTTERDAM NAAR JAVA

VIA SOUTHAMPTON EN MARSEILLE.

Hoofdagenten RUYS & C°.
ROTTERDAM.

Agenten INTERNATIONALE CREDIET- EN HANDELS-VEREENIGING „ROTTER
BATAVIA.

GERHARD DE KOK

DE KOLONIALE CONNECTIE:

GESCHIEDENIS VAN DE ROTTERDAMSE KOLONIALE SCHEEPVAART EN HANDEL

ROTTERDAM IS MET RECHT EEN WERELDSTAD TE NOEMEN: BIJNA 30.000 ZEESCHEPEN lopen jaarlijks de Rotterdamse havens binnen met producten uit de hele wereld.[1] De basis voor die ontwikkeling is meer dan vierhonderd jaar geleden gelegd, toen ondernemende Rotterdammers meer en meer gingen deelnemen aan de intercontinentale scheepvaart. Niet al die handel vond vrij en vrijwillig plaats. Een deel van de Rotterdamse scheepvaart was gericht op overzeese koloniën. Tot diep in de negentiende eeuw beschouwde Nederland zijn koloniën primair als wingewesten, waar het moederland economisch voordeel uit moest trekken. In dit hoofdstuk staat de betrokkenheid van Rotterdam bij de koloniale scheepvaart en handel centraal. Het volgende hoofdstuk onderzoekt de invloed van deze koloniale connectie op enkele belangrijke sectoren van de stedelijke industrie en financiële dienstverlening.

ONDERZOEKSOPZET

Dit hoofdstuk biedt een inventarisatie van de connecties tussen Rotterdam en de koloniale wereld. Het onderzoek richt zich voornamelijk op het gebied dat viel binnen de (verschuivende) stadsgrenzen. Rotterdam had aan het einde van de zestiende eeuw ongeveer 13.000 inwoners, een eeuw later waren dat er al 50.000 en in 1800 waren er ongeveer 57.000 Rotterdammers. De groei in de late negentiende eeuw ging snel: van 90.000 inwoners in 1850 tot 300.000 rond 1900. In de eerste decennia van de twintigste eeuw zette die onstuimige groei door.[2] Voor een deel van deze Rotterdammers had de koloniale scheepvaart een directe invloed op hun leven. Zij investeerden bijvoorbeeld in de handel op koloniën, voeren mee op schepen van de Verenigde Oost-Indische Compagnie (VOC) of waren toeleverancier van een koloniaal handelshuis.

De koloniale wereld is niet nauwkeurig af te bakenen. In eerste instantie richt het onderzoek zich op de Rotterdamse interactie met Nederlandse koloniën. Een nationaal onderzoeksperspectief is echter te beperkend. Zo waren er volop onderlinge connecties tussen Europese koloniën. Ook de scheepvaart en handel vanuit Europa verliep niet altijd langs nationale lijnen. De Rotterdamse connectie met de koloniale wereld omvat daardoor ook de interactie met niet-Nederlandse koloniën. Soms komt ook de Rotterdamse activiteit aan bod in gebieden die pas later formeel onder koloniale invloedsfeer kwamen. Het gaat bijvoorbeeld om de buiten-Europese expedities vóór de oprichting van de VOC en de West-Indische Compagnie (WIC). Ook de negentiende-eeuwse Rotterdamse activiteiten aan de mond van de Congorivier vallen hieronder.

Dit hoofdstuk gaat met zevenmijlslaarzen door een periode van ruim 350 jaar, waarbij de nadruk ligt op de periode tussen 1600 en 1900. Het verhaal begint aan het einde van de zestiende eeuw met het begin van de Rotterdamse intercontinentale scheepvaart. Het richt zich daarna op de betrokkenheid van Rotterdammers bij de koloniale activiteiten van de VOC en de WIC. Hoewel die compagnieën een stempel drukten op de koloniale geschiedenis tussen 1600 en 1800, handelden Rotterdammers ook op eigen houtje met de koloniale wereld. Een breuklijn is de bezetting van Nederland door het revolutionaire Frankrijk rond 1800. De tijd van de geoctrooieerde compagnieën was in de negentiende eeuw voorbij, de Nederlandse koloniën vielen voortaan rechtstreeks onder de Nederlandse staat. Dat had ook gevolgen voor de Rotterdamse koloniale scheepvaart en handel. Dit hoofdstuk eindigt na de Tweede Wereldoorlog, toen het emancipatieproces van de koloniën tot een climax kwam.

EERSTE VERKENNINGEN BUITEN EUROPA

VROEGE EXPEDITIES NAAR AFRIKA EN AMERIKA

De opkomst van de Rotterdamse buiten-Europese handelsvaart aan het einde van de zestiende eeuw valt niet los te zien van internationale politieke ontwikkelingen. De gewesten die later Nederland vormden waren destijds verwikkeld in een Tachtigjarige Oorlog (1568-1648) met Spanje. Rond 1590 nam die oorlog een gunstige wending voor Nederland: militaire successen stelden het grondgebied van Holland veilig, waardoor ook Rotterdam in rustiger vaarwater kwam. Bovendien kozen veel vluchtelingen uit gebieden waar de oorlog minder gunstig verliep, zoals Antwerpen, ervoor om naar Holland te vluchten. Een deel van deze immigranten vestigde zich in de Maasstad. Onder hen bevonden zich kapitaalkrachtige handelaren met ervaring in koloniale producten, zoals Johan van der Veeken, Pieter van der Haghen en Nicolaes de Haen. Samen met Hollandse handelaren behoorden zij tot de pioniers van de buiten-Europese vaart van Rotterdam.

Spanje en Portugal, de toenmalige vijanden van Nederland, hadden een koloniale voorsprong van meer dan een eeuw. Exotische producten als suiker en peper kwamen via de Iberische landen op de Nederlandse markt. Ondanks de oorlogsomstandigheden stuurden Rotterdamse kooplieden soms schepen naar Portugal, waar 'goede ende getrouwe Portugeesen' de schepen op hun naam lieten zetten en documenten regelden om naar Portugees-Brazilië te varen.[3] Een voorbeeld is de *Gulden Leeuw*, een schip waarop Vincent Bayaert (oorspronkelijk uit Gent) en Joris Joostenz. de Vlaming wijn, textiel en spijkers naar Brazilië stuurden. Het keerde later in Rotterdam terug met een lading Braziliaans verfhout en suiker.[4] Een ander voorbeeld is het schip *Sint Jan* van Pieter van der Haghen en compagnie. Dat schip kreeg een Spaanse kapitein ('Spaensche Willem') en voer via Lissabon naar de Canarische eilanden. De reis ging verder naar Nieuw-Spanje in Amerika en naar Cuba om daar huiden, indigo en tabak in te nemen.[5] Een deel van deze producten, met name de Braziliaanse suiker, was verbouwd met behulp van slavenarbeid.

Rotterdammers waren in deze periode incidenteel betrokken bij de slavenhandel. Pieter van der Haghen was er in 1596 en 1597 actief in door Afrikanen als slaven naar Brazilië te laten verschepen. In 1596 leidde dat

Melchior van den Kerckhoven. (Collectie P.M. Beelaerts, Regionaal Archief Dordrecht)

tot een opmerkelijk incident. In november van dat jaar kwamen enkele schepen aan in Middelburg met aan boord 130 Afrikaanse mannen, vrouwen en kinderen. Het was de eerste keer dat Nederland op zo'n directe manier kennismaakte met de trans-Atlantische slavenhandel. Het Middelburgse stadsbestuur verbood de verkoop van de Afrikanen als slaaf.[6] Tot nu toe zijn historici er altijd van uitgegaan dat de Afrikanen afkomstig waren van een Portugees slavenschip dat door Nederlanders buit was gemaakt.[7] Het ging echter om Nederlandse schepen met een gedeeltelijk Portugese bemanning. Waarschijnlijk stonden de schepen onder het gezag van Melchior van den Kerckhoven, die vanwege een conflict met de Portugese gouverneur van Angola halsoverkop van de Afrikaanse kust was weggevlucht. Omdat hij ook in Portugees-Brazilië gevaar liep op vervolging vanwege dat conflict, zette hij koers naar Middelburg.[8] De uitreder van de schepen was de Rotterdammer Van der Haghen; kapitein Van den Kerckhoven was in zijn dienst.[9] Dit schip met een duidelijk Rotterdamse connectie is daarmee het eerste gedocumenteerde Nederlandse slavenschip.

Rotterdamse schepen voeren vanaf het eind van de zestiende eeuw naar São Tomé, Guinea en Loango-Angola in West-Afrika. Vooral Guinea bleek een populaire bestemming. Hoewel deze schepen soms doorvoeren naar Amerikaanse bestemmingen, was dat in deze periode zelden met slaven aan boord.[10] Rotterdammers verkenden rond 1600 ook het Caribisch gebied en de noordkust van Zuid-Amerika. De Rotterdamse Guillaume Block voer bijvoorbeeld naar Trinidad en Santo Domingo om Spaanse schepen op te jagen.[11] De Vlaamse immigrant Nicolaes de Haen stuurde in 1597 twee schepen vanuit Rotterdam naar 'verscheyden havenen, totnochtoe by dese landen ombekent en ombeseylt'.[12] Het verslag van deze Rotterdamse expeditie door de meevarende koopman Abraham Cabeliau is het enige in zijn soort dat voor deze vroege periode bewaard is gebleven. De schepen bevoeren onder andere de kust langs de riviermondingen van de 'Surinamo', de 'Berbice', de 'Demirara' en de 'Dessekebe', gebieden die later een grote rol gingen spelen in de Nederlandse koloniale geschiedenis.[13]

VROEGE EXPEDITIES NAAR AZIË

Handelsexpedities naar Azië waren kostbaar, maar potentieel erg lucratief. Op de Europese markt waren specerijen zeer waardevol. In Rotterdam ontstonden daarom in 1598 los van elkaar twee plannen voor een expeditie naar Azië.[14] Beide expedities hadden met elkaar gemeen dat ze via Straat Magellaan naar de westkust van Zuid-Amerika moesten varen, vandaar naar de Indonesische archipel en vervolgens om Afrika heen terug naar

Detail van een kaart van Rotterdam uit 1599 (Henric Haestens), in de Maas liggen 'Oost ende West Indi vaarders'. (Bibliotèque Nationale de France)

Het hekbeeld van het schip De Liefde *(oude naam:* Erasmus*) dat in 1600 als eerste Nederlandse schip Japan bereikte is bewaard gebleven. Dit betreft een replica in het Maritiem Museum Rotterdam. Origineel in Tokio. (Maritiem Museum Rotterdam)*

Johan van der Veeken, een van de grondleggers van de koloniale vaart van Rotterdam. Portret door Pieter van der Werff. (Rijksmuseum Amsterdam)

de Republiek. Daarmee volgden de Rotterdammers een andere strategie dan kooplieden in andere Nederlandse steden, die de voorkeur gaven aan de beproefde route om de Afrikaanse Kaap de Goede Hoop.

De eerste Rotterdamse expeditie naar Azië werd gedragen door immigranten uit de Zuidelijke Nederlanden. Pieter van der Haghen zette deze expeditie van vijf schepen op touw met een kapitaal van ongeveer een half miljoen gulden. Dat kapitaal was gedeeltelijk afkomstig uit Rotterdam, maar ook van Vlaamse immigranten in andere Hollandse steden. Een van de grootste Rotterdamse investeerders was Johan van der Veeken, wiens beeltenis vandaag de dag op de gevel van het Rotterdamse stadhuis prijkt. De expeditie onder leiding van Simon de Cordes en Jacques Mahu vertrok in juni 1598, maar was geen financieel succes.[15] Een van de schepen bereikte wel Japan, maar liep daar aan de grond. De Rotterdamse kapitein Jacob Quaeckernaeck en zijn overbleven bemanning werden gegijzeld, maar later vrijgelaten met een uitnodiging van de Japanse shogun om handel te drijven. Daar konden zijn Rotterdamse werkgevers op dat moment geen gebruik van maken.

Gelijk met de voorbereidingen van Van der Haghen maakte ook de in Rotterdam woonachtige Olivier van Noort plannen voor een reis door Straat Magellaan. Hij reedde samen met Amsterdamse reders vier schepen uit, die in september 1598 vertrokken. Onder de investeerders in Van Noorts zogenoemde Magellaanse Compagnie bevonden zich veel Rotterdammers die hun geld verdiend hadden in de haringvangst. Van Noort was vooral van plan om Spaanse schepen op te jagen aan de westkust van Zuid-Amerika, maar dat leverde weinig op. Slechts één schip kwam in augustus 1601 veilig terug in Rotterdam, na een reis om de wereld. Net als de expeditie van Van der Haghen was ook die van de Magellaanse Compagnie verliesgevend. De enige financiële meevaller kwam twee jaar later, toen bleek dat het verloren gewaande schip *Hendrick Frederick* met de Rotterdamse kapitein Pieter de Lint op eigen houtje het eiland Ternate in de Molukken had bereikt. Het schip was daar gestrand, maar De Lint had wel een lucratief specerijencontract afgesloten met de sultan van Ternate. De door Van Noort opgerichte compagnie genoot daarvan nog meer dan twintig jaar inkomsten.[16]

Staatsman Johan van Oldenbarnevelt stelde voor om de vele Nederlandse compagnieën op Azië samen te laten smelten tot één grote compagnie. De voormalige stadspensionaris van Rotterdam concludeerde al voor het vertrek van de Rotterdamse expedities dat een verenigde, geoctrooieerde compagnie van kooplieden de beste kans op succes gaf in de Aziatische vaart.[17] Uiteindelijk kwam het in maart 1602 onder druk van de

Staten-Generaal tot een fusie. Vanwege de twee Rotterdamse voorcompagnieën kreeg ook de nog relatief kleine, maar groeiende handelsstad aan de Maas een aandeel in de toen opgerichte VOC.

SCHEEPVAART EN HANDEL OP AZIË IN DE VOC-TIJD

ROTTERDAM BINNEN DE VOC-ORGANISATIE

De VOC was een innovatieve organisatie: een private aandelencompagnie die in Azië Nederlandse koloniën mocht stichten. De compagnie bestond uit zes min of meer zelfstandige afdelingen (Kamers), gevestigd in de steden met eerdere Aziatische compagnieën. De Staten-Generaal besloten dat de Kamer Rotterdam 1/16e (6,25 procent) van de activiteiten van de nieuwe compagnie zou krijgen. Na de publicatie van het octrooi in maart 1602 konden belangstellenden een investering toezeggen in een van de Kamers. De kapitaalwerving liep in Rotterdam geen storm. In de nazomer van 1602 bleek in totaal ƒ 177.462 te zijn ingeschreven in de Rotterdamse Kamer, minder dan 3 procent van het cumulatief geïnvesteerde bedrag in alle VOC-Kamers (bijna 6,5 miljoen gulden).[18] Het relatieve gebrek aan belangstelling hangt waarschijnlijk samen met de slechte resultaten van de twee eerdere Rotterdamse compagnieën op Azië. Bovendien kreeg de Magellaanse Compagnie als enige Nederlandse 'voorcompagnie' een uitzonderingspositie in het VOC-octrooi: deze compagnie mocht nog enkele schepen uitreden via Straat Magellaan.[19]

Het kapitaal dat investeerders hadden ingeschreven in de Kamer Rotterdam was nauwelijks voldoende om schepen uit te reden. Bij de eerste drie VOC-vloten naar Azië participeerde Rotterdam slechts in één vloot met één schip.[20] Zelfs de kosten daarvan overstegen de kapitaalinleg, waardoor de Kamer Rotterdam geld moest lenen.[21] Na enkele jaren was het gelimiteerde startkapitaal niet langer een operationele belemmering, doordat de Kamer kon draaien op de handelsomzetten en leningen.[22]

In de eerste decennia van haar bestaan bouwde de VOC een Aziatisch handelsnetwerk op. De schaal van de Compagniesactiviteiten was na vijftien jaar zodanig dat de Rotterdamse Kamer behoefte had aan uitgebreide walfaciliteiten. De bewindhebbers kochten in 1623 een pakhuis aan de Wijnhaven, dat ze in de loop van de zeventiende eeuw diverse malen lieten uitbreiden. Eind zeventiende eeuw verhuisden de bewindhebbers hun hoofdkantoor naar de prestigieuze Boompjes.[23] Volgens de Rotterdamse schrijver Gerrit van Spaan kon het nieuwe hoofdkwartier zich meten met elk 'trots gebouw in 't brave Rotterdam, of steden hier om streeks; al was het Amsterdam'.[24]

De Rotterdamse Kamer kreeg in 1602 negen directeuren, de zogenoemde bewindhebbers. Onder hen bevonden zich belangrijke investeerders in de twee Rotterdamse voorcompagniën, zoals Johan van der Veeken, Willem Jansz. van der Aa en Willem Jansz. van Loon. Vanwege het relatief kleinschalige karakter van de Kamer Rotterdam werd het aantal bewindhebbers later gereduceerd. In de loop van de zeventiende en achttiende eeuw sloten de bewindhebbers steeds meer de gelederen. Het bewindhebbersschap werd een prestigieuze benoeming voor ambitieuze regenten.[25] Zo'n benoeming leverde in de eerste plaats een stabiele inkomstenbron op. Tot 1647 betrof het een percentage van de omzet van de verkochte retourgoederen, daarna een vast bedrag van ƒ 1200 per jaar (exclusief reiskostenvergoedingen, daggelden en douceurtjes).[26] Belangrijker was de invloed die een bewindhebber kon uitoefenen op de lokale economie, bijvoorbeeld door bepaalde leveranciers in te schakelen of door baantjes als pakhuismeester of equipagemeester uit te delen.[27] De hoofdtaken van de bewindhebbers waren het onderhouden van de scheepvaartverbinding met Azië en het verkopen van de Aziatische retourgoederen in Rotterdam.

De gevelsteen van het Oost-Indisch Huis aan de Boompjes. (Museum Rotterdam)

SCHEEPVAART VAN DE ROTTERDAMSE VOC

Tussen 1620 en 1650 vertrok jaarlijks gemiddeld één voc-schip uit Rotterdam, daarna waren dat er in de meeste jaren twee. De handel van de Compagnie veranderde in het laatste kwart van de zeventiende eeuw van karakter: de aanvoer van specerijen werd relatief minder belangrijk, Indiaas textiel juist belangrijker. Daarvoor waren grotere schepen nodig, waardoor de tonnage sneller steeg dan het aantal uitgerede schepen. Mede door de toenemende verzanding van de rivierwegen naar de Rotterdamse havens moesten de grote Oost-Indiëvaarders vertrekken vanuit Hellevoetsluis. De bevoorrading geschiedde dan via lichters vanuit Rotterdam. Ten opzichte van de andere Kamers werd de vastgestelde verdeelsleutel nauwkeurig gehandhaafd: Rotterdam kreeg ongeveer 1/16e van alle scheepsuitredingen van de landelijke voc te verwerken.[28] De uitreding van een Oost-Indiëvaarder resulteerde in veel economische activiteit. In 1644 lieten de bewindhebbers van de voc de Staten-Generaal dan ook weten dat de Compagnie haar octrooi alleen al waard was vanwege de vele economische spin-off-effecten.[29] Dat gold ook in Rotterdam. Hoewel de boekhouding van de Kamer Rotterdam verloren is gegaan, is wel bekend hoeveel deze Kamer in totaal heeft besteed aan het uitreden van de Oost-Indiëvaarders. Halverwege de zeventiende eeuw besteedden de Rotterdamse bewindhebbers gemiddeld een half miljoen gulden per jaar, in de achttiende eeuw gemiddeld een miljoen gulden per jaar.[30] Een uitsplitsing van dat bedrag is door het ontbreken van een boekhouding niet te geven, maar op basis van cijfers van de Kamer Amsterdam lijkt het niet onwaarschijnlijk dat de bewindhebbers ieder jaar tot maximaal de helft van dat bedrag in de lokale economie uitgaven.[31] Het ging dan voornamelijk om kosten voor scheepsbouwactiviteiten en loonkosten voor het Rotterdamse personeel. Maar ook leveranciers van scheepsbehoeften profiteerden mee. In de eerste decennia van de achttiende eeuw kocht de Compagnie voor Rotterdamse schepen per jaar het vlees van meer dan honderd ossen in. Ook scheepsbrood, bier en vaatwerk moeten belangrijke kostenposten geweest zijn. Het is niet onwaarschijnlijk als in sommige jaren rond het midden van de achttiende eeuw 2 procent van de Rotterdamse economie samenhing met de activiteiten van de voc.[32]

Het aantal schepelingen aan boord van vertrekkende voc-schepen steeg van gemiddeld 160 in de tweede helft van de zeventiende eeuw tot meer dan 230 in de achttiende eeuw. Vrijwel zeker maakten Rotterdammers in de zeventiende eeuw en de eerste decennia van de achttiende eeuw ongeveer de helft van het aantal benodigde zeelieden en soldaten uit. Na 1730 werden de bewindhebbers in toenemende mate afhankelijk van niet-Rotterdammers, grotendeels arbeidsmigranten van buiten de Republiek.[33] Meer dan de helft van de Rotterdammers die op een Rotterdams voc-schip vertrokken, zag de stad nooit meer terug. Een deel van hen overleed tijdens de reis of kort na aankomst in Azië.

Sommige Rotterdammers zagen de voc als een mogelijkheid om in Azië snel rijk te worden. Volgens een investeerder in de Rotterdamse Kamer gold 'dat ider uyt Oost-Indien zoo veel mede brengt als hy [...] kan' en dat het zelfs mogelijk was om een carrière op te bouwen die bij terugkomst in de stad kon leiden tot een functie in het stadsbestuur.[34] Verschillende zeventiende-eeuwse vroedschapsleden en burgemeesters in Rotterdam konden de Oost gebruiken als springplank voor een bestuurlijke of commerciële loopbaan.[35] Een van hen was Adriaan van der Dussen. Hij was betrokken bij de deportatie van de bevolking van het eiland Siauw naar een van de Banda-eilanden in 1615, en werd tot twee keer toe ontslagen wegens onzedelijk gedrag. Ondanks zijn moeilijke karakter en omstreden gedrag waardeerde de voc zijn daadkracht. Eind jaren twintig van de zeventiende eeuw was Van der Dussen terug in Rotterdam, waar hij als vroedschap een functie kreeg in het stadsbestuur.[36] In de achttiende eeuw probeerden verschillende Rotterdammers die van rijkdom tot armoede waren afgezakt hun fortuin in de Oost te hervinden. Het gaat onder anderen om Willem van Hogendorp, Isaac van Teylingen en Paulus Gevers.[37]

Rotterdammers gaven in Azië mede vorm aan het voc-imperium. Dat begon met Cornelis Matelief de Jonge, de Rotterdamse admiraal van een voc-vloot in de jaren 1605-1608. Bij thuiskomst zette hij zijn ideeën over de inrichting van het Aziatische Compagniesbedrijf op papier, waaronder de suggestie om Jacatra (het latere Batavia) tot centrale stapelplaats te maken.[38] Mateliefs ideeën waren invloedrijk en hetzelfde gold voor de suggesties van Jacques l'Hermite de Jonge.[39] Niet alleen kocht l'Hermite het land aan waarop later Batavia zou verrijzen, hij schetste in 1612 ook de contouren van het beleid dat de Compagnie in Azië zou voeren. Volgens hem moest de voc met geweld een monopolie vestigen op de uitvoer van nootmuskaat en foelie van de Banda-eilanden, de enige bron van die specerijen in de wereld. Hij stelde zonder omwegen voor om de lokale bevolking uit te roeien.[40] De voc voerde dit

Fort Rotterdam in Makassar, Celebes. (Rijksmuseum Amsterdam)

macabere plan ook uit. Een andere bijdrage kwam van de Rotterdamse Cornelis Speelman, die in 1681 gouverneur-generaal in Batavia werd. Als admiraal had hij eerder al Makassar veroverd.[41] Door de inname van deze havenstad op Celebes in 1669 versterkte de VOC haar grip op de Molukse specerijenhandel. In Makassar stichtte de Compagnie het Kasteel Rotterdam, genoemd naar de geboortestad van Speelman. Dat fort staat nog altijd overeind.

Grafiek 1: VOC-schepen Kamer Rotterdam

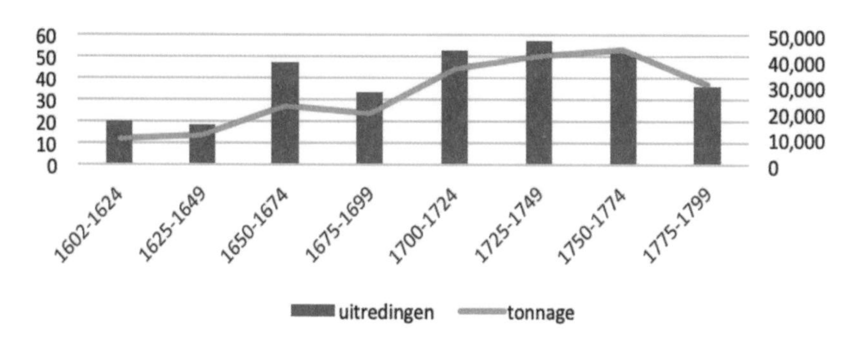

Bron: Bruijn, e.a., *Dutch-Asiatic Shipping*

Grafiek 2: Gemiddelde bedragen per jaar gespendeerd aan equipages en gemiddelde jaarlijkse veilingomzet, voc Kamer Rotterdam 1650-1790

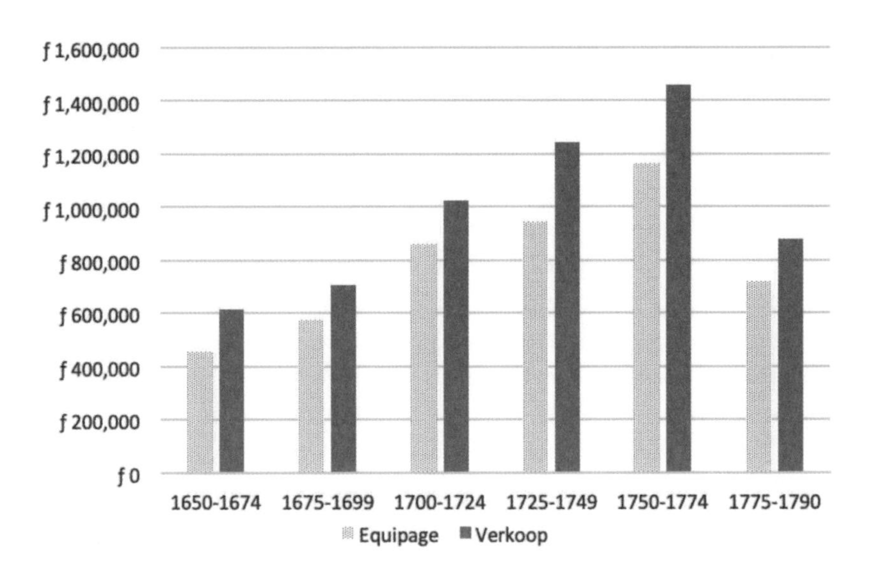

Bron: NL-HaNA, VOC 4583 t/m 4597

HANDEL VAN DE ROTTERDAMSE VOC

De veilingen van de Kamer Rotterdam behoorden tot de hoogtepunten van het economische leven van de stad. Tweemaal per jaar boden de bewindhebbers Aziatische producten aan: de voorjaarsveiling draaide in hoofdzaak om specerijen, de najaarsveiling om textiel. De gemiddelde jaarlijkse omzet van de Rotterdamse voc-veilingen steeg van ruim een half miljoen gulden halverwege de zeventiende eeuw tot ruim boven een miljoen in de meeste jaren na 1710. Vanaf het einde van de zeventiende eeuw vonden de veilingen plaats in de westelijke zaal van het nieuwe Oost-Indisch Huis aan de Boompjes, waarvan de wanden gedecoreerd waren met de portretten van alle bewindhebbers van de Kamer Rotterdam sinds 1602.[42] Aangestaard door deze bewindhebbers konden geïnteresseerden bieden op een enorme variëteit aan producten uit het octrooigebied van de voc, die in hoofdzaak – maar niet exclusief – waren aangevoerd op Rotterdamse Compagniesschepen. Van Japans koper tot Chinees porselein en van Indiaas textiel tot Sumatraanse peper. De samenstelling van het pakket geveilde goederen verschoof in de loop van de tijd. Gemeten naar het aandeel in de totale veilingopbrengsten waren specerijen in de zeventiende eeuw het belangrijkst, textiel in de achttiende eeuw. Ook kwamen er in de loop van de achttiende eeuw nieuwe Aziatische producten bij, zoals suiker, koffie en thee.[43]

De veilingen van de VOC trokken Rotterdamse kooplieden, maar ook personen van buiten de stad. Helaas zijn de verkooplijsten verloren gegaan, hoewel de jaarlijkse lijst van crediteuren een indruk geeft van de kopers van Aziatische producten. Op de najaarsveiling van 1731 kochten bijvoorbeeld de Harlingse handelaren Jelle Stijl en Evert Hanekuijk textiel in.[44] Ook waren er altijd veel Rotterdamse handelaren van de partij, al dan niet voorzien van een commissie. Enkele belangrijke bezoekers van VOC-veilingen waren Joods-Rotterdamse kooplieden, onder wie Levi Hartog Gans, Moses David en Levi Andries Cohen. Ook andere Rotterdamse koopmanshuizen boden op Aziatische producten, waaronder De Galz l'Ainé, Pieter Baelde, de gebroeders Stumphius en Jan Pott. Het grootste deel van de VOC-import werd door die handelshuizen doorgevoerd naar andere Nederlandse steden of geëxporteerd naar het buitenland.

SCHEEPVAART EN HANDEL OP ATLANTISCHE KOLONIËN

ROTTERDAM BINNEN DE WIC-ORGANISATIE

De oprichting van de WIC moest wachten op het aflopen van een vredesbestand met Spanje (1609-1621). Na afloop daarvan stemden de Staten-Generaal op 3 juni 1621 in met een octrooi voor die Compagnie. Omdat de Rotterdamse activiteiten op het westelijk halfrond kleinschalig waren, kreeg de stad geen eigen Kamer in de WIC. Rotterdam moest genoegen nemen met een aandeel in de zogenoemde Kamer op de Maze, samen met Delft en Dordrecht. Deze Kamer zou 1/9e van de WIC-activiteiten mogen verzorgen. Aangezien de drie Maassteden dit aandeel onderling verdeelden, kreeg Rotterdam per saldo 1/27e van de activiteiten toegewezen.

Het Rotterdamse stadsbestuur kreeg in de zomer van 1621 het verzoek om de inschrijving van kapitaal voor de nieuwe Compagnie op touw te zetten. Investeerders bleken lastig te vinden, vooral omdat de nieuwe Compagnie een zeer speculatief karakter had. In november waren er nog alarmerend weinig inschrijvingen en vreesde het stadsbestuur dat het Rotterdamse aandeel in de WIC gevaar liep. Dat zou grote gevolgen hebben, omdat de WIC het exclusieve recht kreeg op 'equipagie ofte uijtreedinge op de plaatse int [...] octroij begreepen'.[45] Met het nodige kunst- en vliegwerk – de stadsbestuurders legden zelf geld in en vonden investeerders in Utrecht en Den Haag – wist men een bedrag van zo'n *f* 200.000 te verzamelen; de rest van het beginkapitaal van de Kamer Maze kwam uit Dordrecht (*f* 500.000) en Delft (*f* 300.000).[46]

In de eerste jaren zetten de bewindhebbers van de WIC een groot aanvalsplan op touw om Portugese koloniën in Afrika en Brazilië te veroveren. Daarnaast reedden ze kaperschepen uit om in het Atlantische gebied op Spaans-Portugese schepen te jagen. Voor de Kamer Maze waren ook Rotterdamse schepen betrokken bij de aanval op Salvador de Bahia (1624) en Elmina (1625).[47] Rotterdamse schepen namen ook deel aan de verovering van de Zilvervloot door Delfshavenaar Piet Hein (1628). De *Utrecht* (schipper Cornelis Claesz Melckmeyt) en de *Tijger* keerden na die verovering naar Rotterdam terug met onder andere 6635 pond zilver.[48] Voor de bemanningsleden, bijvoorbeeld de Rotterdamse broers Willem en Joris Jansz, betekende de verovering een fors buitgeld.[49] Schipper Melckmeyt deed met de *Utrecht* ook mee op de succesvolle aanval op Pernambuco in 1630, die de WIC een eigen Braziliaanse kolonie opleverde.[50] De Kamer Maze heeft in het eerste decennium van de Compagnie minstens zeventien schepen uitgereed, waarvan Rotterdam er waarschijnlijk vijf à zes voor zijn rekening nam.

Na de stichting van Nederlands-Brazilië groeide het walbedrijf van de WIC in Rotterdam en lieten de bewindhebbers in 1634 een West-Indisch Huis optrekken aan het Haringvliet. Daar bleef de WIC tot eind achttiende eeuw gevestigd.[51] Intussen kwam een geregelde vaart op Brazilië op gang. Tussen 1630 en 1653 verzorgde de Kamer Maze waarschijnlijk 1/9e van de uitredingen vanuit Nederland naar Recife. Die Maze-schepen vertrokken uit Rotterdam, Dordrecht en Delft. Uit een in 1637 opgesteld overzicht van recognitiegelden betaald door particulieren voor het recht om goederen naar Brazilië te verschepen blijkt dat de Dordtse tak van de Kamer Maze daarvan het meest profiteerde.[52] Nederlands-Brazilië was geen lang leven beschoren. Veranderende internationale politieke constellaties en verzet in de kolonie leidde tot herbezetting door Portugal in 1654. Een marine-eskader onder leiding van Witte de With – in dienst van de Rotterdamse Admiraliteit op de Maze – kon dat verlies niet voorkomen. Het 'versuijm' van Nederlands-Brazilië was een belangrijke oorzaak voor de ondergang van de WIC in 1674, hoewel de Compagnie na een financiële herstructurering in sterk afgeslankte vorm een doorstart maakte.[53]

In de loop van de zeventiende eeuw begon het gunstiger gelegen Rotterdam de steden Dordrecht en Delft te overvleugelen. De Kamer Maze werd doordoor vooral een Rotterdamse aangelegenheid en in 1669 werden alle taken van de Kamer daar gecentraliseerd.[54] De scheepvaart en handel van de WIC richtten zich vooral op West-Afrika en de slavenhandel. Daarnaast verleende de Compagnie particulieren tegen betaling toegang tot haar octrooigebied en beheerde ze enkele koloniën. Het ging om de Caribische eilanden Curaçao, Bonaire, Aruba, Sint Eustatius, Sint Maarten en Saba. Verder beheerde de WIC de kolonie Essequibo/Demerara, westelijk van Suriname, en had het een aandeel in de Sociëteit van Suriname.

In de zeventiende eeuw kreeg de Kamer Maze de exclusieve rechten om vanuit Nederland op het gebied rond de monding van de Sierra Leone in West-Afrika te varen. De Kamer stichtte daar een eigen handelspost voor de handel in ivoor en verfhout. De resultaten van deze 'Rotterdamse kolonie' vielen echter zodanig tegen dat de Kamer haar verliet.[55] Een eeuw later kwam het belangrijke handelsknooppunt Sint Eustatius (samen met Sint Maarten en Saba) onder het beheer van de Kamer Maze.[56]

Voor zover de Kamer Maze zelf schepen uitreedde, gebeurde dat naar West-Afrika en het Caribisch gebied. Qua omvang was de retourhandel op West-Afrika het belangrijkst. Door die handel voerde de WIC in Rotterdam Afrikaanse producten als goud, ivoor en verfhout aan. In de jaren 1693 tot en met 1695 veilde de Kamer Maze bijvoorbeeld voor ƒ 147.190 aan Afrikaans goud (ongeveer 1,5 miljoen euro in hedendaags geld).[57] De handel leverde de Compagnie echter nauwelijks winst op. Niet alleen stonden er waardevolle exportgoederen tegenover om de importen te betalen, de WIC had ook hoge onderhoudskosten voor de West-Afrikaanse forten.

In de eerste decennia van de achttiende eeuw deelde de Kamer Maze in de economische malaise van de WIC. De slavenhandel van de Compagnie hield bovendien geen gelijke tred met de stijgende vraag in de Nederlandse plantagekoloniën naar slavenarbeid. Bij de octrooiverlenging van 1730 verloor de WIC daarom haar monopolie op de West-Afrikaanse handel en in 1738 gaven de bewindhebbers ook de invoer van slaven in Suriname vrij. Voortaan was de West-Afrikaanse handel het domein van particuliere kooplieden, net als de handel op de Atlantische koloniën. De WIC bleef slechts zeer beperkt handeldrijven op Afrika, vaak door goederen mee te geven aan particuliere schepen. Wel bleef de WIC verantwoordelijk voor het beheer van de forten langs de West-Afrikaanse kust, vooral die van Elmina in het huidige Ghana.

Kasteel Elmina in het huidige Ghana rond 1640 door Johannes Vingboons.

PARTICULIERE KOLONIALE VAART EN HANDEL

Na de oprichting van de WIC bleven particuliere reders en kooplieden handeldrijven op bestemmingen in het octrooigebied van deze Compagnie. In 1630 stelden de Staten-Generaal de handel op Nederlands-Brazilië open voor particulieren, mits zij voor de verscheping van goederen gebruikmaakten van de schepen van de WIC. In 1634 werd deze regeling uitgebreid, hoewel Rotterdamse bewindhebbers er eigenlijk op tegen waren uit angst dat kapitaalkrachtige Amsterdammers alle handel naar zich toe zouden trekken. Mede door Rotterdamse druk werd het Compagniesmonopolie tussen 1636 en 1638 tijdelijk hersteld. Dat bleek niet houdbaar en in 1648 werd toegestaan dat particulieren met eigen schepen op Brazilië voeren.[58]

Rotterdamse bewindhebbers profiteerden van hun functie door schepen te verhuren aan de WIC. Zo verhuurde Joost Adriaensz van Coulster in 1632 zijn schip *Oranjeboom*.[59] De Kamer Maze charterde vaak schepen om het tekort aan eigen schepen op te vangen. De schippers van deze schepen kregen toestemming om daarnaast in het Caribisch gebied zout in te kopen. Hoewel ongetwijfeld kleinschaliger dan in Amsterdam, handelden ook Rotterdamse kooplieden met Nederlands-Brazilië. Het belangrijkste exportproduct van die kolonie was met slavenarbeid geproduceerde suiker. Een prominente Rotterdammer die daarin handelde was Jean (Johan) de Mey, tevens eigenaar van suikerraffinaderijen. Met schepen van de

WIC zond hij goederen naar Pernambuco om daarmee ruwe suiker in te kopen.[60] Andere Rotterdamse betrokkenen bij de suikerhandel waren Abraham Velthuysen en Jan Cornelisz Jongeneel. Die laatste had ook een eigen suikermolen in Brazilië.[61]

Het octrooigebied van de WIC was dermate groot dat het onmogelijk was om smokkelhandel te voorkomen. In 1635 openden de Staten-Generaal daarom de vaart op het grootste deel van het octrooigebied voor particulieren, tegen betaling van vergunningsgeld ('recognitie') aan de Compagnie.[62] Inmiddels was het Caribisch gebied een regio in opkomst. Van een grote Nederlandse landbouwkolonie in die regio was echter pas sprake na de Nederlandse verovering van Suriname in 1667.

Het bestuur van Suriname was vanaf 1683 in handen van de Sociëteit van Suriname, een samenwerkingsverband tussen de WIC, de stad Amsterdam en de familie Van Aerssen van Sommelsdijck. De bilaterale scheepvaart vanuit Rotterdam op Suriname is vanaf dat moment goed te reconstrueren. Die was tot halverwege de achttiende eeuw van bescheiden omvang. Volgens enkele Surinaamse planters in 1751 hadden zij 'van tijd tot tijd wel een vaartuijgje van [Rotterdam] alhier gehadt, dog vermits geen de minste correspondentie gevestigd was tusschen de coopluijden aldaar & de planters alhier, kan hetzelve van weijnig of geen nut nog voordeel geweest zijn'.[63] Door toenemende financiële relaties tussen Rotterdamse kooplieden en plantage-eigenaren nam de Surinaamse handel van Rotterdam na 1755 toe.[64] Toch was het Rotterdamse aandeel in de bilaterale koloniale scheepvaart, gemeten naar het aantal schepen, nooit hoger dan 6 procent tijdens het hoogtepunt ervan in het derde kwart van de achttiende eeuw. Het merendeel van de Surinaamse handel verliep via het kapitaalkrachtiger Amsterdam.

Ook de scheepvaart vanuit Rotterdam op de andere Nederlandse koloniën bleef voor 1800 beperkt. Essequibo/Demerara was lange tijd een Zeeuwse kolonie, maar werd na 1770 opengesteld voor Hollandse schepen. Die voeren echter in hoofdzaak naar Amsterdam. Zo ging in 1790 slechts 1 van de 24 uit die kolonie vertrekkende schepen naar Rotterdam.[65] Van de 206 schepen die tussen 1738 en 1751 vanuit Sint Eustatius naar Nederland vertrokken, gingen er slechts 2 naar de Maasstad (tegen 196 naar Amsterdam).[66]

De omvang van de Rotterdamse particuliere vaart op bestemmingen in het octrooigebied van de WIC is ook af te lezen uit de recognitie-inkomsten van Kamer Maze. Tussen 1744 en 1788 bedroeg de opbrengst hier-

Tabel 1: Rotterdamse scheepvaart op Suriname, 1683-1799

Jaren	Schepen	Aandeel	Suiker (lb)	Koffie (lb)	Cacao (lb)	Katoen (lb)	Tabak (lb)
1683-1699	12	5%	3.691.467	0	0	0	0
1700-1724	5	1%	1.227.000	0	0	0	0
1725-1749	7	1%	2.714.400	134.542	2.572	87	600
1750-1774	101	6%	19.103.792	9.496.098	266.385	49.406	5.627
1775-1799	40	4%	5.974.760	10.905.622	322.260	339.993	0

Bron: Postma Suriname Data Collection

van voor de vaart op koloniale bestemmingen in de Amerika's ƒ 636.312.[67] Dat komt overeen met 7 procent van de opbrengst van deze post bij de Kamer Amsterdam, een reële afspiegeling van de relatieve grootte van de vaart op het Caribisch gebied en de Amerika's in beide steden. De vaart op de Nederlandse Caribische eilanden was voor Rotterdam van

Grafiek 3: Inkomsten uit recognitie en lastgeld, WIC Kamer Maze, 1744-1788

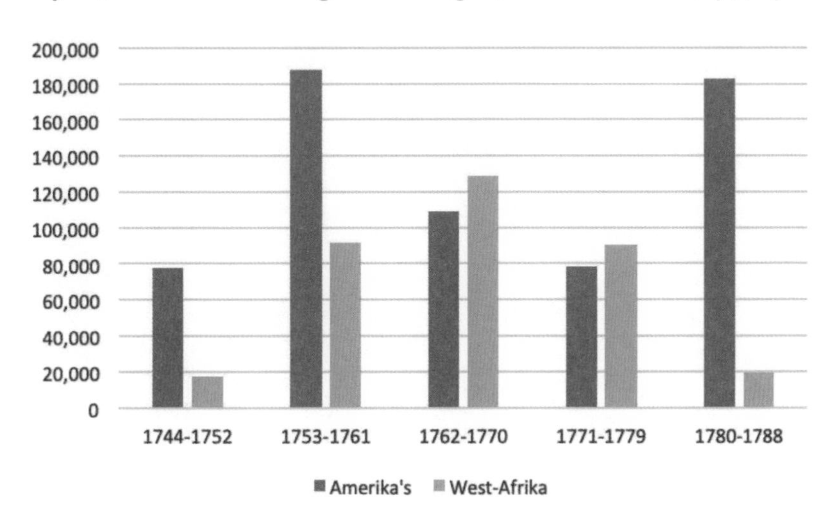

Bron: NL-HaNA, WIC 270-271

weinig belang, behalve in jaren waarin Groot-Brittannië en Frankrijk met elkaar in oorlog waren. Rond 1760 en 1780 voeren er om die reden veel meer Rotterdamse schepen naar Curaçao en Sint Eustatius dan normaal. Daar haalden ze (door slaven geoogste) tropische landbouwproducten op die afkomstig waren van Franse Caribische eilanden en die wegens oorlogsomstandigheden niet via Frankrijk naar Rotterdam konden komen.[68] Onder de recognitie die de WIC inde voor de vaart op bestemmingen in de Amerika's, viel ook de Rotterdamse vaart op niet-Nederlandse koloniën.

ROTTERDAM EN NIET-NEDERLANDSE ATLANTISCHE KOLONIËN

De connectie tussen Rotterdam en de Nederlandse koloniën in het Atlantisch gebied vertelt niet het hele verhaal. Juist in de Maasstad was de scheepvaart en handel op niet-Nederlandse koloniën van belang. Zo was er rond 1700 een opvallende relatie tussen enkele Rotterdamse kooplieden en het West-Afrikaanse eiland Arguin (voor de kust van het huidige Mauritanië), dat toen een Brandenburgse kolonie was.[69] Directe connecties met Engelse koloniën ontstonden in de eerste helft van de zeventiende eeuw. Rotterdam had een grote Engelse gemeenschap, mede door de komst van een Engelse handelsorganisatie, de *Merchant Adventurers,* naar de stad in 1635. Hoewel er ook tabaksimporteurs van Nederlandse origine actief waren, domineerden Engelsen de Rotterdamse tabakshandel vanaf

De hoorn van overvloed met producten uit de hele wereld, waaronder tabak. Detail van de wandkaart uit 1694 van Johannes de Vou en Romeyn de Hooghe. (Stadsarchief Rotterdam)

de vroege zeventiende eeuw. Ze haalden hun tabak indirect uit de Britse koloniën via Londen, of charterden zelf schepen voor de vaart op de koloniën. In 1639 huurden Hugo Cleverly en Robbert Lee bijvoorbeeld het Rotterdamse schip *De Hoop*, dat onder kapitein Barent Nannicksz naar Saint Kitts moest varen om daar tabak te halen.[70]

Tabak werd destijds op de Caribische eilanden vooral door Europese contractarbeiders verbouwd en Rotterdammers waren ook betrokken bij het transport van deze arbeiders.[71] In toenemende mate kwam de tabak echter uit Virginia, waar tabaksplantages met Afrikaanse slaven in opkomst waren. Er bestonden volop relaties tussen Rotterdamse kooplieden van Engelse origine en tabaksplanters in Virginia.[72] De door Engelse kooplieden beheerste tabakshandel liep tot eind achttiende eeuw door. Tabak kwam in de achttiende eeuw vooral via een indirecte route in Rotterdam, uit Londen en Glasgow.[73] De Engelse gemeenschap in de Maasstad was ook betrokken bij het transport van vele duizenden landverhuizers (vaak uit het Duitse achterland) naar de Britse Noord-Amerikaanse koloniën. In Amerikaanse archieven bevinden zich lange lijsten met namen van immigranten in Pennsylvania die tussen 1727 en 1775 aankwamen, veelal op schepen vanuit Rotterdam.[74]

De Rotterdamse link met Franse Atlantische koloniën was vooral in de achttiende eeuw belangrijk voor de stad. Uit Frankrijk kwam al veel wijn, maar koloniale producten speelden een groeiende rol in de Franse export. Tot ongeveer 1750 ging de meeste Franse suiker die naar Nederland werd geëxporteerd naar Rotterdam.[75] Voor enkele jaren tussen 1753 en 1793 zijn ruimere gegevens bewaard gebleven van de Rotterdamse import van koloniale goederen uit Europese havens.[76] Daaruit blijkt duidelijk dat de stad voor de aanvoer van (door slaven verbouwde) tropische landbouwproducten sterk was aangewezen op deze indirecte koloniale link. De import van suiker via Frankrijk en tabak via Groot-Brittannië was veel omvangrijker dan de rechtstreekse aanvoer uit de Nederlandse Atlantische koloniën. In 1768 importeerden Rotterdamse kooplieden bijvoorbeeld ruim 6,7 miljoen pond suiker uit Frankrijk.[77] In datzelfde jaar vertrokken vier schepen vanuit Suriname naar Rotterdam met aan boord 790.000 pond suiker.[78]

Voor de jaren 1768 tot 1771 en voor 1792 bestaan gedetailleerde gegevens over de precieze herkomst van deze importen en de namen van de importeurs. De Engelse gemeenschap was destijds nog sterk vertegenwoordigd in de tabakshandel en rond 1770 ook bij de import van koffie. Tot de belangrijkste importeurs van suiker behoorden Rudolph & Pieter

Baelde, J. Rocquette, J.A. Elzevier & P. Rocquette, Jan Pott en Du Galz l'Aine.[79] Lokale fabrieken raffineerden een groot deel van de ingevoerde suiker, die kooplieden vervolgens exporteerden. Veel ging naar Brabant en de Zuidelijke Nederlanden, maar het belangrijkste uitvoergebied in de tweede helft van de achttiende eeuw was het Duitse achterland. Via de Rijn kwamen in ruil daarvoor allerlei producten naar Rotterdam die bestemd waren voor de koloniën, waaronder aardewerk, glas en messen.[80]

TRANS-ATLANTISCHE SLAVENHANDEL

Vóór de Nederlandse verovering van delen van Portugees-Brazilië was de Rotterdamse deelname aan de slavenhandel incidenteel. Rotterdammers reedden soms slavenschepen uit naar Spaans-Portugese koloniën en de WIC veroverde regelmatig Portugese slavenschepen. De Republiek had echter geen eigen plantagekoloniën in bezit. Volgens enkele WIC-bewindhebbers in 1633 waren Nederlanders 'onversien [...] van slaven, alsmede ongewoon deselve te gebruycken'.[81] Dat veranderde snel na 1630, toen de WIC een deel van Brazilië veroverde op Portugal.

Rotterdamse WIC-schepen vervoerden Afrikanen als slaaf naar de Braziliaanse kolonie. De belangrijkste aanvoerhaven van slaven was het Afrikaanse Luanda, in 1641 eveneens veroverd door de Compagnie. Het Rotterdamse aandeel in deze slavenhandel op Brazilië is lastig na te rekenen, mede doordat de meeste slavenschepen niet vanuit Nederland maar direct vanuit Brazilië vertrokken. In de Nederlandse koloniale periode arriveerden ongeveer 30.000 Afrikanen als slaaf in Nederlands-Brazilië. Als de negensleutel van de WIC is aangehouden heeft de Kamer Maze ruim 3000 van die slaven vervoerd en Rotterdam mogelijk een derde daarvan. Er zijn in de notariële archieven aanwijzingen te vinden van een rechtstreekse slavenhandel van de Kamer Maze op Brazilië. Zo charterde Willem Krijger als Rotterdamse WIC-bewindhebber, samen met collega's uit Dordrecht en Delft, in 1644 de *Swaen*, om vanuit Delfshaven naar Loango te varen om daar Afrikanen in te kopen om hen als slaaf naar Brazilië te brengen.[82]

Rond het midden van de zeventiende eeuw was de Nederlandse slavenhandel geconcentreerd op het Caribisch gebied. Deze handel werd overheerst door Amsterdammers, maar er namen soms ook Rotterdamse slavenhandelaren aan deel. Zo was in 1652 de Rotterdamse vroedschap Cornelis de Coningh een van de reders van een slavenschip naar Guadeloupe.[83] Een deel van die handel op het Caribisch gebied betrof smok-

Josua van Belle, door de Spaanse schilder Murillo, 1670. (National Gallery of Ireland)

kelhandel op Spaans-Amerika. Om die smokkel te beperken, stelde de Spaanse koning in 1662 een *asiento de negros* in. De asientohouder kreeg het recht om slaven te vervoeren naar Spaans-Amerika, een recht dat buitenlanders in de kringen rond de Spaanse koning vaak opkochten. Zij schakelden op hun beurt subcontractanten in, waaronder de WIC. Ook de Kamer Maze was betrokken bij deze asiento-slavenhandel. Zo organiseerde de Kamer in 1669 twee slavenreizen, één naar Angola om 250 Afrikanen als slaaf in te kopen en één naar Ardra om 450 slaven in te kopen.[84] De boekhouders van de Kamer Maze hielden de opbrengsten hiervan bij in hun administratie. Hoewel die verloren is gegaan, is wel bekend dat in de grootboeken van de Kamer een 'reekening van de negros op Curacao' voorkwam. Uit een uittreksel van die rekening blijkt onder meer dat het schip *Het Huis Nassau* namens de Kamer Maze tussen 1678 en 1680 382 Afrikanen als slaaf naar Curaçao transporteerde.[85]

In de asiento-slavenhandel was een opmerkelijke rol weggelegd voor de Rotterdamse Josua van Belle. Hij had tussen 1662 en 1673 in Sevilla gewoond, waar zijn broer Pieter zich in 1664 ook had gevestigd. Josua werd in 1678 VOC-bewindhebber en in 1705 burgemeester van Rotterdam. Zijn broer Pieter van Belle had in Sevilla samen met Balthasar Coymans een compagnie opgericht die actief deelnam aan de slavenhandel. Deze compagnie kreeg in 1685 het *asiento de negros* in handen.

Daarvoor betaalde Coymans 200.000 kronen aan de koning, waarvan een kwart werd opgebracht door Josua van Belle. Voor Pieter liep zijn betrokkenheid bij deze handel uit op een teleurstelling, omdat hij in 1688 vanuit Spanje naar Rotterdam moest vluchten na beschuldigingen van fraude.[86]

Eind zeventiende eeuw werd de slavenhandel in het kader van het asiento steeds minder belangrijk voor de WIC, maar kwam een nieuwe bestemming op: Suriname. De slavenhandel vanuit Rotterdam bleef relatief kleinschalig, ook in de eerste decennia na de ontmanteling van het WIC-monopolie op de slavenhandel in de jaren dertig. In de eeuw voor 1750 vertrokken minstens 56 slavenschepen uit Nederland voor de Kamer Maze of particuliere Rotterdamse reders. Toen Suriname in de jaren na 1750 een enorme groeispurt doormaakte, groeide ook de Rotterdamse slavenhandel op deze kolonie. Tussen 1750 en 1780 vertrokken in totaal 68 slavenschepen uit Rotterdam, ruim twee per jaar.[87] Meer dan 80 procent daarvan werd uitgereed door één firma: Coopstad & Rochussen, de op een na grootste slavenhandelaar van Nederland. Een andere participant was Hamilton & Meijners. Deze firma's hielden zich naast het inkopen en vervoeren van slaven naar Suriname ook volop bezig met verschillende vormen van dienstverlening ten behoeve van die kolonie, waaronder negotiatieleningen.[88]

Het uitreden van een slavenschip was kostbaar, vooral vanwege de waardevolle goederen die benodigd waren voor de ruilhandel in West-Afrika. De meeste exportproducten werden niet in Rotterdam gemaakt. Coopstad & Rochussen bestelde echter wel buskruit bij Cornelis Tobias Snellen, eigenaar van een buskruitmolen aan de Schie.[89] Ook klopten ze aan bij Adrianus Cornelis Oudorp voor moutbrandewijn. Oudorp importeerde dat product soms uit Schiedam en waarschijnlijk ook uit Frankrijk, maar hij was daarnaast zelf actief als brander van moutwijnen in Rotterdam.[90] Veel van de overige producten kwamen van buiten de stad en werden aangevoerd door tussenhandelaren. Deze waren niet de enigen die van de Rotterdamse slavenhandel profiteerden, want slavenhandelaren uit Walcheren schakelden ook Rotterdamse leveranciers in. Zo leverde de Rotterdamse koophandelaar Daniël de Jong goederen voor slavenschepen van de Middelburgse Commercie Compagnie.[91]

Ook bij de Rotterdamse deelname aan de slavenhandel valt het belang van de connectie met niet-Nederlandse koloniën op. Door de aanwezigheid van een grote Engelse gemeenschap in de stad speelde Rotterdam indirect ook een rol in de Engelse slavenhandel. Zo deden Londense slavenschepen soms Rotterdam aan om een lading exportgoederen voor West-Afrika in te laden. Als alternatief lieten Engelse slavenhandelaren goederen vanuit Rotterdam naar Engeland verschepen ten behoeve van de slavenhandel, waaronder Aziatisch textiel, kaurischelpen, buskruit, sterkedrank en ijzerwaren.[92] Een van de hierbij betrokken kooplieden was Walter Senserff, een bewindhebber van de VOC.[93] Rotterdam had ook een connectie met Liverpool, in de tweede helft van de achttiende eeuw de grootste slavenhandelsstad van Europa. In de jaren tussen 1718 en 1764 verscheepten handelaren zo'n £ 224.000 (ruim ƒ 2,6 miljoen) aan goederen voor de slavenhandel vanuit Nederland naar het eiland Man bij Liverpool, waarvan het merendeel uit Rotterdam kwam.[94] Ook bestelde William Davenport, een grote slavenhandelaar uit Liverpool, in Rotterdam Boheemse glaskralen.[95]

Tussen 1762 en 1779 ontving de Kamer Maze van de WIC meer recognitie van reders die schepen uitreedden naar West-Afrika (onder wie veel slavenhandelaren) dan van reders die schepen uitreedden naar bestemmingen in de Amerika's (grafiek 3, blz. 53). Via directe en indirecte kanalen kwamen in de laatste decennia van de achttiende eeuw volop door slaven verbouwde tropische landbouwproducten aan in Rotterdam. Ondanks de grootschalige activiteiten van de VOC waren de Atlantische koloniën in deze periode belangrijker voor de stad. Dat zou in de negentiende eeuw veranderen, toen de handel op Nederlands-Indië alle andere vormen van koloniale handel zou gaan overvleugelen.

Tabel 2: Scheepvaart op de Nederlandse koloniën vanuit de zeegaten bij Den Briel en Hellevoetsluis, 1775-1854

	Suriname/ Demerara		Caribische eilanden		Java/Nederlands-Indië	
	in	uit	in	uit	in	uit
1775-1794	60	70	52	70	57	71
1795-1814	11	28	32	5	10	9
1815-1834	219	235	20	17	391	405
1835-1854	173	179	16	26	1.188	1.652

Bron: Zeetijdingen *Rotterdamsche Courant* (1775-1854), NL-RtdGA, OSA 2575, 2578.

ROTTERDAM EN NEDERLANDS-INDIË

DE OPKOMST VAN JAVA

Tijdens de Franse Tijd (1795-1813) stond de rechtstreekse koloniale vaart van Rotterdam vrijwel stil en was alleen op zeer beperkte schaal indirecte handel mogelijk. Nederland was in die periode een Franse satellietstaat en verloor vrijwel zijn gehele koloniale bezit aan Groot-Brittannië. Pas in 1813 herkreeg Nederland zijn zelfstandigheid en in 1816 herkreeg het zijn voormalige koloniën, echter met uitzondering van Ceyclon/Sri Lanka, Berbice, Demerara/Essequibo (het latere Guyana) en de Kaapkolonie. De overgebleven Nederlandse koloniën vielen voortaan niet langer onder sociëteiten of compagnieën, maar rechtstreeks onder de staat. Na 1813 kwam de koloniale vaart weer op gang, om vervolgens stormachtig te groeien. Rotterdamse schepen zetten koers naar Suriname, de Nederlandse Caribische eilanden en Java. Tot ongeveer 1830 ging het aantal Rotterdamse uitredingen op de Oost ongeveer gelijk op met die op de West. Na dat jaar is echter een duidelijke breuk waarneembaar: de vaart op Nederlands-Indië (met name Java) nam een enorme vlucht (tabel 2). Wat verklaart deze ontwikkeling?

In de eerste jaren na het vertrek van de Fransen uit Nederland in 1813 was het nog niet duidelijk dat de vaart op Java van groot belang zou worden voor Rotterdam. Tussen 1814 en 1822 maakten 33 schepen 62 reizen vanuit Rotterdam naar Java. De belangrijkste reder was Anthony van Hoboken: hij verzorgde in totaal 20 uitredingen. De nummer twee was de Katwijkse firma Reyn Varkevisser & Dorrepaal, met 12 uitredingen in dezelfde periode. Deze firma had Rotterdam als thuishaven voor haar zeeschepen. Varkevisser zelf verhuisde in 1818 naar de Maasstad.[96] Van Hoboken en Varkevisser werkten vaak samen en bevrachtten bijvoorbeeld elkaars schepen.[97] Tot de kleinere spelers behoorden onder andere Blankenheym (5 uitredingen), Ferrier & Co. (4) en E. Suermondt & Zn. & Co. (3). Sommige reders traden ook op als koloniaal handelaar. Daarnaast waren cargadoors actief in de koloniale handel, als bemiddelaars tussen ver- en bevrachters. Het gaat onder andere om de firma's Kuyper, Van Dam & Smeer en Hudig & Blokhuyzen.[98]

De Rotterdamse reizen op Java in de eerste decennia van de negentiende eeuw waren vaak kostbaar en verliesgevend. Van Hoboken liet in 1824 weten dat hij op ladingen uit Java gemiddeld 3 procent verlies leed, terwijl de firma Reyn Varkevisser & Dorrepaal destijds vier ton met de handel op Java had verloren.[99] In Nederlands-Indië was veel buitenlandse concurrentie, vooral van Britten en Amerikanen. Aanvankelijk konden zelfs differentiële invoerrechten, waarbij Nederlanders minder betaalden, daar niets aan veranderen.

In 1824 startte de Nederlandsche Handel-Maatschappij (NHM) met activiteiten. Deze met koninklijke steun opgerichte naamloze vennootschap moest de ongunstige resultaten van de Nederlandse scheepvaart en handel ('vooral in Nederlandsch Indië') ten goede keren.[100] De NHM kreeg geen scheepvaart- en handelsmonopolie, maar het Nederlands-Indische koloniaal bestuur bevoorrechtte de maatschappij bij het importeren van gouvernementsbenodigdheden en het exporteren van gouvernementsproducten. Bij de kapitaalsinschrijving van de NHM in april 1824 werd zwaar overtekend, ook in Rotterdam. In één dag werd in de Maasstad voor meer dan 11 miljoen gulden ingeschreven, met name door Rotterdammers. In verhouding tot het aantal inwoners schreven Rotterdammers zelfs meer in dan Amsterdammers. Enkelen van de grootste aandeelhouders waren Joan Osy & Zoon, Evert Suermondt, Carolus Jacobus Blankenheym en Anthony van Hoboken.[101]

De NHM werd van groot belang voor de Rotterdamse Javavaart na de invoering van het Cultuurstelsel op Java in 1830. Onder dat stelsel dwong

Anthony van Hoboken. (Museum Rotterdam)

Het fregat Rhoon en Pendrecht *van Anthony van Hoboken. (Maritiem Museum Rotterdam)*

de overheid vele miljoenen inwoners van Java om als vorm van belastingheffing gedwongen een deel van hun tijd te besteden aan de verbouw van producten voor de Nederlandse staat. Het ging vooral om koffie, suiker en indigo. De Javanen kregen in ruil daarvoor een magere vergoeding, het plantloon. De invoering van het Cultuurstelsel leidde op Java tot ernstige uitbuiting en soms zelfs hongersnood. De koloniale overheid exporteerde de verplicht verbouwde producten naar Nederland en gebruikte daartoe de NHM als commissionair. De NHM schakelde particuliere reders in en betaalde hun fors meer dan de reguliere vrachtprijzen.[102]

De NHM en het Cultuurstelsel hadden het gewenste effect op de koloniale vaart van Nederland, ook op die van Rotterdam. Tussen 1824 en 1834 nam het aantal rederijen dat vanuit de Maasstad deelnam aan de vaart op Java toe van 11 tot 16. De vloot Oost-Indiëvaarders van deze rederijen verdubbelde zelfs ruimschoots, van 22 tot 51.[103] Daarmee werd de vaart op Java met afstand de belangrijkste koloniale connectie van Rotterdam. De groei bleef bovendien doorzetten, want in 1841 was het aantal Oost-Indiëvaarders in Rotterdam al gegroeid tot 115.[104]

NEDERLANDS-INDIË ALS KOLONIAAL FUNDAMENT

De commissarissen van een Rotterdamse rederij keken in 1840 met voldoening terug op de jaren ervoor, waarin hun Javavaart had bijgedragen aan 'de bevordering van [Rotterdamse] nijverheid en welvaart'.[105] Dat was ook precies de bedoeling van het NHM-beleid en het Cultuurstelsel: de koloniën van Nederland moesten de economie van het moederland ten goede komen. Een groot deel van de Rotterdamse elite had het ideaalbeeld van de oude Nederlandse 'koopmansstad' voor ogen. In zo'n stad kochten ondernemers goederen in van over de hele wereld, om die ter plaatse weer aan derden te verkopen. Voor Rotterdam was het koloniale stelsel daarbij onmisbaar. De internationale koophandel van Rotterdam rond 1850 was gebouwd op het fundament van Nederlands-Indië.

In 1860 bestond de vloot Rotterdamse Oost-Indiëvaarders uit maar liefst 175 schepen, die tezamen meer dan 85 procent van de totale vrachtcapaciteit in de Maasstad vertegenwoordigden. Hoewel een deel van de vloot Oost-Indiëvaarders stillag in afwachting van een NHM-bevrachting, bedroeg de directe werkgelegenheid op deze schepen meer dan 3500 zeelieden.[106] Reders zetten hun Oost-Indiëvaarders ook in op niet-koloniale routes, maar veel van deze schepen waren gebouwd met het oog op de Javavaart.[107] De vloot Rotterdamse Oost-Indiëvaarders was vanaf 1863 groter dan die van Amsterdam.[108]

Veel producten die deze Oost-Indiëvaarders in Rotterdam brachten werden vervoerd voor rekening van de NHM. In 1831 was statutair vastgelegd dat de Maasstad 15/40 (37,5 procent) van alle vrachtladingen van de NHM zou ontvangen.[109] De belangrijkste producten die de Maatschappij verscheepte uit Nederlands-Indië waren koffie, suiker en indigo. Ook particuliere ondernemers importeerden wel tropische producten in Rotterdam, maar het was vooral aan de NHM te danken dat Rotterdam een belangrijke, internationale markt werd voor koffie. Voor veel andere tropische producten bleef de Rotterdamse markt ondergeschikt aan de Amsterdamse.

De NHM organiseerde vanaf 1835 tweemaal per jaar koffieveilingen in Amsterdam en Rotterdam, waar voor miljoenen guldens aan koffie werd omgezet.[110] Het doel van de stedelijke veilingen was het herstel van kapitaalkrachtige handelshuizen, die grote partijen koffie konden opkopen en verder distribueren. Dat was geheel in lijn met het ideaal van de koopmansstad. In de praktijk werden de Rotterdamse NHM-veilingen niet beheerst door grote handelshuizen, maar door een groep makelaars. Die makelaars verzamelden grote hoeveelheden orders uit binnen- en buitenland en weerden actief andere kopers van de veilingen.[111] Drie van de belangrijkste koffiemakelaars in Rotterdam waren halverwege de negentiende eeuw Edward Jacobson, Gerrit Duuring en de firma Joosten, Van den Abeele & Kolff. Vooral de conservatieve Edward Jacobson had een enorme invloed op de koffieveilingen, dankzij zijn invloedrijke politieke connecties. Een van zijn vrienden was Jean Chrétien Baud, in de jaren veertig van de negentiende eeuw minister van Koloniën. Onder invloed van Jacobson hield Baud vast aan het NHM-veilingsysteem waarin makelaars een grote invloed hadden.[112]

LIBERALISERING VAN DE INDISCHE MARKT

De sterke oriëntatie van de Rotterdamse overzeese scheepvaart en handel op Nederlands-Indië was in hoge mate kunstmatig.[113] Het Nederlandse koloniale stelsel leverde reders en handelaren een vrijwel gegarandeerd rendement, ten koste van de economie van Java. Dat model van koloniale exploitatie was in toenemende mate omstreden. Volgens de Rotterdamse Kamer van Koophandel in 1855 kon het 'alleen geregtvaardigd worden door de voordeelen eener goede regering over de koloniën, welke haar bescherming verleent en de beschaving onder hare inwoners bevordert'.[114]

In toenemende mate begon het protectionistische, koloniale stelsel de Rotterdamse scheepvaart bovendien te schaden. De tweede helft van de negentiende eeuw gaf een forse toename van de wereldhandel te zien en Rotterdam liep achter bij andere internationale havensteden, zoals Hamburg. De schepen die Rotterdamse reders lieten bouwen voor de Javavaart waren te klein om te concurreren met grotere typen op de internationale vrachtmarkt.[115] Het waren ook zelden innovatieve schepen. De Rotterdamse vloot kende slechts een paar snel zeilende klippers en de stoommachine vond nog weinig ingang.[116] Weinig reders voelden zich geroepen om de beschermde koloniale vaart in te ruilen voor de onzekere, maar groeiende trans-Atlantische handel.

Rond 1860 ging de Nederlandse politiek in toenemende mate de koloniale handel liberaliseren. Met ingang van 1857 verkocht de overheid een deel van de opbrengst van het Cultuurstelsel op Java, vanaf 1868 kocht de NHM vrachtruimte in op inschrijving tegen marktprijzen, en in 1870 begon de overheid met de ontmanteling van het Cultuurstelsel en schafte in 1872 de differentiële rechten op Java af. Rotterdamse reders reageerden wisselend op al die maatregelen. Ludwig Suermondt vond het afschaffen van de bescherming voor Nederlandse schepen 'een allezins regtvaardige maatregel tegenover Java'.[117] Johannes Decker meende daarentegen dat het beter was 'dat wij met een monopolie vermogend worden, dan dat wij met dien zoogenaamden vooruitgang te gronde gaan'.[118]

In 1870 was de zeevloot van Rotterdam nog steeds vooral op Java georiënteerd: er stonden 118 (zeil)schepen op de lijst met schepen die voor NHM-bevrachting in aanmerking kwamen, samen goed voor 87 procent van de Rotterdamse vrachtcapaciteit. Opvallend is dat het gemiddeld om grotere schepen ging dan in 1860.[119] Reders vervingen uit de vaart genomen schepen vaak niet meer. Nu de NHM niet langer bovenmatige vrachttarieven betaalde en het Cultuurstelsel werd ingeperkt, moesten reders meer marktconform gaan werken. Dat bleken zij niet allen te kunnen en het aantal reders slonk in de twee decennia na 1870 nog verder. Sommigen, zoals Anthony van Hoboken & Zonen, lieten het rederijbedrijf varen en gingen zich toeleggen op andere activiteiten.

Ook voor de koloniale handel van Rotterdam had de liberalisering grote gevolgen. Zo verplaatste de suikermarkt zich naar Londen. Een liberaal kabinet hervormde in 1864 ook de koffieveilingen van de NHM: voortaan waren er minstens negen veilingen per jaar en werd het makelaars lastiger gemaakt om andere kopers te duperen met oneigenlijke concurrentie. Dat werkte, want in Rotterdam waren voortaan grote commissionairs de belangrijkste kopers op de veilingen. Het ging met name om de firma's W. Schöffer & Co. en Philippi & Co. Dat beide organisaties een Duitse achtergrond hadden laat zien waar de belangrijkste koffieorders vandaan kwamen: het Duitse achterland van Rotterdam.[120]

In de laatste decennia van de negentiende eeuw hadden er in de Rotterdamse koffiehandel belangrijke verschuivingen plaats. Door de afschaffing van de gouvernementscultuur en de liberalisering van de Indische markt liep het aandeel NHM-koffie sterk terug. Anderzijds namen vooral Duitse commissiehuizen het voortouw bij de invoer van een nieuwe koffievariant uit Brazilië, de Santoskoffie. Vanaf 1890 werd dit product belangrijker dan de aanvoer van Javakoffie. Het grootste deel van de koffie die in Nederland werd ingevoerd en doorgevoerd kwam nog steeds aan in Rotterdam, maar niet langer ging het om koloniale koffie.[121]

WERELDHAVEN ROTTERDAM EN NEDERLANDS-INDIË

In 1882 nam Rotterdam de positie van Amsterdam over als grootste haven van Nederland.[122] Het was een tijd van grote veranderingen. Door het gereedkomen van de Nieuwe Waterweg in 1872 kreeg de Maasstad een snelle verbinding met zee. De spoorwegverbinding van de stad verbeterde fors en directeur gemeentewerken Gerrit de Jongh gaf leiding aan een grote uitbreiding van de havenfaciliteiten. De grote groei van de Rotterdamse haven ging gepaard met een veranderde functie van de stad in het internationale transportnetwerk. De oude koopmansstad maakte definitief plaats voor de nieuwe transitostad: Rotterdam werd een doorvoerhaven. De stad heeft zijn opkomst als wereldhaven grotendeels te danken aan de industrialisering van het Duitse Roergebied en de doorvoer van kolen, ertsen en later olie. Toch bleef ook in deze periode de Rotterdamse koloniale connectie intact.

De opening van het Suezkanaal in 1869 en voortschrijdende, kostbare techniek zorgden ervoor dat alleen grote, kapitaalintensieve rederijen met stoomschepen toekomst hadden. De tijd was rijp voor een vaste stoomverbinding met Java.[123] In 1873 nam Willem Ruys jr. het initiatief om met Engelse partners een stoombootdienst te starten, een poging die in 1883 leidde tot de oprichting van de Rotterdamsche Lloyd. Deze naamloze vennootschap beschikte vanaf het begin over negen stoomschepen die in de jaren ervoor door Wm. Ruys & Zonen in de vaart waren gebracht. Zeven daarvan waren bestemd voor de vaart op Java. De Rotterdamsche

De Lloydkade in Rotterdam rond 1928, met in het midden het SS Slamat van de Rotterdamsche Lloyd. (KITLV)

Lloyd begon een veertiendaagse lijndienst op Java. Vanaf 1887 stemde de Lloyd haar lijndiensten af met de Amsterdamse Stoomvaart-Maatschappij Nederland, zodat vanuit Nederland elke week een stoomschip naar Java vertrok. Tegen deze geregelde en snelle stoomverbinding konden zeilschepen niet op, waardoor de Rotterdamse vaart op Java zich concentreerde bij de Lloyd.

De koloniale handel op Nederlands-Indië onderging ook grote veranderingen. Het Suezkanaal, stoomschepen en telegrafie verkleinden de gevoelsafstand tussen Nederland en de kolonie. De migratie richting Nederlands-Indië nam toe. Toch werd de band tussen kolonie en moederland minder hecht, door diversificatie in handelspartners. Tussen 1870 en 1940 daalde voor Nederlands-Indië het relatieve belang van de import uit Nederland en de export naar Nederland.[124] Dat wil niet zeggen dat de economische band verbroken werd. Rotterdam ging door met het importeren van koloniale producten, al bleef Amsterdam de belangrijkste koloniale markt. Rotterdammers investeerden ook fors in Nederlands-Indië. Daarnaast waren er handelsmaatschappijen in de kolonie actief die sterke Rotterdamse roots hadden.

De vijf grootste Nederlandse handelsfirma's in Nederlands-Indië stonden bekend als 'de Grote Vijf' en twee daarvan hadden een Rotterdamse voorgeschiedenis. De Crediet- en Handelsvereeniging 'Rotterdam' (Internatio) was de grootste Nederlandse handelaar in de kolonie. Internatio was in 1863 opgericht door Rotterdamse ondernemers en Twentse textielfabrikanten. Inderdaad exporteerde de onderneming vanuit Rotterdam volop textiel naar de Indische archipel, waar Internatio overal vestigingen had. De onderneming investeerde ook in plantages in Indië, ten behoeve van de export van landbouwproducten. Hoewel niet alle producten naar Rotterdam werden verscheept, had Internatio wel een hoofdkantoor in de Maasstad.[125] In 1913 werkten daar 42 personen, in 1924 waren dat er 73 en in 1939 waren er 145 personeelsleden.[126]

Ook het grote koloniale handelshuis Jacobson & Van den Berg (Jacoberg) was een initiatief van Rotterdammers. Het bedrijf was rond 1868 in Semerang opgericht door Edward Jacobson en Henri van den Berg. Jacobson was de zoon van de Rotterdamse koffiemakelaar Leonard Jacobson en neef van de eerdergenoemde koffiemakelaar Edward Jacobson. Een andere oom had de theecultuur geïntroduceerd op Java. Zijn compagnon Henri van den Berg was de zoon van een agent van de NHM in Rotterdam.[127] Jacoberg verhandelde vooral consumentenartikelen in

Nederlands-Indië en opende in 1902 een hoofdkantoor in Rotterdam.[128] Nog een Rotterdams bedrijf met een duidelijke koloniale connectie was de technische groothandel R.S. Stokvis & Zonen. Het bedrijf was vanaf 1904 actief in Nederlands-Indië en werkte vanaf 1910 samen met Lindeteves, een van de Grote Vijf van koloniale handelshuizen. Stokvis groeide uit tot de grootste technische handelsonderneming in de archipel. Hoewel de belangrijkste koloniale markt in Nederland als gezegd in Amsterdam gevestigd was, waren Rotterdamse handelsondernemingen volop actief in Nederlands-Indië. De meeste ondernemingen konden hun activiteiten doorzetten tot na de Tweede Wereldoorlog, ook nadat Indonesië onafhankelijk was geworden. In 1957 nationaliseerde de Indonesische overheid echter veel bezittingen van Nederlandse handelsondernemingen in het land. Dat was een gevolg van een conflict over Nieuw-Guinea, dat Nederland in zijn koloniale invloedssfeer wilde houden. Na dat jaar moesten de handelsondernemingen op zoek naar een nieuw werkveld buiten de koloniën. Inmiddels zijn de handelsrelaties genormaliseerd en is Indonesië een van de vele landen waarmee vanuit de Rotterdamse haven wordt gehandeld.

DE ATLANTISCH-KOLONIALE WERELD EN ROTTERDAM

NEGENTIENDE-EEUWSE VERBINDING MET SURINAME

Rond 1800 waren er slechts drie Rotterdamse handelshuizen die zich actief richtten op de Nederlandse koloniën op het westelijk halfrond. Het ging om de Wed. Hamilton & Meyners, Pieter Wachter en Ferrand Whaley & Jan Hudig.[129] Tussen 1795 en 1816 waren ook die koloniën vrijwel continu in Britse handen. Het in 1795 opgerichte Rotterdamse cargadoors- en handelshuis Hudig, Blockhuyzen & Van der Eb hield in de Franse tijd via Engelse connecties een verbinding met Suriname.[130] De vaart op Essequibo/Demerara vanuit Rotterdam was vlak voor 1795 en in 1802 minstens zo groot als die op Suriname. Dat kwam mede door plantage-investeringen van de Rotterdamse firma's Collings & Maigny en E. Suermondt & Zonen & Co.[131] Het ging om een kortstondige opleving, want na 1816 kreeg Nederland van de plantagekoloniën in Zuid-Amerika alleen Suriname terug.

De Rotterdamse scheepvaart op Suriname bleef in de negentiende eeuw in de schaduw van die van Amsterdam staan, maar groeide wel in absolute zin. In de eerste jaren na 1816 stuurden verschillende Rotterdamse handelshuizen, waaronder Jan van Ommeren en Hudig, Blokhuyzen & Van der Eb, schepen naar Suriname.[132] In de jaren twintig was het aantal uitgaande schepen naar Suriname niet veel kleiner dan het aantal schepen naar Java. Opvallend is de Rotterdamse connectie met Nickerie, in het westen van Suriname. In dat gebied – vlak naast het toen Britse Berbice – streken vanaf 1800 veel Engelsen en Schotten neer, die er vooral katoenplantages oprichtten.[133] Rotterdam had vanouds een grote Engelse en Schotse gemeenschap en een bijzondere rol was weggelegd voor de Schot 'Colin Campbell of Rotterdam', die samen met plaatsgenoot James Macpherson en de in Middlesex wonende Wilkinson Dent in 1822 het handelshuis Colin Campbell, Dent & Co oprichtte.[134] Campbell bracht voor £ 50.000 aan hypotheekleningen op Surinaamse plantages onder in deze firma en een van de schepen van de firma kreeg de naam *Nickerie*. Ook exploiteerde de firma voor eigen rekening een scheepstimmerwerf in Schoonderloo, nabij Delfshaven.[135] Voor zover schepen uit Nickerie in de jaren na 1820 naar Nederland voeren, was dat vooral voor rekening van Colin Campbell, Dent & Co.[136] De firma werd in 1832 ontbonden, hoewel er later nog wel sprake is van A. Campbell & Co.[137] Rond die tijd voeren er meer Rotterdamse schepen naar Nickerie dan naar Paramaribo. Het is dan ook geen toeval dat het eerste stadje dat in Nickerie ontstond de naam Nieuw-Rotterdam kreeg.

In de eerste decennia van de negentiende eeuw groeide de Surinaamse katoensector snel en daarna wisten planters ook de suikerexport te vergroten. Toch ging het met de Rotterdamse scheepvaart en handel op Suriname vanaf 1830 bergafwaarts. In 1842 hield de Kamer van Koophandel zich bezig met de 'achteruitgang onzer vroeger zoo belangrijke West Ind: Colonien'.[138] Een belangrijke conclusie was dat de Surinaamse suiker de concurrentie met de Javaanse suiker niet aankon.[139] Vanaf 1848 stond het Surinaamse planters vrij hun producten ook naar andere landen dan Nederland te sturen. Rotterdamse schepen lieten de kolonie toen al meer en meer links liggen, vooral ten faveure van Java. Soms voeren schepen die voor de NHM-bevrachting gebouwd waren naar Suriname als ze op een door de NHM bevrachtte Javareis moesten wachten. Een voorbeeld is het schip *Amerika* van Mees & Moens, dat regelmatig door de maatschappij bevracht werd. Uit de naam van het schip blijkt al dat het niet alleen op Java voer. Zo vervoerde het in 1859 in opdracht van het Haagse ministerie van Koloniën een groep van zestig soldaten van Rotterdam naar Suriname.[140]

Suriname speelde vanaf halverwege de negentiende eeuw geen rol van betekenis meer voor de Rotterdamse scheepvaart en handel, hoewel er wel een connectie bleef. Zo was begin twintigste eeuw de Balata Compagnie Suriname statutair gevestigd in de Maasstad. Die onderneming won in het binnenland van Suriname balata, een rubbersoort. Het ging om de belangrijkste balata-onderneming in Suriname. De werkomstandigheden voor de kleine groepen arbeiders die de balata wonnen waren zwaar. Tussen 1916 en 1920 werkte Anton de Kom als administrateur op het kantoor van deze compagnie in Paramaribo. Volgens hem was de Balata Compagnie in die jaren 'de kurk waar de kolonie op drijft'. In zijn beroemd geworden *Wij slaven van Suriname* trok hij fel van leer tegen de uitbuiting door de compagnie van zwarte Surinaamse arbeiders, die hem deed denken aan de slavernijperiode.[141]

De Rotterdamse scheepvaart op de Caribische eilanden stond vanaf halverwege de negentiende eeuw ook op een laag pitje. Een van de weinige Rotterdamse reders die rond 1850 actief schepen naar Curaçao zond was Huibert van Rijckevorsel.[142] Toch werd de band met dat eiland nooit helemaal verbroken en anno 2020 is er zelfs weer sprake van een intensivering van de connectie door de samenwerking van het Havenbedrijf Rotterdam met de Curaçao Ports Authority.

ROTTERDAM EN WEST-AFRIKA IN DE NEGENTIENDE EEUW

Rotterdam had in de negentiende eeuw een opvallende commerciële connectie met Afrika. Langs de hele West-Afrikaanse kust van het huidige Senegal tot Angola kochten Rotterdamse handelaren producten op als palmolie, palmpitten, aardnoten en rubber.[143] Nederland bezat forten in enkele kleine kustplaatsen op de Goudkust (ongeveer de kustlijn van het tegenwoordige Ghana), waarvan het fort in Elmina het belangrijkste was. Weliswaar lagen die forten niet in de belangrijkste handelsgebieden, maar ze boden wel steunpunten voor Nederlandse handelaren.

Een belangrijke handelaar op de West-Afrikaanse kust halverwege de negentiende eeuw was de Rotterdammer Huibert van Rijckevorsel. Zijn rederij voer in de jaren veertig van die eeuw hoofdzakelijk op Java, Suriname en Europese bestemmingen. In 1846 nam Van Rijckevorsel een schip over van stadsgenoot Jan Hudig, dat tot dusver voor de vaart op Suriname was gebruikt. Na verkoop kreeg het een nieuwe vaste bestemming: West-Afrika. De eerste handelsagent van Van Rijckevorsel in Afrika werd de gouverneur-generaal van de Nederlandse bezittingen in Afrika, de Rotterdammer Anthony van der Eb. Deze gouverneur-generaal was een neef van Christiaan van der Eb, lid van de Rotterdamse cargadoorsfirma Hudig, Blokhuyzen & Van der Eb. Tijdens een verlof in Nederland in 1846-1847 heeft Anthony van der Eb vrijwel zeker een contract afgesloten met Van Rijckevorsel.[144]

Rond 1850 had Van Rijckevorsel nauwelijks concurrentie op de Goudkust, maar ook later bleef zijn handelshuis er dominant. Volgens een geneeskundige die in Elmina had gewerkt, was er in 1861 geen 'ander handelskantoor te Elmina [...] dan dat van het Huis H van Rijckevorsel te Rotterdam'.[145] Van Rijckevorsel maakte gebruik van de bescherming van de Nederlandse forten en de overheid stuurde zelfs regelmatig oorlogsschepen naar de Afrikaanse kust om te helpen eventuele schulden te innen.

Uit een bewaard gebleven financieel overzicht van compagnon Hendrik Muller blijkt dat de firma Van Rijckevorsel tussen 1851 en 1861 meer dan een half miljoen gulden winst maakte met de West-Afrikaanse handel.[146] Vanaf 1863 zette Hendrik Muller de activiteiten alleen voort onder de naam Muller & Co. Hij keerde zich echter steeds meer af van de commercieel minder interessante Goudkust, ten behoeve van de handel op Liberia.

Hendrik Muller behoorde tot de grootste tegenstanders van de vrijwillige afstand die Nederland in 1872 deed van de forten op de Goudkust. Voor de overheid waren de kosten voor onderhoud te hoog en de commerciële belangen te klein, aangezien de firma Muller & Co vrijwel de enige handelsonderneming was die gebruikmaakte van de forten. De Nederlandse staat wilde de forten aan Groot-Brittannië verkopen. De Britten konden ze dan incorporeren in een nieuwe kolonie, hetgeen goed zou zijn voor 'de bevordering van de beschaving en het onderwijs der inboorlingen'. Muller vond dat een goedkoop excuus, omdat de Nederlandse staat volgens hem nooit rekening had gehouden met de lokale bevolking. Hij schreef dat de overheid voor Java, 'met zijne heerendiensten en zijn cultuurstelsel, met den millioenenvloed van het Batig Saldo' ook nauwelijks geld besteedde aan de lokale bevolking.[147] Het Nederlandse kabinet stootte de forten op de Goudkust toch af. Volgens Muller had die beslissing een 'zeer grooten invloed' op de afname van de grootte van zijn handelsvloot. Net als veel andere rederijen in die tijd liet Muller weinig nieuwe schepen aanbouwen; hij stopte zijn rederijactiviteiten in 1891.[148]

De Rotterdamse handelsbelangen in West-Afrika strekten zich ook uit ten zuiden van de evenaar. In 1857 begon het handelshuis Kerdijk & Pincoffs met activiteiten rond de monding van de Congorivier, waar de firmanten enkele Afrikaanse handelsposten stichtten. De leiding in Afrika was in handen van Lodewijk Kerdijk, broer van één van de firmanten. Al snel breidden de zaken zich uit en had de onderneming tientallen factorijen, eigen en gecharterde schepen en was het een van de belangrijkste Europese ondernemingen in het kustgebied van de Congorivier. In 1869 werd de onderneming ondergebracht in de N.V. Afrikaansche Handelsvereeniging (AHV). De AHV exporteerde Nederlandse en Engelse producten en importeerde vooral palmolie en aardnoten.

De AHV speelde niet alleen vanwege het handelsbelang een rol in Rotterdam, maar ook vanwege de frauduleuze activiteiten van firmant Lodewijk Pincoffs. De vennootschap haalde in 1869 veel kapitaal op en begon aan een roekeloze expansie. De gekozen strategie mondde uit in forse verliezen. Pincoffs hield die realiteit jarenlang verborgen door creatief te boekhouden. In 1879 kwam het bedrog uit en moest Pincoffs halsoverkop vluchten om aan rechtsvervolging te ontsnappen. Hij sleepte talloze particulieren die belegd hadden in de AHV mee in zijn val.[149] Vanwege het belang van de AHV werd een reddingsoperatie op touw gezet en ontstond een doorstart: de Nieuwe Afrikaansche Handels-Vennootschap (NAHV). Een van de leidende personen achter die doorstart was de eerdergenoemde Hendrik Muller, die ook een van de directeuren van de NAHV werd. Deze onderneming zette de handelsactiviteiten voort.[150]

Hoewel Nederland geen formele koloniën had in westelijk Afrika, zijn de Rotterdamse activiteiten in deze regio toch van belang voor de koloniale geschiedenis. Zo kregen de betrokken handelaren te maken met slavenhandel en slavernij. De Europese trans-Atlantische slavenhandel was in de negentiende eeuw verboden, maar halverwege die eeuw was er nog volop sprake van illegale en semilegale handel in mensen. Sommige constructies gingen in principe uit van vrije emigratie door Afrikanen, zoals de werving van soldaten voor Nederlands-Indië op de Goudkust. Het schip *Rotterdams Welvaren* van Anthony van Hoboken vervoerde in 1831 de eerste groep Afrikaanse soldaten naar Java en deze praktijk ging door tot 1872.[151] De grens tussen vrije en gedwongen emigratie was echter vaag en werd snel overschreden. Dat gold zeker voor het gebied rond de Congomonding.[152] De AHV heeft waarschijnlijk niet rechtstreeks deelgenomen aan illegale slavenhandel, maar Lodewijk Kerdijk leverde soms handelsgoederen aan slavenhandelaren.[153] Bovendien had de AHV rond 1879 honderden Afrikanen in dienst op haar factorijen, die in feite slaven waren en bijzonder slecht behandeld werden.[154]

De factorij 'Rotterdam' aan de mond van de Congo (Banana Point) rond 1865. (Maritiem Museum Rotterdam)

De (N)AHV speelde een belangrijke rol bij het ontstaan van de kolonie Belgisch Congo. Deze vennootschap was de op één na grootste geldschieter van de in 1878 door de Belgische koning opgerichte N.V. bedoeld om in de Congo een netwerk van factorijen op te zetten.[155] Hendrik Muller was met een hoofdagent van de NAHV aanwezig op de Berlijn-conferentie van 1884-1885, waarop Europese landen de aanspraken van de Belgische koning op het Congogebied bevestigden. De NAHV ondersteunde de koning, omdat deze beloofde de handel vrij te laten.[156] Die belofte kwam hij niet na en bovendien werd de kolonie in latere jaren berucht vanwege grove mensenrechtenschendingen en koloniaal misbruik. Ondanks deze gruweldaden bleef de NAHV er werkzaam. Nog tot ver in de twintigste eeuw was de NAHV actief in de Belgische Congo, de Franse Congo en elders in Afrika.

CONCLUSIE

Rotterdam was vanaf het begin betrokken bij het koloniale project van Nederland. Het is dan ook geen toeval dat het eerste Nederlandse schip dat de wereld rondvoer uit de Maasstad kwam, namelijk de *Mauritius* van Olivier van Noort. Uit het onderzoek bleek dat ook het eerste gedocumenteerde Nederlandse slavenschip een duidelijke Rotterdamse connectie had. De vroegste buiten-Europese expedities vanuit Rotterdam leverden financieel weinig op en de impact op de economie bleef nog beperkt. Rotterdammers hielpen wel mee om de grondslagen te leggen van het wereldwijde maritieme netwerk dat de basis werd van de Nederlandse koloniale expansie. De reizen maakten Rotterdamse kooplieden bovendien bekend met nieuwe producten, nieuwe handelsroutes en nieuwe mensen. Die producten, routes en mensen veranderden in de eeuwen erna niet alleen de wereldeconomie, maar ook de Rotterdamse economie.

Tussen 1600 en 1800 verdubbelde het inwoneraantal van Rotterdam ruimschoots en was de Maasstad een van de snelst groeiende Nederlandse steden. Omdat Rotterdam bij de oprichting van de VOC (1602) en de WIC (1621) nog relatief klein was, kreeg de stad ook slechts kleine lokale afdelingen van deze compagnieën. De Kamer Rotterdam van de VOC kreeg 1/16e van alle Nederlandse activiteiten van die Compagnie toebedeeld, het Rotterdamse aandeel in de activiteiten van de WIC was zelfs nog kleiner. Gebaseerd op de inwoneraantallen van Amsterdam en Rotterdam rond 1700 en de relatieve aandelen van beide steden in de VOC, was de Aziatische scheepvaart en handel voor Amsterdam ongeveer tweemaal zo belangrijk als voor Rotterdam. Dankzij de enorme schaal van de VOC-activiteiten, vooral in de achttiende eeuw, was de Compagnie toch een factor van betekenis in Rotterdam. Het is niet onwaarschijnlijk dat in sommige jaren 2 procent van de economie samenhing met de activiteiten van de VOC.

Het kleine aandeel van Rotterdam in de WIC zegt nog minder, omdat die Compagnie ook particuliere ondernemers in haar octrooigebied moest dulden. In de zeventiende eeuw nam de Kamer Maze wel actief deel aan de Braziliaanse vaart, de handel op West-Afrika en de trans-Atlantische slavenhandel. In de achttiende eeuw waren het vooral particuliere reders die het stokje van de WIC overnamen. Toch bleef de Rotterdamse vaart op het westelijk halfrond beperkt en dat gold ook voor de vaart op Nederlandse koloniën.

De Rotterdamse koloniale scheepvaart viel in het niet bij de vaart op Europese havens. Toch kan daaruit niet direct geconcludeerd worden dat deze koloniale vaart van klein belang was. Het is opvallend dat Rotterdam bijvoorbeeld veel meer (met slavenarbeid geproduceerde) koffie en suiker importeerde via Frankrijk dan rechtstreeks uit Nederlandse koloniën. Vaak ging het bij deze indirecte koloniale link om producten uit Franse koloniën. Daarnaast waren binnen- en buiten-Europese handelsnetwerken sterk geïntegreerd. Toen de Rotterdamse VOC-bewindhebber Isaac van Teylingen begin negentiende eeuw terugkeek op de Compagnie en de koloniale handel concludeerde hij dan ook dat de Europese commercie het belangrijkst was voor Rotterdam. Maar hij schreef daarnaast:

'de waren uit Oost en West aangebracht vermeerderden den handel op Spanje en geheel Duitschland, voor de specerijen uit het oosten kregen wij Spaansche wol, die niet weinig toebragt tot den bloei onzer fabrieken, wij verruilden onzer wester producten tegen pik, teer, granen en houtwaren.'[157] Bovendien werd de export van koloniale goederen het fundament onder de groeiende Rijnhandel vanuit Rotterdam richting het Duitse achterland.[158]

Het belang van de koloniale scheepvaart en handel voor Rotterdam nam in de negentiende eeuw fors toe. De handel met de Caribische eilanden liep echter sterk terug. Hoewel de vaart op Suriname na 1816 veelbelovend leek, werd ook de Surinaamse handel al snel op zijn best bijzaak. Het was de vaart op Java die het belangrijkst werd voor de Rotterdamse economie. Bij die ontwikkeling speelden het Cultuurstelsel en de NHM-bevrachting een hoofdrol. Voordat de grootschalige transitohandel met het industrialiserende Roergebied eind negentiende eeuw opkwam, was de koloniale handel de sterkst groeiende internationale handelstak van Rotterdam. Rond 1850 ontstond daardoor zelfs een tekort aan aanlegplaatsen voor schepen, veroorzaakt door de spectaculaire toename van het aantal Oost-Indiëvaarders. Om het tekort aan ruimte op te lossen kwam aan de westzijde van Rotterdam het Nieuwe Werk gereed, door het stadsbestuur gedeeltelijk gefinancierd door de verkoop van NHM-aandelen.[159] De Rotterdamse vloot Oost-Indiëvaarders was vanaf 1863 zelfs groter dan die van Amsterdam.[160] De toenemende liberalisering van de wereldhandel in de laatste decennia van de negentiende eeuw had tot gevolg dat de scheepvaart op de Nederlandse koloniën meer buitenlandse concurrentie kreeg. Eind negentiende en begin twintigste eeuw nam het relatieve belang van de koloniën voor de Rotterdamse haven af. Toch bleven Rotterdamse handelsfirma's actief in vooral Nederlands-Indië, waar ze tot de grootste Europese ondernemingen behoorden.

Het koloniale stelsel leverde in de negentiende eeuw de Nederlandse economie veel op, maar was nog voordeliger voor 's lands schatkist en voor een selecte groep reders en kooplieden. Een groot deel van de voordelen bestond dan ook uit persoonlijk gewin voor een betrekkelijk kleine groep. De Rotterdamse elite in de eerste helft van de negentiende eeuw was een kleine, besloten groep mannen. Grotendeels ging het nog om de achttiende-eeuwse regenten en hun nazaten. Zij hadden een groot deel van hun fortuin te danken aan de koloniale handel en in het bijzonder aan de beschermde vaart op Java.[161] Hoewel in de tweede helft van de negentiende eeuw een nieuwe elite opkwam, bleven mensen met koloniaal fortuin invloedrijk. Een voorbeeld is de Rotterdammer F.B. 's Jacob, die halverwege de negentiende eeuw een lucratief suikercontract op Java kreeg. Het legde de basis voor zijn vermogen en 's Jacob werd later gouverneur-generaal van Nederlands-Indië, maar ook burgemeester van Rotterdam.[162] De Afrikahandelaar Huibert van Rijckevorsel was ook actief in de gemeenteraad en onder meer eigenaar van de nieuwe liberale krant *NRC*. De grote reis- en verzamelwoede van zijn enige zoon Elie van Rijckevorsel – mogelijk gemaakt door het familiekapitaal – legde de basis voor de collecties van verschillende Rotterdamse musea.

Rotterdam had in de eerste decennia van de twintigste eeuw nog steeds een koloniale connectie, maar de haven van de stad was veranderd in een competitieve wereldhaven. Import uit de koloniën was niet langer de belangrijkste intercontinentale handelsstroom. Rotterdamse ondernemingen waren echter nog steeds actief in koloniale gebieden. De Balata Compagnie exporteerde bijvoorbeeld balata uit Suriname, hoewel dit product in de jaren voor de Tweede Wereldoorlog aan betekenis verloor. De Rotterdamse handelsfirma's in Nederlands-Indië probeerden na deze oorlog hun activiteiten in het onafhankelijke Indonesië te hervatten. Hoewel ze daarin slaagden, moesten ze het land vanwege het Nieuw-Guineaconflict verlaten en in de jaren zestig op zoek gaan naar nieuwe werkvelden.

NOTEN

1 In 2017 liepen 29.646 zeeschepen binnen, in 2016 waren dat er 27.902. Bron: Havenbedrijf Rotterdam. De havens genereerden in 2016 bijna € 23 miljard aan toegevoegde waarde (3,3 procent van het Nederlandse BBP). Van der Lugt e.a., *Havenmonitor*, 15-16.

2 Van der Schoor, *Stad in aanwas*, 229 en Van de Laar, *Stad van formaat*, 173.

3 Zie de 'Deductie varvaetende den oorspronck ende progres van de vaert ende handel op Brasil' (1622), afgedrukt in: IJzerman, *Journael van de reis naar Zuid-Amerika*, 98-106. Nederlandse schepen waren efficiënter en hadden daardoor lagere kosten dan Portugese schepen. Vergelijk Enthoven, 'Early Dutch expansion', 24-26.

4 Bijlsma, *Rotterdams welvaren*, 61 en Bijlsma, 'Rotterdams Amerika-vaart', 100. Zie ook NL-RtdGA, ONA 7, akte 18 september 1600.

5 NL-HaNA, Hof van Holland, sententie Hof 31 juli 1603; Bijlsma, *Rotterdams welvaren*, 60-61 en Stoppelaar, *Balthazar de Moucheron*, aantekeningen, 72.

6 De Afrikanen werden echter alsnog weggevoerd en waarschijnlijk elders als slaven verkocht: Japikse, *Resolutiën der Staten-Generaal*, deel 8, resolutie 23 november 1596, 333-334.

7 Enthoven, 'Early Dutch expansion'; 40 Hondius, *Blackness in Western Europe* en Unger, 'Bijdragen I', 136.

8 Archivo General de Simancas (Spanje), Secretarío de Estado, legajo 631, twee memories van Melchior van den Kerckhoven. Met dank aan Silvia Cazallo Canto. Zie ook Wieder, *Nederlandsche historisch-geografische documenten in Spanje*, 213-214. Een kopie van de memories bevindt zich in de collectie van juffrouw Van Overeem, bewaard op het Maritiem Museum te Rotterdam. Met dank aan Sjoerd de Meer.

9 Stoppelaar, *Balthazar de Moucheron*, bijlage aantekeningen, 72.

10 Zie de brief uit 1600 aan de koopman op een Rotterdams schip, Unger, 'Nieuwe gegevens', 211-214.

11 NL-RtdGA, ONA 30, borgstelling 4 september 1606 (scan 106). Ibid, ONA 33, attestatie 4 juni 1611 (scan 138). Block voer als schrijver, maar nam ook tabak mee terug naar Rotterdam. Ibid., ONA 17, machtiging 19 mei 1612 (scan 125).

12 Japikse, Resolutiën Staten-Generaal, deel 9, 14 oktober 1597, 680.

13 Het verslag van Cabeliau is afgedrukt in De Jonge, *Opkomst van het Nederlandsch gezag*, 153-160. Zie ook Hulsman, *Nederlands Amazonia*, 19-32.

14 De stad Rotterdam steunde tenminste één van deze expedities door een kanon uit te lenen. NL-RtdGA, OSA 715, resolutie vroedschap 22 april 1598.

15 Zie Wieder, *De Reis van Mahu en de Cordes* en IJzerman, *Dirck Gerritsz Pomp*.

16 IJzerman, *Reis om de Wereld door Olivier van Noort*; De Lint, *Kanonnen voor kruidnagelen* en Bijlsma, 'Het bedrijf van de Magellaensche Compagnie'.

17 Den Tex, *Oldenbarnevelt: Oorlog, deel II*, 391.

18 NL-RtmGA, ONA 8, akte 31 augustus 1602 (vanaf scan 242). De akte werd opgemaakt ten huize van Jacob Cornelisz van Aeckersloot. Den Heijer, *Geoctrooieerde compagnie*, 61.

19 De voortdurende rechten van de Magellaanse Compagnie leidden tot juridische conflicten tussen deze partij en de VOC. Zie Ekama, *Courting Conflict*, 71-80. De Magellaanse Compagnie heeft wel enkele malen 'billietten [...] laten aanslaan' met de boodschap dat zij schepen wilden uitreden. Van Dam, *Beschrijvinge van de Oost-Indi-*

sche Compagnie, I, 10-11.

20 Gelderblom, De Jong, Jonker, 'The Formative Years', 1056.

21 Volgens VOC-advocaat Pieter van Dam bedroegen de kosten van de Rotterdamse expeditie ƒ 231.567. Van Dam, *Beschrijvinge van de Oostindische Compagnie*, I, 224.

22 Het oorspronkelijke startkapitaal is nooit geactiveerd op de balans, maar direct geïnvesteerd en afgeschreven. Dat was ook gebruikelijk bij partenrederijen. Vergelijk De Korte, *De financiële verantwoording*. Gedurende de zeventiende en achttiende eeuw was het langdurig uitlenen van geld aan de Kamer Rotterdam een bron van inkomsten voor veel prominente stadsbewoners. Tussen 1642 en 1700 had de Kamer uitstaande deposito's voor gemiddeld ƒ 424.135. Tussen 1700 en 1715 bedroeg deze schuld ƒ 126.050, daarna tot 1782 ƒ 102.100. Een vaste groep Rotterdamse families kreeg hiervoor een rentevergoeding. Vanaf 1738 leende de Kamer ook structureel geld 'op anticipatie', met als onderpand de toekomstig te verkopen (nog aan te voeren) Aziatische goederen. Na 1783 steeg de schuld tot boven ƒ 1 miljoen als gevolg van oorlogsomstandigheden, hetgeen bijdroeg aan de insolvabiliteit van de VOC in haar laatste jaren. NL-HaNA, VOC 4583 t/m 4597.

23 Wiersum, 'Gebouwen der Oost-Indische Compagnie', 94-96 en Thiels, 'Het Oostindische huis aan de Boompjes'.

24 Van Spaan, *Het nieuw Oostindisch huis*, 44.

25 Zie over de bewindhebbers Grimm, 'Heeren in zaken'.

26 Het uitbetalen van een vast percentage van de omzet was ook gebruikelijk bij partenrederijen, waar de VOC in de eerste decennia organisatorisch gezien veel trekjes van had.

27 Hoeveel invloed de Rotterdamse bewindhebbers hadden bij benoemingen, zelfs in het nadeel van de overige aandeelhouders, blijkt wel uit NL-RtdGA, Huis ten Donck 35, memorie van Cornelis Groeninx. Vergelijk ibid., 1203, resolutie VOC Kamer Rotterdam 25 juli 1718.

28 Bruijn, Gaastra, Schöffer, *Dutch-Asiatic Shipping*.

29 Van Dam, *Beschrijvinge van de Oost-Indische Compagnie*, I, 515.

30 NL-HaNA, VOC 4583 t/m 4597.

31 De Korte, *Financiële verantwoording*, Bijlage 12b.

32 Gebaseerd op een inwonertal van 50.000 en een hoofdelijk inkomen tussen de ƒ 206 en ƒ 236. De Vries en Van der Woude, *Nederland 1500-1815*, 810.

33 Fernandez Voortman, 'De VOC en de stad Rotterdam', 29-32. Vergelijk Bruijn, 'De personeelsbehoefte van de VOC', 221.

34 NL-RtdGA, Huis ten Donck 35, memorie van Cornelis Groeninx, 35.

35 Voorbeelden zijn Cornelis Matelief de Jonge, Nicolaas Cornelisz Puyck en Andries Soury.

36 Van der Dussen vertrok in 1636 als Hoge Raad naar Nederlands-Brazilië in dienst van de WIC. Moquette, 'Adriaan van der Dussen'. In Brazilië werd een fort naar hem vernoemd. Zie Van Nederveen Meerkerk, 'Twee Zeeuwse forten'. Zij noemt Van der Dussen onterecht een Zeeuwse koopman.

37 Van der Schoor, 'Isaac van Teylingen'; Eijck van Heslinga, 'Fortuyn soecken'.

38 Akveld, *Machtsstrijd om Malakka*, 11.

39 Dit was de zoon van een investeerder in de Magellaanse Compagnie. Vergelijk Akveld, *Machtsstrijd om Malakka*, 297.

40 De memorie is afgedrukt in De Jonge, *Opkomst van het Nederlandsche Gezag*, vol. III,

380-394, citaat op 389-390.

41 C.R. Boxer stelt zelfs – enigszins gechargeerd – dat de Rotterdamse Speelman met zijn veroveringen de unificatie van het latere Indonesië in gang zette. Boxer, 'Cornelis Speelman', 154.

42 Deze portretten bevinden zich nu in de collectie van Museum Rotterdam.

43 NL-HaNA, VOC 4583 t/m 4597.

44 NL-HaNA, VOC 4593, crediteurenlijst Kamer Rotterdam.

45 NL-RtdGA, OSA, vergadering 22 november 1621.

46 Te Lintum, 'De oprichting van de Rotterdamsche Kamer'.

47 Zie onder meer De Laet, *Iaerlijck Verhael*, I, 9, 33.

48 Ibid., V, 146.

49 NL-RtdGA, ONA 189, machtiging 9 januari 1629. De broers machtigden hun moeder om het buitgeld op te nemen, terwijl zij weer vertrokken voor een nieuwe reis.

50 De Laet, *Iaerlijck Verhael*, VI, 103. De 142 matrozen en 85 soldaten aan boord van zijn schip kwamen blijkens het Rotterdams notarieel archief uit allerlei windstreken (waaronder Engeland, Frankrijk en Duitse gebieden), zeker niet alleen uit de stad.

51 Wiersum, 'Gebouwen der West-Indische Compagnie', 167.

52 NL-HaNA, OWIC 39 (scan 197). Dordrecht had hiervoor ontvangen ƒ 25.199, Rotterdam en Delft gezamenlijk ƒ 19.409.

53 De doorstart leverde de Compagnie maar weinig werkkapitaal op. De Kamer Maze kreeg aan liquide middelen slechts ƒ 63.000. Schneeloch, 'Das Grund- und Betriebskapital', 329.

54 Van de Wall, *Handvesten, Privilegien* [...], 1844-1845. Zie voor een lijst van de 18 hoofdparticipanten in de Kamer Maze in 1714 de *Copieën van missiven etc. m.b.t. de benoeming van Johan de Mey* uit 1714.

55 Van Brakel, 'Eene memorie', 101.

56 NL-HaNA, WIC 16, 17 maart 1773.

57 NL-HaNA, WIC 1316, driejarige rekening 1693-1695. Voor de Kamer Maze zijn delen van de driejaarlijkse rekeningen bewaard gebleven voor de periode 1693-1755. Het betreft per rekening ofwel een cashflow-overzicht, ofwel een winst- en verliesrekening. Deze verschaffen allebei verschillende informatie. Voor de omrekening naar hedendaags geld, zie http://www.iisg.nl/hpw/calculate2.php [geraadpleegd op 11 maart 2020].

58 Den Heijer, 'Recht van de sterkste'.

59 Zie ook Bijlsma, 'Rotterdams Amerika-vaart', 114.

60 Zie onder andere NL-RtdGA, ONA 329, machtiging 10 mei 1641.

61 Bijlsma, 'Rotterdams Amerika-vaart', 122-124.

62 Cau, Groot-Placaatboek I, 608.

63 NL-RtdGA, Maatschappij van Assurantie 2, vergadering 15 februari 1751, bijlage 'missive van Suriname'.

64 Zie hierover het volgende hoofdstuk.

65 NL-HaNA, WIC 1136. De *Prins Willem Frederik* vertrok in 1790 uit Essequibo, maar voer uiteindelijk op 6 januari 1791 vanuit Demerara naar Rotterdam met suiker, koffie en katoen.

66 Klooster, 'Other Netherlands beyond the sea', 187, noot 21.

67 NL-HaNA, WIC 270-271.

68 NL-HaNA 271.
69 Paesie, *Lorrendrayen op Africa*, 127-130.
70 Murray, 'Toeback-koopers', 22-23; NLK-RtdGA, ONA 269, bevrachtingsovereenkomst 9 april 1639.
71 Murray, 'Toeback-koopers', 24-25.
72 Klooster, 'The Tobacco Nation', 23-27.
73 De invoer van tabak vanuit Schotland naar Rotterdam kwam tussen 1720 en 1740 op gang en groeide daarna spectaculair. Roessingh, *Inlandse tabak*, 244.
74 Egle (red.), *Names of Foreigners*. Zie ook Te Lintum, 'Emigratie over Rotterdam in de 18e eeuw'.
75 NL-HaNA, Admiraliteitscolleges Van der Heim 55, 'Beschouwing van den koophandel van suiker, zoo als die voor al word gedreven in de Vereenigde Nederlanden'.
76 Het betreft fiscale gegevens verzameld door de Admiraliteiten, die gerechtigd waren convooien en licenten te heffen over deze invoer. De (in)directe invoer van koloniale producten in Rotterdam leidde regelmatig tot conflicten tussen de WIC en de Admiraliteit op de Maze. Voor koloniale producten die rechtstreeks uit het octrooigebied kwamen, moesten importeurs een heffing betalen aan de WIC en waren ze vrijgesteld van de heffing van de Admiraliteit. Bij de WIC hoefden handelaren minder te betalen, omdat die Compagnie de opgegeven importen nauwelijks controleerde. Zie vooral NL HaNA, Archief admiraliteitscolleges Bisdom 197, rapport 8 december 1757.
77 NL-HaNA, Archief Admiraliteitscolleges 717.
78 Postma Suriname Data Collection.
79 NL-HaNA, Archief Admiraliteitscolleges 717-720.
80 *Hedendaegsche historie*, deel XI, 634.
81 De Boer, 'Een memorie over den toestand der West Indische Compagnie', 354.
82 NL-RtdGA, ONA 86, bevrachtingsovereenkomst 29 februari 1644.
83 NL-RtdGA, ONA 442, overeenkomst 10 mei 1652.
84 NL-HaNA, Staten-Generaal 5768, notulen Heren XIX, 19 maart 1669.
85 NL-HaNA, WIC 268.
86 Menkman, 'Slavenhandel en rechtsbedeeling op Curaçao', 12-26 en Wright, 'The Coymans asiento', 51-52. Van Belle was ook betrokken bij de smokkelhandel op West-Afrika. Paesie, *Lorrendrayen op Africa*, 127-128 en Van Belle, *Pertinent Verhael*.
87 Gegevens uit de TSTD.
88 Zie het volgende hoofdstuk.
89 NL-RtdGA, Coopstad & Rochussen 73 en Crol, 'De kruitmolen aan de Schie'.
90 NL-RtdGA, Coopstad & Rochussen 73 en Visser, *Verkeersindustrieën in Rotterdam*, 99, 109.
91 De Kok, *Walcherse Ketens*, hoofdstuk 5.
92 Inikori, *Africans and the Industrial Revolution*, 288-289 en Rawley, *London, Metropolis of the Slave Trade*, 45. Vergelijk Anstey, *The Atlantic Slave Trade and British Abolition*, 10-11.
93 NL-HaNA, WIC 106, processtukken, verklaring scheepsvolk *Hannibal*. De WIC hield het Engelse schip in Elmina aan, omdat het in Rotterdam was geweest. De compagnie vermoedde dat het een Nederlands smokkelschip betrof.
94 Morgan, 'Liverpool's Dominance in the British Slave Trade', 21 en 'The Isle of Man and the Transatlantic Slave Trade', 2.

95 Ruderman, *Supplying the Slave Trade*, 191-227.
96 Poort, 'De waarheid over Reyn Varkevisser'.
97 Zie bijvoorbeeld Hoynck van Papendrecht, *Gedenkboek Hoboken*, 69.
98 *De Weegschaal* 1820/1, 49-63, 50 en Van Mechelen, *Zeevaart en zeehandel*, 58-64. Alex Ferrier was een Brit, maar gevestigd in Rotterdam.
99 Idem, 164-165. Muntinghe, 'Rapport', 289.
100 Citaat uit het Koninklijk Besluit tot oprichting van de NHM, 29 maart 1824, nr. 163.
101 Te Lintum, 'Rotterdam en de oprichting der Nederlandsche Handel-Maatschappij', 99-100. Waarschijnlijk speelde ook het door de koning gegarandeerde rendement van 4,5 procent (boven de toen gangbare rente) een rol. Door de over-inschrijving werd het kapitaal gereduceerd. Het totaal aantal in Rotterdam ingeschreven aandeelhouders bedroeg uiteindelijk 3769. Mansvelt, *Geschiedenis van de NHM*, I, 73.
102 Broeze, *De stad Schiedam*, 8.
103 *Nederlandsche Hermes* 5/9 (1828), 66-70. NL-RtdGA, Handschriftenverzameling (33) 1636, Lijst der schepen van dezen stad Rotterdam op de Oost-Indiën varende in 1834. Ter vergelijking: Amsterdam had in 1824 32 Oost-Indiëvaarders met totaal 6940 last. Als gevolg van de Belgische Opstand in 1830 verplaatsten enkele Belgische reders hun activiteiten naar Rotterdam, waarvan de voornaamste de Gentse rederij van N.J. de Cock was.
104 Mansvelt, *Geschiedenis van de NHM*, II, 130. In 1841 had Amsterdam 156 Oost-Indiëvaarders.
105 Hoynck van Papendrecht, *Gedenkboek Hoboken*, 104-110, citaat op 110. Het ging om een Rotterdamse rederij met 66 – meest Rotterdamse – aandeelhouders, die samen *f* 270.000 hadden geïnvesteerd.
106 *Sweys' Neêrland's vloot en reederijen*, jaargang 3 (1860). In 1860 hadden 245 zeeschepen Rotterdam als thuishaven met een totale capaciteit van 126.115 ton. De 175 Oost-Indiëvaarders hadden een capaciteit van 126.115 ton.
107 Dat blijkt bijvoorbeeld uit de grootte van deze schepen. Van de 175 waren er 156 met een inhoud van 399 last (755 ton) of minder. Dat was geen toeval, want de NHM betaalde in die jaren een lagere vrachtvergoeding voor schepen vanaf 400 last.
108 Boissevain, 'De Nederlandsche Oost-Indie-vaarders', 174, 185.
109 Later teruggebracht tot 15/42, vanwege de toevoeging van Schiedam als NHM-stad.
110 Tot 1858 was er ook in Middelburg een koffieveiling. Vanaf dat jaar bleven alleen de Amsterdamse en Rotterdamse koffieveilingen over (iedere stad één veiling per jaar, daarvoor twee per jaar).
111 Mansvelt, *Geschiedenis van de NHM*, II, 177.
112 Mansvelt, *Geschiedenis van de NHM*, II, vanaf 187.
113 Vergelijk *NRC*, 29 augustus 1849.
114 Geciteerd in *Gedenkboek Kamer van Koophandel Rotterdam*, 331.
115 Vergelijk Boissevain, 'De Nederlandsche Oost-Indievaarders'.
116 Van de vloot Oost-Indiëvaarders in 1870 had alleen de *s-Gravenhage* (bouwjaar 1866, 1000 ton inhoud) van rederij Van Zeijlen & Decker een stoommachine, maar die beviel totaal niet. *Sweys' Neêrland's vloot en reederijen* 13 (1870), 152. Stichting Maritiem-Historische Databank, marhisdata.nl [bezocht op 27 maart 2020].
117 *Enquête koopvaardijvloot* (uit 1874-1875), 210.
118 *Enquête koopvaardijvloot*, 168.

119 *Sweys' Neêrland's vloot en reederijen* 13 (1870). De gemiddelde leeftijd was toegenomen van 9,5 jaar tot ruim 12 jaar. De grotere schepen waren het gevolg van veranderend NHM-beleid inzake de bevrachting: sinds 1868 gold vrije (competitieve) inschrijving en waren ook in het buitenland gebouwde schepen toegestaan. De zeer grote schepen (rond de 2000 ton) die in de vaart kwamen bleken buiten de NHM-bevrachting overigens nauwelijks winstgevend. Mansvelt, *Geschiedenis NHM*, II, 335-336.

120 *Beitrag zur Geschichte des Kaffee-handels (...) W. Schöffer & Co in Rotterdam.*

121 Van Ysselsteyn, *De haven van Rotterdam*, 182-183. Mees, *Tegenwoordige staat van Handel en Scheepvaart*, 13-15.

122 *Jaarverslag Kamer van Koophandel Rotterdam over 1882.*

123 In 1823 schreef Anthony van Hoboken al over een stoomverbinding met Java en in 1857 was er een serieuze poging gedaan om zo'n verbinding tot stand te brengen. Al die pogingen liepen op niets uit. Hoynck van Papendrecht, *Gedenkboek Hoboken*, 98; Oosterwijk, *Reder in Rotterdam*, 113-115 en *Nieuwe Rotterdamsche Courant* 25 maart 1857.

124 Lindblad, 'De handel tussen Nederland en Nederlands-Indië'.

125 Zie ook *Gedenkboek Internatio 1963-1938*, 42.

126 Jonker en Sluyterman, *Thuis op de wereldmarkt*, 230, 249.

127 Van den Berg, 'Een Rotterdams gezin', 349, 365-366.

128 Kind, *Kippenveren tot dieselmotoren*, 65.

129 Van den Berg, 'Lijst der voornaamste *handelshuizen*', 265-271.

130 Inleiding inventaris archief Hudig & Veder.

131 Van Mechelen, *Zeevaart en zeehandel*, 153 en Koulen, 'Lijst van eigenaren van plantages'.

132 NL-RdmGA, OSA, 2575, 2578. Stichting Maritiem-Historische Databank, marhisdata.nl [bezocht op 27 maart 2020].

133 Van Stipriaan, *Surinaams Contrast*, 237-238.

134 NL-RdmGA, Handschriftenverzameling 3256, oprichtingscharter Colin Campbell, Dent & Co. De firma had naast Surinaamse belangen ook belangen in Brits-Guyana. *Legacies of British Slave Ownership*, https://www.ucl.ac.uk/lbs/person/view/45375 [bezocht op 30-08-2019].

135 *Rotterdamsche Courant*, 4 maart 1830.

136 Teenstra, *Landbouw in de kolonie Suriname*, 125.

137 *The London Gazette*, 1833, 818. A. Campbell & Co gebruikte vaak schepen van Jan Hudig voor het transporteren van goederen van Nickerie naar Rotterdam, zoals blijkt uit het vergelijken van carga-lijsten van schepen in de *Rotterdamsche Courant* met de database van Marhisdata.

138 NL-RtdGA, Kamer van Koophandel 7, notulen 11 november 1842.

139 Zie het rapport van de KvK in NL-RtdGA, Kamer van Koophandel 48, nr. 196. Een bijlage bij het rapport vermeldt ook dat de Surinaamse planters niet in staat waren om het productieproces te innoveren en levensvatbaar te maken, doordat in de kolonie een arbeidstekort was als gevolg van de afschaffing van de slavenhandel. Zie over het productieproces ook Van Stipriaan, *Surinaams Contrast*, 178.

140 NL-RtdGA, Mees & Moens 6.

141 De Kom, *Wij slaven van Suriname*, 143-147, citaat op 144 en Boots en Woortman, *Anton de Kom*, 30-33.

142 Van der Pot, *Abram, Huibert en Elie van Rijckevorsel*, 77.
143 Men was in Europa vooral geïnteresseerd in de plantaardige oliën uit deze hoofdproducten, met name voor kaarsen en culinaire toepassingen. Daarnaast leverde West-Afrika in de negentiende eeuw onder meer stofgoud, ivoor en koffie.
144 Dat contract is niet gevonden, maar lijkt waarschijnlijk op een eerder contract van Van der Eb met het Amsterdamse handelshuis J. Boelen & Co., te vinden in NL-HaNA, NBKG 987 (vanaf scan 315). Van der Eb overleed in 1852, waarna zijn opvolger handelsagent van Van Rijckevorsel werd. In 1858 verbood de overheid ambtenaren als privépersoon handel te drijven.
145 Gramberg, *Schetsen van Afrika's Westkust*, 110.
146 NL-RtdGA, Archief Muller 155.
147 Muller, *De Afstand der Kust van Guinea*, 11. Geciteerd in Muller, *Muller*, 209.
148 Muller, *Muller*, 175.
149 Ook één van zijn andere creaties, de Rotterdamsche Handelsvereeniging (RHV), ging bijna ten onder.
150 Noemenswaardig is daarnaast nog de Handels-Compagnie Mozambique, opgericht te Rotterdam in 1875 en rond 1883 gereorganiseerd (door een zoon van Hendrik Muller) onder de naam Oost-Afrikaanse Compagnie.
151 Van Kessel, *Zwarte Hollanders*, 40.
152 Volgens een Nederlandse marineofficier stond bij de Congomonding een Frans 'emigranten-depot' als verkapt slavenstation. Koopman, *Verslag van eene reize naar de Westkust van Afrika*, 73. Nadat deze slavenhandel in 1863 ten einde was gekomen nam de AHV het depot over als handelspost en hernoemde het 'Rotterdam'. Robidé van der Aa, *Afrikaansche Studiën*, 117.
153 Kerdijk, *Reisjournaal van Lodewijk Kerdijk*.
154 Van Sandick, *Herinneringen van de Zuid-Westkust van Afrika* en Wesseling, 'The Netherlands and the partition of Africa', 495.
155 De grootste aandeelhouder was Koning Leopold II zelf. Muller, 323-324.
156 Zie ook Wesseling, 'The Netherlands and the Partition of Africa', 495-509.
157 NL-RtdGA, Collectie van Teylingen 57, lezing 15 februari 1811.
158 Vergelijk De Vries, 'De statistiek van in- en uitvoer van de admiraliteit op de Maaze'.
159 *Gedenkboek Kamer van Koophandel Rotterdam*, 266-267.
160 Boissevain, 'De Nederlandsche Oost-Indievaarders', 174, 185.
161 Callahan, *The harbor barons* en Schijf, *Netwerken*, *103*.
162 Schijf, *Netwerken*, 111.

ARCHIVALIA

Stadsarchief Rotterdam (NL-RtdGA)

1-01 Oud-archief van de stad Rotterdam (OSA)
18 Archieven van de notarissen te Rotterdam / Oud-notarieel archief (ONA)
30 Archief van Huis ten Donck te Ridderkerk
33 Handschriftenverzameling van de gemeente Rotterdam
37-01 Collectie Van Teylingen
41 Archief van de familie Muller
68 Archieven van de firma's Coopstad & Rochussen, Ferrand Whaley & Jan Hudig e.a.
72-01 Kamer van Koophandel en Fabrieken te Rotterdam

271-04 Archief van Mees, Boer & Moens

Nationaal Archief, Den Haag (NL-HaNA)
1.01.02 Staten-Generaal
1.01.47.21 Admiraliteitscolleges XXXI Bisdom
1.01.47.27 Admiraliteitscolleges XXXVII Van de Heim
1.04.02 Verenigde Oost-Indische Compagnie (VOC)
1.05.01.01 Oude West-Indische Compagnie (OWIC)
1.05.01.02 Tweede West-Indische Compagnie (WIC)
1.05.14 Nederlandse Bezittingen op de Kust van Guinea (NBKG)
3.03.01.01 Hof van Holland

Archivo General de Simancas (Spanje)
Secretarío de Estado

ONLINE DATABASES

Maritiem-Historische Databank (Marhisdata), www.marhisdata.nl [geraadpleegd op 26 maart 2020]
Trans-Atlantic Slave Trade Database (TSTD), www.slavevoyages.org [geraadpleegd op 26 maart 2020]
Dutch-Asiatic Shipping, resources.huygens.knaw.nl/das [geraadpleegd op 26 maart 2020]

LITERATUUR

Akveld, Leo, *Machtsstrijd om Malakka. De reis van VOC-admiraal Cornelis Cornelisz. Matelief naar Oost-Azië, 1605-1608*. Zutphen: Werken Linschoten Vereeniging, 2013.
Anstey, Roger, *The Atlantic Slave Trade and British Abolition, 1790-1810*. Hampshire: Gregg Revivals, 1992.
Belle, Pedro van, *Pertinent en waarachtig verhaal van alle de handelingen en directie van Pedro Van Belle, omtrent den slavenhandel*. Rotterdam, 1689.
Berg, L. van den, 'Lijst der voornaamste handelshuizen te Amsterdam en Rotterdam in het jaar *1800*', *Economisch-historisch jaarboek* 6 (1920): 265-271.
Berg, N.P. van den, 'Een Rotterdams gezin in het midden van de negentiende eeuw', *Rotterdams Jaarboekje* 1/10 (1993): 326-367.
Bijlsma, R., 'Rotterdams Amerika-vaart in de eerste helft der zeventiende eeuw', *Bijdragen voor Vaderlandsche Geschiedenis en Oudheidkunde* 5/3 (1916): 97-142.
Bijlsma, R., 'Het bedrijf van de Magellaensche Compagnie', *Rotterdams Jaarboekje* 5/2 (1917): 26-44.
Bijlsma, R., *Rotterdams welvaren 1550-1650*. Den Haag: Martinus Martinus Nijhoff, 1918.
Boer, M.G. de, 'Een memorie over den toestand der West Indische Compagnie in het jaar 1633', *Bijdragen en Mededeelingen van het Historisch Genootschap* 21 *(*1900): 343-362.
Boissevain, Jan, 'De Nederlandsche Oost-Indiëvaarders', *De Economist* (1868): 159-188.
Boots, Alice en Rob Woortman, *Anton de Kom. Biografie*. Amsterdam: Atlas Contact, 2009.
Boxer, C.R., 'Cornelis Speelman and the Growth of Dutch Power in Indonesia', *History Today 8/3 (*1958).
Brakel, S. van, 'Eene memorie over den handel der West Indische Compagnie omstreeks

1670', *Bijdragen en Mededeelingen van het Historisch Genootschap* 35 (1914): 87-104.
Broeze, Frank, *De stad Schiedam. De Schiedamse scheepsreederji en de Nederlandse vaart op Oost-Indië omstreeks 1840*. Den Haag: Martinus Nijhoff, 1978.
Bruijn, J.R., 'De personeelsbehoefte van de voc', *Bijdragen en Mededelingen betreffende de Geschiedenis der Nederlanden* 91/2 (1976): 218-248.
Bruijn, J.R., F.S. Gaastra, I. Schöffer, *Dutch-Asiatic Shipping in the 17th and 18th centuries*, resources.huygens.knaw.nl/das, geraadpleegd 26-03-2020.
Callahan, Maureen, *The harbor barons: political and commercial elites and the development of the port of Rotterdam, 1824-1892*. New Jersey: Princeton University, 1981.
Cau, Cornelis, *Groot placaet-boeck, vervattende de placaten, ordonnantien ende edicten* (...). Den Haag, 1658.
Copieën van missiven etc. m.b.t. de benoeming van Johan de Mey (...). Rotterdam, 1714.
Crol, W.A.H., 'De Kruitmolen aan de Schie', *Rotterdams Jaarboekje* 9/5 (1951): 196-212.
Dam, Pieter van, *Beschryvinge van de Oostindische Compagnie*, eerste boek, deel I. Den Haag, 1927.
Egle, William Henry (red.), *Names of Foreigners who took the Oath of Allegiance*. Harrisburg: E. K. Meyers, 1892.
Ein Beitrag zur Geschichte des Kaffee-handels : aus den 'Lebens-Erinnerungen von Wilhelm Schöffer', den Freunden der Firma W. Schöffer & Co. in Rotterdam (...). Rotterdam, 1905.
Ekama, Kate, *Courting conflict: managing Dutch East and West India Company disputes in the Dutch Republic*. Leiden: [dissertatie Leiden Universiteit], 2018.
*Enquète omtrent den toestand van de Nederlandsche koopvaardijvloot. Verslag der commissie (*1875).
Enthoven, Victor, 'Early Dutch Expansion in the Atlantic Region, 1585–1621', in *Riches From Atlantic Commerce: Dutch Transatlantic Trade and Shipping, 1585-1817*. Leiden: Brill, 2003.
Eijck van Heslinga, Els en Jan van de Voort, 'In 't afgeleegen Oosten fortuyn soecken. De reisjournalen van Paulus Gevers (1776-1777)', in *In het kielzog. Maritiem-historische studies aangeboden aan Jaap R. Bruijn*. Amsterdam: De Bataafsche Leeuw, 2003.
Fernandez Voortman, 'De voc en de stad Rotterdam', in *Heeren in zaken. De Kamer Rotterdam van de Verenigde Oostindische Compagnie*. Zutphen: Walburg Pers, 1994.
Gedenkboek N.V. Internationale crediet- en handels-vereeniging 'Rotterdam'. Uitgegeven bij het vijf-en-zeventig jarig bestaan op 28 Augustus 1938. Rotterdam, 1938.
Gelderblom, O., A. de Jong, & J. Jonker, 'The formative years of the modern corporation: The Dutch East India Company, 1602-1623', *Journal of Economic History* 73/4 (2013): 1050-1076.
Gramberg, J.S.G., *Schetsen van Afrika's Westkust*. Amsterdam: Weytingh & Brave, 1861.
Grimm, Peter, 'Heeren in zaken. De bewindhebbers van de Kamer Rotterdam', in *Heeren in zaken. De Kamer Rotterdam van de Verenigde Oostindische Compagnie*. Zutphen: Walburg Pers, 1994.
Hedendaegsche historie, of tegenwoordige staat der Vereenigde Nederlanden, deel XI. Amsterdam: Isaac Tirion, 1738.
Heijer, Henk den, *De geoctrooieerde compagnie. De voc en wic als voorlopers van de naamloze vennootschap*. Deventer: Kluwer, 2005.
Heijer, Henk den, 'Het recht van de sterkste in de polder. Politieke en economische strijd tussen Amsterdam en Zeeland over de kwestie Brazilië, 1630-1654', in Dennis Bos,

Maurits Ebben en Henk te Velde (red.), *Harmonie in Holland. Het poldermodel van 1500 tot nu*, 72-92. Amsterdam: Bert Bakker, 2007.
Hondius, Dienke, *Blackness in Western Europe: Racial Patterns of Paternalism and Exclusion*. New Jersey: Routledge, 2014.
Hoynck van Papendrecht, A., *Gedenkboek A. van Hoboken & Co., 1774-1924*. Rotterdam, 1924.
Hulsman, L., *Nederlands Amazonia: handel met indianen tussen 1580 en 1680*. Amsterdam: [dissertatie Universiteit van Amsterdam], 2009.
IJzerman, J.W., *De Reis om de Wereld door Olivier van Noort, 1598-1601*. Den Haag: Linschoten Vereeniging, 1926.
IJzerman, J.W., *Dirck Gerritsz Pomp, alias Dirck Gerritsz China, de eerste Nederlander die China en Japan bezocht (1544-1604): zijn reis naar en verblijf in Zuid-Amerika*. Den Haag: Linschoten Vereeniging, 1915.
IJzerman, J.W., *Journael van de reis naar Zuid-Amerika (1598-1601)*. Den Haag: Linschoten Vereeniging, 1918.
Inikori, Joseph E., *Africans and the Industrial Revolution in England*. Cambridge: Cambridge University Press, 2002.
Japikse, N, *Resolutiën der Staten-Generaal*, diverse delen. Den Haag: Martinus Nijhoff, 1925.
Jonge, J.C. de, *De opkomst van het Nederlandsch gezag in Oost-Indië*, deel I en III. Den Haag: Martinus Nijhoff, 1862 en 1865.
Jonker, Joost en Keetie Sluyterman, *Thuis op de wereldmarkt. Nederlandse handelshuizen door de eeuwen heen*. Den Haag, SDU, 2000.

Kamer van Koophandel en Fabrieken Rotterdam 1803-1928. Gedenkboek samengesteld door het Secretariaat der Kamer. Rotterdam, 1928.
Kerdijk, Lodewijk, *Reisjournaal van Lodewijk Kerdijk; West-Afrika 1857/1858*. Schiedam: Interbook International, 1978.
Kessel, Ineke van, *Zwarte Hollanders. Afrikaanse soldaten in Nederlands-Indië*. Amsterdam: Fosfor, 2005.
Kind, Mart, *Van kippenveren tot dieselmotoren. De geschiedenis van de technische handelmaatschappij Lindeteves N.V.* Schoorl: Pirola, 2000.
Klooster, Wim, 'The Tobacco Nation: English Tobacco Dealers And Pipe-Makers In Rotterdam, 1620-1650', in *The Birth of Modern Europe. Culture and Economy, 1400-1800. Essays in Honor of Jan de Vries*. Leiden: Brill, 2010.
Klooster, Wim, 'Other Netherlands beyond the sea. Dutch America between metropolitan control and divergence, 1600-1795', in *Negotiated Empires : Centers and Peripheries in the Americas, 1500-1820*. New York: Routledge, 2002.
Kok, Gerhard de, *Walcherse Ketens. De trans-Atlantische slavenhandel en de economie van Walcheren, 1755-1780*. Zutphen: Walburg Pers, 2020.
Kom, Anton de, *Wij slaven van Suriname*. Amsterdam: Contact, 1934.
Koopman, J. F., *Verslag van eene reize naar de Westkust van Afrika* (...). (1863).
Korte, J.P. de, *De jaarlijkse financiële verantwoording in de VOC, Verenigde Oostindische Compagnie*. Leiden: Martinus Nijhoff, 1984.
Koulen, Paul, 'Lijst van eigenaren van plantages, en houders van hypotheken op plantages in Berbice, Demerara en Essequebo, 1818-1819', transcriptie van archiefstuk in *The National Archives*, Kew (CO-111/28).

Laar, Paul van der, *Stad van formaat. Geschiedenis van Rotterdam in de negentiende en twintigste eeuw.* Zwolle: Uitgeverij Waanders, 1999.

Laet, Johannes de, *Iaerlyck verhael van de Verrichtinghen der Geoctroyeerde West-Indische Compagnie in derthien Boecken.* Werken Linschoten Vereeniging 34, 35, 37. Den Haag, 1931, 1932 en 1934.

Lindblad, J. Th., 'De handel tussen Nederland en Nederlands-Indië, 1874-1939', *Economisch en Sociaal Historisch Jaarboek* 51 (1989): 240-298.

Lint, Jan de, *Kanonnen voor kruidnagelen. De reis om de wereld van Pieter de Lint, 1598-1603.* Rotterdam: Ad. Donker, 2015.

Lintum, C. te, 'Emigratie over Rotterdam in de 18e eeuw', *De Gids* 72 (1908).

Lintum, C. te, 'Rotterdam en de oprichting der Nederlandsche Handel-Maatschappij, *Rotterdams Jaarboekje* 2/3 (1924): 91-104.

Lintum, Chris te, 'De oprichting van de Rotterdamsche Kamer der West-Indische Compagnie', *Rotterdams Jaarboekje* 8/1 (1910): 101-116.

Lugt, Larissa van der, et al., *Havenmonitor. De economische betekenis van de Nederlandse zeehavens 2002-2016.* Rotterdam: Erasmus Universiteit Rotterdam, 2016.

Mansvelt, W.M.F., *Geschiedenis van de Nederlandsche Handel-Maatschappij*, deel I en II. Haarlem: Joh. Enschedé, 1924.

Mechelen, P.A.A. van, *Zeevaart en zeehandel van Rotterdam (1813-1830).* Rotterdam: W.S. Benedictus, 1929.

Mees, M., *Tegenwoordige staat van Handel en Scheepvaart / Rotterdam in den loop der eeuwen 4/2* Rotterdam, 1909.

Menkman, W.R., 'Slavenhandel en rechtsbedeeling op Curacao op het einde der 17e eeuw', *Nieuwe West-Indische Gids* 17/1 (1936): 11-26.

Moquette, NNBW, H.H.M., 'Adriaan van der Dussen', in P.J. Blok (red.), *Nieuw Nederlandsch Biografisch Woordenboek.* Leiden: A.W. Sijthoff, 1914.

Morgan, Kenneth, 'Liverpool's Dominance in the British Slave Trade', in David Richardson (red.), *Liverpool and Transatlantic Slavery,* 14-42. Liverpool: Liverpool University Press, 2007.

Muller, Hendrik, *De Afstand der Kust van Guinea aan Engeland.* Rotterdam, 1871.

Muller, H., *Muller. Een Rotterdams zeehandelaar Hendrik Muller Szn (1819-1898).* Schiedam: Interbook International BV, 1977.

Muntinghe, H.W., 'Rapport van H.W. Muntinghe over den Nederlandschen handel, bepaald op Indië', in C.T. Elout, et al., *Bijdragen tot de geschiedenis der onderhandelingen met Engeland,* 284-306. Den Haag: Martinus Nijhoff, 1865.

Murray, W.G.D., 'De Rotterdamsche toeback-coopers', *Rotterdams Jaarboekje* 1/5 (1943): 19-83.

Nederveen Meerkerk, Hannedea C. van, 'Twee Zeeuwse forten. Van der Dussen en Ghijsseling. De forten van twee Zeeuwse kooplieden op de Brasielsche kust', *Bulletin knob* 5 (2002): 142-149.

Oosterwijk, Bram, *Reder in Rotterdam. Willem Ruys (1809-1889).* Rotterdam: Stichting Historische Publikaties Roterodamum, 1989.

Paesie, Ruud, *Lorrendrayen op Africa. De illegale goederen- en slavenhandel op West-Afrika tijdens het achttiende-eeuwse handelsmonopolie van de West-Indische Compagnie, 1700-1734.* Amsterdam: De Bataafsche Leeuw, 2008.

Poort, W.A., 'De waarheid over Reyn Varkevisser', *Nieuwe Leidsche Courant,* 21-3-1952

en 31-3-1952.
Pot, J.E. van der, *Abram, Huibert en Elie van Rijckevorsel.* Rotterdam: Ad. Donker, 1957.
Rawley, James A., *London, Metropolis of the Slave Trade.* Columbia: University of Missouri Press, 2003.
Robidé van der Aa, Christianus, *Afrikaansche Studiën. Koloniaal Bezit en partikuliere handel op Afrika's westkust.* Den Haag: Martinus Nijhoff, 1871.
Roessingh, H.K., *Inlandse tabak in de 17e en 18e eeuw.* Zutphen: Walburg Pers, 1976.
Ruderman, Anne Elizabeth, *Supplying the Slave Trade: How Europeans met African Demand for European Manufactured Products, Commodities and Re-exports, 1670-1790.* Yale: [PhD-thesis Yale University], 2016.
Sandick, Onno Zwier van, *Herinneringen van de Zuid-Westkust van Afrika. Eenige bladzijden uit mijn dagboek.* Deventer: [in eigen beheer], 1881.
Schijf, Huibert, *Netwerken van een financieel-economische elite. Personele verbindingen in het Nederlandse bedrijfsleven aan het einde van de negentiende eeuw.* Amsterdam: Het Spinhuis, 1993.
Schneeloch, N.H., 'Das Grund- und Betriebskapital der Zweiten Westindischen Compagnie', *Economisch Historisch Jaarboek* 34 (1971): 324-331.
Schoor, Arie van der, *Stad in aanwas. Geschiedenis van Rotterdam tot 1813.* Zwolle: Uitgeverij Waanders, 1999.
Schoor, Arie van der, 'Opkomst en ondergang van de VOC volgens Isaac van Teylingen (1809)', in Manon van der Heijden en Paul van de Laar (red.), *Rotterdammers en de VOC: handelscompagnie, stad en burgers (1600-1800).* Amsterdam: Bert Bakker 2002.
Spaan, Gerrit van, *Het nieuw Oostindisch huis gebouwt in de Boomptjes tot Rotterdam.* Rotterdam, 1698.
Stipriaan, Alex, *Surinaams contrast. Roofbouw en overleven in een Caraïbische plantagekolonie, 1750-1863.* Leiden: KITLV Press, 1863.
Stoppelaar, J.H. de, *Balthazar de Moucheron.* Den Haag: Martinus Nijhoff, 1901.
Teenstra, M.D., *De landbouw in de kolonie Suriname.* Groningen: H. Eekhoff. Hz., 1835.
Tex, Jan den, *Oldenbarnevelt: Oorlog, deel II.* Haarlem, 1962.
'The Isle of Man and the Transatlantic Slave Trade', *Manx National Heritage Library*, nr. 14 (maart 2007).
Thiels, Charles, 'Het Oostindische huis aan de Boompjes', in *Rotterdam en de VOC.* Bulletin Historisch Museum Rotterdam, 1988.
Unger, W.S. 'Nieuwe gegevens betreffende het begin der vaart op Guinea', *Economisch-Historisch Jaarboek* 21 (1940): 194-217.
Unger, W.S., 'Bijdragen tot de geschiedenis van de Nederlandse slavenhandel, I', *Economisch-Historisch Jaarboek* 26 (1956): 132-174.
Visser, Cornelis, *Verkeersindustrieën te Rotterdam in de tweede helft der achttiende eeuw.* Rotterdam, 1927.
Vries, Joh. de, 'De statistiek van in- en uitvoer van de admiraliteit op de Maaze 1784-1793. II: de statistiek van de uitvoer', *Economisch-Historisch Jaarboek* 30 (1965): 236-307.
Wall, Pieter H. van de, *Handvesten, Privilegien, Vrijheden, Voorregten, Octrooijen En Costumen; Midsgaders Sententien, Verbonden, Overéénkomsten en andere Voornaame Handelingen Der Stad Dordrecht*, deel 8. Dordrecht: Pieter van Braam, 1783.
Wesseling, H.L., 'The Netherlands and the partition of Africa'*Journal of African History* 22 (1981): 495-509.

Wieder, F.C., *De Reis van Mahu en de Cordes door de Straat van Magalhaes naar Zuid-Amerika en Japan, 1598-1600*, delen 1-3. Linschoten Vereeniging, delen 21, 22, 24. Den Haag, 1923-1925.

Wieder, F.C., *Nederlandsche historisch-geografische documenten in Spanje.* Leiden: Brill, 1915.

Wiersum, E., 'De gebouwen der Oost-Indische Compagnie, Kamer Rotterdam', in J.C. Overvoorde en P. de Roo de la Faille, *De gebouwen van de Oost-Indische Compagnie en van de West-Indische Compagnie in Nederland.* Utrecht: Oosthoek, 1928.

Wiersum, E., 'De gebouwen der West-Indische Compagnie te Rotterdam', in J.C. Overvoorde en P. de Roo de la Faille, *De gebouwen van de Oost-Indische Compagnie en van de West-Indische Compagnie in Nederland.* Utrecht: Oosthoek, 1928.

Wright, I.A., 'The Coymans asiento (1685-1689)', *Bijdragen voor Vaderlandsche Geschiedenis en Oudheidkunde* 6/1 (1924): 23-62.

Ysselsteyn, H.A. van, *De haven van Rotterdam.* Rotterdam: Nijgh & Van Ditmar, 1908.

Een Braziliaanse suikermolen door Frans Post. (Museum Boijmans van Beuningen)

GERHARD DE KOK

DE KOLONIALE IMPACT:

INDUSTRIE EN FINANCIËLE DIENSTVERLENING

DE KOLONIALE CONNECTIE VAN ROTTERDAM LEVERDE NIET ALLEEN REDERIJEN EN HAN-delaren werk op, veel meer sectoren van de plaatselijke economie waren betrokken bij de intercontinentale scheepvaart en handel. Te denken valt aan ondersteunende sectoren als scheepsbouw en assurantie, maar ook de fabrieksmatige bewerking van koloniale producten. Vele duizenden Rotterdammers werkten in sectoren die rechtstreeks verband hielden met het koloniale stelsel. In de lokale suikerindustrie verwerkten Rotterdammers bijvoorbeeld ruwe suiker, afkomstig van Caribische slavenplantages. Scheepswerven bouwden oorlogsschepen die de koloniale overheid inzette om nieuwe gebieden te bezetten. Verzekeraars keerden geld uit als Afrikanen op slavenschepen in verzet kwamen en daarmee financiële schade toebrachten aan Rotterdamse slavenhandelaren.

Dit hoofdstuk richt zich op de sectoren van de stedelijke economie die het meest betrokken waren bij de koloniale wereld. Daarbij is allereerst de keuze gemaakt om te kijken naar industrieën met een duidelijke koloniale link en een relatief grote impact op de lokale werkgelegenheid: de suikerindustrie, de tabaksverwerking en de scheepvaart.[1] Wat betreft de financiële dienstverlening is gekozen voor koloniale investeringen en slavernijverzekeringen. Rotterdamse investeerders hebben tussen 1600 en 1940 volop geïnvesteerd in koloniale ondernemingen. Twee investeringsgolven springen er duidelijk uit: de investeringen in de Surinaamse plantage-economie na 1750 en de investeringen in particuliere Nederlands-Indische ondernemingen na 1870. In een stad die eeuwenlang zo'n sterke connectie met de zee had, kon één vorm van financiële dienstverlening niet ontbreken: de zeeverzekering. Het hoofdstuk sluit af met een analyse van de betrokkenheid van lokale assuradeurs bij het verzekeren van schepen en handelswaar op koloniale routes.

ROTTERDAMSE RIETSUIKERRAFFINADERIJEN

BEGIN VAN DE ROTTERDAMSE SUIKERINDUSTRIE

Een van de oudst bewaard gebleven notariële akten van Rotterdam geeft een inkijkje in de vroege geschiedenis van de Rotterdamse suikerraffinaderijen. Op 17 september 1594 verschenen drie 'zuijkerbackers en rafinadeurs' (Pieter van der Heyde, Pieter Winter en Reynier van Beaumont) op verzoek van een koopman uit Lissabon voor de notaris om de waarde van diverse suikersoorten op te geven.[2] Het laat zien dat de belangrijkste bron van ruwe suiker aan het eind van de zestiende eeuw de Spaans-Portugese koloniale wereld was. In de decennia na 1594 bleef het aantal Rotterdamse suikerraffinadeurs beperkt. De Nederlandse verovering van Pernambuco in 1630 gaf een grote stimulans aan de stedelijke suikerraffinage. Het belangrijkste exportproduct van die kolonie was met slavenarbeid geproduceerde ruwe suiker.

Het belang van Nederlands-Brazilië voor de lokale suikerindustrie blijkt uit de activiteiten van de Rotterdamse kooplieden Jan de Mey en zijn neef Jan Jacobsz. de Mey. Begin jaren dertig van de zeventiende eeuw stichtte Jan de Mey een suikerraffinaderij aan de Wolfshoek. De zus van zijn zwager was getrouwd met Isaac de Rasière, eigenaar van suikerplantages en suikermolens in Nederlands-Brazilië. Vanuit deze kolonie dreef De Rasière handel met de Rotterdamse De Meys totdat hij na het Nederlandse verlies van de kolonie in 1654 moest vluchten. Via aangetrouwde Amsterdamse en Middelburgse familieleden had Jan de Mey meer connecties met de WIC en Nederlands-Brazilië, die hij voor zijn raffinage-activiteiten kon aanspreken. De broer van Jan Jacobz. de Mey voer bovendien zelf in dienst van de WIC naar die kolonie. De productie en verkoop van geraffineerde suiker leverde de familie veel op. Jan Jacobz.'zoon Pieter de Mey, zelf ook suikerraffinadeur, schopte het tweemaal tot burgemeester van Rotterdam. De familie runde decennialang meerdere raffinaderijen in de stad.[3]

In de jaren dat Nederland een deel van Brazilië in handen had, stonden er minstens zes raffinaderijen in Rotterdam.[4] Het verlies van die kolonie leidde echter niet tot een teruggang in de Rotterdamse suikersector. Inmiddels was in het Caribisch gebied een *sugar boom* tot stand gekomen. Vanaf het derde kwart van de zeventiende eeuw kwam er ook ruwe suiker uit de Nederlandse koloniën in Zuid-Amerika: Suriname, Berbice en Essequibo. Een deel van de suikerproductie was bestemd voor de export, onder meer naar Frankrijk. Vandaar dat Franse invoerbelastingen op geraffineerde suiker en exportbelastingen op ruwe suiker de Nederlandse suikerindustrie vanaf 1665 sterk benadeelden. Dat het zwaartepunt van deze industrie in Amsterdam lag, blijkt uit het feit dat het Rotterdamse stadsbestuur in de daaropvolgende decennia slechts schoorvoetend instemde met tegenmaatregelen.[5] Een handelsoorlog zou de suikerraffinaderijen kunnen helpen, maar de lokale handel schaden.

Ondanks moeilijkheden als de Franse maatregelen en buitenlandse concurrentie bleef de Rotterdamse suikersector groeien. In 1674 stonden er minstens acht suikerraffinaderijen in Rotterdam.[6] In 1700 waren er 16 gevestigd binnen de stadsgrenzen, waaronder twee van de familie De Mey. In iedere raffinaderij werkten destijds naast de eigenaar 8 à 9 arbeiders en de productie per onderneming was mogelijk ruim 200 ton suiker.[7] De totale werkgelegenheid in deze industrie was dus 150 tot 160 personen op een beroepsbevolking van mogelijk zo'n 15.000 personen. Hoewel de Amsterdamse suikersector fors groter was, deed de Rotterdamse daar in verhouding tot het aantal inwoners niet voor onder.

FRANSE SUIKER EN ROTTERDAMSE RAFFINADERIJEN

In de achttiende eeuw nam de Nederlandse suikerproductie enorm toe, onder meer doordat de Franse maatregelen werden verzacht. Ook in Rotterdam kwamen nieuwe suikerraffinaderijen tot stand. Zo stichtte Claes van der Mast in 1711 een raffinaderij aan de Hoogstraat, nadat hij eerder het vak als meesterknecht had geleerd in de raffinaderij Withein & Van Swieten.[8] In de eerste helft van de achttiende eeuw begon ook Paulus Gevers een raffinaderij, die tientallen jaren bestond en bijdroeg aan het kapitaal van deze later zo invloedrijke familie. Noemenswaardig is verder de grote suikerraffinaderij die Willem van der Pot halverwege die eeuw stichtte. Kortom, deze industrietak bloeide. Dat blijkt ook uit een overzicht van alle Rotterdamse raffinaderijen in 1753. Destijds bezat de stad 30 fabrieken (tegenover 90 in Amsterdam en 14 in Dordrecht).[9]

Alle Nederlandse raffinaderijen in deze tijd verwerkten met slavenarbeid geproduceerde ruwe suiker. De raffinadeurs wezen veelvuldig op het belang van hun activiteiten voor de koloniën. In 1700 meldden de raffinadeurs dat 'onse colonien van Suriname, Isekébe, en Berbíces, by geen ander middel, dan alleen door de fabrike [van de raffinadeurs] [...] kunnen subsisteren'.[10] Dat thema klonk in de hele achttiende eeuw door als de suikerraffinaderijen steun zochten bij de overheid, net zoals de raffinadeurs graag wezen op de vele economische spin-off-effecten die hun fabrieken naar eigen zeggen veroorzaakten.[11] Met de aanvoer van ruwe suiker in Rotterdam in de achttiende eeuw was echter iets bijzonders aan de hand: die suiker kwam nauwelijks uit de Nederlandse koloniën. Vrijwel alle grondstof was afkomstig uit Franse koloniën en werd via havens als Bordeaux en Nantes naar Rotterdam verscheept.[12]

Rotterdamse raffinaderijen verwerkten in de achttiende eeuw vooral suiker uit Franse koloniën als Saint-Domingue en Martinique. In de eerste helft van de achttiende eeuw was de Rotterdamse markt voor ruwe Franse suiker de grootste van Nederland, mede dankzij de vraag van lokale raffinaderijen.[13] In de tweede helft van de achttiende eeuw ging er meer Franse suiker naar Amsterdam, maar Rotterdamse raffinaderijen bleven sterk afhankelijk van de aanvoer uit Franse havensteden. Hoewel Rotterdam na 1750 de banden met Nederlandse koloniën aanhaalde, waaronder die met het snelgroeiende Suriname, bleef de aanvoer van Nederlandse koloniale suiker achter bij de aanvoer uit Frankrijk. Suriname was in de achttiende eeuw veel meer een Amsterdams project.[14]

De meeste Rotterdamse suikerraffinadeurs kochten en verkochten hun suiker via gespecialiseerde handelaren, hoewel ze soms ook ruwe suiker rechtstreeks uit Frankrijk betrokken. Dat gold bijvoorbeeld voor Adrianus Justinus van Ravesteyn, die in 1737 in Batavia was geboren. Zijn vader was daar opgeklommen tot een hoge functie bij de VOC, maar Adrianus Justinus vestigde zich in Rotterdam. Daar trouwde hij in 1765 met een dochter van suikerraffinadeur Michiel van den Berg.[15] Van Ravesteyn zette de raffinaderij van zijn schoonvader voort en een bewaard gebleven grootboek uit de periode 1789-1790 geeft een goed beeld van zijn zaken.[16] Hij kocht zijn ruwe suiker in bij handelshuizen als Van de Sande & Guillemanson en Pierré Jouhaneau Laregnere in Rotterdam, maar hij had ook contacten met handelaars in Nantes. De belangrijkste klanten van zijn raffinaderij bevonden zich in Nederland, meestal in Rotterdam. Waarschijnlijk exporteerden de afnemers van Van Ravesteyn en andere raffinadeurs vrijwel alle suiker die zij inkochten. Het grootste deel van de productie ging via de Rijn naar het Duitse achterland.[17]

Hoewel Rotterdamse raffinaderijen weinig Surinaamse suiker verwerkten, kwamen er wel met enige regelmaat partijen ruwe rietsuiker uit die kolonie aan in de stad. In de zomer van 1760 kochten de Rotterdamse raffinadeurs Thomas Hogendijk, Abram Ebervelt en Pieter van Beeftingh bijvoorbeeld vaten suiker die afkomstig waren van de Surinaamse plantage Roosenburg.[18] Deze suiker kwam in de stad aan vanwege een lening aan die plantage door Ferrand Whaley Hudig. Dergelijke plantageleningen zouden Rotterdam in de tweede helft van de achttiende eeuw vaker ladingen Surinaamse suiker opleveren.

Sinds 1750 stonden de Hollandse suikerraffinaderijen onder toenemende druk van buitenlandse concurrentie. De raffinadeurs creëerden daarom in 1751 een pressiegroep, de Verenigde Suikerraffinadeurs. De kosten voor gezamenlijke rekesten en lobbypogingen verdeelden ze over de suikerraffinaderijen in Amsterdam, Rotterdam en Dordrecht, met een verhouding van 242/100/42.[19] Deze organisatie bestond vele decennia en alle Rotterdamse raffinadeurs waren lid. De politieke druk was nuttig, want de overheid kwam diverse malen met beschermende maatregelen en tussen 1776 en 1780 en in 1786-1787 bestond er zelfs een invoerpremie op ruwe suiker bestemd voor raffinaderijen. Toch nam het aantal suikerraffinadeurs in Rotterdam sterk af: 30 in 1751, 24 in 1775 en 12 in 1787.[20]

De Rotterdamse raffinadeur Jan Jacobszen Elzevier maakte in 1785 een rondreis door Europa en kwam er al snel achter waarom de Nederlandse suikerindustrie het zo moeilijk had. Overal waar hij kwam vond Elzevier Engelse geraffineerde suiker.[21] Voor Rotterdamse raffinadeurs bleven er weinig exportmogelijkheden over, behalve het belangrijke afzetkanaal via de Rijn naar het Duitse achterland. Het werd echter ook lastiger om ruwe suiker uit Frankrijk te bestellen, omdat Franse suiker in toenemende mate naar Hamburg ging. Ook in Frankrijk zelf groeide de suikerindustrie. Gedeeltelijk konden Rotterdamse suikerhandelaren deze ontwikkelingen compenseren door meer ruwe suiker in Londen te bestellen.[22] Door de toenemende concurrentie konden echter alleen de sterkste en grootste Rotterdamse suikerraffinaderijen overleven. Zo gooide Van Ravesteyn in 1790 de handdoek in de ring en verkocht hij zijn raffinaderij.[23] De grote bedrijven wisten echter tot het einde van de achttiende eeuw de totale

De Rotterdamse Jan Snellen was in de achttiende eeuw in de stad actief als suikerraffinadeur. Hij verzamelde onder andere exotische dieren. (Museum Boijmans van Beuningen)

suikerproductie van de stad op peil te houden, ondanks de daling van het totaal aantal raffinaderijen.[24]

Vanaf 1795 werd Nederland politiek gezien een Franse satellietstaat. De Britse marine veroverde de Nederlandse koloniën op het westelijk halfrond, waardoor de aanvoer van suiker belemmerd werd. Ook de aanvoer van suiker uit Europese havens ging in deze periode moeizaam. Toch wisten de meeste raffinaderijen de lastige jaren te overleven, onder meer door minder arbeiders in dienst te nemen.[25] Sommige raffinaderijen schakelden over op de verwerking van in Europa geteelde bietsuiker.[26] Suikerriet bleef echter een superieure en goedkopere bron van suiker. Met de teruggave van de meeste voormalige koloniën door Groot-Brittannië in 1816 werd dan ook de voorwaarde geschapen voor een sterk herstel van de suikerraffinaderijen.[27]

VAN ATLANTISCHE NAAR AZIATISCHE SUIKER

In het eerste kwart van de negentiende eeuw ging het proces van concentratie van de Rotterdamse suikerraffinaderijen voort. In 1819 stonden er nog minstens elf van die bedrijven in de stad. Naarmate de eeuw vorderde liep dat aantal terug, onder meer door overnames. De grote suikerraffinaderijen die overbleven gingen verder met het verwerken van suiker die vooral uit niet-Nederlandse koloniën afkomstig was. Surinaamse suiker bleef in hoofdzaak naar Amsterdam gaan en Rotterdamse raffinadeurs verwerkten daarom veel (met slavenarbeid geproduceerde) Braziliaanse en Cubaanse suiker.[28]

De Nederlandse overheid ondersteunde de suikerraffinaderijen op verschillende manieren, allereerst door verkapte subsidies via accijnsheffing. Raffinaderijen waren aanvankelijk fel tegen de in 1819 geïntroduceerde suikeraccijns. Voortaan moesten ze accijns betalen op ruwe suiker, die ze moesten doorberekenen aan afnemers van geraffineerde suiker. Omdat een kilo ruwe suiker geen kilo geraffineerde suiker opleverde, hield de staat rekening met een korting op de geheven accijns. In de praktijk was die korting echter bewust te hoog, zodat raffinadeurs meer geraffineerde suiker produceerden dan waarover accijns was betaald. Op deze 'overponden' mochten ze wel accijns doorberekenen aan afnemers en die staken ze als subsidie in eigen zak.[29] Een nog belangrijker vorm van overheidssteun was echter het Cultuurstelsel. De Nederlandse overheid zorgde ervoor dat vrijwel alle op Java geproduceerde suiker naar Nederlandse havens werd verscheept. De Javasuiker was volgens Rotterdamse raffinadeurs beter dan die van Suriname en werd na 1830 ook in veel grotere hoeveelheden aangevoerd in Rotterdam.[30] Java werd de belangrijkste bron van ruwe suiker voor de lokale raffinaderijen.

Een beschrijving van de negentiende-eeuwse geschiedenis van de Rotterdamse suikerraffinage kan niet om de grootste stedelijke suikerdynastie heen: de familie Van Oordt.[31] Hendrik van Oordt stichtte in 1734 samen met zijn schoonvader een suikerraffinaderij in de stad. Bij zijn dood in 1805 bezat hij twee raffinaderijen, waarvan één achter zijn woonhuis aan de Boompjes. Zijn nalatenschap was in totaal ten minste 1,3 miljoen gulden waard en hij behoorde tot de aanzienlijkste inwoners van Rotterdam. Diverse nazaten namen zijn bedrijfsactiviteiten over en wisten de raffinaderijen mede door overnames te laten groeien. Na enkele decennia waren bijna alle stedelijke suikerraffinaderijen eigendom van de familie en opereerden ze onder een samenwerkingsverband. Waren in 1819 nog slechts 2 van de 11 raffinaderijen eigendom van familieleden, in 1838 ging het om 4 van de 11, in 1847 om 4 van de 6 en in 1852 om 3 van de 4.[32] De suikerraffinaderij Hendrik van Oordt & Co aan de Hoogstraat, eigendom van de kleinzoon van de eerdergenoemde Hendrik, was een van de grootste suikerraffinaderijen van Nederland. De onderneming verwerkte vooral Javaanse rietsuiker. Daarom is het niet verwonderlijk dat Hendrik van Oordt zich op een vergadering van de Kamer van Koophandel in 1856 kritisch uitliet over eventuele liberalisering van de Javaanse suikerhandel. Hij vreesde de gevolgen ervan voor de Rotterdamse suikerraffinage.[33]

De negentiende-eeuwse Rotterdamse suikerraffinaderijen waren groter dan de raffinaderijen uit de achttiende eeuw, mede door technische ontwikkelingen in het raffinageproces. Eeuwenlang was het proces op ambachtelijke wijze ingericht, maar nu nam in de suikerraffinaderijen de mechanisering toe.[34] De nieuwe manier van raffinage met centrifuges en stoommachines was echter kostbaar. Hendrik van Oordt liet in de jaren veertig van de negentiende eeuw na lang twijfelen 'de voorvaderlijke wijze van raffineren' los en installeerde stoommachines in zijn fabriek.[35] Een andere nieuwigheid – het toenemend gebruik van ruwe Europese bietsuiker – wees hij af. Dat bleek een inschattingsfout voor zijn fabriek, die in 1864 in totaal 230 werknemers had.[36] In Nederland bleven de meeste raffinadeurs gebruikmaken van de ruimschoots voorhanden zijnde koloniale rietsuiker, maar in het buitenland stonden de ontwikkelingen niet stil. Vanaf de jaren zestig verbouwden ook Nederlandse boeren steeds meer suikerbieten, die in speciale fabrieken tot ruwe suiker werden verwerkt. In 1872 liberaliseerde de overheid de export van suiker vanuit Java, met als gevolg dat vrijwel alle ruwe rietsuiker voortaan naar Londen werd verscheept. Bietsuiker werd daardoor steeds belangrijker in Rotterdam. Van Oordt bleef uitsluitend koloniale suiker verwerken, ook al moest de raffinaderij die soms uit Engeland laten overkomen.[37] Na enkele sterfgevallen in de familie besloten de nabestaanden in 1884 de raffinage-activiteiten te liquideren. De familie Van Oordt bleef wel actief in de suikerhandel en boorde in 1927 een niche aan door suikerzakjes te gaan produceren. Vandaag de dag is Van Oordt nog altijd in die industrie actief.[38]

Vanaf 1862 had Van Oordt een formidabele concurrent in Delfshaven, volgens de Kamer van Koophandel 'eene geheel Rotterdamsche zaak'.[39] Het ging om een NV, opgericht op initiatief van de Rotterdamse ondernemer Willem Johan Hoffmann.[40] In deze periode kwamen overal in Nederland NV's op als nieuwe bedrijfsvorm. Hiermee was het mogelijk om veel kapitaal op te halen en de meeste suikerraffinaderijen organiseerden zich daarom in het vervolg als grootbedrijf. De grootschalige raffinaderij van Hoffmann werd echter geen succes. Dat kwam mogelijk doordat dit bedrijf, net als Van Oordt, te lang bleef vasthouden aan koloniale suiker in plaats van bietsuiker.[41] Commissaris, aandeelhouder en minister van Koloniën Isaäc Dignus Fransen van de Putte weet de ondergang aan onbekwame bedrijfsvoering.[42] In 1873 werd de raffinaderij verkocht en doorgezet als de Rotterdamsche Suikerraffinaderij (informeel de 'R.S.' genoemd). Het ging om een groot, relatief modern bedrijf met zo'n 300 arbeiders. Dat was groter dan Van Oordt, die 200 arbeiders in dienst had en bovendien lagere lonen uitbetaalde.[43] De R.S. verwerkte vrijwel zeker steeds meer bietsuiker, waardoor de link tussen de Rotterdamse suikerindustrie en de koloniën verbroken werd.[44] In 1893 werd ook deze grote suikerraffinaderij geliquideerd.[45]

ROTTERDAMSE TABAKSINDUSTRIE

TABAK IN ROTTERDAM

De tabaksplant kwam van nature niet in Europa voor. De commercieel belangrijkste soorten kwamen uit Zuid-Amerika en het Caribisch gebied. Al snel na de start van het Europese kolonisatieproject introduceerden handelaren tabak in Europa. Aanvankelijk werd de plant vooral een medicinale werking toegedicht, maar later nam het gebruik ervan als genotsmiddel toe.[46] In de loop van de zeventiende eeuw steeg het commerciële belang van tabak en begonnen Europese kolonisten talloze tabaksplantages, onder meer op Caribische eilanden en in de Noord-Amerikaanse koloniën. Kleinschalige zeventiende-eeuwse tabaksplantages maakten aanvankelijk veel gebruik van Europese contractarbeiders. Zo sloot de Rotterdamse koopman Aelbrecht Cocx in 1647 hiertoe een contract om 160 'servints ofte dienaers' vanuit Schotland naar Barbados te vervoeren.[47] Er waren toen ook al tabaksplantages die met slavenarbeid werkten. De Rotterdammer Balthasar de Gruyter bezat in 1644 bijvoorbeeld een plantage op Sint Eustatius waar zeven slaven werkten.[48] In de loop van de tijd schakelden vrijwel alle koloniale tabaksplantages over op het slavernijsysteem.

Om ingevoerde tabak geschikt te maken voor consumptie waren diverse bewerkingen noodzakelijk. De belangrijkste daarvan betrof het spinnen, waarbij tabaksbladeren in elkaar werden gedraaid tot lange rollen. Consumenten konden deze rollen kerven, door ze in repen te snijden en in de hand fijn te wrijven. De fijne tabak was dan te roken of als pruimtabak te consumeren. In de achttiende eeuw won het snuiven van tabak aan populariteit. Gespecialiseerde snuifmolens produceerden de daarvoor benodigde poeder. De grondstof van snuifmolens bestond uit karotten: grote rollen gesausde en gefermenteerde tabaksbladeren. Vanaf de negentiende eeuw kwam ook de productie van sigaren, sigaretten en shag op.

Bij de vroegmoderne Rotterdamse handel in tabak waren opvallend veel Engelsen betrokken. Zo was de Engelse John Shepheard in 1620 een van de eerste tabakshandelaren in de stad. Veel kopers van zijn tabaksproducten waren soldaten uit Engelse en Schotse legioenen die in Nederland in de Tachtigjarige Oorlog (1568-1648) meevochten tegen de Spanjaarden.[49] Aanvankelijk voerden handelaren tabak in van de Caribische eilanden, maar Caribische plantage-eigenaren stapten in de loop van de zeventiende eeuw massaal over op de teelt van suikerriet. De Noord-Amerikaanse kolonies Virginia en Maryland werden de belangrijkste bronnen van koloniale tabak. Handelaren importeerden dit product zowel rechtstreeks uit Noord-Amerika als via Engelse en Schotse havens. De connectie tussen de Rotterdamse handelswereld en de Noord-Amerikaanse koloniën is opvallend. Zowel Engelse als Nederlandse kooplieden in Rotterdam stuurden tientallen schepen naar Virginia en Maryland om tabak te halen.[50] Sommigen vestigden zich daar zelfs op eigen tabaksplantages, zoals

Een Rotterdams gevelpaneel uit de achttiende eeuw met het opschrift 'Virginie', waarschijnlijk van een tabakswinkel. (Museum Rotterdam)

de uit Rotterdam afkomstige Simon Overzee. Hij woonde halverwege de zeventiende eeuw in Virginia en verhuisde later naar het nabijgelegen Maryland. Daar verwierf Overzee een reputatie als brute slavenmeester en werd hij zelfs vervolgd voor de gewelddadige dood van een Afrikaanse man op zijn plantage.[51]

OPKOMST VAN DE TABAKSINDUSTRIE

Ondanks de nauwe connecties met Virginia lijkt de verwerking van tabak in het zeventiende-eeuwse Rotterdam nog niet op grote schaal plaats te hebben gehad. Het spinnen van tabak gebeurde vaak in opdracht van een koopman, die de tabak in een pakhuis liet spinnen of gebruikmaakte van huisnijverheid. Mogelijk werd tabaksblad ook wel onbewerkt uitgevoerd uit Rotterdam. Slechts enkele malen komt in een notariële akte een tabaksspinner voor. In 1647 is sprake van een spinner in de Molensteeg die in opdracht 'groote rollen tot cleijnder soude verrollen'.[52] Later dat jaar werden Arent Groenewinckel en Pieter Borgaert genoemd als spinners van Virginiatabak.[53] In 1669 was er een pand op de Blaak genaamd 'De Tabackspinder'.[54] In 1672 was er sprake van slechts één tabaksspinner in de stad.[55] Rond 1700 kende de Nederlandse tabaksindustrie een bloeitijd, maar die voltrok zich vooral in Amsterdam. Daar ontstonden grote spinnerijen met tientallen arbeiders. In Rotterdam waren destijds hooguit één of twee grotere spinnerijen.[56] Deze verwerkten echter ook in Nederland geteelde tabak. Een groot deel van de productie werd geëxporteerd en de bedrijven gingen in de eerste decennia van de achttiende eeuw ten onder door buitenlandse concurrentie.[57]

In Rotterdam kwam de bloeitijd van de lokale tabaksindustrie pas halverwege de achttiende eeuw met de productie van karotten voor pruimtabak. Die industrie verwerkte in hoofdzaak door slaven geproduceerde tabak van Noord-Amerikaanse plantages.[58] De kennis voor de productie van karotten kwam uit Frankrijk, met name uit Duinkerken. Het was dan ook een Duinkerker die in 1748 de eerste twee karottenfabrieken opende in Rotterdam. Daarop volgden meer van dergelijke bedrijven in de stad, onder meer van Jacob Walop & Leonard Heusges, Jacobus van Starlen & Johannes Willebrordes de Kat en Frederik Caarten & Zoon.[59] Het ging om grote, arbeidsintensieve ondernemingen. Voor een van de grote tabaksfabrieken (waarschijnlijk die van Frederik Caarten & Zoon) werkten in 1771 'meer dan honderd menschen in de Stad Rotterdam'.[60] Deze bedrijven zetten het grootste deel van hun productie af in het Duitse achterland, waar het op snuifmolens verder werd verwerkt. Enkelen van hen (onder wie Caarten) kochten zelf de Amerikaanse tabaksbladeren in, anderen bestelden die bij Rotterdamse tabakshandelaren.[61] Een van de grootste tabakshandelaren was James Smith (vanaf 1789 James Smith & Zoon), dat nog tot 1996 heeft bestaan als rederij en cargadoorsbedrijf.

De tabaksindustrie kende een tijdelijke inzinking tijdens de Amerikaanse Onafhankelijkheidsoorlog (1776-1783) en de Vierde Engelse Oorlog (1780-1784), maar was in de jaren negentig alweer hersteld. Volgens een anonieme memorie werkten er destijds 3500 mensen in 12 karottenfabrieken (en 38 kleinere fabrieken voor rooktabak).[62] Een andere memorie houdt het op 3000 mensen.[63] Hoewel die aantallen waarschijnlijk te hoge schattingen zijn, is het zeker dat de tabaksindustrie aan het eind van de achttiende eeuw voor meer werkgelegenheid in Rotterdam zorgde dan de suikerraffinaderijen.[64] Het verwerken van karotten tot snuiftabak gebeurde overigens ook in Rotterdam, en in en om de stad stonden enkele snuifmolens.[65] Daarbij waren echter minder arbeiders betrokken dan bij de karottenfabricage.

LATERE ONTWIKKELINGEN

Net als voor de suikerraffinaderijen was de periode van Franse overheersing voor tabaksverwerkende ondernemingen moeizaam. Een jaar nadat Nederland in 1810 officieel Frans grondgebied was geworden, voerde de overheid hier de tabaksregie in. Daarbij verkreeg zij het monopolie op de productie van en handel in tabaksproducten. In plaats van de particuliere ondernemingen verscheen in Rotterdam één tabaksregiefabriek. Die ver-

Een Delftsblauw bord uit een serie over de Rotterdamse tabakshandel. Waarschijnlijk vervaardigd door de Rotterdamse plateelbakker Jacob Schut. Het omschrift luidt: 'Op 't houte vaartuigh in t'gevaar der woeste zee, soo haalt men baaij tabak op de Vergijnse ree.' (Foto Albert & Victoria Museum, 1907)

dween na het vertrek van de Fransen en aanvankelijk leken de oude tijden te herleven. In 1816 waren er in Rotterdam weer zeven tabaksfabrieken, waar in totaal 1200 mensen werkten.[66] De productie van karotten was nog steeds belangrijk en veel tabak kwam uit Noord-Amerika, waar de slavernij in deze periode nog niet was afgeschaft. De Rotterdammer Jan Rudolf Mees maakte in 1843-1844 een rondreis door de Verenigde Staten en bezocht daar tabaksplantages. 'Genoegzaam al het werk wordt door slaven gedaan,' schreef hij zonder afkeuring.[67]

In de tweede helft van die eeuw nam de invoer van tabak uit Nederlands-Indië een vlucht, zodat die net zo belangrijk en later zelfs belangrijker werd dan de aanvoer van Amerikaanse tabak. Aanvankelijk kwam de tabaksteelt vooral op Java op, opvallend genoeg buiten de systematiek van het Cultuurstelsel. Het waren veelal Nederlandse ondernemers op Java die tabaksplantages oprichtten en daarvoor vrije arbeiders inhuurden, wat overigens niet wil zeggen dat er geen sprake was van machtsmisbruik door plantage-eigenaren.[68] Een van de Nederlandse investeerders in tabaksplantages in Nederlands-Indië was de Rotterdammer Pieter van den Arend. Hij had verschillende schepen in de vaart op die kolonie en handelde in tabak, maar wilde ook de productie van tabak ter hand nemen. Zijn agent op Java, Jacob Nienhuys, besloot om voor rekening van zijn opdrachtgever een tabaksplantage in Deli te beginnen.[69] De eerste Europese tabaksplantages op Sumatra waren daarmee een Rotterdams initiatief en de Deli-tabak zou een zeer belangrijke positie in gaan nemen in de Nederlandse tabakshandel.[70] Dat kwam vooral doordat het blad ervan zeer geschikt was als dekblad voor een tabaksproduct dat furore maakte in de negentiende eeuw: sigaren. Overigens bleef de Javaanse tabak voor Rotterdam belangrijker.[71]

De opkomst van de sigarenindustrie ging gepaard met een neergang in de fabricage van karotten, doordat snuiftabak aan populariteit verloor. In 1843 waren er nog 6 karottenfabrieken in de stad, waar in totaal 108 mensen werkten.[72] Zestien jaar later waren er nog maar 4 karottenfabrieken, met 61 arbeiders. Daar stond tegenover dat er veel meer sigaren werden geproduceerd in de stad. Al in 1843 waren er waarschijnlijk meer tabakskervers (die rooktabak produceerden) dan werknemers in de karottenindustrie. Enkele tabakskerverijen hadden gespecialiseerde sigarenmakers in dienst en er waren in 1843 ook 4 sigarenmakerijen in de stad.[73] In 1859 waren er 9 sigarenfabrieken met 167 werknemers. Volgens het jaarverslag van de Rotterdamse Kamer van Koophandel waren er in 1870 al 20 sigarenfabrieken en hadden deze de grootste moeite om voldoende arbeiders te krijgen.[74] In de tweede helft van de negentiende eeuw groeide de werkgelegenheid in de tabaksindustrie dus en in 1889 werkten er zo'n 1400 Rotterdammers 'in de tabak'.[75] Vooral de sigaar won aan terrein en de sigarenmakerijen gebruikten graag Indische tabak voor hun producten.

Een tabaksverwerker en -handelaar wiens onderneming lange tijd een stempel op het Rotterdamse bedrijfsleven drukte was Johannes van Nelle.[76] In de tweede helft van de achttiende eeuw werkte hij in de karottenfabriek van Frederik Caarten en dreef hij daarnaast een winkel in koloniale waren. Toen hij in 1811 overleed gingen zijn weduwe en later zijn zoon door met de firma onder de naam De Erven de Wed. J. van Nelle. De firma kende in de eerste helft van de negentiende eeuw een bescheiden groei en had enkele tabakskervers in dienst. In 1837 trad Jacobus Johannes van der Leeuw toe als firmant, later werd hij zelfs de enige firmant. Onder zijn leiding werd de handel in tabak en sigaren rond 1850 de hoofdactiviteit van Van Nelle. De productie van sigaren vond grotendeels plaats in Kampen, al maakte de firma regelmatig gebruik van de diensten van Rotterdamse sigarenmakers. In 1849 bood Van Nelle 'Java sigaren' aan en de opkomst van Nederlands-Indië als tabaksproducent ontging firmant Van der Leeuw niet. Niet alleen kocht hij Indische tabak in, hij zorgde er ook voor dat Van Nelle investeerde in Javaanse tabaksplantages. Hoewel dat geen financieel succes bleek, was Nederlands-Indië op een andere manier belangrijk voor Van Nelle. Vanaf 1868 bood de firma een nieuw product aan: shagtabak. De tabak die hiervoor werd gebruikt was afkomstig uit de Verenigde Staten en werd verwerkt in Rotterdam. Nederlands-Indië was een zeer belangrijke afzetmarkt en de export naar deze kolonie leverde Van Nelle goede winsten op.[77] De tabak was zelfs in de uithoeken van de kolonie gewild. Een Nederlands expeditielid van een tocht naar Nieuw-Guinea in 1903 schreef dat de Papoeabevolking graag tabak aannam als betaling, maar 'die van de firma Weduwe Van Nelle alleen is gezocht, in de bekende kleine donkerblauwe pakjes'.[78] Begin twintigste eeuw was Van Nelle, inmiddels een NV, niet langer een groothandel in sigarentabak en werden ook koffie en thee belangrijk. Toch bleef Van Nelle op kleine schaal tabak verwerken in Rotterdam. In 1930 verhuisde de firma naar de iconische Van Nelle-fabriek in de Spaanse Polder, waar ook een tabaksafdeling gevestigd was.

SCHEEPSBOUW EN DE KOLONIËN

BOUW VAN ZEILSCHEPEN

In een havenstad als Rotterdam waren werven voor de nieuwbouw en reparatie van schepen uiteraard van groot belang. In de periode tussen 1600 en 1800 had Rotterdam gemiddeld tussen de tien en twintig werven, alleen rond 1700 was er een tijdelijke inzinking.[79] De grootste werven waren die van de Admiraliteit en de voc. De Compagnie had na 1632 een eigen werf aan de Scheepmakershaven, die eind zeventiende eeuw verhuisde naar het Boerengat in het oosten van de stad.[80] Op deze werven bouwden de scheepsbouwmeesters van de Compagnie in de zeventiende eeuw 49 schepen en in de achttiende eeuw 58 schepen, wat overeenkomt met 7,3 procent van het totaal door de voc in Nederland gebouwde schepen. Van deze 107 vaartuigen behoorden 47 tot de twee grootste klassen Oost-Indiëvaarders.[81] Dit waren de grootste schepen van hun tijd en de Rotterdamse werf bouwde deze vooral in de achttiende eeuw. De scheepsbouwmeesters van de voc waren vermogende mannen, die toezicht hielden op honderden arbeiders op de werf. De voc behoorde tot de grootste werkgevers van Rotterdam, maar het precieze aantal arbeiders is onbekend. Wel is zeker dat er in 1791 in totaal 209 personen werkzaam waren op de scheepswerf van de voc, onder wie 70 timmerlieden, 60 takelaars en 42 sjouwers.[82] De Compagnie was toen al over haar hoogtepunt heen; het is waarschijnlijk dat er eerder in de achttiende eeuw nog meer mensen hun brood verdienden op deze werf.

De meeste particuliere scheepswerven in Rotterdam waren in de zeventiende eeuw gevestigd aan de Scheepmakershaven en in de achttiende eeuw aan de Zalmhaven. Een klein aantal grote werven had meer dan 100 arbeiders tegelijk in dienst om zeeschepen te bouwen. Het waren vooral Rotterdamse opdrachtgevers die bij deze werven schepen bestelden. Vanwege de beperkte Rotterdamse koloniale vaart bleef het aantal schepen specifiek gebouwd voor de vaart op koloniën klein. Een van de grote werven was die van Cornelis Baerthoutsz de Ruyter aan de Zalmhaven, waar tussen 1722 en 1774 in totaal 79 zeeschepen werden gebouwd.[83] De meeste daarvan waren bestemd voor de Europese kustvaart, maar het is waarschijnlijk dat een van de schepen gebruikt is als slavenschip. In 1769 leverde De Ruyter namelijk het fregat *Keenenburg*, terwijl de Rotterdamse firma Coopstad & Rochussen een jaar later een schip van die naam uitreedde.[84] Vanwege de toenemende vaart op Atlantisch-koloniale

De werf van de Kamer Rotterdam van de VOC rond 1790. Een grote Oost-Indiëvaarder is in aanbouw. (Universiteitsbibliotheek Leiden)

bestemmingen in Rotterdam is het waarschijnlijk dat een klein, maar stijgend percentage van de scheepsbouwproductie in Rotterdam tot 1795 was bestemd voor de koloniale vaart en de trans-Atlantische slavenhandel.

JAVAVAART EN SCHEEPSBOUW

De periode van Franse bezetting tussen 1795 en 1813 was funest voor de Nederlandse scheepsbouw. In de achttiende eeuw waren Nederlandse scheepsbouwmeesters bovendien technisch ingehaald door Franse en Britse collega's. De Nederlandse scheepvaart stond op een laag pitje en toen deze na 1813 weer toenam, bleek dat rederijen vaak in het buitenland schepen moesten kopen. Dat gold in het bijzonder voor grotere schepen bestemd voor de koloniale vaart. De belangrijkste Rotterdamse reder op Oost-Indië, Anthony van Hoboken, gebruikte aanvankelijk op buitenlandse werven gebouwde schepen.[85] Pas in de jaren 1820 kwam daar door overheidsingrijpen verandering in. Ten eerste introduceerde koning Willem I in 1823 een premie voor de bouw van grote schepen op Nederlandse werven. Belangrijker bleek echter de NHM, die waar mogelijk alleen in Nederland gebouwde schepen charterde. Veel rederijen bestelden daarop weer schepen op Nederlandse werven, waardoor de scheepsbouw een belangrijke stimulans kreeg.[86] De NHM legde zich na haar oprichting in 1824 meer en meer toe op de vaart op Nederlands-Indië, na 1830 als vervoerder van koloniale producten in het kader van het Cultuurstelsel. De stimulans voor de scheepsbouw was zo vooral een koloniale stimulans.

Ook voor de Rotterdamse scheepsbouw pakte de NHM-steun gunstig uit. Van Hoboken bezat een scheepsreparatiewerf (Rotterdams Welvaren) in het oosten van de stad, maar besloot deze in 1824 uit te rusten voor de nieuwbouw van volledige schepen. Het eerste schip dat zijn werf bouwde was een Oost-Indiëvaarder, die als eerbetoon aan Willem I de naam *Neerlands Koning* meekreeg. Vrijwel alle schepen die in de daaropvolgende decennia op Rotterdams Welvaren werden gebouwd, waren Oost-Indiëvaarders. Deze winstgevende werf had meer dan honderd man in dienst.[87] De werven aan de Zalmhaven in het westen van Rotterdam profiteerden eveneens van de toegenomen vraag naar scheepsruimte voor de vaart op Java. Een van de belangrijkste werven op die locatie was van de firma De Jong, Kortlandt en Anthony. De op een na belangrijkste Rotterdamse reder op Nederlands-Indië, Reyn Varkevisser & Dorrepaal, bestelde daar in

Rotterdams Welvaren, de scheepswerf van Van Hoboken. (Stadsarchief Rotterdam, Prenten en Tekeningen 1994-1231)

1826 het fregat *Neerlands Koningin*. De werf bouwde tussen 1826 en 1849 in totaal 22 Oost-Indiëvaarders.[88] Ook andere werven, zoals Het land van Belofte, bouwden aan schepen voor NHM-bevrachting.[89] Vrijwel de complete Rotterdamse capaciteit tot het bouwen van zeeschepen werd in feite ingezet voor het bouwen van schepen die op Nederlands-Indië voeren.

Zoals uit het vorige hoofdstuk bleek, was de Rotterdamse scheepvaart gedurende een groot deel van de negentiende eeuw sterk afhankelijk van de vaart op Nederlands-Indië en de NHM. Dat had ook gevolgen voor de scheepsbouwsector. De NHM stelde geen hoge eisen aan de zeilsnelheid van de schepen die ze charterde. Pas toen de bescherming van de NHM in de tweede helft van de negentiende eeuw werd afgebouwd, gingen Nederlandse werven snellere klippers bouwen om op de internationale vrachtenmarkt te concurreren. Ook Rotterdamse werven zette dergelijke snelle zeilschepen op stapel. Zo bouwden De Jong, Kortlandt en Anthony vanaf 1848 kleine klippers.[90]

In de tweede helft van de negentiende eeuw staakten veel Rotterdamse rederijen hun activiteiten, omdat de overheid en de NHM hun beschermende maatregelen ophieven. Rotterdamse werven voor houten scheepsbouw verloren daardoor belangrijke klandizie en kwijnden weg. Van Hoboken verkocht in 1872 zijn grote werf Rotterdams Welvaren. De Jong, Kortlandt en Anthony zetten hun scheepsbouwactiviteiten op kleine schaal voort. De teruggang moet ook voor toeleveranciers als blokmakers en touwbanen nadelig zijn geweest. Maar voor de scheepsbouw stond een nieuwe tijd om de hoek, een tijd waarin stoom, ijzer en staal de boventoon zouden voeren.

INDUSTRIËLE WERVEN

Enkele jaren geleden onderzochten Indonesische archeologen in een modderige ondiepte in een rivier van het Indonesische eiland Kalimantan een scheepswrak uit de koloniale tijd: het in 1859 gezonken marineschip *Onrust*.[91] Ze stonden er wellicht niet bij stil dat het een Rotterdams schip was. De *Onrust* was een ijzeren raderstoomboot die in 1845 door het Rotterdamse etablissement Fijenoord van de Nederlandsche Stoomboot Maatschappij (NSM) was opgeleverd. De overgang van zeilschepen naar stoomschepen en het toenemend gebruik van ijzer voor scheepsrompen voltrok zich in de negentiende eeuw. De marine liep voorop in het toepassen van stoom, vooral voor schepen die bestemd waren om in de Indische archipel te dienen.

Het Etablissement Fijenoord van de NSM. *(Universiteitsbibliotheek Leiden)*

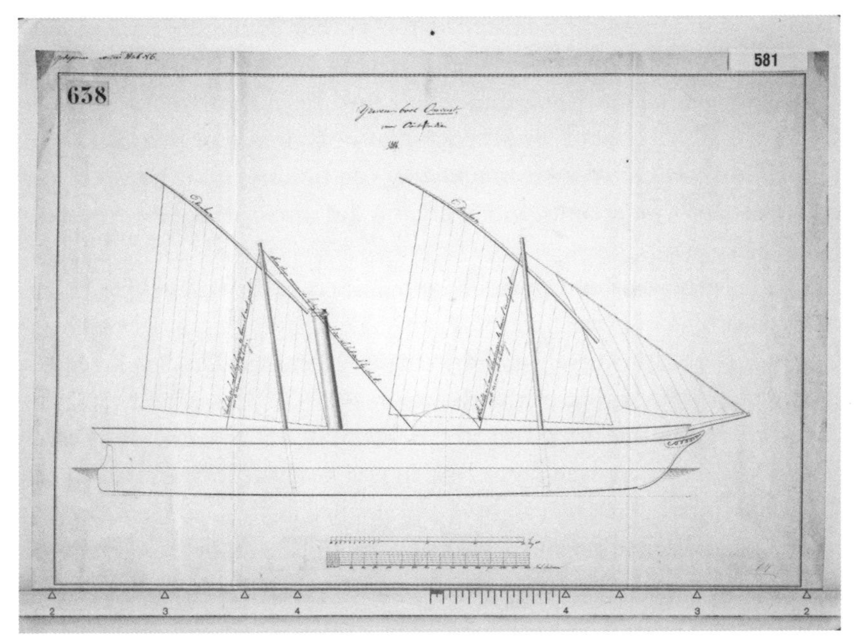

Technische tekening met het tuigplan van de Onrust, gebouwd op het Etablissement Fijenoord. (Nationaal Archief, Bouwtekeningen van Schepen van de Nederlandse Marine)

Oud-marineofficier Gerhard Moritz Roentgen richtte de NSM in 1823 op en begon kort daarna met de exploitatie van een werf voor de bouw van schepen en stoommachines. In de eerste decennia was de marine zijn belangrijkste klant en opvallend veel marineschepen waren bestemd voor dienst in de koloniën. De uitstekende contacten tussen Roentgen en het Haagse departement van Koloniën kwamen goed van pas.[92] In de jaren dertig van de negentiende eeuw bestelde Koloniën namens de marine kleine ijzeren stoomschepen om piraterij te bestrijden in Nederlands-Indië. Veel van de latere raderstoomboten die de NSM bouwde waren ook bestemd voor de koloniën, zoals de *Suriname* (1845), de *Borneo* (1846) en de eerdergenoemde *Onrust*. Ook bouwde de NSM losse stoommachines voor schepen die bestemd waren voor marinedienst in de koloniën.

De commerciële Nederlandse zeevaart stapte pas na 1870 over op het gebruik van stoomschepen, nadat het Suezkanaal (1869) en technische verbeteringen aan stoommachines dat rendabel en zelfs noodzakelijk hadden gemaakt. Aanvankelijk bestelden veel rederijen hun stoomschepen op goedkopere, buitenlandse werven. Orders van de marine bleven voor de NSM dan ook belangrijk. In 1878 leverde het bedrijf het honderdste schip af; van die honderd waren 38 voor de marine bestemd geweest, de overige waren vooral kleine rivierboten.[93] Een potentiële grote opdrachtgever als de Rotterdamsche Lloyd, met haar stoomdienst op Java, bestelde de benodigde schepen niet in Rotterdam.[94] De NSM ging er zelfs toe over om voor eigen rekening een stoomschip te bouwen voor een dienst op Nederlands-Indië, hoewel dat uiteindelijk toch verkocht is aan een rederij.

Een belangrijk keerpunt was de oprichting van de Koninklijke Paketvaart Maatschappij (KPM) in 1888, een samenwerkingsverband tussen de Rotterdamsche Lloyd en haar Amsterdamse evenknie. De KPM kreeg een monopolie op scheepvaartverbindingen in Nederlands-Indië en had daardoor genoeg financiële armslag en stabiliteit om wel Nederlandse werven in te schakelen. Inderdaad kwamen al in 1889 de eerste KPM-orders binnen bij de NSM, voor de bouw van twee stoomschepen voor de intra-insulaire vaart in Indië. Eind negentiende eeuw ging de NSM zich toeleggen op scheeps- en machinebouw. Ze stootte haar (binnen-Europese) rederijactiviteiten af en heette vanaf 1895 officieel NV Maatschappij voor Scheeps- en Werktuigbouw Fijenoord.

Voor de Rotterdamse scheepsbouw en -reparatiesector in de negentiende eeuw was de koloniale connectie van de stad zeer belangrijk.

Deze sector was bovendien een belangrijke werkgever.[95] Halverwege de negentiende eeuw was Fijenoord met zo'n 1500 arbeiders een van de grootste ondernemingen van Rotterdam. In 1889 werkten er in deze sector in totaal 3700 man, waarvan 1700 op Fijenoord. Twee andere belangrijke ondernemingen in deze sector waren de scheepswerf Wilton (600 arbeiders) en De Maas (500 arbeiders) in Delfshaven. Wilton was in 1854 opgericht in Rotterdam, met financiële steun van Huibert van Rijckevorsel.[96] De onderneming specialiseerde zich in scheepsreparatie en machinebouw, net als De Maas. De laatste was in 1856 opgericht door Duncan Christie, oud-werknemer van de NSM.[97] Alle drie de ondernemingen produceerden mede ten behoeve van de koloniën. Zo bouwde de fabriek van Christie in de jaren zeventig van de negentiende eeuw de stoombaggermolens *Sumatra* en *Borneo*, naast de baggerschepen *Japara* en *Rembang*. Dit materieel was bestemd voor havenwerken in Batavia en Soerabaja. Ook de NSM bouwde stoombaggermolens en ketels voor stoomschepen in de koloniën. Bovendien nam de NSM in Nederland een belangrijke plaats in bij de uitvoer van rijstpelmolens en suikermachines naar Nederlands-Indië.[98]

Begin twintigste eeuw vond een proces van schaalvergroting plaats in de Rotterdamse machine- en scheepsbouwindustrie en werd de interne verbrandingsmotor gemeengoed. Net als Fijenoord ging ook Wilton over op een NV-structuur, en De Maas ging als de Rotterdamsche Droogdok Maatschappij (RDM) verder op de Heijplaat. In deze periode kon de Nederlandse scheepsbouw goed concurreren met buitenlandse werven en nam het aantal orders voor nieuwe schepen toe, ook voor koloniale doeleinden. Fijenoord bouwde bijvoorbeeld schepen en/of motoren voor de Rotterdamsche Lloyd en voor de Koninklijke West-Indische Maildienst, en marineschepen voor de koloniën. Ook Wilton ontving orders van de Rotterdamsche Lloyd, de KPM en het ministerie van Koloniën. In 1929 kwam het tot een fusie met Fijenoord en korte tijd later verhuisde de onderneming naar Schiedam. Het precieze belang van de koloniale orders is niet eenvoudig te berekenen, maar duidelijk is dat deze tot de Tweede Wereldoorlog een rol van betekenis speelden voor de Rotterdamse industriële scheeps- en machinebouw.

ROTTERDAMSE INVESTERINGEN IN SURINAME

ROTTERDAMSE BETROKKENHEID BIJ HET NEGOTIATIESTELSEL

Halverwege de achttiende eeuw zaten eigenaren van plantages in Suriname te springen om uitgebreidere en goedkopere kredietmogelijkheden. Een van de redenen was de enkele decennia eerder geïntroduceerde koffieteelt, die gunstige resultaten beloofde.[99] De bestaande vormen van kredietverlening bleken een *bottleneck*. Veel plantages waren met leningen verbonden aan Amsterdamse handelshuizen. Mede door de grote kapitaalvraag steeg de rente op deze leningen in de jaren rond 1750 snel, waardoor de tijd rijp was voor een nieuw financieringsmodel: het negotiatiestelsel. In essentie ging het om een beleggingsfonds, waarin particulieren in Nederland konden participeren door een 'obligatie' te kopen. De beheerder van het fonds financierde met het beschikbare kapitaal hypothecaire leningen aan plantages. Planters stuurden daarna hun oogst naar de fondsbeheerder, die deze tegen provisie verkocht en uit de opbrengst de rente aan het fonds betaalde. De netto-opbrengst ging naar de planter. Het negotiatiestelsel mobiliseerde veel klein kapitaal, terwijl de investeerders op papier een jaarlijks rendement van 5 à 6 procent tegemoet konden zien.

Historici schrijven de opkomst van het negotiatiestelsel meestal toe aan de Amsterdamse burgemeester en bankier Willem Gideon Deutz. Een Rotterdams archiefstuk doet echter vermoeden dat plannen voor het stelsel niet in Nederland, maar in Suriname zijn gesmeed. Kapitein Laurens Holm arriveerde begin 1751 in Rotterdam vanuit Suriname, waar hij een vergadering van enkele plantage-eigenaren had bijgewoond. Deze hadden hem een 'propositie aan de beurs van Rotterdam, of wel de coopluyden van dien' overhandigd. Het voorstel en de bijbehorende brief bevatten alle contouren van het negotiatiestelsel.[100] Volgens de stukken waren veel plantage-eigenaren ontevreden over de bestaande relaties met Amsterdamse handelshuizen. Met een Rotterdams negotiatiefonds van tussen de 1 en 2 miljoen gulden zou de Maasstad een groot deel van de handel met Suriname van Amsterdam kunnen overnemen. Rotterdamse kooplieden belegden diverse bijeenkomsten om de plannen te bespreken. Via Rudolf Baelde en Johan Gerard François Meijners, twee directeuren van de Rotterdamse Maatschappij van Assurantie, kwamen die plannen ook bij hun mededirecteuren van die maatschappij terecht. Men was geïnteresseerd, maar kritisch. Om de zaak te onderzoeken vormde de directie een commissie, die vervolgens extra informatie verzocht aan inwoners van de kolonie. Later in 1751 bleek eenzelfde voorstel ook in Amsterdam te circuleren, waar de eerdergenoemde Deutz doortastender reageerde. Hij stuurde direct een concept naar Suriname om leningen te verstrekken en in 1753 richtte hij zijn eerste Surinaamse negotiatiefonds op, met een beoogd kapitaal van 1 miljoen gulden.[101]

De Rotterdammers visten dus achter het net in Suriname. Vanuit investeringsoogpunt was dat achteraf bezien gunstig, want de negotiaties bleken slechte investeringen. Voor de scheepvaart en handel van Rotterdam was het echter een gemiste kans. De Surinaamse uitnodiging om te investeren benadrukte dan ook de 'considerable voordeelen die de stad daardoor sal toekomen'.[102] Mogelijk schrokken de Rotterdamse kooplieden terug voor de bestuurlijke chaos in het toenmalige Suriname. Gouverneur Jan Jacob Mauricius en enkele medestanders stonden er tegenover een groep machtige en kapitaalkrachtige planters. Het negotiatievoorstel was vrijwel zeker afkomstig uit de kringen rond Mauricius.[103] Overigens had Rotterdam eerder al geprobeerd om een grotere invloed in Suriname te krijgen. Eind zeventiende en begin achttiende eeuw verkende het stadsbestuur een plan om een 1/3-aandeel te nemen in de Sociëteit van Suriname, eenzelfde aandeel als Amsterdam.[104] Ook daarvan was niets terechtgekomen.

Het stuklopen van het eerste Rotterdamse negotiatieplan in 1751 betekende niet dat er in de stad helemaal geen negotiaties van de grond kwamen. De slavenhandelaren Herman van Coopstad en Isaac Jacobus Rochussen stuurden in 1752 een 'gedruckt project' naar Suriname om planters uit te nodigen geld te lenen van een nieuw te stichten Rotterdams fonds met een grootte van maximaal 120.000 gulden.[105] Hoewel ze daarmee behoorden tot de pioniers van het negotiatiestelsel, waren ze toch te laat. Volgens een Surinaamse correspondent zou hun plan 'van wijnigh succes' zijn, omdat de meeste geïnteresseerde planters al hadden toegehapt op soortgelijke uitnodigingen eerder in het jaar van Amsterdamse kooplieden, onder wie dus Deutz.[106] Waarschijnlijk was het project van Deutz aantrekkelijker voor planters, omdat hij al een deel van het benodigde kapitaal bijeen had. Daaronder bevond zich een investering van 30.000 gulden van de stad Amsterdam. In 1754 stuurden Van Coopstad en Rochussen een nieuwe prospectus voor een negotiatie naar Suriname. Ditmaal hadden ze vooraf de stad Rotterdam bereid gevonden ook 30.000 gulden

Jan Jacob Mauricius geschilderd door Cornelis Troost. Mauricius was gouverneur van Suriname tussen 1742 en 1751. (Rijksmuseum Amsterdam)

toe te zeggen. Het stadsbestuur investeerde namens de stad Rotterdam geld in Surinaamse plantages om anderen aan te moedigen dat ook te doen. Die aanpak had succes.[107]

Meer Rotterdammers raakten betrokken bij plantageleningen. Johan Gerard François Meijners hield zich met negotiaties bezig via zijn particuliere handelskantoor Hamilton & Meijners. Hij vestigde in 1754 een negotiatie op diverse plantages, waaronder Mon Plaisier, Visserszorg, Rietwijk en Vrouwenvlijt. De stad Rotterdam investeerde eveneens 30.000 gulden in zijn negotiaties.[108] Bovendien was het stadsbestuur twee jaar later bereid hem 21.000 gulden te lenen met een hypotheek op een Surinaamse plantage als onderpand. Daarnaast wist Meijners gebruik te maken van zijn directeurschap van de Maatschappij van Assurantie, want die maatschappij beleende hem in de jaren vijftig van de achttiende eeuw 30.000 gulden met een plantage als onderpand.[109] Ferrand Whaley Hudig, neef van Herman van Coopstad en zwager van Isaac Jacobus Rochussen, begaf zich in 1759 in de negotiatiezaken. Hudig pakte het anders aan: in plaats van grote fondsen te creëren, richtte hij kleinere negotiaties op voor leningen aan individuele plantages. Daarbij werd hij in het zadel geholpen door zijn stiefvader Michiel Baelde, eigenaar van de buitenplaats Zomerhof aan de Schie (nabij de tegenwoordige Zomerhofstraat).[110]

LATERE ONTWIKKELINGEN

In de jaren rond 1770 bereikte de stroom negotiatiekapitaal vanuit Nederland richting Suriname een hoogtepunt. In totaal werd er voor meer dan 40 miljoen gulden geïnvesteerd in de Nederlandse plantagekoloniën in Zuid-Amerika, met Suriname voorop. Daarvan kwam ruim 3,5 miljoen gulden van Rotterdamse negotiatiefondsen door de drie genoemde partijen.[111] Hoewel er veel meer Amsterdamse fondsen waren (beheerd door de 'Heeren van de Groote Stad', zoals Hudig ze noemde),[112] behoorden twee fondsen van Coopstad & Rochussen wel tot de grootste van Nederland. In 1765 richtten ze een fonds van meer dan 650.000 gulden op voor investeringen in minstens tien Surinaamse plantages. In 1767 volgde zelfs een 'negotiatie van veertien tonnen gouds' (1,4 miljoen gulden) voor nog meer plantages.[113] Ook Hamilton & Meijners en Hudig begonnen in de jaren zestig nieuwe negotiatiefondsen.[114] Koloniale planters kochten met de binnenkomende gelden onder meer Afrikanen die op slavenschepen werden aangevoerd om hen als slaven tewerk te stellen op hun plantages.

Als investeringsvehikel bleken de negotiatiefondsen niet succesvol, om verschillende redenen. Een kernprobleem was de hoogte van de hypothecaire leningen die de fondsen uitschreven. De onderliggende hypotheek was gebaseerd op hoge schattingen van de waarde van plantages, inclusief de mensen die als slaaf aan de plantages verbonden waren en de beplante landbouwgronden. De toevloed van kapitaal leidde tot grote stijgingen van slavenprijzen. In de jaren 1770 kwam de Surinaamse economie in de problemen door een combinatie van misoogsten, dalende verkoopprijzen en een oorlog met Surinaamse marrons. Het werd al snel duidelijk dat de aangegane leningen te hoog waren en de plantages de grote rentelast en aflossingsbedragen niet konden voldoen.

Waren de negotiaties aanvankelijk zeer interessante bezittingen voor fondsdirecteuren, in de jaren 1770 veranderden ze vrijwel zonder uitzondering in een blok aan hun been. De verkoopopbrengsten waren niet voldoende om de obligatiehouders te betalen en daarnaast de kosten voor het draaiende houden van de plantages te voldoen. Fondsdirecteuren als Ferrand Whaley Hudig werden genoodzaakt de lopende kosten voor te financieren, en zo liepen de plantageschulden snel op. Toen in de loop van de jaren zeventig ook de rentebetalingen stokten, realiseerden de obligatiehouders pas de omvang van de crisis en eisten ze maatregelen. De firma Coopstad & Rochussen kwam onder curatele en ging uiteindelijk failliet.[115] Hamilton & Meijners en Hudig verloren grote bedragen. De obligatiehouders die vanaf het begin bij de Rotterdamse negotiatiefondsen betrokken waren, zagen het grootste deel van de waarde van hun obligaties verdampen. Plantage-eigenaren verloren hun plantages die rechtstreeks onder het beheer van de fondsen kwamen te vallen. Vlak voor de Franse inval in Nederland eind 1794 en begin negentiende eeuw leek het beter te gaan met veel Surinaamse plantages en volgden soms zelfs weer rentebetalingen of aflossingen, maar de waarde van de obligaties bleef vrijwel altijd onder de 50 procent.[116]

Ondanks het dramatische verloop van de negotiatiefondsen moeten ze de Rotterdamse economie een impuls hebben gegeven. Had Rotterdam voor 1750 nauwelijks relaties met Suriname, in de decennia daarna kwamen er meer door slaven geproduceerde Surinaamse producten op

Werk op een suikerrietplantage. Negentiende-eeuwse lithografie door Théodore Bray. (Museum voor Wereldculturen)

de markt. Bovendien leverden Rotterdamse leveranciers goederen die aan plantages werden verzonden, hoewel dat na de crisis van de jaren 1770 terugliep. Die crisis was het wrangst voor de slaven. Door het totale gebrek aan geld begonnen veel planters sterk te bezuinigen op kosten voor de slaven die op hun plantages woonden. Een Surinaamse administrateur schreef dat de slaven op twee plantages die aan het Rotterdamse fonds van Hudig verbonden waren, 'nauwlijks zoo veel [hebben], om hun schaamte te dekken'.[117] De belangrijkste obligatiehouders in de grote fondsen van Coopstad & Rochussen eisten dat de planters als vervanging voor gestorven slaven alleen kinderen zouden inkopen, voor zover zij 'in staat zijn om mans off vrouwen werk te doen'.[118] De Rotterdamse financiers merkten de gevolgen van de crisis in hun portemonnee, maar de slaven ondervonden die aan den lijve!

De nasleep van de negotiatieleningen duurde tot ver in de negentiende eeuw. Ferrand Whaleys zoon Jan Hudig kocht regelmatig – tegen lagere waardering – obligaties terug van aandeelhouders. Halverwege de negentiende eeuw had hij nog steeds relaties met enkele Surinaamse plantages, maar die leverden hem nauwelijks nog wat op.[119] Het beheer over de grote fondsen van Coopstad & Rochussen was overgegaan op het handelshuis Pieter Wachter & Zoonen. De obligatiehouders kwamen soms nog bij elkaar om lopende zaken te bespreken. De negotiatie van 650.000 gulden uit 1766 werd uiteindelijk in 1844 opgeheven. Destijds was nog 63 procent van de hoofdsom niet afgelost.[120] De grotere 'negotiatie van veertien tonnen gouds' bleef nog langer bestaan en de aandeelhouders kregen sporadisch rentebetalingen. Vanaf de jaren twintig van de negentiende eeuw bezat het fonds alleen nog de Surinaamse suikerplantage Maagdenburg. Van een aandeelhoudersvergadering uit 1863 is een verslag bewaard gebleven. Het hoofdpunt van de vergadering was de 'hoogst belangrijke gebeurtenis, die nu weldra in de kolonie Suriname plaats hebben zal, namelijk de opheffing der slavernij'.[121] Uiteraard wilden de aandeelhouders weten of zij meedeelden in het bedrag van 300 gulden dat de overheid zou uitbetalen voor iedere vrijgemaakte slaaf. Dat was het geval: in 1865 keerde de overheid 24.600 gulden uit aan het fonds ter compensatie van de vrijmaking van 82 slaven.[122] Een groot deel van de uitkering bleek echter nodig om de lopende kosten te voldoen. Rond 1866 werd Maagdenburg verkocht en in 1867 – precies honderd jaar na het ontstaan – werd ook deze 'negotiatie van veertien tonnen gouds' geliquideerd.[123]

ROTTERDAMSE INVESTERINGEN IN NEDERLANDS-INDIË

PARTICULIER KAPITAAL IN NEDERLANDS-INDIË

De kolonie Nederlands-Indië was tot en met de eerste helft van de negentiende eeuw slechts beperkt toegankelijk voor particuliere investeringen. De 'buitengewesten', delen van de kolonie buiten Java en Madoera, waren nauwelijks bezet en ontsloten door de koloniale overheid. Op Java zelf beknotte het Cultuurstelsel tussen 1830 en 1870 particulier initiatief. Een gedeeltelijke liberalisering van de Indische markt na 1850 en de afschaffing van het Cultuurstelsel brachten in die situatie verandering. Vooral na 1870 richtten Nederlandse ondernemers talloze naamloze vennootschappen op die economische activiteiten ontplooiden in Nederlands-Indië. Voor zover die vennootschappen hun hoofdzetel in Nederland hadden, was dat meestal in Amsterdam of Den Haag. Toch deed ook Rotterdam mee aan de investeringsgolf, die tot 1940 aanhield.

De voornaamste exploitant van Nederlands-Indië vóór de afschaffing van het Cultuurstelsel was de Nederlandse overheid. Toen eenmaal duidelijk was dat de overheid het economische initiatief in toenemende mate aan particulieren zou overlaten, smeedden ondernemers tal van plannen. In 1863 kwamen drie Rotterdamse ondernemingen tot stand die rechtstreeks verband hielden met de Indische connectie van de stad.[124] Ten eerste was dat de Rotterdamsche Bank, een voorloper van ABN-AMRO. Deze bank moest nadrukkelijk een koloniale bank zijn, die de financiële infrastructuur op Java en de financiële band tussen de kolonie en Rotterdam moest verbeteren. Tot de oprichting was dan ook besloten in een vergadering van Rotterdamse bankiers en ondernemers met Indische belangen. Volgens de oprichtingscirculaire was het doel van de Rotterdamsche Bank het betalingsverkeer te verbeteren en (kortlopende) kredieten te verschaffen om 'alzoo den handel, de nijverheid en den landbouw, vooral op Java, een ruimer vlugt te doen nemen'.[125] De tweede belangrijke nieuwkomer in de Rotterdamse economie van 1863 was Internatio, officieel 'Internationale Crediet- en Handelsvereeniging "Rotterdam"'. Dit was een gezamenlijk initiatief van Rotterdammers en Twentse textielfabrikanten die financiering zochten voor hun exporten naar Java.[126] Internatio gaf inderdaad exportvoorschotten, maar dreef daarnaast handel in koloniale producten. Een derde nieuwe speler was de onder leiding van Lodewijk Pincoffs opgerichte Nederlandsch-Indische

Gasmaatschappij (NIGM), die een concessie tot het exploiteren van een gasnetwerk voor straatverlichting in Nederlands-Indië uitbaatte. Het eerste decennium bleek voor alle genoemde ondernemingen lastig, mede door een economische crisis in 1866. De Rotterdamsche Bank trok zich vanaf 1870 zelfs terug uit Nederlands-Indië, hoewel ze vanuit Nederland wel bleef optreden als 'tusschenpersoon in den handel van Nederland met zijne koloniën'.[127]

Het kapitaal voor de nieuwe NV's was niet exclusief Rotterdams en veel activiteiten vonden buiten de stad plaats, uiteraard vooral in Nederlands-Indië. De hoofdkantoren en de directies bevonden zich echter in de Maasstad. Bovendien waren deze ondernemingen de voorlopers van een grote kapitaalstroom eind negentiende eeuw. Aanvankelijk bekeken investeerders de ondernemingsvorm van NV's met de nodige scepsis. Een aandeelhouder van Internatio meende in 1870 dat de slechte resultaten uit de begintijd van die onderneming 'bewezen dat Naamlooze Vennootschappen niet voor handelszaken deugen'.[128] Die scepsis verdween toen bleek dat NV's organisatorische voordelen en betere juridische bescherming boden. Na 1863 en vooral in de periode rond 1890 ontstond een wildgroei aan nieuwe NV's die investeerders moesten verleiden hun geld in Nederlands-Indië te steken. Samen met de koloniale overheid zorg-

Het kantoor van Internatio in Soerabaja rond 1930, een van de kantoren van deze onderneming in Nederlands-Indië. (KITLV)

den deze ondernemingen ervoor dat Nederland zijn gezag uitbreidde in de hele Indische archipel. De NV's richtten zich niet alleen op handel en landbouw, maar op een breed scala aan economische activiteiten in de kolonie. Het ging onder meer om mijnbouw (aardolie, tin), houtkap en industrie.

ENKELE ROTTERDAMSE INDIË-NV'S

De grootste Rotterdamse ondernemingen met een Indische connectie waren Internatio, de Rotterdamsche Lloyd (met activiteiten gestart in 1873, vanaf 1883 een NV) en de Nederlandsch-Indische Gasmaatschappij. De bulk van het geïnvesteerde kapitaal bevond zich echter bij een grote groep kleinere NV's. Veel daarvan kenden een opmerkelijke geschiedenis. Neem het ontstaan van de NV Tabakmaatschappij Arendsburg, een van de grotere spelers onder de kleinere NV's. Deze onderneming had haar wortels in een voorganger die in 1861 was opgericht door de Rotterdamse tabakshandelaar Pieter van den Arend. Zijn administrateur Jacob Nienhuys reisde in 1863 van Java naar Sumatra om daar – naar zijn zeggen op uitnodiging van een lokale vorst – in Deli een tabaksplantage te beginnen.[129] Het bleek het begin van een grote expansie van Europese belangen in het gebied. Het jaarverslag van de Rotterdamse Kamer van Koophandel over 1884 schrijft dan ook 'met eenige voldoening' over de inmiddels succesvolle Sumatraanse tabakscultuur, 'omdat die ontstaan is op initiatief van Rotterdamsche belanghebbenden'.[130] De Deli-maatschappijen zouden later in opspraak komen, omdat ze werkten met geronselde Javaanse en Chinese arbeiders die als 'koelie' een uitermate zwaar bestaan hadden.

De NV's die zich bezighielden met de exploitatie van landbouwondernemingen (cultuurmaatschappijen) kenden vaak een statutaire levenstermijn van 75 jaar. Dat hield verband met het beleid van de koloniale overheid. Als gevolg van de Landbouwwet van 1870 gold een maximale erfpachttermijn van 75 jaar voor Europese ondernemers die onbebouwde Indische gronden wilden cultiveren. Zo kreeg de Rotterdamse Marius Koch in 1882 erfpachtrecht op een stuk grond in de Preanger op Java voor 35.000 gulden, waarna hij begon met het geschikt maken ervan voor de verbouw van kina.[131] Waarschijnlijk was Marius naar Java gereisd in opdracht van zijn vader Ferdinand Koch, lid van de Rotterdamse firma Koch & Vlierboom. In 1883 voerde die firma de directie over de nieuwe NV Tji-Kembang, die de kinaplantage zou exploiteren. De meeste deelnemers in het kapitaal van 255.000 gulden waren Rotterdammers.[132]

De tientallen Rotterdamse Indië-NV's ontplooiden een breed scala aan activiteiten in diverse regio's van Nederlands-Indië. Een kleine greep laat de diversiteit goed zien: NV De Maas beheerde Javaanse suikerfabrieken.[133] NV Wadjak exploiteerde een marmermijn.[134] NV Droogdokmaatschappij Tandjong-Priok bezat een scheepswerf. NV Rotterdam-Tapanoeli Maatschappij kweekte rubberbomen op Sumatra. NV Koetei Compagnie zocht naar olievelden op Borneo/Kalimantan. NV Soember Kerto was één van de koffieondernemingen onder directie van W. Schöffer & Co.[135] NV Cocos Octrooien hield zich bezig met de mechanische verwerking van kokosvezels.[136] NV Handelsvereeniging Nieuw Guinea was opgezet om door middel van handel het christendom te verspreiden in Nieuw-Guinea.[137] NV Indische Fondsen nam aandelen in andere Indië-NV's en diende als beleggingsfonds voor investeerders.

Het totaal aantal in Rotterdam gevestigde Indië-NV's liep in de tientallen (zie tabel 1). Volgens het jaarlijks verschijnende *Handboek voor cultuur- en handels-ondernemingen in Nederlandsch-Indië* waren er in 1890 al 27 van dergelijke ondernemingen met als statutaire vestigingsplaats Rotterdam. In de laatste jaren van de negentiende eeuw werden er echter veel nieuwe ondernemingen opgericht, zodat het aantal Indië-NV's in 1901 maar liefst 72 bedroeg. Hoewel dat aantal niet meer spectaculair steeg en na 1930 zelfs daalde, bleef het geïnvesteerde kapitaal gestaag toenemen. Bekeken naar statutaire vestigingsplaats bleef Rotterdam daarmee wel ver achter bij Amsterdam en Den Haag. In Amsterdam waren in 1890 103 Indië-NV's gevestigd en dat aantal steeg tot ruim boven de 300 in de eerste decennia van de twintigste eeuw. Ook Den Haag had meer NV's, die gemiddeld bovendien groter waren.

Enkele grote Rotterdamse bedrijven voerden de directie over meerdere NV's. Het ging onder meer om Koch & Suermondt (opvolger van Koch & Vlierboom), Mees & Moens, Phillipi & Co en W. Schöffer & Co (zetelend in het Rotterdamse Witte Huis). Ook Internatio beheerde diverse NV's, hoewel veel van de Internatio-dochterondernemingen statutair gevestigd waren in Nederlands-Indië. Voor handelsondernemingen als Internatio en W. Schöffer & Co was het deelnemen in cultuurmaatschappijen een manier om zich van handelswaar te voorzien. Vandaar dat ook Van Nelle investeerde in Indische tabaksplantages.[138] A. van Hoboken & Co investeerde in de suiker-, koffie-, tabaks-, thee-, rubber- én cocacultuur.[139]

De winstgevendheid van de diverse NV's was wisselend, maar er zaten flink wat succesvolle ondernemingen tussen.[140] De cultuurmaatschappijen

Tabel 1: Indië-NV's in Rotterdam, Amsterdam en Den Haag

	Rotterdam		Amsterdam		Den Haag	
	Aantal	*Kapitaal mln f*	*Aantal*	*Kapitaal mln f*	*Aantal*	*Kapitaal mln f*
1890	27	31,78				
1901	72	50,52				
1910	65	64,60	294	495,36	159	326,71
1915	74	97,67	352	737,43	209	560,82
1920	83	126,82	380	1.016,25	205	982,19
1925	74	135,01	368	1.294,20	196	1.646,01
1926	75	131,85	337	1.279,73	182	1.640,05
1930	66	197,41	355	1.696,76	185	1.672,06
1935	61	244,22	323	1.777,63	171	1.986,87
1940	60	252,83	309	1.617,49	171	2.126,67

Het kapitaal betreft het geplaatst aandelenkapitaal in miljoenen guldens.
Bron: *Handboek voor cultuur- en handels-ondernemingen in Nederlandsch-Indië* (Amsterdam, diverse jaren). Voor de overzichten vanaf 1910 is gebruikgemaakt van Thomas Lindblad, Colonial Business Indonesia Database [colonialbusinessindonesia.nl, geraadpleegd 13 februari 2020].

die zich bezighielden met de ontginning van 'woeste gronden' waren in de eerste jaren doorgaans verliesgevend.[141] Kinamaatschappij Tji-Kembang maakte bijvoorbeeld pas na vijftien jaar structureel winst. Vanaf dat jaar kon echter tot de Tweede Wereldoorlog jaarlijks een fraai dividend worden uitgekeerd.[142] Ook Tabak Maatschappij Arendsburg kende een lastige start, maar wist daarna door te groeien tot een winstgevend bedrijf.[143] NV Indische Fondsen, die belegde in diverse andere NV's, keerde in 1925 een dividend van 24 procent uit en in 1929 20 procent, hoewel de resultaten in de crisisjaren dertig minder fraai werden.[144] Succesvolle ondernemingen zagen hun resultaten ook gereflecteerd in hoge beurskoersen.

NA DE TWEEDE WERELDOORLOG

Aan de vooravond van de Tweede Wereldoorlog waren er minstens 60 in Rotterdam gevestigde ondernemingen met hoofdactiviteiten in Nederlands-Indië. De oorlogsjaren betekenden voor veel van die ondernemingen een onverwachte breuk met het verleden. Een van de getroffen ondernemingen was de kinamaatschappij NV Tji-Kembang. Op 6 mei 1940 gaf een Rotterdamse accountant een goedkeurende accountantsverklaring voor het jaarverslag over 1939. De onderneming had ruim 350.000 gulden winst gemaakt en aandeelhouders konden een dividend van 45 procent tegemoetzien.[145] Een ruime week later werd het centrum van Rotterdam weggevaagd door een Duits bombardement en was alles anders. Zelfs de registers van de aandeelhouders waren in vlammen opgegaan en zij moesten worden opgeroepen zich opnieuw te laten registeren op een haastig geïmproviseerd kantoor van Koch & Suermondt in de Parkstraat.[146] Directielid Ferdinand H.M. Koch was tijdens de Duitse inval op de terugreis naar Rotterdam na een inspectiereis naar de kinaplantages en besloot terug te keren naar Nederlands-Indië. Eind 1941 bereikte het oorlogsgeweld ook de kolonie. Nederlands-Indië werd in 1942 door Japan bezet en veel Nederlanders, onder wie medewerkers van Tji-Kembang, werden in kampen geïnterneerd. De onderneming werd door Japanners overgenomen tot de Japanse capitulatie in 1945. Daarna begon de strijd om de onafhankelijkheid van Indonesië, ofwel de 'ongunstige politieke gebeurtenissen' zoals het verslag van Tji-Kembang over 1942 tot en met 1947 het noemt.[147]

Veel Indische ondernemingen met een Rotterdams hoofdkantoor konden na de oorlog hun activiteiten hervatten. De ondernemingen hadden tijdens de Japanse bezetting en de daaropvolgende onafhankelijkheidsstrijd wel grote schade opgelopen. Op Tji-Kembang waren alle huizen vernield. In Sumatra waren bij de NV Rotterdam-Tapanoeli Maatschappij ook alle huizen en opslagplaatsen verbrand en waren daarnaast de voorraden en gereedschappen ontvreemd.[148] Van de Rotterdamsche Lloyd waren schepen gezonken en havenfaciliteiten van de NV Droogdok Maatschappij Tandjong Priok waren in 1942 verwoest.[149] Toch wisten veel ondernemingen de onafhankelijkheidsoorlog en de overgang naar een nieuw, onafhankelijk Indonesië te overleven. Onder meer de NV Rotterdam-Tapanoeli Maatschappij maakte met succes een nieuwe start en rapporteerde vanaf het boekjaar 1951 in roepia.

Door de Rotterdamse investeringen in de voormalige kolonie Nederlands-Indië had de stad nog lang na de Indonesische onafhankelijkheid een band met het land, hoewel die band na 1957 compleet veranderde. Vanwege het conflict over Nieuw-Guinea nationaliseerde de Indonesische overheid vanaf dat jaar Nederlandse ondernemingen in Indonesië. Voor zover NV's alleen activiteiten in Indonesië hadden, konden deze hun bedrijf niet meer uitoefenen. Toch werden de meeste niet direct geliquideerd en duurde de afhandeling vaak vele jaren. De NV Rotterdamse Cultuur Maatschappij voerde in de jaren 1960 bijvoorbeeld geen activiteiten meer uit, maar bezat nog voor 290.000 gulden aan effecten in Indonesië. Het duurde nog tot in de jaren zeventig voordat die effecten gerepatrieerd konden worden naar Nederland, waarna aandeelhouders een slotuitkering ontvingen.[150]

Voor NV's die nog wel een Indonesische onderneming uitoefenden in 1957 duurde de afwikkeling nog langer. Mede voor hen trad de Nederlandse overheid in onderhandeling met de Indonesische om een schadevergoeding te regelen. In 1966 kwam het tot een overeenkomst: de Indonesische staat zou 600 miljoen gulden vergoeden, te betalen in jaarlijkse termijnen tot en met 2003.[151] Aan die toezegging heeft Indonesië voldaan. Het geld werd in Nederland beheerd door het Bureau Schadeclaims Indonesië. Veel NV's klopten daar aan om in ieder geval een klein deel van de waarde van genationaliseerde bezittingen te claimen. Zo vroeg de NV Rotterdam-Tapanoeli Maatschappij voor verloren belangen in Indonesië een schadevergoeding van ruim 3,6 miljoen aan en kreeg ruim 577.000 gulden.[152] Andere Rotterdamse begunstigden waren onder meer de Rotterdamsche Lloyd (ruim 4,6 miljoen), OGEM (ruim 7,7 miljoen), Internatio (ruim 7,1 miljoen) en Droogdokmaatschappij Tandjong Priok (ruim 1,6 miljoen). Tji-Kembang kreeg 102.000 gulden toegewezen.[153]

Sommige ondernemingen moesten zich na de onafhankelijkheid van Indonesië opnieuw uitvinden. De grootste Rotterdamse spelers op de Indische markt bleven bestaan. Internatio ging zich richten op de bredere wereldmarkt, net als de Lloyd. De Nederlandsch-Indische Gasmaatschappij noemde zich na 1950 de Overzeese Gas- en Electriciteitsmaatschappij (OGEM). Sinds het begin van de twintigste eeuw had deze onderneming ook gas- en elektriciteitsbedrijven in Suriname, op de Nederlandse Caribische eilanden en in Nederland. In Indonesië kreeg de OGEM al sinds de vroege jaren vijftig te maken met nationalisaties van nutsbedrijven door de overheid. Onder meer met de hiervoor ontvangen schadeloosstellingen kon de onderneming overnames financieren en vond het zich opnieuw uit als bouw- en handelsonderneming. Het nam onder meer R.S. Stokvis & Zonen over, een Rotterdamse handelmaatschappij die actief geweest was in Nederlands-Indië. Een andere overname was die van de Nieuwe Afrikaansche Handels-Vennootschap (NAHV), opmerkelijk omdat zowel de OGEM als de NAHV hun bestaan mede te danken hadden aan één persoon: Lodewijk Pincoffs. In 1982 ging de OGEM failliet. Het voormalige hoofdkantoor is nu de Rotterdam Science Tower. Een andere onderneming, de NV Indische fondsen, bestaat nog altijd, onder de naam NV Robeco Hollands Bezit. Het is nu een beleggingsfonds van de Rotterdamse vermogensbeheerder Robeco.[154]

ROTTERDAMSE VERZEKERAARS EN KOLONIALE HANDEL

KOLONIALE HANDEL EN VERZEKERINGEN

Scheepvaart en handel over zee is niet ontbloot van risico's en dat gold vroeger in veel sterkere mate dan tegenwoordig. Stormen, windstilte en piraterij waren slechts enkele van de vele gevaren op zee. Al sinds de zestiende eeuw werden in Nederland zeeverzekeringen aangeboden om de risico's te beperken en het is niet verwonderlijk dat de koloniale scheepvaart en handel, met bijbehorende lange reizen en grote investeringen, hier volop gebruik van maakten. Rotterdamse verzekeraars waren op verschillende manieren betrokken bij de Europese koloniën. Zo verzekerden ze schepen en ladingen die voeren op koloniale routes. Daaronder vielen ook slavenschepen. Ook verzekerden ze bezittingen in de koloniën, waaronder plantages en zelfs de mensen die als slaaf op die plantages aanwezig waren.[155] In deze paragraaf ligt de nadruk op een verkenning van de betrokkenheid van de Rotterdamse verzekeringsmarkt bij de achttiendeeeuwse koloniale handel.

Bij het sluiten van verzekeringen waren diverse partijen betrokken, met name makelaars, verzekeraars en verzekerden. De makelaars bemiddelden tussen verzekeringsgevers en verzekeringsnemers en stelden de polissen op. Verzekeraars tekenden in op de polissen en namen zo (een deel van) het risico van de verzekerden over. Veel verzekeraars (of assuradeurs) waren privépersonen en beschouwden het intekenen op polissen niet als hun hoofdactiviteit, maar als investering. De aantrekkelijkheid van Rotterdam als verzekeringsmarkt werd bepaald door de aanwezigheid van kapitaalkrachtige assuradeurs. Over het algemeen was de Amsterdamse verzekeringsmarkt veel groter dan de Rotterdamse en konden verzekeringsnemers niet al hun risico's afdekken op de Rotterdamse markt. Mede om de Rotterdamse verzekeringsmarkt te versterken richtten enkele (Engelse) initiatiefnemers in 1720 de Maatschappij van Assurantie, Discontering en Beleening der stad Rotterdam op (hierna: Maatschappij van Assurantie, tegenwoordig onderdeel van ASR). Deze aandelenmaatschappij groeide uit tot een van de belangrijkste verzekeraars van Rotterdam en was dus geen privépersoon. In 1770 kwam een concurrent voor de Maatschappij van Assurantie tot stand: de Sociëteit van Assurantie. Daarnaast waren er nog vijftien tot twintig privépersonen actief als verzekeraar.[156]

Tot het einde van de achttiende eeuw kwam het overgrote deel van de omzet van de Maatschappij van Assurantie uit zeeverzekeringen. Deze omzet was op verschillende manieren verbonden met de koloniale wereld. Het kon gaan om verzekeringen van schepen of ladingen die van of naar koloniën gingen, maar ook om koloniale producten die van of naar Europese havens werden vervoerd. Omdat het bedrijfsarchief is overgeleverd, valt precies te reconstrueren op welke routes deze organisatie schepen en ladingen verzekerde (tabel 2).

Omdat de Maatschappij van Assurantie vooral schepen verzekerde die op of uit Rotterdam voeren, is de tabel een mooie afspiegeling van de Rotterdamse achttiende-eeuwse scheepvaart. Het is niet verwonderlijk dat het leeuwendeel van de verzekerde bedragen van de Maatschappij voortkwam uit de handel met Frankrijk en Groot-Brittannië, hoewel ook reizen naar de Middellandse Zee en de Oostzee ruimschoots vertegenwoordigd waren. De koloniale vaart leverde ook een belangrijke bijdrage. Ten eerste indirect, doordat koloniale waren ook uit Europese havens werden aangevoerd naar Rotterdam. Zo verzekerde Van de Sande Guillemanson & Rappard in 1775 voor 4000 gulden een partij suiker die aan boord van de *Jonge Anna* vanuit Nantes werd aangevoerd. In datzelfde jaar verzekerde Fredrik Caarten & Zoon een lading tabak uit Londen voor 2000 gulden. Veel schepen op Europese routes hadden koloniale goederen aan boord. Ten tweede verzekerde de Maatschappij schepen en ladingen op koloniale routes, die bovendien vaak groter waren dan schepen op Europese routes. Verzekeringsnemers betaalden door de grotere risico's ook een hogere premie. In totaal hield tussen 1742 en 1782 ruim 16 procent van de verzekerde waarde en bijna 30 procent van de premieomzet rechtstreeks verband met de koloniale vaart.

De hoge bedragen die de Maatschappij verzekerde in de vaart op Azië zijn opvallend, omdat de VOC haar schepen niet verzekerde. De verzekering betrof vooral lading. Zo mochten particulieren beperkt goederen uitvoeren op VOC-schepen.[157] Scheepsofficieren mochten bovendien een 'ge-

Tabel 2: Verzekerde bedragen en gemiddelde premies Maatschappij van Assurantie, 1742-1782

	1742-1751		1752-1761		1762-1771		1772-1782	
	Verz. som (*f*)	Gem. premie	Verz. som (*f*)	Gem. premie	Verz. som (*f*)	Gem. premie	Verz. som (*f*)	Gem. premie
Europa								
Britse eilanden	668.860	2,8%	1.189.710	2,0%	1.854.344	1,6%	1.605.841	2,2%
Frankrijk	1.679.283	2,2%	1.758.930	2,2%	1.755.806	1,8%	2.313.255	2,4%
Oostzee	153.780	3,0%	76.800	2,7%	385.575	2,1%	2.061.544	2,3%
Middellandse zee	1.083.790	4,5%	900.109	3,9%	1.253.504	2,5%	1.847.365	3,5%
Overig Europa	672.145	2,6%	343.838	2,2%	292.450	1,8%	799.820	3,3%
Walvis-vaart	0	-	10.000	4,5%	26.600	4,0%	75.900	4,1%
Totaal Europa	4.257.858		4.279.387		5.568.279		8.703.725	
Buiten Europa								
Afrika	81.111	3,8%	113.360	3,9%	191.500	5,0%	115.350	5,4%
Amerika	355.389	7,1%	535.939	4,7%	498.440	3,9%	836.160	5,9%
Azië	1.002.480	5,9%	412.941	5,4%	167.680	4,8%	191.632	5,3%
Totaal buiten Europa	1.438.980		1.062.240		857.620		1.143.142	

Bron: NL-RtdGA, Maatschappij van Assurantie, 245-246, register van lopende risico's ter zee.

permitteerd cargazoen' meenemen om in Azië te verhandelen. Rond die toegestane cargazoenen ontstond een bijzondere dienstverlening in Rotterdam. Er waren in de stad diverse gespecialiseerde personen die voc-officieren geld leenden om cargazoenen te kopen. Wat ook voor kwam was dat de officieren hun cargazoenruimte ter beschikking stelden aan derden, uiteraard tegen commissie.[158] Het zijn grotendeels die ladingen van officieren die verzekerd werden bij de Maatschappij. De vaart op 'Amerika' betreft voor een belangrijk deel verzekeringen op casco en ladingen van schepen naar Suriname, maar bevat ook schepen naar Noord-Amerika. Een groot deel van de Afrika-verzekeringen had te maken met de slavenhandel.

SLAVENHANDEL EN VERZEKERINGEN

Tussen 1742 en 1782 schreef de Maatschappij 125 maal in op een verzekering van een slavenschip of de lading van een slavenschip. In het decennium daarna kwamen er nog enkele tientallen slavenhandelsverzekeringen bij. Het ging om Rotterdamse slavenschepen, zoals de *Publicola* van Coopstad & Rochussen; de Maatschappij verzekerde dat schip voor 4000 gulden.[159] De Maatschappij schreef echter ook in op verzekeringen van Zeeuwse slavenhandelaren die in Rotterdam een verzekering afsloten. Daaronder bevonden zich schepen van de Middelburgse Commercie Compagnie (MCC). Op de 33 Rotterdamse verzekeringen die de MCC tussen 1770 en 1791 afsloot, behoorde de Maatschappij tot de grootste intekenaars. Ook de Sociëteit van Assurantie schreef grote bedragen in op MCC-polissen. Enkele andere veelvoorkomende namen op Rotterdamse slavenhandelspolissen zijn Des Amorie & De Vries, Gerard Ellinkhuijsen, Jan Pott en Van de Sande & Guillemanson.[160] Makelaars voor dergelijke polissen waren onder anderen R. Mees & Zoonen (een voorloper van Victor Insurance Europe en ABN-AMRO) en de heer Montauban van Swijndregt.

Assuradeurs verzekerden niet alleen het casco van slavenschepen, maar ook de ladingen. Slavenhandelaren konden de mensen die als slaaf gekocht werden ook verzekeren. Die verzekering dekte dan de 'perikulen van de zee', zoals brand aan scheepsboord, stormen of piraterij. Slaven die bezweken aan ziekte vielen niet onder de dekking. Opstanden op slavenschepen vormden een grijs gebied. Vanaf de late jaren 1780 vermeldden Rotterdamse polissen expliciet dat financiële schade door slavenopstanden ook gedekt was.[161] Eerder vergoedden verzekeraars schade als gevolg

Het Franse slavenschip Marie Seraphique, 1773. Rotterdamse slavenschepen zagen er in deze tijd vergelijkbaar uit. (Collectie Musée du Château des ducs de Bretagne, Nantes, Frankrijk)

van opstanden slechts beperkt. Een bijzonder geval is een opstand op het Rotterdamse slavenschip *Willemina Aletta* in november 1770. Volgens het financiële journaal van de Maatschappij van Assurantie keerde de maatschappij als verzekeraar 300 gulden uit aan Coopstad & Rochussen, 'zijnde een revolte onder de slaven geweest en daar door 14 slaven gemassacreert en over boord geworpen'.[162] In werkelijkheid waren twaalf Afrikanen tijdens de opstand overboord gesprongen en verdronken, enkele anderen waren weer uit het water gevist. De andere twee doden betroffen de leiders van de opstand, van wie een zich na het mislukken ervan had verhangen. De ander was Jan Commie, een Afrikaanse man uit Elmina die Nederlands sprak en door zijn familie als slaaf verkocht was. Hij werd in het Nederlandse fort in Elmina ter dood veroordeeld en de straf werd aan boord van de *Willemina Aletta* ten uitvoer gebracht. Commie werd met een touw onder zijn armen aan de grote ra omhooggehesen. Daarna werd hij met geweren beschoten totdat hij dood was. Een deel van het door Rotterdamse verzekeraars uitgekeerde geld was vrijwel zeker een vergoeding voor het bedrag dat kapitein Jan Clebo had betaald voor Jan Commie.[163]

Na de afschaffing van de slavenhandel en de vermindering van de koloniale vaart op het Caribisch gebied valt een inmiddels duidelijk patroon op: ook voor verzekeraars werd Nederlands-Indië van toenemend belang. Een van de partijen die meeprofiteerde was de Rotterdamse Maatschappij van Assurantie. Zo was ruim 60 procent van de door haar verzekerde waarde en bijna 80 procent van de ontvangen premies op zeeverzekeringen tussen 1848 en 1853 afkomstig van Aziatische routes, veelal naar Nederlands-Indië.[164] Daarbij speelde mee dat de NHM tot ongeveer 1860 hogere premies betaalde dan gebruikelijk op de wereldmarkt. Geen wonder dat er in de negentiende eeuw in Rotterdam tientallen assuradeurs bij kwamen, die grotendeels aan het NHM-infuus lagen.[165] Zo profiteerden zij mee van de exploitatie van de kolonie Nederlands-Indië door de Nederlandse staat.

CONCLUSIE

Bankier Rudolf Mees maakte rond 1830 een overzicht van het Rotterdamse economische leven en daarin kwam nauwelijks industrie voor. Slechts één industrietak viel hem op, een tak met een duidelijke koloniale link: de suikerindustrie.[166] Wie de industriële geschiedenis van Rotterdam overziet kan inderdaad niet om de koloniale connectie van de Maasstad heen. Vooral tussen 1750 en 1850 speelden de koloniën een grote rol in de economische ontwikkeling van de stad.

In de achttiende eeuw waren de Atlantische koloniën belangrijk. Uit zowel Nederlandse als buitenlandse koloniën in het Caribisch gebied en in Noord- en Zuid-Amerika kwamen waardevolle producten als suiker en tabak. In tegenstelling tot de meeste goederen die de VOC aanvoerde, moesten die Atlantische producten in Rotterdam een industriële bewerking ondergaan.[167] Rotterdam was een van de belangrijkste centra van suikerraffinage in Nederland. Rond 1750 waren er zo'n 30 raffinaderijen in de stad gevestigd. Amsterdam had destijds weliswaar driemaal zoveel raffinaderijen, maar ook ruim viermaal zoveel inwoners. Vanwege buitenlandse concurrentie stond de suikerindustrie onder druk, maar enkele invloedrijke families hebben veel verdiend met het raffineren van suiker. De impact op de werkgelegenheid was destijds nog niet heel groot, want de suikerindustrie was meer kapitaalintensief dan arbeidsintensief.

Voor de werkgelegenheid in Rotterdam was de tabaksindustrie in de tweede helft van de achttiende eeuw belangrijker dan de suikerindustrie. Na 1750 produceerden Rotterdamse fabrikanten karotten, bestemd voor de productie van snuiftabak. In 1771 benadrukten enkele Rotterdammers dat de tabakshandel 'sedert eenige jaaren een seer notabele tak van commercie op Duitschland langs den Rhyn' opleverde.[168] Tabak werd ook in Nederland verbouwd, maar een belangrijk deel van de grondstof voor Rotterdamse fabrikanten was afkomstig van Noord-Amerikaanse slavenplantages. Tegen het einde van de achttiende eeuw werkten er mogelijk tussen de 2000 en 3000 Rotterdammers in de tabaksindustrie. Rond 1800 woonden er in totaal 57.000 mensen in de stad, dus een aanzienlijk deel van de beroepsbevolking moet werkzaam zijn geweest in de tabaks- en suikerindustrie. Daar kwam nog bij dat ook de scheepsbouw een koloniale link had. Hoewel de bouw van schepen voor de directe koloniale vaart in Rotterdam niet heel belangrijk was, vervoerden ook zee- en rivierschepen op Europese routes volop koloniale waren en producten als geraffineerde suiker en karotten.

In de negentiende eeuw vond een opvallende verschuiving plaats in de koloniale connectie van Rotterdam. Aanvankelijk nam de vaart op Suriname in absolute zin toe, maar de groei viel in het niet bij het belang van het opkomende Nederlands-Indië. De omstreden exploitatie door de Nederlandse staat van Java droeg daar zeer aan bij. Door de vele tientallen miljoenen guldens die dat opleverde kon de overheid onder meer fabrikanten en verzekeraars steunen. Rotterdam heeft daarvan meegeprofiteerd. Na 1830 schakelden de suikerraffinaderijen – die in aantal verminderd, maar in schaal vergroot waren – massaal over op Javaanse rietsuiker. Halverwege die eeuw waren enkele honderden personen werkzaam in deze industrie op een beroepsbevolking van zo'n 35.000 personen.[169] Na de liberalisering van de Javaanse suikermarkt en de opkomst van bietsuiker ging het met de Rotterdamse suikerindustrie snel bergafwaarts, om rond 1900 vrijwel geheel te verdwijnen.

De tabaksindustrie veranderde na 1800, onder meer doordat snuiftabak in populariteit afnam. Het hoogtepunt van de decennia ervoor werd niet meer bereikt, maar ook in de negentiende eeuw bleef deze industrie aanwezig. Vooral in de tweede helft van die eeuw zat er weer groei in, mede door de productie van sigaren met Indische dekbladen. Rond 1889 werkten zo'n 1400 arbeiders in tabaksfabrieken. Deze fabrieken gebruikten niet alleen tabaksbladeren uit Nederlands-Indië, maar exporteerden ook naar die kolonie.

Ook voor de scheeps- en machinebouw was in de eerste helft van de negentiende eeuw de vaart op Java van overweldigend belang. Vrijwel alle grote scheepswerven in de stad bouwden Oost-Indiëvaarders. Het etablissement Fijenoord pionierde met technisch vernieuwende stoomschepen, aanvankelijk vooral in opdracht van de marine. Toen de stoomvaart na 1870 ook in de koopvaardij ingang vond, werkten er zo'n 3700 personen in de scheepsbouwsector. Hoewel de werven en machinebouwers niet exclusief voor de koloniale vaart produceerden, was het wel opvallend dat veel schepen en machines bestemd waren voor koloniale rederijen en bedrijven in Nederlands-Indië. De grote havenindustrieën die later opkwamen, zoals de petrochemische industrie, haalden hun grondstof maar beperkt uit de koloniën.

Tegen het einde van de negentiende eeuw werd de financiële band tussen Rotterdam en de koloniën belangrijker. Al in de achttiende eeuw had Rotterdam volop meegedaan aan het Surinaamse negotiatiestelsel en behoorden kooplieden in de stad zelfs tot de pioniers ervan. Ook de stad Rotterdam heeft minstens 81.000 gulden (tegenwoordig bijna 700.000 euro) uit de stadskas geïnvesteerd in Surinaamse slavenplantages. Die investeringen leverden op de lange termijn weinig rendement, maar vergrootten wel de betrokkenheid van de Rotterdamse handel bij de Surinaamse plantage-economie. Daarvan profiteerden ook dienstverleners als de Maatschappij van Assurantie. Zo'n 30 procent van de premieomzet van die maatschappij tussen 1742 en 1782 hield rechtstreeks verband met de koloniale vaart. Ook verzekerde die maatschappij – net als andere Rotterdamse assuradeurs – zonder scrupules slavenschepen.

De Rotterdamse investeringsstroom richting Nederlands-Indië na 1870 was nog omvangrijker dan die richting Suriname. Hoewel de band met Indië nooit zo sterk werd als in Amsterdam en Den Haag, investeerden ook Rotterdammers vele tientallen miljoenen guldens in de Oost. Enkele van de grootste bedrijven die actief waren in Nederlands-Indië hadden een Rotterdamse achtergrond, waaronder de Rotterdamsche Lloyd, de Nederlands-Indische Gasmaatschappij en handelsonderneming Internatio. Over het algemeen werd Rotterdam in de tweede helft van de negentiende eeuw minder afhankelijk van zijn koloniale connectie, maar verbroken werd die connectie zeker niet.

Ook zonder zijn koloniale connectie was Rotterdam uitgegroeid tot wereldhaven van formaat. De belangrijkste factoren in het ontstaan van *mainport Rotterdam* waren de opkomst van de Duitse industrie in het Roergebied en een enorme toename van de wereldhandel. Tot zeker 1850 legde de snelgroeiende koloniale scheepvaart echter een fundament voor verdere ontwikkelingen. De groei van de Rotterdamse haven was dan ook al vóór de industrialisering van het Roergebied ingezet. Het grote aantal Oost-Indiëvaarders zorgde rond 1850 voor een gebrek aan ligplaatsen, waarna de stad besloot nieuwe havenfaciliteiten te bouwen. Die werden gedeeltelijk gefinancierd uit de verkoop van NHM-aandelen.[170] Rond 1860 was de capaciteit van de Rotterdamse Oost-Indiëvaarders groter dan die van Amsterdam.[171] De Maasstad was duidelijk in opkomst. Ook de zo belangrijke doorvoerhandel richting het Duitse achterland had een koloniale voorgeschiedenis. In de achttiende eeuw maakten koloniale producten als suiker en tabak, in de stad verwerkt door lokale ondernemingen, het leeuwendeel uit van de export via de Rijn. In de negentiende eeuw was een groot deel van de ingevoerde Javaanse koffie bestemd voor Duitsland. Eigenlijk was Rotterdam vanwege zijn koloniale link al voor 1870 een wereldhaven.

NOTEN

1 Uit een recente reconstructie van de economische impact van het slavernijsysteem op Nederland in de tweede helft van de achttiende eeuw blijkt dat de suikerverwerkende industrie en de scheepsbouw de twee pre-industriële sectoren waren die het meest bij de slavernij betrokken waren. Brandon en Bosma, 'Betekenis van de Atlantische slavernij voor de Nederlandse economie', digitale bijlage met tabellen en grafieken. De tabaksindustrie is gekozen vanwege het belang ervan voor Rotterdam.

2 NL-RtdGA, ONA attestatie 17 september 1594 (scan 204). Zie voor meer over deze drie raffinadeurs Bijlsma, 'Oud-Rotterdamsche Cruydenerie', 95-96.

3 Bijlsma, 'Rotterdams Amerika-vaart', 122-123. *Het geslacht De Mey. Drie geslachten De Mey en hun onderlinge relatie*. Uitgave Streekarchief IJsselmonde.

4 Bijlsma, *Rotterdams welvaren*, 110. Zie voor een interessant contract van compagnieschap voor een suikerraffinaderij NL-RtdGA, ONA 263, ongedateerd contract 1643 (vanaf scan 345).

5 Zie ook Reesse, *De suikerhandel van Amsterdam*, 88-89. Zie ook NL-RtdGA, OSA 31, vergadering 15 augustus 1687.

6 Oldewelt, 'De beroepsstructuur van de bevolking der Hollandse stemhebbende steden', 139.

7 NL-HaNA, Admiraliteitscolleges Bisdom 229, korte memorie van de Hollandse rafinadeurs [...], februari 1700. De memorie gaat over een hoog invoertarief op stroop, waar de suikerraffinadeurs voorstander van waren. Volgens de rekestranten waren er destijds 47 suikerraffinaderijen actief in Amsterdam, 16 in Rotterdam, 3 in Dordrecht en 3 in Gouda. Deze werden met naam genoemd. Binnen Holland zou jaarlijks destijds 16 miljoen pond ruwe suiker worden ingevoerd en 3 miljoen pond geraffineerd worden uitgevoerd.

8 Van Ravesteyn, 'Van een oude suikertrafiek', 96-97.

9 NL-RtdGA, Verenigde suikerraffinadeurs 1, resoluties.

10 NL-HaNA, Admiraliteitscolleges Bisdom 229, korte memorie van de Hollandse rafinadeurs [...], februari 1700.

11 Zie bijvoorbeeld NL-HaNA, Admiraliteitscolleges Bisdom 229, Memorie, dienende ten betoog van de voordeelen die door de Fabricque van de suyker-raffinaderyen binnen den Lande van Holland en Westvriesland aan den selven Lande werden toegebragt.

12 Het is geen toeval dat de zoon van suikerraffinadeur Hendrik van Oordt in de achttiende eeuw naar Nantes werd gestuurd om de suikermarkt te leren kennen. Van Oordt, *Suiker*, 16.

13 NL-HaNA, Archief Admiraliteitscollegis Van de Heim 55, 'Beschouwing van den koophandel van suiker', ongedateerd, waarschijnlijk rond 1788.

14 Fatah-Black, *Sociëteit van Suriname*.

15 Michiel van den Berg had in 1714 de raffinaderij van de eerdergenoemde Claes van der Mast overgenomen.

16 NL-RtdGA, L.J.C.J. van Ravesteyn, 82. Inventaris nummer 83 bevat een interessant kasboek van de firma.

17 Zie voor meer over deze firma Van Ravesteyn, 'Van een oude suikertrafiek', 94-126.

18 NL-RtdGA, Coopstad & Rochussen 677, memoriaal Ferrand Whaley Hudig, f15-17.

19 NL-RtdGA, Verenigde suikerraffinadeurs 1, resoluties. De verhouding was gebaseerd op het aantal ziedpannen en deze werd in de decennia daarna niet meer aangepast.

20 Ibid.

21 Morineau, 'La balance du commerce Franco-Néerlandais', 224.
22 NL-HaNA, Archief Admiraliteitscolleges 720.
23 Van Ravesteyn, 'Van een oude suikertrafiek', 111.
24 Visser, *Verkeersindustrieën*, 54.
25 Koch, 'Rotterdam in den Franschen tijd II', 9 en 't Hart en Greefs, 'Sweet and Sour', 18-23.
26 Korteweg, 'Rotterdams welvaartsbronnen in 1816', 25. Het ging om de raffinaderijen van Van Beeftingh en Bicker & Spakler.
27 In 1816 waren er 14 suikerraffinaderijen in Rotterdam, die na een dieptepunt in 1812-1813 uit het dal opklommen. Als voornaamste voorwaarde voor herstel noemden de raffinadeurs echter voldoende aanvoer van ruwe suiker uit eigen koloniën. Korteweg, 'Rotterdams welvaartsbronnen in 1816', 51-52.
28 Reesse, *De Suikerhandel van Amsterdam*, II, 13. Vergelijk *Gedenkboek Kamer van Koophandel en Fabrieken Rotterdam*, 151.
29 Bakker, 'Suiker', 216-217.
30 Zie het rapport van de KvK in NL-RtdGA, Kamer van Koophandel 48, nr. 196.
31 Zie onder meer Van Oordt van Lauwenrecht, 'De suikerraffinage te Rotterdam', 48-56. Van Oordt, *Suiker*. NL-RtdGA, Vereeniging der familie van Oordt 601, J.J. Hooft van Huysduynen, 'De Geschiedenis van de koopman Hendrik van Oordt (1710-1805) en van de door hem gestichte suikerraffinaderijen te Rotterdam'.
32 *Algemeen Adresboek en Alphabetisch register Rotterdam* 1838, 1847 en 1852.
33 NL-RtdGA, Kamer van Koophandel 9, notulen vergadering 12 september 1856. Van Oordt was lid van de Kamer van Koophandel.
34 Zie ook Bakker, 'Suiker'.
35 Van Oordt, *Suiker*, 47.
36 Ibid, 30.
37 Zoals blijkt uit de *Jaarverslag Kamer van Koophandel*, 1879, 14 en idem, 1880, 12. Zie ook NL-RtdGA, 'Vereeniging der familie van Oordt 2319', Aantekeningen door J.J. Simmermans betreffende Hendrik van Oordt & Co.
38 Van Oordt is gevestigd in Oud-Beijerland en onderdeel van Südzucker/PortionPack Europe.
39 *Jaarverslag Kamer van Koophandel*, 1872, 14.
40 Hoffmann, 'Een oud-Rotterdamsche firma', 110-112.
41 Ibid, 110.
42 *Handelingen Eerste Kamer*, 1872-1873, zitting 15 november 1872.
43 *De Locomotief*, 21 oktober 1884.
44 Zie bijvoorbeeld *Jaarverslag Kamer van Koophandel*, 1880, 20-21. Volgens Eerste Kamerlid Rahusen kwam het vaak voor dat fabrikanten rietsuiker en beetwortelsuiker mengden. *Handelingen Eerste Kamer*, 1872-1873, zitting 15 november 1872. Bakker, *Ondernemerschap en vernieuwing*, 263.
45 Van Yssselsteyn, *De haven van Rotterdam*, 203.
46 Gebruik van tabak werd niet alleen positief beoordeeld, getuige een belofte tussen twee Rotterdammers in 1663 om 'nimmer tabak te zullen roken, zuigen of nuttigen'. Oudeman, 'Rotterdamse weddenschappen', 204.
47 NL-RtdGA, ONA 472, contract 11 maart 1647 (scan 230).
48 NL-RtdGA, ONA 206, contract 27 december 1644 (scan 184).
49 Bijlsma, 'Oud-Rotterdamsche cruydenerie', 97.
50 Ronda Todt, *Countries With Borders*, 130-138. Murray, 'De Rotterdamsche toeback-

coopers', 28-35.
51 Alpert, 'The Origin of Slavery in the United States', 192-193. Een andere interessante zaak waar Overzee bij betrokken was: in 1653 claimde 'John Babtista, a moore of Barbary', dat hij niet voor zijn hele leven als slaaf hoefde te dienen, maar slechts een bepaalde periode. Ibid.
52 NL-RtdGA, ONA 308, verklaring 12 januari 1647 (scan 253).
53 NL-RtdGA, ONA 335, verklaring 14 september 1647 (scan 297).
54 Hoynck van Papendrecht, *Tabak Maatschappij Arendsburg*, 9.
55 Oldewelt, 'De beroepsstructuur van de bevolking', 129. Er waren 54 tabakswinkeliers en één knecht in een tabakswinkel.
56 Westerman, 'Een memorie van 1751', 73. Volgens de in Rotterdam gevestigde firma Van Gowders & Cock werd de tabaksspinnerij voornamelijk uitgeoefend in Amsterdam. Roessingh, *Inlandse tabak*, 410.
57 Murray, 'Toeback-coopers', 58.
58 De import van tabak uit Virginia en Maryland in Rotterdam kreeg in 1721 een impuls door de verhuizing van een groot Engels handelskantoor van Amsterdam naar de Maasstad. Westerman, 'Een memorie van 1751', 79.
59 Murray, 'Toeback-coopers', 61-63.
60 Rekest van Dordtse en Rotterdamse kooplieden, april 1771, afgedrukt in: *Nieuwe Nederlandsche Jaerboeken*, 6, 369-373.
61 NL-HaNA, Admiraliteitscolleges 717-720.
62 'Mémoire sur le commerce de Rotterdam', in: Colenbrander, *Gedenkstukken der algemeene geschiedenis van Nederland*, 1344-1368, 1350.
63 Korteweg, 'Rotterdams welvaartsbronnen in 1816', 52.
64 Zie voor een kritische beschouwing over de genoemde aantallen Roessingh, *Inlandse tabak*, 472-473.
65 Zie Murray, 'Toeback-coopers', 59-60 voor enkele voorbeelden van snuiffabrieken. Zie ook J. Rotteveel, 'De Rotterdamse windmolens', 282-284.
66 Korteweg, 'Rotterdams welvaartsbronnen in 1816', 52.
67 Mees, *Dagboek van eene reis door Amerika*, vooral 24-26.
68 Fasseur, *Kultuurstelsel en koloniale baten*, 137.
69 Hoynck van Papendrecht, *Tabak Maatschappij Arendsburg*, 23-33.
70 Vergelijk *Verslag Kamer van Koophandel over 1885*, 94.
71 In 1884 werden in Nederland 72.648 pakken Java-tabak aangevoerd, waarvan 44.028 (ruim zestig procent) naar Rotterdam gingen. Van de 93.509 pakken Sumatra-tabak, gingen slechts 7691 naar Rotterdam. *Jaarverslag Kamer van Koophandel over 1884*, 70. Zie verder Mees, *Tegenwoordige staat van Handel en Scheepvaart*, 17.
72 Brugmans, *Statistieken van de Nederlandse nijverheid*, deel 2, 881.
73 Ibid. Eén van de sigarenmakerijen had 20 werknemers.
74 *Verslag Kamer van Koophandel over 1870*, 13.
75 Van de Laar, 'Waar werkte Rotterdam', 360.
76 Over Van Nelle, zie: Bantje, *Twee eeuwen met de Weduwe.*
77 Ibid, 72.
78 Lorentz, *Eenige maanden onder de Papoea's*, 6.
79 Van Kampen, *Rotterdamse particuliere scheepsbouw*, 104-123.
80 Fernandez-Voortman, 'De VOC en de stad Rotterdam', 17-23 en Van Gelder en Wagenaar, *Sporen van de Compagnie*, 112-115.
81 Bruijn, Gaastra, Schöffer (red.), *Dutch-Asiatic Shipping*, Vol. 1, 53.

82 NL-HaNA, VOC 202, 'Lijste der bediendens en arbeijdslieden bij de Oost Indische Compagnie ter kamer Rotterdam', mei 1791 (de werf vanaf scan 558).
83 Van Kampen, *Rotterdamse particuliere scheepsbouw*, 118-120.
84 TSTD, Voyages database, voyage ID #10791. Tien jaar eerder reedde dezelfde firma ook een slavenschip 'Keenenburg' uit onder dezelfde kapitein. Als dit hetzelfde schip was, is het mogelijk niet door De Ruyter gebouwd.
85 Marhisdata.nl [bezocht op 18-12-2019]. Hoynck van Papendrecht, *Gedenkboek Hoboken*, 113-115.
86 Mansvelt, *Geschiedenis van de NHM*, I, 146-148.
87 Hoynck van Papendrecht, *Gedenkboek Hoboken*, 115-120 en Van Kampen, *Rotterdamse particuliere scheepsbouw*, 224.
88 Dessens, 'De scheepswerven 'St. Joris' en 'De Naarstigheid'', 272.
89 Hoynck van Papendrecht, *Gedenkboek Hoboken*, 118.
90 Dessens, 'De scheepswerven 'St. Joris' en 'De Naarstigheid'', 274-275.
91 Oleh Kasriadi, 'Sungai Barito surut, bangkai Kapal Onrust muncul ke permukaan', Antara News 22 september 2019. www.antaranews.com/berita/1075614/sungai-barito-surut-bangkai-kapal-onrust-muncul-ke-permukaan [geraadpleegd op 24-01-2020].
92 Bouman, *Gedenkboek Wilton-Fijenoord*, 22.
93 Ibid, 38.
94 Van Ysselstein, *De haven van Rotterdam*, 224.
95 Cijfers uit Van de Laar, *Stad van formaat*, 143.
96 Brusse, *Wilton, 1854-1929* en Bouman, *Gedenkboek Wilton-Fijenoord*.
97 Van den Aardweg et al., *Een halve eeuw 'Droogdok'*.
98 *Jaarverslag Kamer van Koophandel* 1872, 7-8 en Lintsen, 'Delfstoffen, machine- en scheepsbouw', 62.
99 Van Stipriaan, *Surinaams Contrast*, 206-207.
100 NL-RtdGA, Maatschappij van Assurantie 2, vergadering 3 en 15 februari 1751.
101 Van de Voort, *Westindische plantages*, 92.
102 NL-RtdGA, Maatschappij van Assurantie 2, vergadering 15 februari 1751 bijlage 'coppija van de propositien van diverse principale planters (...)'.
103 Vergelijk Van der Meiden, *Betwist bestuur*, 138-139. Mauricius en zijn medestanders hekelden ook de weigering van Amsterdamse financiers om een gesloten vrede met marrons te erkennen.
104 NL-RdmGA, OSA 2222. Het ging om de overname van het aandeel van de familie Van Aerssen van Sommelsdijk.
105 NL-RtdGA, ONA 2147, contract 2 juni 1752.
106 NL-MdbZA, MCC 54, brief Pieter van der Werff, 20 november 1752.
107 NL-RtdGA, OSA 90, resoluties 18 november en 9 december 1754. Ibid, OSA 3570, f260, 'Hypothecatien gedaan ten behoeven van de Stadt Rotterdam en ten laste van de nagemelde plantagien gelegen in de colonie van Surinamen'. Coopstad & Rochussen losten de lening in 1759 geheel af.
108 NL-RtdGA, OSA 3570, vanaf f260.
109 Van de Voort, *Westindische plantages*, 97.
110 Hudig Dzn, *De West-Indische zaken van Ferrand Whaley Hudig* en De Jong, Kooijmans en Koudijs, 'Intermediaries in Mortgage-Backed Securities'.
111 Van de Voort, *Westindische plantages*, 103.
112 Geciteerd in: Oostindie, *Roosenburg en Mon Bijou*, 342.
113 Ibid, 104.

114 Dank aan Siert Wieringa voor het delen van onderzoeksgegevens over Hamilton & Meijners.
115 Zie onder meer NL-RtdGA, Coopstad & Rochussen 745-747. De Groot-Teunissen, 'Herman van Coopstad en Isaac Jacobus Rochussen', 182-184.
116 Vergelijk Hudig, *West-Indische Zaken*, 72-73 en Oostindie, *Roosenburg en Mon Bijou*, 355-357.
117 NL-RtdGA, Coopstad & Rochussen 128, Jean Rocheteau aan Hudig, 14-03-1778.
118 Ibid 746, 'Directie weegens de negotiatie en handel op Surinamen'.
119 Hudig Dzn, *Familie Hudig*, 39.
120 *Rotterdamsche Courant*, 01-02-1844.
121 *Rapport uitgebragt in de vergadering*, 6.
122 *Suriname en Nederlandse Antillen: Vrijverklaarde slaven (Emancipatie 1863)*. Het fonds was daarmee met afstand de grootste Rotterdamse ontvanger van compensatiegelden.
123 *Rotterdamsche Courant*, 10 november 1866 en *Nieuwe Rotterdamsche Courant*, 30 juni 1867.
124 In 1862 was ook nog de Nederlandsch-Indische Katoenmaatschappij opgericht in Rotterdam, maar die ging al na enkele jaren failliet. Over de oprichting te Rotterdam, zie De Raaf en Schadee, *Tweehonderd jaar notariaat en zeezaken*, 109.
125 Zie voor de oprichtingscirculaire Hirschfeld, *Ontstaan van het moderne bankwezen*, bijlage VI.
126 Dergelijke financiering werd eerder verzorgd door de NHM.
127 Zoals president-directeur Müller verklaarde in de aandeelhoudersvergadering van 1872. Geciteerd in Brugmans, *Begin van twee banken*, 106.
128 *Gedenkboek Internationale Crediet- en Handelsvereeniging*, 13.
129 Over Arendsburg, zie Hoynck van Papendrecht, *Tabak Maatschappij Arendsburg*.
130 Jaarverslag Kamer van Koophandel Rotterdam 1884, 94.
131 'Vijftig jaar Kina-cultuur', bijlage bij Verslag van de Naamlooze Vennootschap Rotterdamsche Kina-Maatschappij 'Tji Kembang' over 1933 (Rotterdam 1934).
132 *Nederlandsche Staatscourant*, 20-07-1883.
133 Hoynck van Papendrecht, *Gedenkboek Hoboken*, 148.
134 *De Locomotief, Samarangsch handels- en advertentie-blad*, 20-09-1900.
135 *Nederlandsche Staatscourant*, 24-01-1902.
136 *Algemeen Handelsblad*, 04-01-1927.
137 *Nederlandsche Staatscourant*, 21-06-1900.
138 Bantje, *Twee eeuwen met de Weduwe*, 58-62.
139 Hoynck van Papendrecht, *Gedenkboek Hoboken*, 147-152.
140 De winstgevendheid van Indische handels-NV's was relatief beperkt. Jonker en Sluyterman, *Thuis op de wereldmarkt*, 211.
141 Zie ook het Verslag van de Kalimaas Cultuur-Maatschappij over 1907-1908 (Rotterdam 1909), 9-11.
142 'Vijftig jaar Kina-cultuur', 23.
143 Hoynck van Papendrecht, *Tabak Maatschappij Arendsburg*, 31.
144 Lindblad, *Colonial Business Indonesia database* [colonialbusinessindonesia.nl, geraadpleegd op 27-03-2020].
145 Verslag van de Naamlooze Vennootschap Rotterdamsche Kina-Maatschappij 'Tji Kembang' over 1939 (Rotterdam 1940).
146 *Amsterdamsch Effectenblad*, 22-05-1940.
147 Verslag van de Naamlooze Vennootschap Rotterdamsche Kina-Maatschappij 'Tji

Kembang' over 1942 t/m 1947 (Rotterdam 1949).

148 NV Rotterdam-Tapanoelie Cultuur Maatschappij. Verslag over de boekjaren 1940/1948 (Rotterdam 1950).

149 NL-HaNA, 2.05.407, Ministerie van Buitenlandse Zaken; Schadeclaims Indonesië 4642, Frese & Hogeweg Accountants aan bureau schadeclaims, 15-11-1962.

150 Zie het dossier in NL-RtdGA, Internatio Muler 395.

151 Zie hierover "*To forget the past in favour of a promise for the future*', uitgave van het ministerie van Buitenlandse Zaken.

152 NL-HaNA, 2.05.407, Ministerie van Buitenlandse Zaken; Schadeclaims Indonesië 4709.

153 Zie NL-HaNA, 2.05.407, Ministerie van Buitenlandse Zaken; Schadeclaims Indonesië, 4709, 4980-4982, 4642, 4686, 4991, 5182, 5159. Voor de Lloyd bestond het bedrag uit drie delen voor drie dochterondernemingen: NISE, de Rotterdamsche Lloyd en Deli Scheepvaart. Voor de OGEM bestond ook nog een aparte regeling wegens nationalisaties vóór 1957. Ook kreeg het pensioenfonds van de OGEM nog ruim ƒ 100.000. Sommige NV's zonder activiteiten liquideerden en lieten de jaarlijkse betaling van de schadevergoeding over aan een administratiekantoor (Claimindo of Belindo).

154 Zie de prospectus *Robeco Hollands Bezit N.V.* [online beschikbaar op https://www.robeco.com/docm/pros-hollands-bezit-general.pdf, geraadpleegd op 13-02-2020].

155 Mees, *Gedenkschrift R. Mees & Zoonen*, bijlage 21, 'Polisomschrijving voor brandschade op een plantage in Suriname'.

156 Go, 'Van goede en quade tijdinge'.

157 Zie bijvoorbeeld Jacobs, *Koopman in Azië*, 146-149.

158 Zie onder meer Van Grondelle en Vermij, 'Johannes van Grondelle'. De Maatschappij van Assurantie deed ook aan beleningen en verdiende zo ook geld aan de koloniale handel van Rotterdam. Handelshuizen beleenden regelmatig ladingen koloniale handelswaar, vaak tegen 3 procent rente op jaarbasis. Zie bijvoorbeeld NL-RtdGA, Maatschappij van Assurantie 40.

159 De totale verzekering bedroeg 40.500 gulden. Mees, *Gedenkschrift R. Mees & Zoonen*, bijlage 22.

160 Deze namen komen ook veelvuldig terug in de administratie van assurantiemakelaar David Chabot. Zie onder meer NL-RtdGA, Familie Chabot, 52-53.

161 De Kok, *Walcherse ketens*, 130.

162 NL-RtdGA, Maatschappij van Assurantie 424, journaalpost 12 juli 1771. De betaling geschiedde vanwege een averij grosse-claim.

163 Zie NL-HaNA, NBKG 132, journaal 17-11-1770 en volgende dagen (vanaf scan 387). Verslagen van het proces in Elmina (inclusief twee verhoren van Jan Commie) bevinden zich in Ibid 275 (vanaf scan 806). Ongeveer een jaar eerder had op het Rotterdamse schip *Guineesche Vriendschap* ook een slavenopstand plaats bij Elmina. Soldaten van een toevallig aanwezig oorlogsschip van de Rotterdamse admiraliteit wisten die in de kiem te smoren, waarna de aanstichter van die opstand op eenzelfde wijze werd geëxecuteerd. Zie NL-HaNA, Admiraliteitscolleges 1170, journaal *Castor*, 31-10-1769 en verder (vanaf scan 214) en NL-Hana, Kust van Guinea 130, journaal 03-11-1769 (scan 797). De Groot-Teunissen haalt deze twee opstanden door elkaar. De Groot-Teunissen, 'Herman van Coopstad en Isaac Jacobus Rochussen', 191.

164 NL-RtdGA, Maatschappij van Assurantie, 256, register van lopende risico's ter zee.

165 M. Mees, 'Tegenwoordige staat van handel en scheepvaart', 52-54 en Van de Laar en Vleesenbeek, *Van oude naar nieuwe hoofdpoort*, 65-66, 83.

166 Mees, *Gedenkschrift R. Mees & Zoonen*, 42.

167 Een uitzondering valt te maken voor een klein deel van de Indiase textiel, die in Rotterdam geverfd werd. In de achttiende eeuw voer de VOC ook wel suiker aan, maar de hoeveelheden daarvan bleven beperkt.
168 Rekest van Dordtse en Rotterdamse kooplieden, april 1771, afgedrukt in: *Nieuwe Nederlandsche Jaerboeken*, 6, 371-372.
169 Van de Laar, 'Waar werkte Rotterdam', 341.
170 *Gedenkboek Kamer van Koophandel Rotterdam*, 266-267.
171 Boissevain, 'De Nederlandsche Oost-Indie-vaarders', 174, 185.

ARCHIVALIA

Stadsarchief Rotterdam (NL-RtdGA)
1-01 Oud-archief van de stad Rotterdam (OSA).
18 Archieven van de notarissen te Rotterdam / Oud-notarieel archief (ONA).
32-01 Archieven van de familie Chabot.
53-03 Archief L.J.C.J. van Ravesteyn.
68 Archieven van de firma's Coopstad & Rochussen, Ferrand Whaley & Jan Hudig e.a.
72-01 Kamer van Koophandel en Fabrieken te Rotterdam.
199 Archief van de Maatschappij van Assurantie, Discontering en Beleening.
266 Verenigde suikerraffinadeurs in Rotterdam, Amsterdam en Dordrecht.
675 Familie Van Oordt.

Nationaal Archief, Den Haag (NL-HaNA)
1.01.47.21 Admiraliteitscolleges XXXI Bisdom.
1.01.47.27 Admiraliteitscolleges XXXVII Van de Heim.
1.04.02 Verenigde Oost-Indische Compagnie (VOC).
1.05.14 Nederlandse Bezittingen op de Kust van Guinea (NBKG).
2.05.407 Ministerie van Buitenlandse Zaken; Schadeclaims Indonesië.

Zeeuws Archief, Middelburg (NL-MdbZA)
20 Middelburgse Commercie Compagnie (MCC).

ONLINE DATABASES

Colonial Business Indonesia database, colonialbusinessindonesia.nl [geraadpleegd op 27 maart 2020].
Suriname en Nederlandse Antillen: Vrijverklaarde slaven (Emancipatie 1863), www.nationaalarchief.nl/onderzoeken/index/nt00341 [geraadpleegd op 27 maart 2020].

LITERATUUR

Aardweg, H.P. van den, e.a., *Een halve eeuw 'Droogdok', 1902-1952*. Rotterdam, 1952.
Alpert, Jonathan L., 'The Origin of Slavery in the United States-The Maryland Precedent', *The American Journal of Legal History* 14/3 (1970): 189-221.
Bakker, M.S.C., 'Suiker', in H.W. Lintsen (red.), *Geschiedenis van de techniek in Nederland. De wording van een moderne samenleving 1800-1890*, I. Zutphen: Walburg Pers, 1992.

Bakker, Martijn, *Ondernemerschap en vernieuwing. De Nederlandse bietsuikerindustrie, 1858-1919*. Amsterdam: NEHA, 1989.

Bantje, H.F.W., *Twee eeuwen met de Weduwe. Geschiedenis van De Erven de Wed. J. van Nelle N.V. 1782-1982*. Rotterdam: De Erven de Wed. J. van Nelle, 1981.

Bijlsma, R., 'Oud-Rotterdamsche Cruydenerie', *Rotterdams Jaarboekje* 1/10 (1912): 91-99.

Bijlsma, R., 'Rotterdams Amerika-vaart in de eerste helft der zeventiende eeuw', *Bijdragen voor Vaderlandsche Geschiedenis en Oudheidkunde* 5/3 (1916): 97-142.

Bijlsma, R., *Rotterdams welvaren 1550-1650*. Den Haag: Martinus Nijhoff, 1918.

Bouman, P.J., *Gedenkboek Wilton-Fijenoord*. Schiedam: Dok- en Werf Maatschappij Wilton Feijenoord, 1954.

Brandon, Pepijn en Ulbe Bosma, 'De betekenis van de Atlantische slavernij voor de Nederlandse economie in de tweede helft van de achttiende eeuw', *Tijdschrift voor Sociale en Economische Geschiedenis* 16/2 (2019): 5-45.

Brugmans, I.J., *Begin van twee banken*. Amsterdam, 1963.

Brugmans, I.J., *Statistieken van de Nederlandse nijverheid uit de eerste helft der 19e eeuw, deel 2*. Den Haag: Martinus Nijhoff, 1956.

Bruijn, J.R., F.S. Gaastra, I. Schöffer, *Dutch-Asiatic Shipping in the 17th and 18th centuries*, http://resources.huygens.knaw.nl/das, geraadpleegd 26-03-2020.

Brusse, M.J., *Wilton, 1854-1929. Vijfenzeventig jaar geschiedenis van Wilton's machinefabriek en scheepswerf*. Rotterdam: W.L. & J. Brusse's Uitgeversmaatschappij, 1929.

Colenbrander, H.T., *Gedenkstukken der algemeene geschiedenis van Nederland van 1795 tot 1840, rgp 16*. Den Haag, 1912.

Dessens, H.J.A., 'De scheepswerven "St. Joris" en "De Naarstigheid" van De Jong, Kortlandt en Anthonij, 1817-1911', *Rotterdams Jaarboekje* 8/9 (1990): 259-277.

Fasseur, C., *Kultuurstelsel en koloniale baten. De Nederlandse exploitatie van Java 1840-1860*. Leiden: Leiden University Press, 1978.

Fatah-Black, Karwan, *Sociëteit van Suriname. Het bestuur van de kolonie in de achttiende eeuw*. Zutphen: Walburg Pers, 2019.

Fernandez Voortman, 'De voc en de stad Rotterdam', in *Heeren in zaken. De Kamer Rotterdam van de Verenigde Oostindische Compagnie*. Zutphen: Walburg Pers, 1994.

Gelder, Roelof van en Lodewijk Wagenaar, *Sporen van de Compagnie. De VOC in Nederland*. Amsterdam: De Bataafsche Leeuw, 1988.

Go, Sabine, C.P.J., 'Van goede en quade tijdinge: de Rotterdamse zeeverzekeringsmarkt in de zeventiende tot en met de negentiende eeuw', *Rotterdams Jaarboekje* 10/11 (2012): 126-149.

Grondelle, Willem van & Els Vermij, 'Johannes van Grondelle, een Rotterdamse pruikenmaker en koopman in de achttiende eeuw', *Rotterdams Jaarboekje* 4/12 (2016): 144-168.

Groot-Teunissen, Ineke de, 'Herman van Coopstad en Isaac Jacobus Rochussen. Twee Rotterdamse slavenhandelaren in de achttiende eeuw', *Rotterdams Jaarboekje* 3/11 (2005): 171-201.

Hart, Marjolein 't en Hilde Greefs, 'Sweet and Sour. Economic Turmoil and the Resilience of the Sugar Sector in Antwerp and Rotterdam, 1795-1815', *Bijdragen en Mededelingen betreffende de Geschiedenis der Nederlanden* 133/2 (2018): 3-26.

Hirschfeld, Hans Max, *Het ontstaan van het moderne bankwezen in Nederland*. Rotterdam: Nijgh & Van Ditmar, 1922.

Hoffmann, W.J., 'Een oud-Rotterdamsche firma. Johan Frederik Hoffmann en Zoonen, 1734-1899', *Rotterdams Jaarboekje* 3/2 (1915): 94-112.

Hoynck van Papendrecht, A., *Gedenkboek A. van Hoboken & Co., 1774-1924*. Rotterdam, 1924.
Hoynck van Papendrecht, A., *Tabak Maatschappij Arendsburg. 1877-1927*. Rotterdam, 1927.
Hudig Dzn, Jan, *De West-Indische zaken van Ferrand Whaley Hudig, 1759-1797*. Amsterdam: De Bussy, 1922.
Hudig Dzn, Jan, *Familie Hudig*. Amsterdam: De Bussy, 1923.
Jacobs, Els, *Koopman in Azië. De handel van de Verenigde Oost-Indische Compagnie tijdens de achttiende eeuw*. Zutphen: Walburg Pers, 2000.
Jong, Abe de, Tim Kooijmans en Peter Koudijs, 'Intermediaries in Mortgage-Backed Securities: The Plantation Business of F.W. Hudig, 1759-1797', *SSRN* (2020), https://ssrn.com/abstract=3610648.
Jonker, Joost en Keetie Sluyterman, *Thuis op de wereldmarkt. Nederlandse handelshuizen door de eeuwen heen*. Den Haag: SDU, 2000.
Kamer van Koophandel en Fabrieken Rotterdam 1803-1928. Gedenkboek samengesteld door het Secretariaat der Kamer. Rotterdam, 1928.
Kampen, Simon Christiaan van, *De Rotterdamse particuliere scheepsbouw in de tijd van de Republiek*. Assen: Born, 1953.
Koch, F.C., 'Rotterdam in den Franschen tijd II', *Rotterdams Jaarboekje* 2/3 (1924): 1-82.
Kok, Gerhard de, *Walcherse Ketens. De trans-Atlantische slavenhandel en de economie van Walcheren, 1755-1780*. Zutphen: Walburg Pers, 2020.
Korteweg, S., 'Rotterdams welvaartsbronnen in 1816', *Rotterdams Jaarboekje* 4/3 (1926): 19-62.

Laar, P.Th. van de, H.H. Vleesenbeek, *Van oude naar nieuwe hoofdpoort. De geschiedenis van het Assurantieconcern Stad Rotterdam Anno 1720, 1720-1990*. Rotterdam: Stad Rotterdam Verzekeringen, 1990.
Laar, Paul van de, 'Waar werkte Rotterdam? Een analyse aan de hand van de beroepstellingen 1859, 1889, 1899 en 1909', *Rotterdams Jaarboekje* 4/10 (1996): 339-374.
Laar, Paul van der, *Stad van formaat. Geschiedenis van Rotterdam in de negentiende en twintigste eeuw*. Zwolle: Uitgeverij Waanders, 1999.
Lintsen, H.W., 'Delfstoffen, machine- en scheepsbouw. Stoom. Chemie. Telegrafie en telefonie', in H.W. Lintsen (red.), *Geschiedenis van de techniek in Nederland. De wording van een moderne samenleving 1800-1890*, deel IV. Zutphen: Walburg Pers, 1993.
Lorentz, H.A., *Eenige maanden onder de Papoea's*. Leiden: Brill, 1905.
Mansvelt, W.M.F., *Geschiedenis van de Nederlandsche Handel-Maatschappij*, deel I en II. Haarlem: Joh. Enschedé, 1924.
Mees, Jan Rudolf, *Dagboek van eene reis door Amerika, 1843-1844*. Rotterdam: Stichting Historische Publicaties Roterodamum, 1988.
Mees, M., *Tegenwoordige staat van Handel en Scheepvaart / Rotterdam in den loop der eeuwen 4/2* Rotterdam, 1909.
Mees, R., *Gedenkschrift van de firma R. Mees & Zoonen, 1720-1920*. Rotterdam, 1920.
Meiden, G.W. van der, *Betwist bestuur. De eerste eeuw bestuurlijke ruzies in Suriname, 1651-1753* Amsterdam: De Bataafsche Leeuw, 2008.
Morineau, Michel, 'La balance du commerce Fraco-Neerlandais et le resserrement economique des Provinces-Unies au XVIIIème siecle', *Economisch-Historisch Jaarboek* 30/4 (1965): 17-235.
Murray, W.G.D., 'De Rotterdamsche toeback-coopers', *Rotterdams Jaarboekje* 1/5 (1943): 19-83.

Nieuwe Nederlandsche Jaerboeken, 6. Amsterdam, 17.
Oldewelt, W.F.H., 'De beroepsstructuur van de bevolking der Hollandse stemhebbende steden volgens de kohieren van de familiegelden van 1674, 1715 en 1742', *Economisch-Historisch Jaarboek* 24 (1950): 80-161.
Oordt van Lauwenrecht, H. van, 'De suikerraffinage te Rotterdam', *Rotterdams Jaarboekje* 6/2 (1918): 48-56.
Oordt, Mr. H.H.L. van, *Suiker. Een studie over de invloed van leden van de familie Van Oordt als eigenaren van suiker-raffinaderijen en -handelsfirma's te Rotterdam gedurende de 18e, 19e en 20e eeuw*. Rotterdam, 1967.
Oostindie, Gert, *Roosenburg en Mon Bijou. Twee Surinaamse plantages, 1720-1870*. Dordrecht: Foris Publications, 1989.
Oudeman, P.A., 'Rotterdamse weddenschappen van 1600 tot 1672 in historisch perspectief', *Rotterdams Jaarboekje* 4/8 (1976): 241-274.
Raaf, H.K. de en H.M.A. Schadee, *Tweehonderd jaar Notariaat en Zeezaken. Gedenkschrift van het kantoor der Notarissen Schadee en hunner Associé's Rotterdam 1724-1924*. Rotterdam: Immig & Zoom, 1924.
Rapport uitgebragt in de vergadering van aandeelhouders in de negotiatie van 14 tonnen gouds, den 22 junij 1863. Rotterdam, 1863.
Ravesteyn, L.J.C.J. van, 'Van een oude suikertrafiek en een oud Rotterdamsch bedrijf', *Rotterdams Jaarboekje* 5/4 (1937): 94-126.
Reesse, J.J., *De suikerhandel van Amsterdam van 1813 tot 1894*. Den Haag: Martinus Nijhoff, 1911.
Reesse, J.J., *De suikerhandel van Amsterdam van het begin der 17e eeuw tot 1813*. Haarlem: J.L.E.I. Kleynenberg, 1908.
Roessingh, H.K., *Inlandse tabak. Expansie en contractie van een handelsgewas in de 17e en 18e eeuw in Nederland*. Zutphen: Walburg Pers, 1976.
Rotteveel, J. Ph. A., 'De Rotterdamse windmolens', *Rotterdams Jaarboekje* 7/7 (1969): 268-305.
Stipriaan, Alex van, *Surinaams Contrast*. Leiden: KITLV, 1993.
'To forget the past in favour of a promise for the future'. Nederland, Indonesië en de financiële overeenkomst van 1966. Onderhandelingen, regelingen, uitvoering. Den Haag, 2004.
Todt, Kimberly Ronda, *Countries with Borders – Markets with Opportunities: Dutch Trading Networks in Early North America*. Ithaca (New York): [niet gepubliceerd proefschrift Cornell University], 2012.
Visser, Cornelis, *Verkeersindustrieën te Rotterdam in de tweede helft der achttiende eeuw*. Rotterdam: S. Benedictus, 1927.
Voort, J.P. van de, *De Westindische plantages van 1720-1795. Financiën en handel*. Eindhoven: Drukkerij De Witte, 1973.
Westerman, J.C., 'Een memorie van 1751 over de tabaksindustrie en den tabakshandel in de Republiek', *Economisch-Historisch Jaarboek* 22 (1943): 68-81.
Ysselsteyn, H.A. van, *De haven van Rotterdam*, derde druk. Rotterdam: Nijgh & Van Ditmar, 1908.

De handelspost van de firma Hendrik Muller & Co in Liberia. (Wereld-museum)

HENK DEN HEIJER

ROTTERDAMSE ONDERNEMERS EN BESTUURDERS:

EEN KOLONIALE KRUISBESTUIVING

ROTTERDAM WAS OMSTREEKS 1600 EEN KLEINE STAD MET CIRCA 13.000 INWONERS van wie een aantal actief was in de handel en scheepvaart binnen Europa. De vaart op andere continenten stond nog in de kinderschoenen. Ruim drieënhalve eeuw later kreeg Rotterdam het predicaat 'grootste haven ter wereld'; een stad die via scheepvaart verbonden was met Afrika, Amerika, Australië en Azië. De koloniale handel heeft daaraan bijgedragen. De groei van kleine havenstad naar wereldspeler was het resultaat van meerdere factoren, waaronder de ligging ten opzichte van de zee en het achterland, de aanwezigheid van een groep innovatieve ondernemers die in nieuwe ondernemingen durfde te investeren en een stadsbestuur dat de handels- en scheepvaartactiviteiten royaal ondersteunde.

In de ontwikkeling naar moderne, kapitalistische economieën is ook het samenbrengen en uitwisselen van commerciële informatie onmisbaar geweest voor groei en stabiliteit van een stad of regio.[1] Steden met steeds complexere handels- en productiesystemen, zeker als die met meerdere continenten verbonden waren, werden met stijgende kosten van commerciële transacties geconfronteerd als zij geen adequate maatregelen troffen om die te beheersen. Een daarvan was het opzetten en onderhouden van een betrouwbaar informatienetwerk. Dat geldt voor moderne, maar ook voor vroegmoderne economieën. Dat laatste toonde Clé Lesger aan in zijn studie over de handel van Amsterdam tijdens de Opstand (1568-1648). Al aan het begin van de zeventiende eeuw was de stad een centrum waar goederen én commerciële informatiestromen samenvloeiden. Zonder deugdelijke informatie was handel simpelweg onmogelijk.[2]

Voor het aanzienlijk kleinere Rotterdam gold hetzelfde. Met de groei van de koloniale handel, scheepvaart en verwerking van plantageproducten nam de omvang en de complexiteit van het Rotterdamse koloniale netwerk toe. In de voorgaande hoofdstukken werd die economische geschiedenis beschreven. In deze bijdrage over 'koloniale kruisbestuiving' wordt geschetst hoe ondernemers en bestuurders ook op dit terrein eeuwenlang samenwerkten, hoe zij vanuit Rotterdam een netwerk in en buiten Europa opbouwden en onderhielden, hoe de organisaties die koloniale handel en scheepvaart bedreven geleidelijk van vorm veranderden, en hoe politiek en bestuur van de stad aan deze processen bijdroegen.

VOC-BEWINDHEBBERS EN BESTUURDERS (1602-1795)

Tot ver in de zestiende eeuw kochten Rotterdamse kooplieden suiker, specerijen en andere overzeese producten in Iberische havens of in de metropool Antwerpen, het regionale distributiecentrum voor koloniale waren en zeer veel andere producten. Tijdens de Opstand tegen Spanje begon de indirecte aanvoer van overzeese producten echter te haperen, waardoor Nederlanders hun schepen in de jaren 1590 rechtstreeks naar Afrika, Amerika en Azië zonden. Rotterdamse kooplieden namen daar vanaf het begin aan deel. In het kielzog van hun overzeese handel ontwikkelde zich in Rotterdam een verwerkingsindustrie van plantageproducten en een doorvoerhandel naar het Duitse achterland.

Voor het ontstaan, de uitbreiding en de continuïteit van de Rotterdamse overzeese handel en scheepvaart, alsmede de verwerking van de geïmporteerde producten in de stad, was de steun van lokale, gewestelijke en landelijke overheden onontbeerlijk. Omstreeks 1600 waren de lijnen tussen kooplieden en stadsbestuurders kort. Het stadsbestuur van Rotterdam bestond nog niet uit regentenfamilies die de bestuurlijke baantjes onderling verdeelden, maar uit kooplieden en andere ondernemende burgers met bestuurlijke kwaliteiten, die in de praktijk zowel het eigen als het algemeen belang behartigden.[3] In de loop van de zeventiende eeuw sloten de bestuurlijke rijen zich echter en ontstond alsnog een regentenstand, maar de sterke band tussen bestuurders en ondernemers bleef intact. De uit de koopliedenstand voortgekomen regenten investeerden hun kapitaal net als voorheen in de levensaders van de stad, waaronder de handel in en verwerking van koloniale producten.

In de achttiende eeuw namen de Rotterdamse koloniale activiteiten toe, maar de handel en scheepvaart binnen Europa bleven de belangrijkste bronnen van bestaan.[4] De handel op Azië en het Atlantische gebied vond plaats in gescheiden circuits. Aanvankelijk investeerden Rotterdamse kooplieden rechtstreeks in de vaart op beide gebieden, maar aan het begin van de zeventiende eeuw riepen de Staten-Generaal daarvoor de Verenigde Oost-Indische en de West-Indische Compagnie in het leven. Welk belang hadden Rotterdamse kooplieden en regenten in de VOC en de WIC, hoe werkten zij samen en profiteerde de stad van deze compagnieën?

INVESTEERDERS IN DE OVERZEESE HANDEL

Over de vraag wie de belangrijkste initiatiefnemers waren in het opzetten van de intercontinentale handel en scheepvaart verschillen historici van mening. Zijn dat Zuid-Nederlandse ondernemers geweest die na de val van Antwerpen in 1585 met hun kapitaal en handelscontacten naar het noorden trokken, Hollandse kooplieden die winst roken, of was het een gemeenschappelijk initiatief?[5] In Rotterdam waren dat zonder twijfel Zuid-Nederlandse immigranten. De uit Antwerpen afkomstige Johan van der Veeken en Pieter van der Haghe zonden in 1597 het eerste Rotterdamse schip – de *Rode Leeuw* – naar Afrika en Amerika, dat een jaar later terugkeerde met een lading ruwe suiker.[6] Rotterdam had toen al drie kleine suikerraffinaderijen binnen zijn muren die de lading van de *Rode Leeuw* konden verwerken.[7]

Van der Veeken speelde als adviseur van de vroedschap ook een belangrijke rol in de oprichting van de koopmansbeurs in de stad, de eerste in de Noordelijke Nederlanden. De door coöptatie gekozen burgers die de vroedschap vormden, bepaalden het beleid in de stad en kozen de burgemeesters die het moesten uitvoeren. Pieter Lenertsz Busch en Fop Pietersz van der Meyden, twee vroedschapsleden die deel uitmaakten van een commissie die de bouw moest voorbereiden, zouden later deelnemen aan nieuwe, door Van der Veeken georganiseerde reizen naar West-Afrika en Amerika. Dat laat zien dat contacten tussen belanghebbenden in de intercontinentale handel en stadsbestuurders vanaf het begin belangrijk waren.[8] De eerste groep nam het initiatief en de tweede faciliteerde dat op verschillende manieren in het belang van henzelf en van de stad. Ook de koopmansbeurs, die in 1598 zijn poorten opende, was belangrijk voor het uitwisselen van informatie en het sluiten van handelscontracten, bijvoorbeeld voor de deelname in partenrederijen voor de vaart op West-Afrika en Amerika.

Van der Veeken en Van der Haghe stichtten ook de eerste Rotterdamse compagnie voor de vaart op Azië. De vijf schepen die zij via Straat Magellaan naar de specerijgebieden in Azië zonden, financierden zij via hun netwerk van Antwerpse immigranten in de Republiek. De vloot vertrok in juni 1598 uit Rotterdam en werd tweeënhalve maand later gevolgd door een tweede Rotterdamse expeditie die dezelfde route naar Azië volgde. Deze onderneming was gefinancierd door kooplieden uit verschillende Hollandse steden, onder wie negen leden van de Rotterdamse vroedschap.[9]

Behalve van ondernemende kooplieden en kapitaal waren deze 'voorcompagnieën' ook afhankelijk van overheidssteun. Die kregen zij van de Staten van Holland en de Staten-Generaal, waarin ook de Rotterdamse vroedschap via gedeputeerden een stem had. De Staten-Generaal gaf de admiraliteiten opdracht om uit hun arsenalen zwaar scheepsgeschut aan de Oost-Indiëvaarders ter beschikking te stellen, zodat de schepen zich onderweg tegen aanvallen van Spanjaarden en Portugezen konden verdedigen. Johan van der Veeken en Pieter van der Haghe konden zelfs onder gunstige voorwaarden twee schepen van de Admiraliteit op de Maze overnemen.[10] Die steun voorkwam echter niet dat beide Rotterdamse compagnieën grote verliezen leden. Maar de vroege deelname aan de vaart op Azië had ook een voordeel; Rotterdam was daardoor een serieuze gesprekspartner toen Johan van Oldenbarnevelt in Den Haag zijn plannen ontvouwde voor de oprichting van een nationale Oost-Indische compagnie. In januari 1598 namen diverse belanghebbenden deel aan een eerste overleg.[11] Dat was het begin van taaie onderhandelingen die uiteindelijk in 1602 resulteerden in de oprichting van de Verenigde Oost-Indische Compagnie (VOC).

ROTTERDAMS BESTUURLIJK EN HANDELSBELANG IN DE VOC

De VOC kreeg bij haar oprichting zes kantoren, 'kamers', in steden en gebieden waarin de voorcompagnieën actief of in oprichting waren. Amsterdam had met 50 procent het grootste aandeel in de Compagnie, gevolgd door Zeeland met 25 procent en de vier kleine kamers Rotterdam, Delft, Hoorn en Enkhuizen met elk 6,25 procent. Rotterdam nam op basis van die verdeling dus een zestiende van alle compagniesactiviteiten voor zijn

Plattegrond van de VOC*-werf aan de Schielands Hoge Zeedijk in Rotterdam. Ingekleurde tekening van anonieme maker, 1694. (Stadsarchief Rotterdam)*

rekening. Dat lijkt gering vergeleken met de kamers Amsterdam en Zeeland, maar was niet vreemd, omdat Amsterdam begin zeventiende eeuw bijna vijfmaal zoveel inwoners telde als Rotterdam en de in Middelburg gevestigde kamer Zeeland de drie grootste steden van dat gewest vertegenwoordigde.

Het Rotterdamse aandeel in de VOC is gedurende twee eeuwen van belang geweest voor de werkgelegenheid en de economie van de stad. Van de 706 in de Republiek gebouwde VOC-schepen liepen er 107 op de Rotterdamse compagnieswerf van stapel.[12] Dat leverde werk en inkomen op voor het personeel op de werf en de toeleveranciers in de stad. Ook kooplieden en andere stedelingen die diensten, victualie, handelsgoederen en andere producten aan de VOC leverden of peper en specerijen afnamen, hadden voordeel van de Compagnie. Tot die brede groep behoorde de koopmanselite die in een eerdere fase de basis voor de overzeese handel had gelegd. Deze gefortuneerde ondernemers kregen geleidelijk de meeste bestuurlijke posten in de stad in handen en waren om meerdere redenen gebaat bij een stevige band tussen de Compagnie en de plaatselijke overheid. Het stadsbestuur kon immers direct of indirect via de Staten van Holland en de Staten-Generaal invloed uitoefenen op de regels rondom de handel op Azië, op de hoogte van de import- en exportbelasting die werd geheven, en indien nodig op steunverlening aan de Compagnie.

De eerste bewindhebbers (directeuren) werden door de Staten-Generaal aangesteld. Aan hun benoeming waren volgens het octrooi geen specifieke voorwaarden verbonden, maar het was geen toeval dat zij bijna allemaal hoofdaandeelhouder van de voorcompagnieën zijn geweest.[13] De kamer Rotterdam kreeg in 1602 negen bewindhebbers, met de opdracht dat aantal door natuurlijk verloop tot zeven terug te brengen. Als daarna door overlijden of terugtreden van een bewindhebber een plaats in het college vrijkwam, moesten de zittende bewindhebbers drie bekwame kandidaten met een aandeel van minstens 6000 gulden selecteren. Dat was een fors bedrag, dat niet alle voor die functie geschikte Rotterdamse aandeelhouders in de Compagnie hadden belegd, zeker niet toen de sterke stijging van de aandelenkoers in de jaren 1640 de prijs van een aandeel flink had opgejaagd. Om deze financiële belemmering voor de selectie van bekwame kandidaten weg te nemen, werd in 1647 het vereiste (nominale) bedrag teruggebracht tot 3000 gulden. Het recht om uit deze drie kandidaten een nieuwe bewindhebber te kiezen was officieel voorbehouden aan de Staten van Holland, maar die hadden hun recht overgedragen aan de vroedschap van Rotterdam, die uiteindelijk met meerderheid van stemmen de keuze bepaalde.[14]

De band die al tijdens de voorcompagnieën tussen de koopmanselite met belangen in handel op Azië en het stadsbestuur was ontstaan, werd inniger onder de VOC. Zo waren acht van de eerste negen bewindhebbers lid van de vroedschap. Johan van der Veeken was de enige bewindhebber die geen stedelijk bestuursfunctie heeft vervuld; als katholiek kwam hij daarvoor niet in aanmerking. In 1611 kwam voor de tweede maal een bewindhebbersplaats in de kamer Rotterdam vrij. Van de genomineerde hoofdparticipanten, alle drie behorend tot de bovenlaag van de samenleving, bleek niemand over het vereiste bedrag in aandelen te beschikken. Toch koos de vroedschap met meerderheid van stemmen haar medelid Dirck Hendricksz Nobel als nieuwe bewindhebber onder de voorwaarde 'dat hij ter voorschreeve somme van 6000 ponden (gulden) in deselve Compagnie sal hebben gekogt'.[15]

Nobel heeft de ontbrekende som inderdaad snel aangevuld en is tot aan zijn dood in 1649 bewindhebber gebleven. Dat was niet de enige bestuurlijke functie die deze koopman heeft vervuld. Hij bleef tot aan zijn overlijden lid van de vroedschap die hem enkele malen tot burgemeester heeft gekozen, was tussen 1634 en 1637 namens de Staten van Holland gedeputeerde ter Generaliteit en vanaf 1621 bewindhebber van de in dat jaar opgerichte WIC.[16] Nobels opeenstapeling van functies was niet uitzonderlijk. Zo telt een overzicht van de vroedschap van Rotterdam 38 bewindhebbers van wie er 23 een of meerdere malen tot burgemeester zijn gekozen. In werkelijkheid moeten dat er meer zijn geweest, aangezien een man als Nobel niet eens in Engelbrechts overzicht voorkomt.[17] Hoe innig de relatie tussen de VOC en de stedelijke instellingen is geweest, blijkt uit het gegeven dat er onder de 89 bewindhebbers die tussen 1602 en 1795 in de kamer hebben gezeten nauwelijks personen waren die tijdens hun zittingsduur niet een of meerdere regentenambten hebben bekleed. Rotterdamse bewindhebbers hadden naar schatting gemiddeld tien nevenfuncties in de stad. Daarmee verschilden zij niet van hun collega's in andere steden. In de jaren 1780, 1787 en 1794, waarin de regenten hun best deden om patriottische nieuwkomers van bestuurlijke posten uit te sluiten, had elke bewindhebber zelfs circa twintig stedelijke functies in handen.[18]

De functie van VOC-bewindhebber was niet erfelijk, maar in de praktijk waren er weinig belemmeringen voor nepotisme in het compagniebestuur. De enige beperking was dat zittende bewindhebbers geen broers, zoons of zwagers in dit college mochten hebben.[19] Maar een zoon kon wel zijn vader opvolgen. Het resultaat was dat in de kamer Rotterdam, net als in het stadsbestuur, vanaf het midden van de zeventiende eeuw sprake was van toenemende oligarchisering en nepotisme. Een steeds kleinere groep families schoof elkaar de invloedrijke en lucratieve functies toe.[20] Die ontwikkeling begon al bij de eerste generatie bewindhebbers. Zo trouwde bewindhebber Adriaen Cornelisz Spierick in het oprichtingsjaar van de VOC met Anna van Loon, de dochter van medebewindhebber Willem Jansz. van Loon. Maritge Matelief, de dochter van bewindhebber Cornelis Matelief, huwde met bewindhebber Jan Musch.[21] Bijna de helft van alle Rotterdamse bewindhebbers was via een zoon, dochter of broer met elkaar verbonden.

Als de familiebanden iets ruimer worden genomen neemt dat aandeel nog toe. Laten we als voorbeeld Fop Pietersz van der Meyden nemen, die van 1602 tot aan zijn dood in 1616 bewindhebber is geweest. Zeventien jaar na diens dood kwam zijn zoon Pieter Foppen in de kamer en bleef daar tot aan zijn overlijden in 1638. Vier jaar later kwam Pieter Foppens zoon Johan als bewindhebber in de kamer en heeft die functie tot aan

Negen familiewapens van leden van de vroedschap van Rotterdam. Vijf van de negen leden zijn bewindhebber van de VOC *geweest en een van de* WIC*. Ingekleurde ets van onbekende maker, achttiende eeuw. (Rijksmuseum Amsterdam)*

zijn dood in 1677 vervuld. Johan van der Meyden is tweemaal getrouwd geweest en had uit elk huwelijk een dochter die hem, als vrouw, door de toen nog geldende 'mannelijke' regels niet als bewindhebber kon opvolgen. Zijn tweede dochter Ida Catharina trouwde met de Rotterdamse koopman-regent Josua van Belle, die een jaar na het overlijden van zijn schoonvader tot bewindhebber werd gekozen. In 1706 leverde hij vrijwillig zijn zetel in en werd in dat jaar opgevolgd door zijn zoon Josua van Belle de Jonge, die tot aan zijn overlijden in 1738 als bewindhebber is aangebleven. Josua's vader was bij zijn verkiezing tot bewindhebber al lid van de vroedschap en burgemeester, en zal in die hoedanigheid een krachtige stem in de benoeming van zijn zoon als bewindhebber hebben gehad. Zo waren er veel Rotterdamse families die decennialang bewindhebbers leverden en tegelijkertijd bestuurlijke functies in de stad vervulden. Zoals de vooraanstaande Rotterdamse kooplieden-regentenfamilie Paets; daarvan waren achtereenvolgens vader Adriaen en zijn gelijknamige zoon én kleinzoon tussen 1668 en 1765 bewindhebber en lid van de vroedschap geweest.[22]

DIENST EN WEDERDIENST

Wat leverde die kruisbestuiving tussen bewindhebbers en stadsbestuurders op? Tijdens het eerste octrooi, dat liep tot 1621, raakte de Compagnie in de financiële problemen. De opbouw van het handelsnetwerk en de strijd tegen de Iberische vijand in Azië putte het bedrijfskapitaal uit, waardoor de VOC de financiële steun van de steden nodig had om overeind te blijven. In april 1611, kort nadat Hendrick Nobel tot bewindhebber was gekozen, kreeg de vroedschap via de Staten van Holland het verzoek een lening van een half miljoen gulden aan de VOC te verstrekken. Na talloze malen over de kwestie vergaderd te hebben, stemde de Rotterdamse vroedschap eind 1612 ten slotte in met de lening tegen een jaarlijkse rente van 4 procent.[23] Daarmee liep de stad, ingeval de VOC ten onder zou gaan, een behoorlijk financieel risico. Maar de Compagnie was een blijver en leverde Rotterdam op termijn grote financiële voordelen op. Naast werkgelegenheid en handelsactiviteiten bracht de VOC via belastingheffing veel geld in het laatje. Zo moest zij 'convooien en licenten' (in- en uitvoerbelasting) aan de Admiraliteit op de Maze betalen, alsmede accijns op victualiën en waaggeld aan de stad voor het verplicht wegen van goederen. De totale opbrengst voor de stadskas is moeilijk in te schatten, maar zal in de achttiende eeuw ongeveer 50.000 gulden per jaar zijn geweest.[24]

Niet alleen de stad, maar ook de individuele bewindhebbers profiteerden van de Compagnie. Om een bewindhebberszetel te bemachtigen, waren goede contacten met (mede)leden van de vroedschap belangrijk. Wie eenmaal bewindhebber van de VOC was, kon rekenen op een riante vergoeding. In het eerste octrooi was vastgelegd dat de bewindhebbers gezamenlijk 1 procent van de uitredingskosten en 1 procent van de Aziatische retourgoederen als beloning kregen. Daar moesten zij overigens wel de salarissen van het kantoorpersoneel – de boekhouder, de kassier en de kamerbode – van betalen.[25] Na enkele wijzigingen van het honorarium stelde de Compagnie de bewindhebbersvergoeding in 1647 vast op 1200 gulden per jaar. Tevens verviel de verplichting om het kantoorpersoneel uit eigen zak te betalen. Naast hun honorarium genoten de bestuurders emolumenten voor bijzondere activiteiten. Zo kregen zij reis- en dagvergoedingen voor het uitgeleide doen van de compagnieschepen die op de rede van Hellevoetsluis lagen en voor het bijwonen van vergaderingen buiten de eigen kamer. De vaste honorering is vanaf 1647 bekend, maar wat een Rotterdamse bewindhebber aan emolumenten kreeg niet. Peter Grimm schat dat zij in totaal een derde tot de helft van hun jaarinkomen uit VOC-activiteiten haalden. Bij een gemiddeld jaarinkomen van 10.000 gulden was dat maximaal 5000 gulden. Daarbovenop kregen zij volgens een resolutie uit 1732 jaarlijks een partij specerijen en suiker als 'loon in natura'. Burgemeesters en raden van de admiraliteit hadden eveneens recht op een hoeveelheid Aziatische producten; als zij tevens bewindhebber waren, incasseerden zij dus een dubbele portie.[26]

ATLANTISCHE BELANGEN

Rotterdam had niet alleen een belang in de handel op Azië, maar ook in die op Afrika en Amerika. Economisch gezien was dat zelfs belangrijker omdat een deel van de aangevoerde Atlantische producten, anders dan die uit Azië, in de stad werd verwerkt. De raffinage van ruwe suiker, de bewerking van ivoor en het spinnen van tabak leverden werkgelegenheid op, en doorvoerhandel van eindproducten naar andere gebieden. Rijke kooplieden zoals Johan van der Veeken en Pieter Lenertsz Busch reedden al schepen naar het Atlantische gebied uit voordat zij bewindhebber werden van de VOC. En Rotterdammers die actief waren in de vaart op Guinea in West-Afrika hadden zich ter bescherming van hun handelsbelangen al aan het begin van de zeventiende eeuw in een compagnie verenigd.[27]

Toen begin juni 1621 de Staten-Generaal hun fiat gaven voor de oprichting van de West-Indische Compagnie was er in Rotterdam echter nauwelijks belangstelling voor deelname aan de onderneming die het monopolie op de handel en scheepvaart in het Atlantische gebied buiten Europa kreeg. Conflicten met aandeelhouders rondom de verlening van het eerste voc-octrooi en onzekerheid over de internationale ontwikkelingen na het aflopen van het Twaalfjarig Bestand temperden het enthousiasme. Op verzoek van de Staten van Holland stelde de vroedschap van Rotterdam daarom in juli 1621 uit haar midden een commissie van zes personen samen voor het werven van investeerders. Dat bleek een moeizaam proces, dat ruim een jaar in beslag nam en weinig kapitaal opleverde. Vervolgens werden alle vroedschapsleden onder druk gezet om 'tot afwering van blaam en voorkoming van schade en schande' – Rotterdam wilde immers een kamer in de WIC bemachtigen – een aandeel in de Compagnie te nemen.[28] Daarmee was de relatie tussen de WIC en het stadsbestuur geborgd.

De Kamer Maze van de WIC bestond uit de steden Dordrecht, Delft en Rotterdam. Elke stad kreeg een derde aandeel in de kamer, hoewel de Rotterdammers het minste kapitaal in de WIC hadden geïnvesteerd. Aanvankelijk had elke stad een eigen West-Indisch Huis met ruimten voor bewindhebbersbijeenkomsten en opslag van goederen. De Compagnie ging echter al snel onder grote schulden gebukt, waardoor de Kamer Maze haar activiteiten concentreerde in Rotterdam, waar sinds 1631 een West-Indisch pakhuis aan het Haringvliet was gevestigd.[29] Voor de stad betekende dat extra inkomsten uit het waaggeld en de accijnzen die de WIC voor de in- en uitvoer van goederen moest betalen. Ook zullen suikerraffinadeurs en de handelaren in Atlantische producten voordeel hebben gehad van wat de Compagnie in Rotterdam aanvoerde. Erg groot zal dat voordeel echter niet zijn geweest, aangezien de WIC al in de jaren 1630 de handel in haar octrooigebied, met uitzondering van West-Afrika, aan particuliere kooplieden moest overlaten.

Dat de stad weinig belastinginkomsten via de Kamer Maze binnenkreeg, betekent niet dat individuele bestuurders daar geen profijt van hebben getrokken. Anders dan bij de voc waren er onder de eerste negen Rotterdamse bewindhebbers die tussen 1621 en 1636 de Kamer Maze bevolkten maar vier afkomstig uit de bestuurlijke elite van de stad. De andere vijf waren ambteloze burgers uit de handels- en nijverheidssector.[30] Opmerkelijk is dat de eerdergenoemde Hendrick Nobel bewindhebber was van zowel de voc als de WIC. Volgens het octrooi van de WIC was zo'n dubbelfunctie verboden, maar kennelijk had Nobel zoveel aanzien en invloed in de stad dat de kiescommissie uit de vroedschap bereid was voor hem een uitzondering te maken. Vanaf het midden van de zeventiende eeuw sloeg bij Rotterdamse bewindhebbers van de WIC, net als bij de voc, de oligarchisering toe en waren zij, op een enkele uitzondering na, allen lid van de vroedschap en tal van andere bestuurscolleges in Rotterdam.[31] De regentenfamilie Du Bois leverde de meeste bewindhebbers. Tussen 1652 en 1741 zaten vier telgen uit deze familie in de Kamer Maze, van wie Hugo en Abraham in respectievelijk 1738 en 1742 als bewindhebber overstapten naar de VOC.

Naast aanzien leverde een bewindhebberspost ook inkomen op, zij het veel minder dan bij de VOC. Als bestuurders van de Eerste WIC kregen zij gezamenlijk 1 procent van de uitreedkosten van de schepen, van de opbrengst van de retourgoederen en van de inkomsten uit de kaapvaart, een door de staat toegestane vorm van oorlogvoering op zee door particuliere reders en compagnieën. Alleen voor het ingevoerde goud en zilver werd een uitzondering gemaakt; daarvan ontvingen zij een half procent. Daar stond tegenover dat de bewindhebbers zelf de salarissen van de boekhouders en kassiers moesten betalen. Tot circa 1630 zullen met name de inkomsten uit de kaapvaart fors zijn geweest. Compagnieschepen veroverden honderden vaartuigen van Spanje en Portugal waarmee de Republiek in oorlog was. Maar vanaf 1630, toen de lasten de baten begonnen te overtreffen, werden de bewindhebbers niet rijk van hun werk voor de Compagnie. Na de ontbinding van de Eerste en de oprichting van de

Zilveren schaal met zeilend schip en familiewapens van de WIC-bewindhebbers van de kamer Maze. Anoniem, 1684-1687. (Rijksmuseum Amsterdam)

Tweede WIC, in 1674, werd de salarisregeling voor de bewindhebbers ingrijpend gewijzigd. Voortaan ontvingen zij voor hun diensten een provisie van 10 procent van het aan de aandeelhouders uitgekeerde dividend. Dat was geen vetpot, aangezien ook de door schulden geplaagde Tweede WIC nauwelijks dividend uitkeerde. Eind zeventiende eeuw was het daarop gebaseerde inkomen van een bewindhebber ongeveer 45 gulden per jaar.[32] In de achttiende eeuw was dat eerder minder dan meer. In Rotterdam gold wat elders in de Republiek ook gold: investeren in de VOC was aanmerkelijk lucratiever dan in de WIC. Maar ook, dat er sprake was van innige verstrengeling van openbaar bestuur en koloniale handel.

SLAVENHANDELAREN EN SUIKERBAKKERS (1630-1813)

Rotterdam had in de vroegmoderne tijd, naast de twee grote handelscompagnieën, ook particuliere ondernemers met directe en indirecte koloniale belangen in het Atlantische gebied. De VOC had een sluitend monopolie op de handel in Azië, terwijl de WIC al in de jaren 1630 particuliere kooplieden binnen het Atlantische gebied moest toestaan. Die ondernemers stonden, anders dan de bewindhebbers van de VOC en de WIC, op enige afstand van de regenten in de vroedschap, maar hadden de stadsbestuurders wel nodig om hun activiteiten te beschermen en te bevorderen. Omgekeerd werd de handel in en verwerking van Atlantische producten als suiker en tabak vanaf het eind van de zeventiende eeuw steeds belangrijker voor de economische ontwikkeling van de stad en dus een bestuurlijke prioriteit. Misschien verklaart dat laatste het merkwaardige plan van het stadsbestuur om in 1699, samen met hertog Ferdinand van het Deense Koerland, een compagnie op te richten voor de kolonisering van Tobago. Het Caribische eiland was eerder Zeeuws bezit geweest en geschikt voor het opzetten van plantages, die de suikerraffinadeurs in Rotterdam van ruwe suiker konden voorzien. Het plan werd echter door koning-stadhouder Willem III, die tegenstand in Engeland verwachtte, afgewezen en raakte in de vergetelheid.[33] Desondanks bloeiden de Rotterdamse suikernijverheid en andere Atlantische activiteiten. Dat kon dankzij de samenwerking van ondernemers en kapitaalverschaffers, maar ook door een uitgebreid informatienetwerk dat zich uitstrekte tot ver buiten Rotterdam. Hoe dat in zijn werk ging, blijkt uit het volgende voorbeeld.

JAN EN WILLEM PEDY, ONDERNEMERS IN ATLANTISCHE ZAKEN

De particuliere handel en scheepvaart van Rotterdammers op Afrika en

Amerika waren complexe activiteiten die zich uitstrekten over meerdere bestemmingen, een diversiteit aan goederen en een reeks contactpersonen. Een koopman moest over een uitgebreid netwerk van correspondenten beschikken om in het Atlantische gebied succesvol handel te kunnen drijven. Daarover zijn helaas weinig bronnen bewaard gebleven, maar die van de Rotterdamse kooplieden Jan en Willem Pedy vormen een uitzondering.[34] Zij behoorden niet tot de gevestigde regentenfamilies met lucratieve bestuursfuncties, maar waren nieuwkomers die als kooplieden carrière maakten. Hun zakelijk succes leverde vervolgens wel de aan handel en scheepvaart gerelateerde baan van commissaris van het waterrecht op, een functionaris die werd geacht toezicht te houden op het laden en lossen van binnenvaartschepen.[35] Zo'n functie leverde veel kennis van verscheepte goederen op, alsmede contacten.

Jan en Willem Pedy traden in Rotterdam op als commissionair voor een aantal Nederlandse kooplieden op de Caribische eilanden Guadeloupe, Sint Christoffel en Martinique. Zij verscheepten op aanvraag handelsgoederen en ontvingen in ruil daarvoor plantageproducten. Bij terugkeer van een schip zorgden zij voor de verkoop van ruwe suiker, tabak, indigo en andere Atlantische producten. Toen in 1664 Jan Passchier op Guadeloupe van ene monsieur Du Couldray het aanbod kreeg een suikerplantage te kopen, vroeg hij de gebroeders Pedy of zij via hun Franse contacten informatie in wilden winnen over de rentabiliteit van de onderneming. Monsieur Du Queruy, een Franse zakenrelatie van de Pedy's, raadde de koop af; de plantage lag op een ongunstige plek, de prijs was te hoog en de aankoop van de voor de plantage benodigde slaven hoogst onzeker.

De broers Pedy hadden ook handelsrelaties in Ierland. Daar kochten zij via hun handelsagent Brewster in Dublin paarden, boter, ingezouten vlees en spek voor verkoop in de Cariben. Uit enkele zakenbrieven van Jan en Willem Pedy blijkt dat zij een informatie- en handelsnetwerk hadden dat zich minimaal uitstrekte tot Parijs, La Rochelle, Dublin en een aantal Caribische eilanden. In hun brieven wisselden zij naast marktgegevens ook politieke informatie uit die de handel in het Atlantische gebied kon schaden, zoals de handelsbeperkende maatregelen die de Franse minister van Financiën Jean-Baptiste Colbert wilde invoeren, en een dreigende oorlog met Engeland die uiteindelijk in 1665 uitbrak.[36]

In 1681 breidden de gebroeders Pedy hun Atlantische netwerk uit door te investeren in de uitreding van twee schepen naar West-Afrika. Zij deden dat als partenreders voor een onderneming die onder de vlag van Friedrich Wilhelm, de grote keurvorst van Brandenburg, was opgezet door de Vlissingse koopman Benjamin Raule. Dat was het begin van de Brandenburgsche Afrikaanse Compagnie (BAC).[37] De Rotterdammers waren voor de grote keurvorst van belang als partenreders, maar meer nog vanwege hun netwerk dat hem toegang gaf tot Atlantische informatie en kapitaal. Waarschijnlijk heeft dat Friedrich Wilhelm ertoe bewogen Jan Pedy als hofraad te benoemen en diens broer Willem als commissaris-generaal, functies die in september 1689 officieel door de vroedschap van Rotterdam werden erkend.

Voor de stad zaten daar ook voordelen aan. Rotterdam zou zijn Atlantische handel en scheepvaart via de BAC kunnen versterken. Jan Pedy was zelfs bereid om, samen met de Rotterdamse koopman Josua van Belle en de Amsterdammer Jean Coymans, die beide indirect betrokken waren geweest bij de levering van slaven aan de Spaans-Amerikaanse koloniën, 40.000 gulden aan de grote keurvorst te lenen voor het opzetten van een Brandenburgse slavenhandel via het Deens-Caribische eiland St. Thomas. De BAC sloot daarvoor in 1685 een contract met de Denen.[38] Willem Pedy verwachtte veel van de slavenhandel via het eiland en wist een aantal Rotterdammers over te halen 117.500 gulden aan de Compagnie te lenen in de vorm van een tontine, een bijzondere lijfrenteconstructie. Voor die dienst ontving hij 14 procent van het ingelegde kapitaal. Zelf investeerden hij en zijn broer Jan in 1694 respectievelijk 25.000 en 35.000 gulden in de onderneming, en zijn zakenpartner Josua van Belle nog eens 55.000 gulden. Dankzij de wervende activiteiten van de broers was de Rotterdamse elite waarschijnlijk de grootste investeerder in de BAC.[39]

Zo raakten rijke Rotterdammers betrokken bij de Brandenburgse slavenhandel via St. Thomas. Pedro van Belle, de broer van Josua, regelde de verkoop van de Afrikanen aan planters op andere Caribische eilanden. De precieze omvang van deze slavenhandel is niet bekend, maar het is aannemelijk dat de schepen van de Compagnie ruim 20.000 Afrikanen op het eiland hebben afgeleverd.[40] Of de Rotterdammers veel profijt van hun aandelen in de BAC hebben gehad, is twijfelachtig. De Compagnie leidde aan het begin van de achttiende eeuw een kommervol bestaan en werd in 1718 opgeheven. De zoon van Willem Pedy, Willem junior, trad niet in de voetsporen van zijn vader en vertrok naar Suriname, waar hij de weduwe Catharina Marcus trouwde en zo in het bezit kwam van de plantage Appecappe aan de Commewijne.[41] Daarmee eindigden voor zover bekend de betrokkenheid van de familie Pedy bij Atlantische activiteiten.

ROTTERDAMSE SLAVENHANDELAREN EN HUN CONNECTIES

Rotterdam telde meer kooplieden zoals Willem en Jan Pedy in Atlantische zaken. Een aantal van hen was actief in de slavenhandel. De basis voor de Atlantische plantageproductie was slavenarbeid. Tot halverwege de achttiende eeuw waren Rotterdamse ondernemers voornamelijk actief in de handel in en verwerking van plantageproducten, maar zelden direct betrokken bij de slavenhandel. Dat deed alleen de Kamer Maze van de WIC. Pas nadat de WIC in de jaren 1730 haar monopolie op de Atlantische slavenhandel had opgegeven, begonnen Rotterdamse kooplieden daarin te investeren. Rotterdam werd daardoor, na Vlissingen, Middelburg en Amsterdam, in belangrijkheid de vierde Nederlandse stad die slavenhandel bedreef. Welke Rotterdammers waren daarbij betrokken en hoe functioneerde hun handelsnetwerk?

De van oorsprong Vlissingse regent Isaac Rochussen was de eerste particuliere ondernemer die in de jaren 1730 twee slavenschepen vanuit Rotterdam uitreedde. Hij was vanuit Zeeland aangesteld als raad van de Admiraliteit op de Maze en had zich vervolgens in de stad gevestigd. Door zijn huwelijk met Esther Hudig raakte Rochussen verbonden met de Rotterdamse koopliedenfamilies Coopstad, Hudig en Baelde, waarmee hij in de goederen- en slavenhandel op Afrika en Amerika investeerde. Rochussen schaamde zich niet voor zijn deelname aan de slavenhandel, zoals blijkt uit enkele dichtregels die ter gelegenheid van zijn huwelijk werden voorgedragen: 'Rochussen, wiens koopvlyt vroeg en spae, met noest beleid en onbesproken wandel, het wilde Afryke en woest Amerika doet krielen van zijn drokken slavenhandel'.[42] Samen met de aangetrouwde Herman Coopstad zette hij in 1747 de firma Coopstad & Rochussen op, die veruit het grootste deel (65) van alle (81) gedocumenteerde Rotterdamse slavenschepen heeft uitgereed.[43]

De financiering van deze ondernemingen werd geregeld in een 'partenrederij', waarbij steeds wisselende investeerders de kosten van een slavenschip financierden. Coopstad en Rochussen fungeerden als handelende aandeelhouders, die voor hun diensten 1 tot 2 procent provisie kregen over de waarde van ingekochte goederen en de opbrengst van de slaven. Het financiële verloop van een slavenreis hing mede af van kapitaal en informatie. Voor de financiering maakten Coopstad en Rochussen gebruik van een groot aantal familieleden, Rotterdamse regenten, ondernemers, plantage-eigenaren en correspondenten in West-Afrika.[44] Verschillende personeelsleden van de WIC die op de Goudkust werkzaam waren, investeerden in slavenschepen van de firma. Door deze constructie wisten Coopstad en Rochussen zich verzekerd van de hulp van WIC-personeel in West-Afrika voor de levering van water, voedsel en slaven.[45]

Het informatienetwerk van de firma vertoonde een bescheiden overlap met het financieringsnetwerk. Zo bevat de correspondentie met de partenreders en andere WIC-beambten in West-Afrika veel gegevens over de slavenhandel, bijvoorbeeld over waar het gunstigst Afrikanen ingekocht konden worden, over welke goederen op bepaalde delen van de kust het meest in trek waren en over concurrenten. In de plantagekoloniën op de kust van Guyana en op de eilanden in de Cariben bevonden zich eveneens correspondenten die handelsinformatie verschaften en het verkeer van financiële wisselbrieven tussen koloniën en Rotterdam regelden.[46] Als slavenschepen thuisvoeren, kon het gebeuren dat zij wegens averij of anderszins een Zuid-Engelse haven moesten binnenlopen. In dat geval konden de kapiteins van de schepen de hulp inroepen van een aantal Britse handelshuizen waarmee de firma een zakenrelatie onderhield.[47]

Concluderend: het kapitaal voor de uitreding van slavenschepen was wel voornamelijk uit diverse Rotterdamse kringen afkomstig, maar de noodzakelijke informatie voor het welslagen van de handel strekte zich tot een veel breder netwerk uit over delen van Europa, Afrika en Amerika. Die constructie zal ook hebben gegolden voor de Rotterdamse slavenrederij van de Wed. A. Hamilton-Meyners, die tussen 1754 en 1773 elf slavenschepen heeft uitgereed.

INVESTEERDERS IN PLANTAGELENINGEN

In de achttiende eeuw nam de vraag naar suiker, cacao, koffie en andere koloniale producten in Europa sterk toe. Om de productie in de Nederlandse koloniën, die ver achterbleef bij de vraag, te stimuleren, begonnen Nederlandse ondernemers plantageleningen oftewel negotiaties uit te zetten voor de uitbreiding van bestaande en de aanleg van nieuwe plantages. De firma Coopstad & Rochussen was de eerste Rotterdamse onderneming die in 1754 zo'n negotiatie opzette. Daarvoor leenden de firmanten na goedkeuring van de vroedschap 30.000 gulden van de stad, tegen een rente van 4 procent. De vroedschapsleden Michiel Baelde, een zwager van Herman van Coopstad, en Pieter van der Wallen, via een nicht verbonden met de familie Rochussen en investeerder in slavenschepen van Coopstad & Rochussen, stonden borg voor de lening.[48] Het Rotterdamse stadsbestuur was dus een directe investeerder in de Caribische plantage-economie en daarmee indirect verantwoordelijk voor de slavenhandel en slavernij. Uit niets blijkt dat de vroedschap daar principiële bezwaren tegen had.

Negotiaties leken niet alleen aantrekkelijk voor de deelnemers die op een hoog rendement op hun investering rekenden; zij waren ook voordelig voor Rotterdamse slavenhandelaren, suikerraffinadeurs, tabaksverwerkers en koffiehandelaren die meer omzet en winst verwachtten. De ontwikkeling van plantageleningen, koloniale handel en nijverheid waren nauw met elkaar verbonden. Dat blijkt bijvoorbeeld uit de activiteiten van het Rotterdamse handelshuis Wed. A. Hamilton & Meyners, dat net als Coopstad & Rochussen investeerde in de slavenhandel maar in 1756 ook een plantagelening uitzette. Meer en grotere plantages stimuleerden immers de slavenhandel van het handelshuis. De vroedschap stak ditmaal 21.000 gulden in de negotiatie met als onderpand de schuldbekentenissen van enkele Surinaamse plantages waaraan het geld was uitgeleend.[49] Het handelshuis was slechts een kleine speler op de Rotterdamse negotiatiemarkt vergeleken met Ferrand Whaley, een zoon van Jan Hudig en Maria Geertuij van Coopstad en stiefzoon van Michiel Baelde. Ferrand Whaley Hudig heeft tussen 1760 en 1776 dertien plantageleningen uitgezet, waarop de Rotterdamse elite voor ruim een miljoen gulden intekende.[50]

Hoe wist Ferrand Whaley, die tijdens zijn leven enkele aan de scheepvaart gerelateerde functies in de stad heeft vervuld maar niet tot de regentenstand behoorde, rijke Rotterdamse kooplieden en regenten over te halen kapitaal in zijn negotiaties te investeren? Van bijna tweehonderd beleggers is de naam bekend. Onder hen bevonden zich diverse familieleden, maar ook leden van de vroedschap, onder wie de suikerraffinadeur Willem Pieter Christiaan Top en de burgemeesters Gerard Daniël Denick en Abraham Gevers.[51] De namen van meerdere investeerders staan in de dagboeken die Ferrand Whaley heeft bijgehouden. Uit zijn dagboeken blijkt dat hij lid was van een informele club die op donderdag bijeenkwam. Daar ontmoette hij diverse leden van invloedrijke Rotterdamse regenten- en koopliedenfamilies – Erbervelt, Mees, De Mochy, Van Rossum – die in zijn negotiatiefondsen investeerden. Hij gaf in zijn dagboeken met symbolen aan met wie hij dineerde, wandelingen langs de Maas maakte, het theater bezocht en andere activiteiten ondernam. Twijfel over het effect van zijn fondsen die tot meer slavernij leidden, is er echter niet in te bespeuren.[52] Ferrand Whaley was een netwerker die de Rotterdamse elite via formele en informele activiteiten voor zijn zakelijke ondernemingen wist te interesseren. Ook schakelde hij familieleden in voor het werven van investeerders voor zijn negotiatiefondsen.[53]

Planters die bij een negotiatiefonds een lening hadden gesloten, waren contractueel verplicht om hun plantageproducten via de negotiatiehouder te verkopen. Ferrand Whaley ontving daarvan 5 procent als beloning voor de lening die de planter bij hem had afgesloten. Daarnaast had hij als directeur van het fonds recht op 2 procent provisie voor de verkoop van de producten en een half procent bemiddelingskosten. Ferrand Whaley streek zo 7,5 procent van de opbrengst op, een royale beloning voor zijn diensten.[54] Rotterdamse suikerraffinadeurs, handelaren in koffie en andere plantageproductie hadden eveneens voordeel bij de 'knevelcontracten' die aan een plantagelening verbonden waren. Die garandeerden immers een toenemende aanvoer van producten uit de koloniën naar Rotterdam. En dat was weer een belang dat ook door het stadsbestuur hoog werd gewaardeerd.

HET BELANG VAN DE SUIKERNIJVERHEID

Rietsuiker en tabak waren de belangrijkste koloniale producten die in Rotterdam werden aangevoerd en verwerkt, zij het in aanzienlijk kleinere hoeveelheden dan in Amsterdam. In deze paragraaf beperken wij ons tot de bedrijven die ruwe suiker uit Nederlandse en Franse koloniën raffineerden. In 1594 telde Rotterdam drie kruideniers die als nevenactiviteit suiker raffineerden. In de loop van de zeventiende eeuw nam het aantal suikerraffinaderijen in de stad geleidelijk toe. Het belangrijkste bedrijf was de in 1632 door Johan Jacobsz de Mey gestichte raffinaderij aan de Wolffshoeck.[55] Dat was het begin van het Rotterdamse 'suikerimperium' van de familie De Mey, dat tot halverwege de achttiende eeuw standhield. De afstammelingen van Johan de Mey en aangetrouwde familieleden zouden een belangrijke rol in het economische en politieke leven van Rotterdam vervullen.

In 1720 was de suikerraffinage voor de stad belangrijk genoeg om strenge regels uit te vaardigen ter bescherming van het product, dat in steeds grotere hoeveelheden naar het Duitse achterland werd geëxporteerd. Zo verbood de vroedschap het gebruik van ossenbloed voor het zuiveren van de suiker. Raffinadeurs die de regels overtraden, riskeerden zware boetes en na een tweede overtreding zelfs een 'verbod van neringe voor altoos'.[56] De regenten, van wie sommige geld in een suikerraffinaderij hadden geïnvesteerd, waren niet de enige die opkwamen voor de suikerbelangen van de stad. In 1725 voerden de Staten-Generaal een ingrijpende tariefhervorming in voor in- en uitvoerrechten, die de suikerraffinage meer protectie moest bieden. Door de invoerbelasting op ruwe suiker te verlagen en de belasting op doorvoer ervan te verhogen, werd de inkoop van het ongeraffineerde product goedkoper voor de Rotterdamse suikerraffinadeurs.[57] Raffinadeurs in het Duitse achterland daarentegen moesten meer voor de via de Rijn aangevoerde ruwe suiker betalen, waardoor hun concurrentiepositie werd aangetast. Het stadsbestuur van Rotterdam had indirect invloed uitgeoefend op de tariefhervorming via zijn gedeputeerden in de Staten van Holland. In 1730 telde Rotterdam minstens zeven suikerraffinaderijen, een aantal dat in het midden van de achttiende eeuw was toegenomen tot dertig.[58] Daarmee was Rotterdam na Amsterdam, dat circa negentig suikerraffinaderijen binnen zijn muren had, de tweede suikerproducent van de Republiek.

Veel Rotterdamse suikerraffinadeurs waren direct of via familierelaties verbonden met het Rotterdamse stadsbestuur. Zoals Pieter en Theodoor François de Mey, zoon en kleinzoon van de eerdergenoemde Johan de Mey, die een suikerraffinaderij in de stad bezaten, tevens lid waren van de vroedschap en enkele malen tot burgemeester werden gekozen.[59] Hendrik van Beeftingh, die tijdens zijn lange leven (1711-1797) tal van bestuursfuncties in de stad heeft bekleed, was een zoon van Schalkius en broer van Nicolaas van Beeftingh, beide bekende Rotterdamse suikerraffinadeurs.[60] De succesvolste raffinadeur was Hendrik van Oordt. Hij was in Middelburg geboren en als jongeman naar Rotterdam verhuisd, waar hij in 1734 met zijn schoonvader Hermanus van de Lande de suikerraffinaderij De Olifant oprichtte. Nadat de vroedschap hem het burgerschap van de stad had verleend, werd Van Oordt benoemd tot commissaris van het zeerecht, een functie die hem toegang gaf tot de elite van de stad. Zijn zaken verliepen voorspoedig. Van Oordt investeerde in de uitbreiding van De Olifant, reedde schepen uit om de aanvoer van ruwe suiker veilig te stellen, kocht andere suikerraffinaderijen op en sloot in 1769 een compagnieschap met Cornelis Post en de broers Cornelis en Jacob van der Pot voor het raffineren van suiker. De dadendrang van Hendrik van Oordt had als resultaat dat het door hem gestichte bedrijf in de negentiende eeuw uitgroeide tot de belangrijkste suikerproducent van Nederland.[61]

Ondernemers die een suikerraffinaderij wilden beginnen, moesten over een behoorlijk startkapitaal beschikken voor de aankoop of bouw van een bedrijfspand met opslagruimte, de aanleg van een kookinrichting en de benodigde gereedschappen. J.H. Reisig, die eind achttiende eeuw een uitgebreide verhandeling over het suikerbedrijf publiceerde, stelt dat een raffinadeur 'een capitaal van twee tonnen gouds nodig heeft om vrij te kunnen werken'.[62] De meeste ondernemers hadden niet zoveel geld en financierden hun bedrijf met kapitaal van regenten en andere kapitaalkrachtige Rotterdammers. Die waren, net als bij slavenschepen en plantageleningen, bereid daarin te investeren, omdat zij rekenden op een redelijk rendement. Het stadsbestuur hechtte veel waarde aan de suikernijverheid omdat die naast honderden arbeidsplaatsen ook veel waaggeld opleverde.

De financiële kruisbestuiving tussen suikerraffinadeurs en regenten zorgde ervoor dat ondernemers bij tegenslagen die hun bedrijfstak bedreigden, konden rekenen op de politieke steun van regenten-investeerders. Dat deed zich voor toen de Nederlandse suikerindustrie in de tweede helft van de achttiende eeuw in moeilijkheden dreigde te geraken door Britse, Franse en Duitse protectionistische maatregelen. Rotterdamse suikerraffinadeurs, die sterk afhankelijk waren van de uitvoer van hun product via de Rijn naar het Duitse achterland, leden onder de hoge prijs van via Frankrijk geïmporteerde ruwe suiker en de belasting op uit Engeland ingevoerde steenkool die nodig was om de suikerketels te stoken. De Staten-Generaal namen tussen 1750 en 1784 diverse fiscale en andere maatregelen om de concurrentiepositie van de suikerraffinadeurs te verbeteren. Zo werd de invoerbelasting op steenkool verlaagd en een premie ingevoerd voor de export van geraffineerde suiker.[63]

REDERS, BANKIERS EN INVESTEERDERS (1813-1870)

In januari 1795 verdreef een Frans leger stadhouder Willem V en kwam er een einde aan de oude Republiek. De noodlijdende WIC was vier jaar eerder opgeheven en de VOC werd met al haar koloniale bezittingen door het nieuwe regime genationaliseerd. Officieel was de nieuwe Bataafse Republiek een soevereine staat, maar in de praktijk hadden de Fransen veel invloed en lijfden uiteindelijk het land in bij Frankrijk. De handel met de koloniën viel in de Bataafs-Franse tijd zo goed als stil. In november 1813 trokken de Fransen zich terug uit Nederland en keerde de zoon van de laatste stadhouder terug. Hij werd als Willem I tot koning van het Koninkrijk der Nederlanden gekroond en kreeg als vorst het bestuur over de koloniën in handen.

De Bataafs-Franse tijd was niet alleen een periode van stagnatie van de Rotterdamse koloniale handel en scheepvaart, maar ook een breuk in de economische oriëntatie. Tot 1795 was het Atlantische gebied belangrijker voor de economie van de stad dan Azië. Na 1813 verschoof het zwaartepunt van koloniale belangen echter van de West naar de Oost. Reders, financiële dienstverleners en fabrikanten richtten zich steeds meer op de handel met Nederlands-Indië en in mindere mate op Afrika; Suriname en de Antillen verdwenen naar de achtergrond. Ook het netwerk van koloniale spelers in Rotterdam onderging ingrijpende wijzigingen. In de vroegmoderne tijd bestond dat netwerk voornamelijk uit regenten, kooplieden en andere ondernemers die tot de bestuurlijke en economische elite van de stad behoorden, maar in de eerste helft van de negentiende eeuw trad een nieuwe groep op de voorgrond. Veel nieuwkomers kwamen voort uit minder elitaire families, van loonarbeiders of ondernemers van het tweede plan. Anthony van Hoboken was afkomstig uit de eerste groep.

HET NETWERK VAN ANTHONY VAN HOBOKEN

Anthony van Hoboken (1756-1850) was de grondlegger van de private Rotterdamse handel en scheepvaart op Nederlands-Indië, die voorheen het privilege van de VOC was geweest. Hij was van eenvoudige afkomst en ging op jonge leeftijd, na een kort dienstverband bij een wijnhandelaar, in zaken. In 1788 nam Van Hoboken een handelsbedrijf over van Hendrik Hesselaar, een man die 'morshandel' bedreef op Azië door wat extra goederen aan VOC-kapiteins mee te geven, die deze producten vervolgens in Batavia tegen een provisie verkochten en Aziatische goederen, waaronder specerijen, voor hem mee terug namen naar Rotterdam.[64] Meteen na de overname legde Van Hoboken contacten met kooplieden en andere ondernemers in Kaapstad en Batavia, en verleende ze een volmacht om als zijn zakenwaarnemer overzee op te treden.[65] Dat was het begin van een uitgebreid overzees netwerk van correspondenten en zaakwaarnemers. Zijn veelbelovende handel op de Oost stagneerde echter in de Bataafs-Franse tijd; slechts via neutrale Pruisische havens lukte het Van Hoboken om beperkt met Batavia te blijven handelen tot aan de Britse bezetting van Java in 1811.

Nadat Nederland eind 1813 zijn onafhankelijkheid had herwonnen, begon Van Hoboken de handel op Nederlands-Indië voortvarend nieuw leven in te blazen. Dat deed hij niet door op goed geluk schepen naar Batavia te sturen, maar door het revitaliseren en uitbouwen van zijn handelsnetwerk. Contacten met de lokale en nationale politiek waren daarvoor essentieel. De Kamer van Koophandel als belangenbehartiger van ondernemers speelde daarin een belangrijke rol. Van Hoboken, die sinds 1811 lid was van deze Kamer, trad in december 1813 toe tot een commissie die moest onderzoeken hoe de vaart op de overzeese gebieden het beste hersteld kon worden. Negen maanden later gaf Groot-Brittannië, dat Java nog steeds bezet hield, Nederland toestemming om de handel op Indië te hervatten. De regering legde de Kamers van Koophandel van Amsterdam en Rotterdam daarop de vraag voor of het wenselijk was voor de handel op Indië een monopolistische organisatie zoals de VOC op te richten, of de handel geheel vrij te laten. Van Hoboken was een van de weinigen die de vrije vaart bepleitten. Hij vroeg bij het departement van Koophandel en Koloniën daarvoor een vergunning aan en kreeg in oktober 1814 als eerste toestemming om schepen naar Batavia uit te reden. Hij stimuleerde zijn collega-reders hetzelfde te doen, met als resultaat dat nog voor het einde van het jaar drie Rotterdamse reders een schip naar Java mochten sturen.[66]

Van Hoboken besefte als geen ander dat het welslagen van de scheepvaart op Nederlands-Indië afhankelijk was van een goede relatie met de Haagse politiek. Om kostendekkend te kunnen varen, waren in slappe tijden overheidscontracten nodig voor het vervoer van goederen, ambtenaren en militairen naar de kolonie. In 1818 sloot Van Hoboken daarvoor zijn eerste contract met het departement van Koloniën, waarvan er nog vele volgden.[67] Zo verwierf zijn rederij in 1831 een contract voor het transport van Afrikaanse soldaten van Elmina naar Java voor het Nederlands-Indisch Leger. Ruim tien jaar had Van Hoboken, tot ergernis van de Nederlandsche Scheepsrederij te Amsterdam, bijna het alleenrecht op dit specifieke soldatenvervoer.[68] Die voorkeursbehandeling had hij waarschijnlijk te danken aan zijn intensieve contacten met bewindspersonen en hoge ambtenaren op het departement van Koloniën, met wie hij uitgebreid correspondeerde en soms bevriend raakte. Van Hoboken onderhield ook een goede relatie met de koning, die krachtens de grondwet het opperbestuur over de koloniën uitoefende; het parlement had daarover officieel niets te vertellen. 'Koning-koopman' Willem I had ontzag voor de daadkracht van de Rotterdamse reder, die hij meermalen in Rotterdam op zijn kantoor bezocht. Willem I moet ooit hebben gezegd: 'als ik geen koning was, zou ik Van Hoboken willen zijn'.[69]

Niet alleen in Nederland, maar ook in Nederlands-Indië bouwde Van Hoboken voortvarend aan een netwerk van agenten en koloniale bestuurders die zijn belangen ter plaatse behartigden. Candictus ten Brink en Samuel Reijnst werkten uitsluitend voor zijn rederij in Batavia, van waaruit zij handelsinformatie naar Rotterdam doorstuurden en zakelijke bezoeken aflegden bij gouverneur-generaal Baron Van der Capellen. Jean Chrétien Baud, de algemeen secretaris van de gouverneur-generaal, is in 1820 ook enige tijd de speciale gemachtigde van Van Hoboken in Batavia geweest.[70] Baud, die later achtereenvolgens gouverneur-generaal van Nederlands-Indië, minister van Koloniën en lid van de Tweede Kamer werd, was zijn leven lang bevriend met Anthony van Hoboken en diens zonen, die na de dood van hun vader in 1850 diens bedrijf hebben voortgezet. Nadat Baud in 1848 naar aanleiding van de grondwetsherziening als minister van Koloniën was teruggetreden, hoopte Van Hoboken dat zijn vriend spoedig als minister zou terugkeren en de belangen van de NHM zou verdedigen.[71] Die hoop was niet geheel zonder eigenbelang, aangezien Van Hoboken veel goederen en vracht onder de beschermingsconstructie van de NHM vervoerde. Baud werd overigens geen minister meer; hij bleef wel, tot 1858, lid van het parlement.

ROTTERDAM EN DE NHM

De handel en scheepvaart op Nederlands-Indië was, ondanks de door de staat gesteunde initiatieven van Anthony van Hoboken, na de Franse tijd voor een groot deel door Britse en Amerikaanse rederijen overgenomen. Om de Nederlandse invloed op de productie in, en handel op de kolonie terug te winnen, bedacht Herman Muntinghe als lid van de Raad van Indië de oprichting van een grote maatschappij die de afzet van Nederlandse producten, met name die uit de koloniën, wereldwijd zou bevorderen. Willem I omarmde het plan en stichtte in 1824 bij Koninklijk Besluit de Nederlandsche Handel-Maatschappij (NHM). Een jaar eerder had de overheid al een scheepsbouwpremie van 10 procent ingesteld om de Nederlandse koopvaardijvloot weer op niveau te brengen. De premie en de NHM, die het vervoer van koloniale producten via een stelsel van toerbeurten door particuliere rederijen zou laten verzorgen, moesten Nederland weer een belangrijke plaats in de wereldeconomie bezorgen. Van alle steden die een aandeel in de NHM en de daaraan gekoppelde bevrachtingen verwierven, stond Rotterdam op de derde plaats, na Amsterdam en Antwerpen. Toen het zuiden zich als België van het noorden afscheidde, werd de NHM geherstructureerd en nam Rotterdam na Amsterdam de tweede plaats in.[72]

Anthony van Hoboken was voorstander van vrijhandel, maar koos om pragmatische redenen toch voor de scheepsbouwpremies en deelname aan de toerbeurten van de NHM. Hij schakelde zijn Rotterdamse netwerk in en wist diverse handelshuizen in de stad tot de bouw van vier nieuwe schepen en deelname aan de toerbeurten te bewegen. Zijn goede contacten met Den Haag leidden er bovendien toe dat Willem I 20.000 en minister van Koloniën Cornelis Elout 5000 gulden in de partenrederij van de vier schepen investeerden.[73] In 1831 werd Van Hoboken tot commissaris van de NHM gekozen, een toezichthoudende functie die hij tot aan zijn dood zou vervullen. Zijn invloed binnen de Kamer van Koophandel, zijn netwerk van ondernemers en zijn contacten met de landelijke politiek, inclusief het koningshuis, heeft er in hoge mate toe bijgedragen dat Rotterdam in de eerste helft van de negentiende eeuw een fors aandeel in de koloniale handel verwierf.

Makelaars en kooplieden in de stad profiteerden ook van de aanvoer van koffie en andere koloniale producten die de NHM als overheidscommissionair in Amsterdam en Rotterdam liet veilen.[74] Toen de overheid het door de NHM uitgevoerde stelsel van gegarandeerde toerbeurten en vrachtprijzen omstreeks 1850 geleidelijk begon te verruilen voor de vrije markt, beklaagde Van Hobokens zoon Anthony junior zich in een brief aan J.C. Baud over deze koerswijziging.[75] Het streven naar vrijhandel van de vader had zo in enkele decennia plaatsgemaakt voor het streven naar behoud van verworven rechten door de zoon. Een nieuwe generatie Rotterdamse ondernemers in koloniale zaken zou echter andere wegen in slaan en nieuwe netwerken opbouwen.

NIEUWE ONDERNEMERS IN KOLONIALE ZAKEN

Een van de invloedrijkste netwerken in de koloniale handel, scheepvaart en investeringen centreerde zich vanaf het midden van de negentiende eeuw rondom Marten Mees, vennoot van het familiebedrijf R. Mees & Zoonen. De basis voor de firma werd in 1733 gelegd door Gregorius Mees, die naast zijn werk als beëdigd makelaar in wissels en assurantiën het kassiersbedrijf begon uit te oefenen. Als kassier incasseerde hij waardepapieren en beheerde de daarvoor ontvangen gelden totdat de eigenaar om uitbetaling verzocht. Tevens kon hij tegen een onderpand krediet verstrekken. Als tegenprestatie voor zijn financiële dienstverlening ontving Mees een vooraf bepaald bedrag aan provisie. Het kassiersbedrijf ging vanaf Gregorius over van vader op zonen, waardoor de firma Mees een belang-

Portret van Marten Mees, lid van de firma R. Mees & Zoonen. Foto van J. Baer, circa 1870-1880. (Stadsarchief Rotterdam)

rijke schakel werd in de Rotterdamse handel en scheepvaart. De vennoten beschikten door hun uitgebreide klantenkring over veel handelskennis en -informatie op basis waarvan zij ook persoonlijk investeerden in koloniale projecten. Zo beleggen de broers Rudolf en Adriaan Mees tussen 1765 en 1770 op persoonlijke titel een bedrag van 8000 gulden in de door Ferrand Whaley Hudig uitgegeven negotiaties voor vier Surinaamse plantages.[76]

Marten Mees begon zijn carrière in de Rotterdamse financiële wereld als assuradeur en trad in 1855 op 27-jarige leeftijd als vennoot toe tot het familiebedrijf. Daar blonk hij al snel uit als een gedreven netwerker die voor de verzekeringsactiviteiten van de firma een internationaal netwerk van agenten opzette. Een aantal Rotterdamse ondernemers in koloniale handel en scheepvaart was niet alleen klant van het familiebedrijf, maar behoorde ook tot de vriendenkring van vennoot Marten Mees. Met een van hen, de koopman en reder Hendrik Szn. Muller, ontwikkelde Mees in december 1862 een plan voor de oprichting van een particuliere Rotterdamse bank, die leningen moest verstrekken voor het opzetten van ondernemingen in Nederlands-Indië. Na overleg met een aantal Rotterdamse ondernemers en het opstellen van de statuten van deze 'Rotterdamsche Bank', volgde in juni 1863 de openbare inschrijving op een vijfde van de aandelen, ter waarde van 1 miljoen gulden; de overige 4 miljoen aan aandelen hadden de oprichters voor zichzelf en hun zakenrelaties gereserveerd. Binnen de kortste keren werd voor ruim 58 miljoen gulden ingetekend, waarvan slechts een miljoen kon worden geplaatst. Vier vijfde van het kapitaal, de volledige directie en de tien commissarissen van de Rotterdamsche Bank kwamen in handen van de Rotterdamse zakenwereld.[77]

Mees' vriend Hendrik Muller had zich al in 1850 geassocieerd met Huibert van Rijckevorsel, die zich had gespecialiseerd in de handel op de Goudkust. Een jaar na deze verbintenis trouwde Muller met de dochter van zijn zakenpartner. Nadat Muller in 1862 zijn eigen onderneming had gesticht onder de firmanaam H. Muller & Co breidde zijn handel in West-Afrika zich uit naar de kusten van Liberia. Daar zou het niet bij blijven.

Mullers activiteiten in West-Afrika leverden hem een behoorlijk rendement op en spoorden Marten Mees aan ook daarin te investeren. Die kans kreeg hij toen de firma Kerdijk & Pincoffs in 1866 investeerders zocht om zijn activiteiten op de Goudkust uit te breiden naar de Congo een veelbelovend handelsgebied. Lodewijk Pincoffs was cliënt van R. Mees & Zoonen en een persoonlijke vriend van Marten Mees, die een groot vertrouwen had in Pincoffs' organisatorische en zakelijke talenten.[78] In 1866 sloot Mees met twaalf andere investeerders een commanditaire vennootschap met Henry Kerdijk en Lodewijk Pincoffs die als handelende vennoten voor de investeerders zouden optreden.[79] Elf van de vennoten behoorden tot de Rotterdamse zakenelite. Zij waren lid van de Rotterdamse gemeenteraad, de Rotterdamse Kamer van Koophandel, de Provinciale Staten of het parlement en zaten vaak in meerdere van deze colleges. De vennoten kenden elkaar goed en waren soms bevriend of door huwelijken verbonden.[80]

Twee jaar na het sluiten van de commanditaire vennootschap besloten Kerdijk en Pincoffs in overleg met de investeerders het kapitaal van de onderneming met nieuwe aandelen uit te breiden en de naam te wijzigen in 'Afrikaansche Handelsvereeniging' (AHV). De AHV telde vanaf 1868 zesentwintig vennoten, onder wie twintig Rotterdammers. De aandeelhouders J.G. de Bruijn, J. van der Hoop Jacz., M. Mees. A. Milders en W.A. Viruly Verbrugge werden tot commissaris benoemd om namens de overige aandeelhouders toezicht te houden op het reilen en zeilen van de AHV. Alle commissarissen waren, net als de directeuren Kerdijk en Pincoffs, lid van de Rotterdamse gemeenteraad, de Kamer van Koophandel, of van beide. Zij hadden een blind vertrouwen in de directeuren en namen genoegen met hun mondelinge mededelingen over de financiële staat van de onderneming in plaats van de boeken te controleren.[81] Dat vertrouwen was gebaseerd op de nauwe banden die zij als collega-ondernemers en -bestuurders onderhielden.

Hoe groot dat vertrouwen was, bleek tijdens de eerste aandeelhoudersvergadering in 1871. Tijdens die bijeenkomst, waarin Marten Mees' positie als commissaris werd bevestigd, schetste Pincoffs een positief beeld van de AHV. Hij wilde de activiteiten van de onderneming graag uitbreiden en vroeg de vergadering toestemming voor een verhoging van het aandelenkapitaal. De aandeelhouders stemden daarmee in, evenals met Pincoffs verzoek om geen officieel verslag van de vergadering te maken maar genoegen te nemen met een mondeling verslag. Pincoffs wilde niet dat 'de zaken der vennootschap bij het publiek bekend' zouden worden via de dagbladen.[82]

Hoe misplaatst het vertrouwen was dat de commissarissen en de aandeelhouders in de directie hadden gesteld, bleek acht jaar later. In mei 1879 kwam uit dat de directeuren van de AHV, met Lodewijk Pincoffs

Spotprent op de vlucht van Lodewijk Pincoffs na zijn fraude en het faillissement van de Afrikaansche Handelsvereeniging, vervaardigd door P.C.J. Faddegon & Co, 1879. (Rijksmuseum Amsterdam)

als hoofdschuldige, jarenlang fraude hadden gepleegd, waardoor de firma failliet moest worden verklaard. Het verhaal over het faillissement is bekend: Pincoffs vluchtte via Antwerpen naar New York waar hij eindigde als sigarenhandelaar, Henry Kerdijk pleegde na zijn arrestatie zelfmoord en de investeerders en leveranciers van de AHV leden een verlies van bijna 10 miljoen gulden.

Hoe gingen de belanghebbenden in de koloniale handel en scheepvaart om met dit verlies? Marten Mees, die naast zijn commissariaat ook als vennoot van R. Mees & Zoonen financiële zaken voor de AHV had geregeld, vreesde ernstige imagoschade, klantenverlies en andere repercussies van investeerders. Zijn angst bleek ongegrond. In plaats van negatieve reacties 'ontbrak het ons', aldus Mees, 'niet aan betuigingen van vriendschap en aan vrienden die al het hunne deden om een juiste voorstelling van de zaak ingang te doen vinden'.[83] De Rotterdamse zakenwereld nam zijn verlies, sloot de rijen en zocht naar nieuwe wegen om de handel op Afrika voort te zetten.

Een aantal aandeelhouders van de AHV, aangevuld met Marten Mees' vriend Hendrik Muller en enkele andere Rotterdamse ondernemers, namen in 1880 het initiatief tot de oprichting van de Nieuwe Afrikaansche Handels-Vennootschap (NAHV) als opvolger van Pincoffs onderneming. Tevens besloten zij dat de schuldeisers van de failliete AHV hun vorderingen voor een bepaald percentage in aandelen van de NAHV mochten omzetten. Zo kon de firma R. Mees & Zoonen, die meer dan 411.000 gulden aan de AHV had uitgeleend, 72.000 gulden aan aandelen verwerven. De NAHV telde bij haar oprichting 42 aandeelhouders, die bijna allemaal tot de Rotterdamse zakenelite behoorden. Weer was een aantal investeerders lid van de Kamer van Koophandel, de gemeenteraad, of van beide.[84] Hendrik Muller werd een van de drie directeuren en Marten Mees een van de drie toezichthoudende commissarissen van de nieuwe onderneming.

Het handelsgebied van de NHAV was het Congobekken. Kort na haar oprichting ontstond een internationale strijd tussen de koloniale grootmachten Groot-Brittannië, Frankrijk en Portugal om dit uitgestrekte gebied. De aandeelhouders van de NAHV vreesden dat deze belangenstrijd de handelsvrijheid in de Congo zou aantasten. Die strijd zou tijdens de koloniale conferentie van Berlijn in 1884-1885 worden beslecht. Nederland was daar vanwege zijn handelsbelangen in Afrika voor uitgenodigd. Voorafgaand aan de conferentie lobbyden twee Rotterdammers, het Tweede Kamerlid Jan van Gennep en het Eerste Kamerlid Hendrik Muller, bij de regering voor het innemen van een stevig vrijhandelsstandpunt in Berlijn. De minister van Buitenlandse Zaken P. van der Does de Willebois nam dat standpunt over, maar hield Hendrik Muller als direct belanghebbende buiten de Nederlandse delegatie. Muller zou uiteindelijk op eigen gelegenheid naar Berlijn reizen.[85] Het belangrijkste resultaat van de conferentie was de creatie van Kongo-Vrijstaat onder beheer van koning Leopold II van België. De NAHV behield daar haar handelsvrijheid en groeide met circa 75 factorijen uit tot de belangrijkste Europese handelsonderneming in het Kongobekken.

In 1890 verslechterde de relatie tussen de NAHV en Kongo-Vrijstaat echter, toen Leopold II een protectionistische handelspolitiek invoerde. Handelsondernemingen moesten voortaan 10 procent invoerrechten betalen. De opbrengst van deze belasting, zo was vastgesteld op een internationale antislavernijconferentie te Brussel, zou besteed worden aan de bestrijding van slavernij in de Kongo. De Afro-Amerikaan George Washington Williams zag in de Kongo echter hoe Europeanen zich schuldig maakten aan slavernij en andere wreedheden tegen Afrikanen, die haaks stonden op de voorgespiegelde bestrijding ervan. Hij schreef daarover een open brief waarin hij de koning beschuldigde van misdaden tegen de menselijkheid. Die brief werd waarschijnlijk door de NAHV, uit ergernis over het protectionistische beleid, naar buiten gebracht en in Europa en Amerika gepubliceerd voordat Williams uit Afrika was teruggekeerd. Of de NAHV zelf ook wandaden in de Kongo heeft gepleegd, is nooit bewezen, maar de onderneming profiteerde er wel van. De Belgen verbanden J. Gresshof, de Nederlandse consul en hoofdagent van de NAHV, uit de Kongo, waarop de maatschappij een deel van haar activiteiten verlegde naar Frans en Portugees koloniaal gebied in Afrika.[86]

De Rotterdamse activiteiten in koloniaal Afrika beperkten zich niet tot de westkust van het continent. In 1872 hadden A.R. Dunlop en G.H. Mees de commanditaire vennootschap Dunlop Mees & Co opgericht voor de handel op de Portugese kolonie Mozambique. Zij wisten daarvoor een aantal ondernemers uit hun zakennetwerk te interesseren, onder wie opnieuw Marten Mees, Hendrik Muller en Lodewijk Pincoffs, die al ervaring hadden in de handel op West-Afrika. Tezamen investeerden zij een half miljoen gulden in de onderneming. Helaas voor hen leden de zaken op de Oost-Afrikaanse kust verlies door mismanagement van T. Smith, de hoofdagent ter plaatse. Voor het aantrekken van nieuw kapitaal om de handel te kunnen voortzetten, werd de onderneming in 1875 omgezet in een naamloze vennootschap onder de nieuwe naam NV Handelscompagnie Mozambique. Hoofdagent Smith werd vervangen door B.H. de Waal, die de nodige handelservaring in Oost-Afrika had.[87]

Toen bleek dat ook De Waal niet in staat was het tij te keren, stelde Hendrik Muller de aandeelhouders voor om de onderneming te ontbinden en een geheel nieuwe naamloze vennootschap op te richten die de factorijen in Oost-Afrika zou overnemen.[88] Hun oude aandelen konden zij in de te vormen Oost-Afrikaansche Compagnie (OAC) omzetten in nieuwe. Na instemming van de aandeelhouders schakelde Muller zijn netwerk in voor de financiering van de nieuwe onderneming; de omzetting van oude in nieuwe aandelen had immers geen nieuw geld opgeleverd. Hij schreef een obligatielening uit van 200.000 gulden, waarvoor Muller vrienden en bekenden wist te interesseren, onder meer de directeur van de Nederlandsche Bank W.C. Mees die op persoonlijke titel 25.000 gulden in de lening stak. Mullers zoon Hendrik P.N. Muller en G.M. Mees werden de directeuren van de OAC en Marten Mees de voorzitter van de raad van commissarissen, waarin ook leden van de Rotterdamse zakenfamilies Chabot, De Monchy en Hudig zaten.[89]

Na Hendrik Mullers overlijden in 1898 werd het familiebedrijf H. Muller & Co door de OAC overgenomen, die op haar beurt in 1920 fuseerde met de NAHV.[90] Mullers vriend Marten Mees stierf in 1912. Beide mannen hadden handel op West- en Oost-Afrika na de fraude van Kerdijk en Pincoffs nieuw leven ingeblazen. Daarvoor hadden zij hun Rotterdamse netwerk van ondernemers ingezet. De NAHV was tot 1955 actief in Belgisch Kongo, waar zij palmolie, koffie, ivoor en rubber inkocht en Amerikaanse en Europese industriële goederen verkocht. Tevens bezat zij er vanaf de jaren 1930 zeven katoenfabrieken.[91] In 1982 werd de NAHV overgenomen door een Pakistaanse handelsonderneming.

NIEUWE ONDERNEMINGSVORMEN EN SAMENWERKING (1870-1950)

In de voorgaande paragraaf is reeds opgemerkt dat de Rotterdamse activiteiten op en in de West in de eerste helft van de negentiende eeuw sterk afnamen. Zo had het familiebedrijf Hudig, met een geschiedenis van bijna honderd jaar handel en scheepvaart op Suriname en de Antillen, zijn belangen in enkele Surinaamse plantages wegens slechte bedrijfsresultaten geleidelijk afgebouwd. De schepen van de firma voeren niet meer rechtstreeks vanuit Rotterdam naar Paramaribo, maar volgden de driehoek Rotterdam-Boston/New York-Paramaribo, om zo ook aan de migratie naar de Verenigde Staten te verdienen.[92] Andere Rotterdamse investeerders in negotiatiefondsen mochten blij zijn als zij een deel van hun ingelegde kapitaal uit de slecht renderende plantages terugkregen. Suiker en koffie, de belangrijkste exportproducten, kwamen in toenemende mate uit Nederlands-Indië in plaats van uit Suriname.

Na de afschaffing van de slavernij in 1863 poogden plantage-eigenaren de productie te redden door contractarbeiders vanuit Azië aan te trekken. De NHM vestigde in 1882 een suikerfabriek op het terrein van de plantage Mariënburg en kocht diverse plantages op om de suikercultuur nieuw leven in te blazen. De benodigde contractarbeiders daarvoor haalden zij met schepen van de SMN uit Java. Rotterdam speelde slechts een bijrol in het scheepvaartverkeer op de koloniën in de West. De enige maatschappij van belang was de in Amsterdam gevestigde Koninklijke West-Indische Mail (KWIM), een in 1882 opgerichte rederij die het passagiers- en vrachtvervoer tussen Nederland, Suriname en de Caribische eilanden verzorgde. In 1912 werd de rederij overgenomen door de Koninklijke Nederlandsche Stoomboot Maatschappij (KNSM), eveneens een in Amsterdam gevestigde onderneming.[93] Rotterdamse ondernemers en het Rotterdamse gemeentebestuur hadden economisch gezien weinig te zoeken in de West; zij richtten de blik nog meer dan voorheen op de Oost.

Maureen Callahan toonde in haar studie *The Harbor Barons* reeds aan dat Rotterdamse ondernemers, die in de eerste helft van de negentiende eeuw actief waren in de handel op Nederlands-Indië en Afrika, tot een nieuwe economische elite behoorden. Velen van hen waren lid van de gemeenteraad, de Kamer van Koophandel of van beide. Economische en politieke belangen vloeiden naadloos ineen. Rotterdamse rederijen, zoals die van Anthony van Hoboken, floreerden onder de beschermende paraplu van de NHM. Deze nieuwe elite streefde naar handhaving van de status quo en liet weinig ruimte voor nieuwkomers. Hun ondernemingen waren, gemeten naar moderne maatstaven, klein en risicomijdend. Rederijen in de vaart op Nederlands-Indië en West-Afrika waren gebaseerd op het eeuwenoude principe van de partenrederij of, zoals bij Kerdijk en Pincoffs, de commanditaire vennootschap. Ook de latere NV's die op West- en Oost-Afrika handeldreven, hadden een beperkte kapitaalbehoefte. De economische en tevens bestuurlijke elite van de stad investeerde vooral in elkaars ondernemingen.

In de tweede helft van de negentiende eeuw traden belangrijke veranderingen op in de koloniale activiteiten van Rotterdam. Vanaf circa 1870, na de verbetering van de stoomtechniek en de opening van het Suezkanaal, ontstonden grote lijnvaartrederijen die het personen- en vrachtvervoer tussen Nederland en Nederlands-Indië regelden. Dat waren geen partenrederijen, maar kapitaalintensieve, beursgenoteerde naamloze vennootschappen. Nieuw was ook het opzetten van bedrijven in Nederlands-Indië. Na de geleidelijke afschaffing van het Cultuurstelsel gingen Rotterdamse ondernemers investeren in de aanleg van plantages voor de productie van koffie, suiker, rubber, tabak, thee en andere tropische producten. Wat voor invloed hadden die veranderingen op de samenwerkingsverbanden van Rotterdamse ondernemers, ondernemingen en bestuurders?

SAMENWERKING IN DE SCHEEPVAARTSECTOR

Willem Ruys, die het vak van reder in het bedrijf van zijn vader had geleerd, richtte in 1875 de Rotterdamsche Lloyd (RL) op als partenrederij en groeide daarna uit tot de belangrijkste ondernemer in de Rotterdamse vaart op Nederlands-Indië.[94] Op aanraden van vriend en zakenpartner Marten Mees veranderde hij zijn partenrederij in 1883 in een naamloze vennootschap, een bedrijfsvorm die de concurrentie in de koloniale vaart beter aankon. Ruys, die wilde voorkomen dat aandeelhouders de zelfstandigheid en het Rotterdamse karakter van de RL zouden aantasten, zorgde er samen met Mees voor dat de directie en de raad van commissarissen in meerderheid uit Rotterdamse ondernemers bestond en een sterke eenheid vormden. De jaarlijkse algemene aandeelhoudersvergadering, die afhankelijk was van de toezichthoudende taak van de raad van commissarissen, had weinig invloed op het beleid van de maatschappij.[95]

De belangrijkste concurrent van de RL, de in Amsterdam gevestigde Stoomvaart Maatschappij Nederland (SMN), had in 1875 met de overheid een contract gesloten voor het post- en passagiersvervoer van en naar Nederland-Indië. Dat leverde de maatschappij een vaste bron van inkomsten op, maar ook de verplichting een snelle lijnverbinding met veel afvaarten te onderhouden, die noopte tot extra investeringen in schepen en walfaciliteiten. Jan Boissevain, de directeur van de SMN, en zijn Rotterdamse concurrent Willem Ruys beseften dat samenwerking belangrijk was voor de continuïteit van beide maatschappijen. Ruys zag evenwel niets in een fusie, waarin de RL als kleinere partner een minderheidsaandeel zou verwerven. Wel werd in 1888 een eerste stap tot Amsterdams-Rotterdamse samenwerking gezet met de oprichting door de SMN en de RL van de Koninklijke Paketvaart Maatschappij (KPM) voor het vervoer van post, goederen en mensen binnen de Indische archipel.[96] Het Rotterdamse parlementslid J. van Gennep, tevens commissaris van de RL, had al vóór de oprichting van de KPM in het parlement aangedrongen op een intra-insulair vervoerscontract voor een combinatie van Nederlandse scheepvaartondernemingen.[97] Daarmee doelde hij op de SMN en de RL die daarvoor het best waren toegerust. Het Nederlandse hoofdkantoor van de KPM werd in Amsterdam gevestigd, maar dankzij de nieuwe maatschappij verwierf Rotterdam een flink aandeel in de gereguleerde vaart binnen Nederlands-Indië.

De RL en de SMN streefden ook naar samenwerking in het gouvernementele post-, personen- en goederenvervoer tussen Nederland en Nederlands-Indië, maar de overheid had moeite met de eisen die Ruys stelde aan een vervoerscontract. Zo wilde hij dat beide maatschappijen de helft van het vervoer zouden verzorgen, met uitsluiting van andere stoomvaartmaatschappijen. Niet alle eisen van Ruys werden ingewilligd, maar uiteindelijk bereikten beide maatschappijen overeenstemming met de overheid en tekenden zij in 1883 een vijftienjarig contract voor het vervoer van post, ambtenaren en soldaten voor Indië, een contract dat in 1908 werd hernieuwd.[98] Beide scheepvaartmaatschappijen besloten tot het opzetten van aparte NV's voor het vervoer tussen Nederlands-Indië en andere landen. In 1902 richtten zij daarvoor de Java-China-Japan lijn op en in 1914, samen met de Holland-Amerika Lijn, de Java-New York Lijn.

De verdeling van het aantal afvaarten per maatschappij was een belangrijke stap in het beteugelen van de onderlinge concurrentie, maar er was meer nodig. Directies van rederijen in de intercontinentale vaart beseften dat de specifieke markt- en kostenstructuur van de sector, vooral de lijndiensten met enorme investeringen in schepen, walfaciliteiten en personeel, verregaande onderlinge afspraken vereiste. Felle concurrentie en fluctuaties in het aanbod van goederen en personen zouden zonder regulering de rederijen snel richting faillissement kunnen duwen. De tijd van de VOC en de NHM, waarin de overheid via monopolies bescherming kon afdwingen, was voorgoed voorbij. De samenwerking tussen de RL en de SMN was de eerste *shipping conference* in de Nederlandse scheepvaartsector. Zij maakten niet alleen onderling afspraken over afvaarten, maar stelden ook de vrachtprijzen vast. Op internationaal vlak gebeurde hetzelfde.

Voor het bevorderen van afspraken en het beteugelen van concurrentie binnen de scheepvaartsector was de oprichting van de Nederlandse Redersvereniging in 1905 eveneens van belang. De RL, de SMN en tal van andere rederijen werden lid van de nieuwe vereniging. Amsterdam en Rotterdam, de belangrijkste vestigingsplaatsen van de aangesloten rederijen, kregen als het maar enigszins mogelijk was een gelijk aantal bestuursleden in de Nederlandse Redersvereniging. Een van de gevaren van de NV-vorm van rederijen was een vijandelijke buitenlandse overname door het opkopen van aandelen. Om dat te voorkomen, richtten de RL, SMN en KPM de Nederlandsche Scheepvaart-Unie op.[99] Op het breukvlak van de negentiende en de twintigste eeuw had de Rotterdamse rederij in de koloniale vaart de aansluiting en samenwerking met Amsterdam en andere steden gezocht en gekregen.

Na de Tweede Wereldoorlog speelden de RL en de SMN een belangrijke rol in het vervoer van overlevenden van de Japanse interneringskampen naar Nederland en de troepentransporten tussen Nederland en Indonesië. De rederijen waren verplicht om hun schepen voor die taak aan de overheid te verhuren, maar deden dat graag aangezien de commerciële passagiers- en vrachtmarkt zich na de oorlog maar moeizaam herstelden.[100]

Rotterdamse rederijen die op Nederlands-Indië voeren, regelden hun zaken het liefst in onderling overleg, ook met hun Amsterdamse concurrenten. Alleen de RL, die als lijnvaartmaatschappij afhankelijk was van de overheid, gebruikte haar contacten in het parlement en regeringskringen om vervoerscontracten binnen te halen. Zelfs de aanleg van de benodigde havenfaciliteiten organiseerden de rederijen aanvankelijk met elkaar. Zo richtte Lodewijk Pincoffs in 1872 met een aantal zakenvrienden de Rotterdamsche Handelsvereeniging (RHV) op voor de bouw en commerciële exploitatie van havens op het eiland Feijenoord. Na zijn fraude en vlucht in 1879 kwam de RHV echter in financiële problemen en werd overgenomen door de in 1882 opgerichte Gemeentelijke Handelsinrichtingen. Deze voorloper van het huidige Gemeentelijk Havenbedrijf was na de overname van de RHV verantwoordelijk voor aanleg en onderhoud van havens en havenfaciliteiten. Het gemeentebestuur onderhield als eigenaar van het Havenbedrijf nauwe contacten met de directies van rederijen en andere aan de haven gerelateerde bedrijven om in onderling overleg de benodigde infrastructuur aan te leggen en het havengeld vast te stellen.

INVESTEERDERS IN INDISCHE CULTUURMAATSCHAPPIJEN

Rotterdammers beperkten hun koloniale activiteiten niet tot het scheepvaartverkeer met Afrika en Azië. Ook de cultuurondernemingen in Nederlands-Indië waren voor hen van economisch belang. Zij zorgden immers voor de koloniale producten die de verwerkingsindustrieën in de stad nodig hadden en voor de doorvoer naar het Duitse achterland. Al voordat het Cultuurstelsel in 1870 geleidelijk werd afgeschaft, investeerden Rotterdamse ondernemers in de aanleg van plantages. Deze cultuurmaatschappijen schoten in Nederlands-Indië als paddenstoelen uit de grond.

De Rotterdamsche Bank was in 1863 speciaal opgericht voor het verstrekken van leningen aan ondernemingen die actief waren in de koloniën, in het bijzonder in Nederlands-Indië. Handelshuizen en andere ondernemingen hoopten zo dat Rotterdam een sterkere positie op Java zou verwerven, waar Amsterdamse bedrijven domineerden.[101] Huibert Schijf laat in zijn studie *Netwerken van een financieel-economische elite* zien hoe deze bank via nevenfuncties van haar bestuurders en commissarissen verweven was met Rotterdamse scheepvaartondernemingen en bedrijven met koloniale belangen.[102] De bank raakte in 1879 echter in financiële problemen door het faillissement van de AHV en tegenslagen in Indië, waardoor zij zich noodgedwongen terugtrok uit de koloniën en zich op bankzaken in Nederland concentreerde.[103]

Geheel anders ging het met de NV Internationale Crediet- en Handelsvereeniging 'Rotterdam' (Internatio), die eveneens in 1863 was opgericht voor het ondersteunen van zakelijke activiteiten met en in Nederlands-Indië, niet zozeer als kredietverlener als wel in de hoedanigheid van ondernemer. Het initiatief voor de stichting lag in Twente, waar de katoenfabrikanten G. en H. Salomonson hun stoffen via de Rotterdamse haven naar Nederlands-Indië wilden verschepen. In de kolonie zelf zou Internatio een distributienet opzetten voor de in- en verkoop van producten. De leden van de directie en de raad van commissarissen waren op een enkeling na afkomstig uit de Rotterdamse zakenelite met koloniale belangen. Een van de oprichters en directeur van het eerste uur was Pieter Bicker Caarten, telg uit een Rotterdams geslacht van ondernemers en politici. Zijn broer Johannes Bicker Caarten was reder en assuradeur met tal van nevenfuncties in het Rotterdams-koloniale bedrijfsleven, waaronder commissariaten van Internatio, de NHM en enkele Indische cultuurmaatschappijen die vanuit Rotterdam waren opgezet.[104] Onder de commissarissen van Internatio zaten leden uit de zakenfamilies Bunge, Mees, Reepmaker

Affiche van De Erven de Wed. J. van Nelle voor de verkoop van tabak, 1900. (Stadsarchief Rotterdam)

en Suermondt, maar ook de Rotterdamse burgemeester Alfred Rudolph Zimmerman, die de stad tussen 1899 en 1923 op autoritaire wijze bestuurde. Als rechts liberaal behartigde hij meer de belangen van de economische elite van de stad dan die van de arbeidersklasse.[105]

Internatio was in beginsel een bedrijf dat als commissionair optrad voor andere ondernemingen. Zo verkocht het bedrijf stoffen in consignatie voor Twentse textielfabrikanten in Nederlands-Indië. Maar al snel breidde Internatio zijn koloniale activiteiten uit. In 1878 gaf Willem Ruys de directie van Internatio opdracht om tegen commissieloon als zakelijk agent voor de RL in Batavia op te treden. Ruys, die de directie vanuit het Rotterdamse goed kende, vond het niet nodig om voor dat agentschap een lijvig contract op te stellen; 'een particulier briefje, eigenhandig geschreven', was voor hem voldoende. Voor De Erven de Wed. J. van Nelle regelde het bedrijf de verscheping van Indische tabak naar Rotterdam.[106] Ten slotte investeerde Internatio zelf in cultuurondernemingen en fabrieken in Nederland-Indië. Dat begon met een tabaksplantage en groeide in de jaren 1930 uit tot een zestal ondernemingen, uiteenlopend van een bontweverij in Garoet tot een suikerfabriek te Soerabaja.[107] Internatio heeft een belangrijke rol gespeeld voor het Rotterdams-koloniale zakenleven, de rol die de Rotterdamsche Bank uiteindelijk niet had kunnen waarmaken. Na de dekolonisatie trok Internatio zich terug uit Indonesië en fuseerde uiteindelijk in 1970 met Wm. H. Müller & Co, een bedrijf dat verderging onder de naam Internatio-Müller N.V.

Internatio was niet het enige Rotterdamse bedrijf dat in koloniale ondernemingen investeerde. Op een cliëntenlijst van R. Mees & Zoonen stonden diverse Rotterdamse bedrijven met belangen in Nederlands-Indië.[108] Een daarvan was de Tabak Maatschappij Arendsburg, een in 1863 door de Rotterdamse tabaks- en sigarenhandelaar P. van den Arend en enkele collega's opgerichte tabaksplantage te Deli op Sumatra. Vijf jaar later nam Marten Mees een aandeel in het bedrijf. In 1877 besloten de eigenaren de onderneming om te vormen tot een naamloze vennootschap. De NV Tabak Maatschappij Arendsburg gaf een miljoen gulden uit aan aandelen en investeerde die in de uitbreiding van de tabaksteelt in Nederlands-Indië. De directie bleef in handen van de familie Van den Arend en

Woning van de hoofdadministrateur van de Tabak Maatschappij Arendsburg in Deli op de Oostkust van Sumatra. Foto van C.J. Kleingrothe, 1899. (Collectie Universiteit Leiden)

de raad van commissarissen bestond uit Rotterdamse ondernemers, onder wie Marten Mees en Johannes Bicker Caarten. Om te voorkomen dat een deel van de markt voor Sumatra-tabak in Amsterdamse handen zou komen, machtigden de commissarissen de directie in 1920 de aandelen van de Deli Cultuur Maatschappij over te nemen. Zo werd Arendsburg een van de grootste tabaksproducenten in Nederlands-Indië en bleef Rotterdam een belangrijke aan- en doorvoerhaven van Sumatraanse tabak.[109]

Arendsburg was slechts een van de talloze cultuurondernemingen in Nederlands-Indië. Rotterdam is nooit een grote speler in de kolonie geworden. Vlak voor het begin van de Tweede Wereldoorlog telde Nederlands-Indië ruim 1500 cultuurondernemingen, voornamelijk gevestigd op Java en Sumatra. In 1937 waren slechts 35 plantages in handen van in Rotterdam gevestigde NV's, ongeveer 2,3 procent van alle cultuurmaatschappijen.[110] De meeste cultuurmaatschappijen waren in het bezit van in de kolonie gevestigde ondernemingen, gevolgd door Amsterdam, Londen, Den Haag en ten slotte Rotterdam. Net als ten tijde van Anthony van Hoboken had de Rotterdamse zakenelite meer interesse in het vervoer van goederen en mensen tussen het moederland en Nederlands-Indië, dan in grootschalige investeringen in de koloniën. Een aantal Rotterdamse ondernemers die wel in cultuurondernemingen investeerden, waren lid van de Kamer van Koophandel of van de gemeenteraad. Omgekeerd waren er stadsbestuurders, zoals burgemeester Zimmerman, commissaris van Internatio en van andere bedrijven met economische belangen in Nederlands-Indië. Zowel de stad als de ondernemingen hadden belang bij een goede samenwerking voor onder meer de werkgelegenheid in de havens en een goede infrastructuur voor de aanvoer en opslag van tropische producten.

CONCLUSIE

Het is, zoals in de voorgaande hoofdstukken ook door Gerhard de Kok is betoogd, lastig te bepalen hoe groot het economisch belang van de koloniale activiteiten gedurende 350 jaar voor Rotterdam is geweest. De handel en scheepvaart binnen Europa leverden ongetwijfeld meer werk en welvaart op. Toch hebben veel Rotterdamse ondernemers, vanaf Johan van der Veeken rond 1600 tot Hendrik Muller in 1900, naast in Europese ook in koloniale activiteiten geïnvesteerd. Bovendien groeiden de koloniale belangen vrijwel voortdurend, tot aan de dekolonisatie na de Tweede Wereldoorlog.

Vanaf de eerste tochten naar Afrika, Amerika en Azië was er een hechte band tussen Rotterdamse ondernemers en bestuurders. De samenwerking tussen beide groepen, die elkaar in belangrijke mate overlapten, is tot het eind in stand gebleven. Wel was er sprake van verschuivingen. In de vroegmoderne tijd had de regentenelite vooral belangen in de VOC en in mindere mate in de WIC; veel regenten zijn bewindhebber in een van de twee compagnieën geweest. Als bestuurders van de stad regelden zij, indien nodig, zaken voor de compagnieën. Niet alleen zijzelf, maar ook Rotterdam had daar in economische zin voordeel bij, in de vorm van werkgelegenheid en belastinginkomsten. Kooplieden en ondernemers in de nijverheid die niet tot de regentenelite behoorden, konden wel rekenen op investeringen van deze elite in hun koloniale activiteiten. De Atlantische activiteiten van de gebroeders Pedy, de slavenhandelaren Coopstad en Rochussen en de negotiaties van Ferrand Whaley Hudig dreven voor een belangrijk deel op hun geld. Suikerraffinadeurs kregen in moeilijke tijden steun van bestuurders in de stad, de Staten van Holland en de Staten-Generaal.

Begin negentiende eeuw traden nieuwe koloniale ondernemers aan die dikwijls lid waren van de gemeenteraad en andere bestuurlijke organen. Zij behoorden tot een aantal (invloed)rijke families, de havenbaronnen, veelal nazaten van achttiende-eeuwse families die maatschappelijk waren gestegen. Aanvankelijk investeerden zij zelf, met steun van de landelijke én stedelijke overheden, in de scheepvaart op Nederlands-Indië. In de tweede helft van de negentiende eeuw waren de oude vormen van koloniaal ondernemen en financieren niet langer toereikend. Rederijen en cultuurondernemingen hadden meer kapitaal nodig en kozen voor de naamloze vennootschap als ondernemingsvorm. Maar ook toen hield de Rotterdamse zakenelite via de verdeling van de commissarisposten de touwtjes stevig in handen. Die elite bestond uit een klein aantal, nauw aan elkaar verwante families, waarin 'slechts bij uitzondering een buitenstaander, een nieuwkomeling werd toegelaten', en was nauw verbonden met de stedelijke politiek.[111]

Zijn er in kringen van Rotterdamse ondernemers en stadsbestuurders dan nooit kritische vragen gesteld over de koloniale activiteiten? Over de afschaffing van de slavernij wel. In 1840 slaagden Britse leden van The British and Foreign Anti-Slavery Society er in Rotterdam in om een antislavernij-comité op te zetten. Diverse vrouwen van Rotterdamse ondernemers en de suikerraffinadeurs W.G. Herklots en G. en P. van Oordt ondertekenden petities voor afschaffing van de slavernij in Nederlandse koloniën, die overigens pas in 1863 werd gerealiseerd.[112] Daar staat tegenover dat de directie en de commissarissen van de NAHV zich fel hebben verzet tegen de invoerheffing van Leopold II die, althans op papier, tot doel had de slavernij in de Kongo te bestrijden. Voor de handelsonderneming, die zich gesteund wist door de regering in Den Haag, was belastingvrij handelen belangrijker dan het bestrijden van slavernij.[113] Ook na de invoering van het algemeen kiesrecht in 1917, en daarmee de groei van het aantal socialisten in de Rotterdamse gemeenteraad en het gemeentebestuur, werd er nauwelijks kritiek geleverd op het kolonialisme. Na de Tweede Wereldoorlog nam de PvdA weliswaar een kritische houding aan ten opzichte van het militaire optreden in Indonesië, maar weigerde actie te voeren toen de regering tot tweemaal toe besloot tot wat werd voorgesteld als 'politionele acties'. De Rotterdamse burgemeester Pieter Oud, destijds een van de oprichters van de PvdA, sloot zich zelfs aan bij het 'Nationaal Comité Handhaving Rijkseenheid', dat zich verzette tegen de onafhankelijkheid van Indonesië.[114] Alleen de Rotterdamse afdeling van de CPN verzette zich daartegen en riep havenarbeiders op tot staking als protest tegen de troepentransporten vanuit de haven. De Rotterdamse koopmansgeest was uiteindelijk sterker dan het spreekwoordelijke vingertje van de dominee.

NOTEN

1 North, *Structure and Change*, 33-44 en Stigler, 'The economics of information', 213-225.
2 Lesger, *Handel in Amsterdam*, 209-249.
3 Bijlsma, 'De Rotterdamsche vroedschappen', 76-97 en Van der Schoor, *Stad in aanwas*, 276-277.
4 Van der Schoor, *Stad in aanwas*, 319, tabel 1.
5 Gelderblom, *Zuid-Nederlandse kooplieden*, 242-249 en Lesger, *Handel in Amsterdam*, 253.
6 Kernkamp, *Johan van der Veken*, 17.
7 Bijlsma, 'Oudrotterdamsche cruydenierie', 95.
8 De Roy van Zuydewijn, *Van koopman tot icoon*, 97-98.
9 Bijlsma, 'Het bedrijf van de Magellaensche Compagnie', 28-30 en De Roy van Zuydewijn, 'Zuid-Nederlanders als gangmakers', 56-76.
10 *Resolutiën der Staten-Generaal*, deel 62, 24 januari 1597; Ibidem, deel 71, Resolutie 6 januari 1598.
11 Den Tex, *Oldenbarnevelt*, 391-393.
12 Bruijn, *Dutch-Asiatic Shipping*, 52-53.
13 Witteveen, *Een onderneming van landsbelang*, (octrooi VOC 1602, artikel 18-23) 90-91.
14 Ibidem, (octrooi VOC, artikel 26) 92.
15 SAR, OSA 716, Resolutie vroedschap, 28-02-1611.
16 Molhuysen, *Nieuw Nederlandsch biografisch woordenboek*, deel 1, 1384-1385 en De Laet, *Iaerlyck Verhael*, deel 1, (35).
17 Engelbrecht, *De vroedschap van Rotterdam.*
18 Grimm, 'Heeren in zaken', 58-60.
19 NA, VOC 24, Resolutie 01-12-1656.
20 De Vries, 'Bewindhebbers van de kamer Rotterdam', 119-120. Zie over het begrip oligarchisering ook Prak, 'Verfassungsnorm und Verfassungsrealität', 55-84.
21 De Roy van Zuydewijn, 'Zuid-Nederlanders als gangmakers', 69-70.
22 Grim, *Heeren in zaken*, Overzicht van bewindhebbers Kamer Rotterdam, 101-105 en Engelbrecht, *De vroedschap van Rotterdam*, passim.
23 SAR, OSA 716, Resoluties vroedschap, 28-02-1611, 11-04-1611 en 12-12-1612.
24 Engelhard, *Het generaal-plakkaat*, 102-103 en Den Heijer, *De geoctrooieerde compagnie*, 168-170.
25 Witteveen, *Een onderneming van landsbelang*, (octrooi VOC 1602, artikel 29 en 31) 92.
26 Grimm, 'Heeren in zaken', 50-52.
27 Den Heijer, *De geoctrooieerde compagnie*, 31-32.
28 Te Lintum, 'De oprichting van de Rotterdamsche kamer', 107-111.
29 Overvoorde, *De gebouwen*, 167-172.
30 De Laet, *Iaerlyck Verhael*, 35 en Engelbrecht, *De vroedschap van Rotterdam*, passim.
31 Unger, *De regeering van Rotterdam*, passim en Engelbrecht, *De vroedschap van Rotterdam*, passim.
32 Den Heijer, *De geoctrooieerde compagnie*, 142-143.
33 Van Herwaarden, 'Tobago, Koerland en Rotterdam', 190-229. Willem III was naast stadhouder van de Republiek sinds 1689 ook koning van Engeland.
34 Zie voor de genealogie van Jan en Willem Pedy en hun functies *De Nederlandse Leeuw* 42, 273-274.
35 *Reglement.*

36 Den Heijer, 'Waeren wij maer soo geluckigh', 65-72.
37 Den Heijer, *Goud, ivoor en slaven*, 183-184.
38 Kellenbenz, 'Die Brandenburger auf St. Thomas', 196-217.
39 Hazewinkel, 'Een Rotterdamse tontine', 32-47 en Klosa, *Die Brandenburgische Africanische Compagnie*, 135, 148-151. Naast de twee broers nam nog een derde telg uit de familie, Nicolaas Pedy, waarschijnlijk een zoon van Willem, een aandeel van 10.000 gulden in de BAC.
40 Zie www.slavevoyages.com
41 Thoden van Velzen, *Een zwarte vrijstaat in Suriname*, 55, 57.
42 De Groot-Teunissen, 'Herman van Coopstad', 178.
43 Postma, *The Dutch in the Atlantic Slave Trade*, 371.
44 De Groot-Teunissen, 'Herman van Coopstad', 184 en Den Hartigh, *Rotterdam*, 47-51, 85-87.
45 SAR, ACR 7, Pieter Woortman aan Coopstad en Rochussen, Elmina 05-09-1773; ACR 9, Contract tussen Coopstad en Rochussen en N.M. van der Noot de Gieteren, Rotterdam 21-03--1754.
46 SAR, ACR 7, Brieven uit Suriname en Afrika, passim.
47 SAR, ACR 733, Lijst van correspondenten in Engeland.
48 SAR, ACR 102, Extract resolutie vroedschap, 09-12-1754 en Van de Voort, *De Westindische plantages*, 96-97.
49 Van de Voort, *De Westindische plantages*, 97.
50 Hudig Dzn., *De West-Indische zaken van Ferrand Whaley Hudig*, 27-29 en Van de Voort, *De Westindische plantages*, 294-296.
51 Rademakers, *'Men beloofde en volbracht niet'*, Bijlage 4, 71-82.
52 SAR, FAH 51, Dagboek 1765-1766 en FAH 56, Dagboek 1772-1786.
53 SAR, FAH 50, H. Hudig aan F.W. Hudig, Utrecht 11-10-1781; W.H. van Swieten aan F.W. Hudig, Leiden 03-07-1775.
54 Rademakers, *'Men beloofde en volbracht niet'*, 14.
55 Bijlsma, 'Oudrotterdamsche cruydenierie', 95-96.
56 Van Oordt van Lauwenrecht, 'De suikerraffinage te Rotterdam', 49-50 en Reisig, *De Suikerraffinadeur*, 94-100.
57 *Lyste van de gemeene middelen*, (23) en Engelhard, *Het generaal-plakkaat*, 287-288.
58 Bonke, *De kleyne mast van de Hollandse coopsteden*, 142 en Visser, *Verkeersindustrieën te Rotterdam*, 30.
59 Zie voor beroepen en bestuursfuncties van het geslacht De Mey: www.streekarchief-ijsselmonde.nl/het-geslacht-de-mey/.
60 Visser, *Verkeersindustrieën te Rotterdam*, 168, 170 en Molhuysen, *Nieuw Nederlandsch biografisch woordenboek*, deel 2, 111.
61 Van Oordt van Lauwenrecht, 'De suikerraffinage te Rotterdam', 50, 52-56 en Visser, *Verkeersindustrieën te Rotterdam*, 174.
62 Reisig, *De suikerraffinadeur*, 202.
63 Visser, *Verkeersindustrieën te Rotterdam*, 32.
64 Dicke, *Rotterdamse ondernemers*, 103 en Oosterwijk, *Koning van de koopvaart*, 25.
65 Oosterwijk, *Koning van de koopvaart*, 25.
66 Ibidem, 80-82, 93 en Mansvelt, *Geschiedenis*, deel 1, 52.
67 Oosterwijk, *Koning van de koopvaart*, 109.
68 Van Kessel, *Zwarte Hollanders*, 40-41 en Bossenbroek, *Van Holland naar Indië*, 58.
69 Mansvelt, *Geschiedenis*, deel 1, 43-44.

70 Oosterwijk, *Koning van de koopvaart*, 121-122.
71 NA, CB 1081, A. van Hoboken aan J.C. Baud, Rotterdam 01-09-1848.
72 Mansvelt, *Geschiedenis*, deel 1, 73, 255.
73 Oosterwijk, *Koning van de koopvaart*, 156-157.
74 Mansvelt, *Geschiedenis*, deel 2, 285-300.
75 NA, CB 1081, A. van Hoboken jr. aan J.C. Baud, Rotterdam 21-03-1853.
76 Rademakers, *'Men beloofde en volbracht niet'*, 78.
77 Muller, *Muller. Een Rotterdams zeehandelaar*, 161-167.
78 Oosterwijk, *Vlucht na victorie*, 86.
79 SAR, AMZ 24, Overeenkomst commanditaire vennootschap voor de vaart op de Kongo, 1866.
80 Callahan, *the harbor barons*, deel 2, passim.
81 SAR, AMZ 624, Oprichting AHV, oktober 1868 en Muller, *Vertrouwelijk schrijven*, 5-7.
82 SAR, AFMU 205, Notulen aandeelhoudersvergadering AHV, 28-06-1871.
83 Mees, *Gedenkschrift van de firma*, 54-56.
84 SAR, AFME 2724, Circulaire aandelen NAHV, 01-07-1880; NA, NAHV 770, Akte van oprichting NAHV, Rotterdam 10-09-1880.
85 Kuitenbrouwer, *Nederland en de opkomst van het moderne imperialisme*, 88-91 en Wesseling, *Verdeel en heers*, 148-153.
86 Hochschild, *De geest van koning koning Leopold II*, 107-117; Jonker en Sluyterman, *Thuis op de wereldmarkt*, 193-194 en Kuitenbrouwer, *Nederland en de opkomst van het moderne imperialisme*, 152-153.
87 Dicke, *Rotterdamse ondernemers*, 69 en Muller, *Muller. Een Rotterdams zeehandelaar*, 341.
88 SAR, AFMU 232, Voorstel opheffing Handelscompagnie Mozambique en oprichting Oost-Afrikaansche Compagnie, Rotterdam 29-11-1881.
89 SAR, AMZ 626, Statuten OAC, 19-07-1883; SAR, AFMU 232, Stukken aandeelhouders NV Handelscompagnie Mozambique, 16-06-1883 en Muller, *Muller. Een Rotterdams zeehandelaar*, 344-345.
90 SAR, FAMU 232, Typoscript geschiedenis van de OAC.
91 Van der Laan, 'Trading in the Congo', 241-259.
92 Dicke, *Rotterdamse ondernemers*, 108.
93 De Boer, *100 jaar Nederlandsche scheepvaart*, 149-151.
94 Dicke, *Rotterdamse ondernemers*, 215-216.
95 De Boer en Zijlstra, 'Aandeelhouders, commissarissen en directie', 29-42.
96 à Campo, *Engines of Empire*, 51-66.
97 Ibidem, 57 en De Boer en Zijlstra, 'Aandeelhouders, commissarissen en directie', 33.
98 Van Rijn en Vlaskamp, 'Het Postcontract', 77-101.
99 Flierman, *'Het centrale punt in de reederswereld'*, 26, 33-34.
100 Ruijter, *Naar Indonesië en weer terug*.
101 De Graaf, *Voor handel en maatschappij*, 70.
102 Schijf, *Netwerken van een financieel-economische elite*, 102.
103 Mees, *Gedenkschrift van de firma*, 64-65 en Muller, *Muller. Een Rotterdams zeehandelaar*, 336.
104 *N.V. Internationale Crediet- en Handels-Vereeniging 'Rotterdam'*, Lijst van functionarissen en *Geslachtslijst van de families Bicker (Rotterdam) en Bicker Caarten*, 34 en 36.
105 www.biografischportaal.nl, A.R. Zimmerman.
106 *N.V. Internationale Crediet- en Handels-Vereeniging 'Rotterdam'*, 14.

107 Ibidem, 10, 57.
108 SAR, AFME 2723, Cliënten saldolijst 1879-1883.
109 Hoynck van Papendrecht, *Gedenkschrift van de Tabak Maatschappij Arendsburg*, 39, 81-83, 107.
110 *Brinkman's Cultuur-Adresboek*, passim.
111 Mees, *Man van de daad*, 342-343.
112 Reinsma, *Een merkwaardige episode*, 6-7, 37-38 en Janse, *De Afschaffers*, 58-62.
113 *De Maasbode*, 17-05-1890, 11-07-1890, 31-10-1890, 02-11-1890, 12-11-1890 en 26-11-1890.
114 P.J. Oud, die in 1948 uit de PvdA stapte en daarna een van de oprichters was van de VVD, verliet spoedig het Nationaal Comité en zette als leider van de VVD-fractie in de Tweede Kamer zijn fractieleden in 1949 onder druk om akkoord te gaan met het wetsontwerp voor de soevereiniteitsoverdracht van Indonesië. Stevens, 'Een (buiten) parlementaire lobby', 116, 132-133.

ARCHIVALIA

Nationaal Archief, Den Haag (NA)

1.04.02 Verenigde Oost-Indische Compagnie (VOC).
2.18.10.09 Nieuwe Afrikaansche Handels-Vennootschap (NAHV).
2.21.007.58 Collectie J.C. Baud (CB).

Stadsarchief Rotterdam (sar)

1.01 Oud Archief van de Stad Rotterdam (OSA).
39 Archief van de familie Mees (AFME).
41 Archief van de familie Muller (AFMU).
68 Archieven van de firma's Coopstad & Rochussen, Ferrand Whaley & Jan Hudig e.a. te Rotterdam (ACR).
305 Archief van de firma R. Mees en Zoonen, bankiers en makelaars in assurantiën te Rotterdam (AMZ).
412.01 Familiearchief Hudig (FAH).

LITERATUUR

Bijlsma, R., 'Oudrotterdamsche cruydenierie', *Rotterdams Jaarboekje* 10/1 (1912): 91-99.
Bijlsma, R. 'De Rotterdamsche Vroedschappen en hun bedrijf, 1588 en 1648', *Rotterdams Jaarboekje* 2/2 (1914): 76-97.
Bijlsma, R., 'Het bedrijf van de Magellaensche Compagnie', *Rotterdams Jaarboekje* 5/2 (1917): 26-44.
Boer, B. de, en E. Zijlstra, 'Aandeelhouders, commissarissen en directie' in F. de Goey (red.), *Vaart op Insulinde. Uit de beginjaren der Rotterdamsche Lloyd NV 1883-1914*, 29-42. Hilversum: Uitgeverij Verloren, 1991.
Boer, M.G. de, *100 jaar Nederlandsche scheepvaart.* Den Helder/Amsterdam: Uitgeverij v.h.C. de Boer jr., 1939.
Bonke, H., *De kleyne mast van de Hollandse coopsteden. Stadsontwikkeling in Rotterdam 1572-1795*. Amsterdam: Historisch Seminarium, 1996.

Bossenbroek, M.P., *Van Holland naar Indië. Het transport van koloniale troepen voor het Oost-Indische leger 1815-1909*. Amsterdam: De Bataafsche Leeuw, 1986.

Brinkman's Cultuur-Adresboek voor Nederlands-Indië 1937. Bandoeng: Brinkman's advertentie-bureau, [Circa 1937].

Bruijn, J.R., F.S. Gaastra and I. Schöffer, *Dutch-Asiatic Shipping in the 17th and 18th Centuries*, volume 1. Den Haag: Martinus Nijhoff, 1987.

Callahan, M., *The harbor barons: political and commercial elites and the development of the port of Rotterdam*, 2 volumes. Princeton: [niet gepubliceerd proefschrift], 1981.

Campo, J.N.F.M. à, *Engines of Empire. Steamshipping and State Formation in Colonial Indonesia*. Hilversum: Uitgeverij Verloren, 2002.

Cebula, W., en M. van der Lely-Engel, 'Het Passagecontract', in F. de Goey (red.), *Vaart op Insulinde. Uit de beginjaren der Rotterdamsche Lloyd NV 1883-1914*, 94-101. Hilversum: Uitgeverij Verloren, 1991.

De Nederlandse Leeuw. Maandblad van het genealogisch-heraldisch genootschap 42 (1924).

Dicke, M. (red.), *Rotterdamse ondernemers 1850-1950*. Rotterdam: Uitgeverij De Hef, 2002.

Engelbrecht, E.A., *De vroedschap van Rotterdam 1572-1795*. Rotterdam: Gemeentelijke Archiefdienst, 1973.

Engelhard, J.L.F., *Het generaal-plakkaat van 31 juli 1725 op de convooien en licenten en het lastgeld op de schepen*. Assen: Van Gorcum en Comp, 1970.

Flierman, A.H., *'Het centrale punt in de reederswereld'. De Koninklijke Nederlandse Redersvereniging 1905-1980. Vijfenzeventig jaar ondernemingsorganisatie in de zeevaart*. Weesp: De Boer Maritiem, 1984.

Gelderblom, O., *Zuid-Nederlandse kooplieden en de opkomst van de Amsterdamse stapelmarkt (1578-1630)*. Hilversum: Uitgeverij Verloren, 2000.

Geslachtslijst van de families Bicker (Rotterdam) en Bicker Caarten. (1914)

Graaf, T. de, *Voor handel en maatschappij. Geschiedenis van de Nederlandsche Handel-Maatschappij, 1824-1964*. Amsterdam: Boom Uitgevers, 2012.

Grimm, P., (red.), *Heeren in zaken. De Kamer Rotterdam van de Verenigde Oostindische Compagnie*. Zutphen, 1997.

Grimm, P., 'Heeren in zaken; de bewindhebbers van de Kamer Rotterdam', in *Heeren in zaken. De Kamer Rotterdam van de Verenigde Oostindische Compagnie*, 35-65. Zutphen: Walburg Pers, 1997.

Groot-Teunissen, I. de, 'Herman van Coopstad en Isaac Jacobus Rochussen. Twee Rotterdamse slavenhandelaren in de achttiende eeuw', *Rotterdams Jaarboekje* 1/1 (2005): 171-201.

Hartigh, S. den, *Rotterdam and the Transatlantic Slave Trade*. Rotterdam: [niet gepubliceerde masterscriptie Erasmus Universiteit], 2014.

Hazewinkel, H.C., 'Een Rotterdamse tontine', *Rotterdams Jaarboekje* 10/3 (1932): 32-47.

Heijer, H.J. den, *Goud, ivoor en slaven. Scheepvaart en handel van de Tweede Westindische Compagnie op Afrika, 1674-1740*. Zutphen: Walburg pers, 1997.

Heijer, H. den, *De geoctrooieerde compagnie. De VOC en de WIC als voorlopers van de naamloze vennootschap*. Deventer: Kluwer, 2005.

Heijer, H. den, '"Waeren wij maer soo geluckigh dat de negotie op d'eilanden liber mochte blijven". Brieven aan koopman Jan Passchier op Guadeloupe, 1664', in E. van der Doe, P. Moree en D.J. Tang (red.), *Buitgemaakt en teruggevonden. Nederlandse brieven en scheepspapieren in een Engels archief*, sailing letters journaal V, 65-72. Zutphen: Walburg Pers, 2013.

Herwaarden, J. van, 'Tobago, Koerland en Rotterdam. Mooie plannen voor een avontuurlijke onderneming (1699)', *Rotterdams Jaarboekje* 8/9 (1990): 190-229.
Hochschild, A., *De geest van koning Leopold II en de plundering van de Congo.* Amsterdam: Meulenhoff, 1998.
Hoynck van Papendrecht, A., *Gedenkschrift van de Tabak Maatschappij Arendsburg ter gelegenheid van haar vijftigjarig bestaan 1877-1927.* Rotterdam, 1927.
Hudig Dzn., J., *De West-Indische zaken van Ferrand Whaley Hudig.* Hilversum: De Bussy, 1922.
Janse, M., *De afschaffers. Publieke opinie, organisatie en politiek in Nederland 1840-1880.* Amsterdam: Wereldbibliotheek, 2007.
Jonker, J. en K. Sluyterman, *Thuis op de wereldmarkt. Nederlandse handelshuizen door de eeuwen heen.* Den Haag: Sdu Uitgevers, 2000.
Kellenbenz, H., 'Die Brandenburger auf St. Thomas', *Jahrbuch für Geschichte von Staat, Wirtschaft und Gesellschaft Lateinamerikas* 2 (1965): 196-217.
Kernkamp, J.H., *Johan van der Veken en zijn tijd.* 's-Gravenhage: Martinus Nijhoff, 1952.
Kessel, I. van, *Zwarte Hollanders. Afrikaanse soldaten in Nederlands-Indië.* Amsterdam: LM Publishers, 2005.
Klosa, S., *Die Brandenburgische Africanische Compagnie in Emden.* Frankfurt am Main: Peter Lang, 2010.
Kuitenbrouwer, M., *Nederland en de opkomst van het moderne imperialisme. Koloniën en buitenlandse politiek 1870-1902.* Amsterdam: De Bataafsche Leeuw, 1985.
Laan, H.L. van der, 'Trading in the Congo: The NAHV from 1918 to 1955', *African Economic History* 12 (1983): 241-259.
Laet, J. de, *Iaerlyck Verhael van de Verrichtinghen der Geoctroyeerde West-Indische Compagnie in derthien Boecken*, deel 1. 's-Gravenhage: Martinus Nijhoff, 1931.
Lesger, C., *Handel in Amsterdam ten tijde van de Opstand. Kooplieden, commerciële expansie en verandering in de ruimtelijke economie van de Nederlanden ca. 1550-ca. 1630.* Hilversum: Uitgeverij Verloren, 2001.
Lintum, C. te, 'De oprichting van de Rotterdamsche kamer der West-Indische Compagnie', *Rotterdams Jaarboekje* 8/1 (1910): 101-116.
Lyste van de gemeene middelen op de inkoomende en uitgaande goederen en koopmanschappen. 's-Gravenhage, 1725.
Maasbode, De.
Mansvelt, W.M.F., *Geschiedenis van de Nederlandsche Handel-Maatschappij*, deel I en II. Haarlem: Joh. Enschedé, 1924-1926.
Mees, R., *Gedenkschrift van de firma R. Mees & Zoonen.* Rotterdam, 1920.
Mees, W.C., *Man van de daad. Mr. Marten Mees en de opkomst van Rotterdam* Rotterdam: Nijgh & Van Ditmar, 1946.
Molhuysen, P.C. en P.J. de Blok (red.), *Nieuw Nederlandsch biografisch woordenboek*, deel 1 en 2. Leiden: A.W. Sijthoff, 1911-1912.
Muller Szn., H., *Vertrouwelijk schrijven betreffende de liquidatie van de Afrikaansche Handelsvereeniging.* Rotterdam, 1880.
Muller, H., *Muller. Een Rotterdams zeehandelaar Hendrik Muller Szn (1819-1898).* Schiedam: Interbook International BV, 1977.
North, D.C., *Structure and Change in Economic History.* New York: W.W. Norton & Co., 1981.
N.V. Internationale Crediet- en Handels-Vereeniging 'Rotterdam'. Gedenkboek uitgegeven bij het vijf-en-zeventig jarig bestaan op 28 augustus 1938. Rotterdam, 1938.

Oordt van Lauwenrecht, H. van, 'De suikerraffinage te Rotterdam', *Rotterdams Jaarboekje* 6/2 (1918): 48-56.
Oosterwijk, B., *Vlucht na victorie. Lodewijk Pincoffs (1827-1911).* Rotterdam: Donia Pers Produkties, 1979.
Oosterwijk, B., *Koning van de koopvaart. Anthony van Hoboken (1756-1850).* Amsterdam: De Bataafsche Leeuw, 1996.
Overvoorde, J.C., en P. de Roo de la Faille, *De gebouwen van de Oost-Indische Compagnie en van de West-Indische Compagnie in Nederland.* Utrecht: A. Oosthoek, 1928.
Postma, J.M., *The Dutch in the Atlantic Slave Trade 1600-1815.* Cambridge: Cambridge University Press, 1990.
Prak, M., 'Verfassungsnorm und Verfassungsrealität in den niederländischen Städten des späten 17. und 18 Jahrhunderts. Die Oligarchie in Amsterdam, Rotterdam, Deventer und Zutphen, 1672-1795', in W. Ehbrecht (red.), *Verwaltung und Politiek in Städten Mitteleuropas. Beiträge zur Verfassungsnorm und Verfassungswirklichkeit in altständischer Zeit,* 55-84. Weimar, Wenen, Keulen: Böhlau Verlag, 1994.
Rademakers, E., *'Men beloofde en volbracht niet'. De negotiatiefondsen van Ferrand Whaley Hudig 1759-1997.* Leiden: [niet-gepubliceerde masterscriptie], 2015.
Reglement waer naer de respective commissarissen ende beurt-schippers van Rottterdam en Sluys in Vlaenderen by de regeringh der voorn. steden aengestelt, hun sullen hebben te reguleren. Rotterdam, 1729.
Reinsma, R., *1863- 1963. Een merkwaardige episode uit de geschiedenis van de slavenemancipatie.* Den Haag: Van Goor & Zonen, 1963.
Reisig, J.H., *De Suikerraffinadeur.* Dordrecht: A. Blussé en zoon, 1793.
Resolutiën der Staten-Generaal van 1576 tot 1609, bewerkt door N. Japikse en H.H.P. Rijperman, rgp grote serie, deel 62 (1596-1597) en deel 71 (1598-1599). 's-Gravenhage: Martinus Nijhoff, 1926 en 1930.
Rijn, M. van, en M. Vlaskamp, 'Het Postcontract', in F. de Goey (red.), *Vaart op Insulinde. Uit de beginjaren der Rotterdamsche Lloyd nv 1883-1914,* 77-101. Hilversum: Uitgeverij Verloren, 1991.
Roy van Zuydewijn, N. de, 'Zuid-Nederlanders als gangmakers', in M. van der Heijden en P. van de Laar (red.), *Rotterdammers en de VOC. Handelscompagnie, stad en burgers (1600-1800),* 56-76. Amsterdam: Prometheus, 2002.
Roy van Zuydewijn, N. de, *Van koopman tot icoon. Johan van der Veken en de Zuid-Nederlandse immigranten in Rotterdam rond 1600.* Amsterdam: Prometheus, 2002.
Ruijter, A., *Naar Indonesië en weer terug. Transport van een expeditieleger (1945-1951).* Leiden: [niet-gepubliceerde masterscriptie], 2017.
Schijf, H., *Netwerken van een financieel-economische elite. Personele verbindingen in het Nederlandse bedrijfsleven aan het eind van de negentiende eeuw.* Amsterdam: Het Spinhuis, 1993.
Schoor, A. van der, *Stad in aanwas, Geschiedenis van Rotterdam tot 1813.* Zwolle: Uitgeverij W. Books, 1999.
Stevens, R.J.J., 'Een (buiten) parlementaire lobby; het Nationaal Comité Handhaving Rijkseenheid 1946-1950', in *Politieke Opstellen*, deel 15-16, 113-136. Nijmegen, 1996.
Stigler, G.J., 'The Economics of Information' *Journal of Political Economy* 69/3 (1961): 213-225.
Tex, J.den, *Oldenbarnevelt. Oorlog 1588-1609*, deel 2. Haarlem, 1962.
Thoden van Velzen, H.U.E., en Wim Hoogbergen, *Een zwarte vrijstaat in Suriname. De Okaanse samenleving in de 18e eeuw.* Leiden: KITLV Uitgeverij, 2011.

Unger, J.H.W., *De regeering van Rotterdam 1328-1892. Naamlijst van personen die in of van wege de regeering ambten hebben bekleed, voorafgegaan door eene geschiedkundige inleiding over den regeeringsvorm van Rotterdam*, deel 1. Rotterdam: W.J. Van Hengel, 1892.

Visser, C., *Verkeersindustrieën te Rotterdam in de tweede helft van de achttiende eeuw.* Rotterdam: Benedictus, 1927.

Voort, J.P. van de, *De Westindische plantages van 1720 tot 1795. Financiën en handel.* Eindhoven: Drukkerij De Witte, 1973.

Vries, H. de, 'Bewindhebbers van de kamer Rotterdam. Een groepsportret' in M. van der Heijden en P. van de Laar (red.), *Rotterdammers en de VOC. Handelscompagnie, stad en burgers (1600-1800)*, 95-135. Amsterdam: Uitgeverij Bert Bakker, 2002.

Wesseling, H.L., *Verdeel en heers. De deling van Afrika 1880-1914.* Amsterdam: Prometheus, 1999.

Witteveen, M., *Een onderneming van landsbelang. De oprichting van de Verenigde Oost-Indische Compagnie in 1602.* Amsterdam: Amsterdam University Press, 2002.

Stadsplattegrond van Rotterdam, 1903. (Stadsarchief Rotterdam)

PAULINE K.M. VAN ROOSMALEN

EEN ANDER ROTTERDAM:

SPOREN VAN HET KOLONIALE VERLEDEN IN ARCHITECTUUR EN STEDENBOUW

WIE OP ZOEK IS NAAR SPOREN VAN HET KOLONIALE VERLEDEN VAN ROTTERDAM IN DE gebouwde omgeving is voor een belangrijk deel aangewezen op gedrukte, getekende, geschilderde en geschreven bronnen. Iedere inwoner van Rotterdam weet waarom: de Duitse bommen die op 14 mei 1940 op het centrum van Rotterdam vielen, hebben veel tastbare getuigen van dat verleden uitgewist. Wat zelfs een bombardement echter niet kan uitwissen, is dat die koloniale geschiedenis haar weerslag heeft gehad op de ontwikkeling van een stad, ook al zijn de sporen daarvan niet langer als tastbare getuigen in de ruimte zichtbaar en aan te raken. De afwezigheid van een gebouw, straat of plein betekent niet dat een verhaal ten einde is, niet verteld kan worden of nooit bestaan heeft. De afwezigheid van een gebouw, straat of plein impliceert slechts dat het verhaal aan de hand van andere bronnen verteld moet worden.

Anno 2020 is de vraag welke elementen in de gebouwde omgeving in Rotterdam herinneren aan het koloniale en slavernijverleden van de havenstad. Is aan de stadsplattegrond of stratenpatronen iets van dat verleden af te lezen? Zo ja, waar is dat dan het geval en wat vertellen die plek of die straten ons dan? Dezelfde vraag kan gesteld worden over gebouwen: welke gebouwen getuigen van een koloniaal verleden, en op welke manier doen ze dat? En zijn er misschien ook andere herinneringstekens, zoals beelden in de openbare ruimte of straatnamen? Welk verhaal vertellen gebouwen, wijken, beelden en namen ons? Hoe volledig zijn die verhalen? En wie vertelt en kent die verhalen?

Als gebouwen niet langer bestaan – wat voor het merendeel van de historische panden in het centrum van Rotterdam het geval is – zijn al dan niet contemporaine beschrijvingen, tekeningen, foto's en kaarten belangrijke hulpmiddelen om te reconstrueren waar opslagplaatsen, werven, woningen, buitenplaatsen van VOC- en WIC-bewindhebbers (directeuren), handelaren in koloniale producten en andere aan de koloniën verbonden Rotterdammers gesitueerd waren, en hoe ze eruitzagen.

Voor dit onderzoek naar de sporen van het koloniale verleden in architectuur en stedenbouw is gebruikgemaakt van beschrijvingen van gebouwen en de stad van onder meer J. Kortebrant (vroege achttiende eeuw), H.A.A. van Berckel (late negentiende eeuw) en E. Wiersum en J. Verheul Dzn. (vroege twintigste eeuw). Daarnaast zijn recente publicaties over de stad geraadpleegd van historici als Hetty Berens, Hans Bonke, Manon van der Heijden en Paul van de Laar. Voorts is veelvuldig het *Rotterdams Jaarboekje* geraadpleegd. In aanvulling op genoemde geschreven bronnen is uitgebreid gegrasduind in de beeldcollecties van het Stadsarchief Rotterdam, Museum Rotterdam, Atlas van Stolk, Nationaal Archief, Rijksdienst voor het Cultureel Erfgoed, Atlas of Mutual Heritage en de Universitaire Bibliotheken Leiden, en is, uiteraard, heel goed rondgekeken in de stad zelf.

De reikwijdte van onderstaande tekst is in die zin beperkt, dat de focus hoofdzakelijk ligt op succesvolle particuliere ondernemers. Dat ligt voor de hand. Zij lieten nu eenmaal meer sporen na dan minder fortuinlijke ondernemers.

Tabel: Woon- en werklocaties bewindhebbers VOC en WIC en personeel Admiraliteit op de Maze

	Adres 1	Adres 2 e.v.	Totaal
Hoogstraat	14	5	19
Haringvliet	13	4	17
Leuvehaven	12	5	17
Nieuwehaven	6	6	12
onbekend	10		10
buitenplaats		10	10
Oppert	8	1	9

Wijnhaven	3	5	8
Boompjes	5	1	6
Spaansekade	4		4
Lombardstraat	2	1	3
Westnieuwland	1	2	3
Baan	2		2
Blaak	2		2
Houttuin	1	1	2
Vasteland	2		2
Crooswijk	1		1
Grote Markt	1		1
Goudse Rijweg		1	1
Hang		1	1
Hof van Weena		1	1
Hoofdsteeg		1	1
Korte Hoogstraat	1		1
Nieuwe Beestenmarkt		1	1
Nieuwestraat	1		1
Oostwagenstraat	1		1
Rijstuin	1		1
Scheepmakershaven	1		1
Schiedamse Dijk	1		1
Steiger		1	1
Watersteeg		1	1
Wijnstraat		1	1
Wolfshoek	1		1
	94	49	143

Overzicht van 143 bekende woon- en werklocaties van bewindhebbers van de VOC en WIC en personeel van de Admiraliteit op de Maze in de periode 1572-1795, uitgesplitst naar straat, primair adres en eventueel secundair en tertiair adres. De huidige Lijnbaan (niet opgenomen) was de locatie van de VOC-touwmakerij ('lijnbaan'). Zie Bijlage 1 voor personen en adressen.

Bron: E.A. Engelbrecht, *Bronnen voor de geschiedenis van Rotterdam. V: De Vroedschap van Rotterdam 1572-1795* (Gemeentelijke Archiefdienst Rotterdam 1973).

STRAATNAMEN MET REFERENTIES AAN DE KOLONIËN

Straatnamen houden plaatselijke geschiedenis levend. Maar hoe levend, en vooral hoe herkenbaar is de koloniale geschiedenis van Rotterdam nog? De namen van mannen als Michiel de Ruyter, Maarten Tromp, Piet Hein, Witte de With, Peter Stuyvesant, Paul Kruger en Martinus Steijn, plaatsen als Lombok, Natal, Timor en Tweebos, specerijen als foelie en kaneel en tropische bomen als mahonie: zij herinneren aan een koloniale geschiedenis, maar alleen voor wie iets van die geschiedenis weet. Straatnamen geven die geschiedenis niet zonder meer prijs.

Rotterdam is rijk aan straten die direct of indirect verwijzen naar het koloniale en slavernijverleden (Bijlage 2). Van de 6337 straten die Rotterdam op dit moment telt, refereren 181 straatnamen aan allerhande aspecten die met de koloniën verband houden, zoals personen (met 93 veruit de grootste groep), geografische namen (33), schepen die naar de koloniën voeren (22), bedrijven (16) die producten produceerden en het vervoer van of de handel in koloniale producten organiseerden of financierden, (land-bouw)producten (22) die in de koloniën gewonnen werden, en een enkel uitheems woord (2). Wat opvalt bij de namen is dat veel meer straatnamen refereren aan 'de Oost' dan aan 'de West'.

Daarnaast zijn er veel straten die namen dragen van mensen of plaatsen die indirect met de koloniën in verband gebracht kunnen worden: buitenplaatsen die gefortuneerde koloniale handelaren en reders lieten bouwen, schilders die deze mannen en vrouwen portretteerden, (tuin)architecten die hun woningen en tuinen ontwierpen. Maar ook ambachten als zeilmakers en havenwerkers, en materialen en instrumenten als touw, aambeelden en zaagmolens; zaken die onontbeerlijk waren voor de verbinding met de koloniën. In zekere zin horen zij ook tot het koloniale verleden van Rotterdam, zij het niet uitsluitend tot dat verleden: de maritieme, industriële en financiële ontwikkeling van Rotterdam houdt immers niet uitsluitend verband met de koloniën.

En dan zijn er nog straten waarvan de naam op geen enkele manier aan het koloniale verleden refereert maar die in fysiek opzicht wel een relatie hebben, zoals de Boompjes, de kade waar de Rotterdamse kamer van de Verenigde Oost-Indische Compagnie (VOC) zich eind zeventiende eeuw vestigde maar waarvan geen enkel fysiek spoor meer rest. Of het zou het 'Indisch sieraad' moeten zijn, de sculptuur die in 2015, ongeveer ter hoogte van het voormalige Oost-Indisch Huis, werd geplaatst ter herinnering aan de capitulatie van Japan, op 15 augustus 1945.[1] De combinatie van de fysieke kade, het verdwenen historische pand en het monument dat in 2015 werd onthuld, belichamen de lange duur en het complexe karakter van het koloniale verleden. Want hoewel de VOC het begin was van een systematische Hollandse bemoeienis met de archipel die uiteindelijk de kolonie Nederlands-Indië werd, herinnert het Indisch sieraad aan het einde van de Tweede Wereldoorlog in die kolonie. Daarmee verbindt deze plek aan de Boompjes twee heel verschillende aspecten van hetzelfde verhaal met elkaar. Voor wie deze geschiedenis niet kent, is de Boompjes echter gewoon een naam die verwijst naar het feit dat de kade vanaf zijn ontstaan beplant was met bomen.

In algemene zin kan worden gesteld dat voor veel straatnamen geldt dat ze iets met het koloniale verleden van Rotterdam te maken hebben maar dat informatie omtrent die relatie ontbreekt, onvolledig is of niet bekend. De Puntegaalstraat is een interessant voorbeeld. Volgens het stratenregister verwijst deze naam naar een woning die hier in de achttiende eeuw stond. J.G. Geus liet echter overtuigend zien dat de locatie al vanaf de zeventiende eeuw bebouwd was, vanaf enig moment ook als uitspan-

1. Puntegale bij Schoonderloo, geschilderd door A. van Swijndregt, 1770. (Stadsarchief Rotterdam)

2. Zicht op de stad Galle, Ceylon (nu: Sri Lanka), getekend door (studio) Johannes Vingboons, ca. 1670. (Österreichische Nationalbibliothek)

ning fungeerde, in 1783 dienstdeed als herberg en vanaf 1833 onderdeel werd van de buitenplaats Schoonenburg (afb.1).[2] Wat Geus bovendien vermeldt is dat de locatie in ieder geval sinds 1736 – en mogelijk al eerder – bekend was als 'Punte gaale', een verbastering van de landtong 'Punte de Gale' in Ceylon, het huidige Sri Lanka, waar de VOC medio zeventiende eeuw een haven annex fort bouwde (afb. 2). Een naam die, zo suggereert Geus, inclusief verbastering, vermoedelijk te danken is aan zeevaarders die vertelden over de verre oorden die ze op hun reizen bezochten. Dankzij dit onderzoek wordt het verhaal over de herkomst van de naam van de Puntegaalstraat niet alleen vollediger, maar bovenal interessanter – en relevant in verband met het koloniale verleden van Rotterdam.

Wat doorgaans helpt bij het herkennen of ontdekken van een koloniale dimensie van een straatnaam, is als een straat gesitueerd is in een wijk met een koloniaal thema, zoals geografische namen, zeevaarders, bestuurders of gewassen. Anders dan in veel andere steden in Nederland, is in Rotterdam echter nauwelijks sprake van zo'n groepering van straatnamen. Afgezien van enkele, ook ruimtelijk, geïsoleerde referenties aan Nederlands-Indië, Suriname en de Antillen, kent Rotterdam slechts één wijk waarin alle straten verwijzen naar de koloniën.

Deze uitzondering is de Afrikaanderwijk, ook wel Transvaalwijk. Alle straten in deze wijk zijn vernoemd naar VOC-dienaren en hun laatnegentiende-eeuwse nazaten, de Afrikaanders, die in Zuidelijk Afrika neerstreken. Dat de straten in deze nieuwe wijk juist naar deze mannen vernoemd werden, is geen toeval.[3] In 1900 waren de Afrikaanders voor de tweede keer in oorlog met de Britse koloniale bestuurders van Zuid-Afrika ter verdediging van Transvaal, de onafhankelijke staat die de Afrikaanders in 1852 hadden gesticht. De historische band tussen Zuid-Afrika, Nederland en Afrikaanders ('Boeren') genereerde grote bijval in Nederland voor Boeren in wat de Tweede Boerenoorlog (1899-1902) ging heten.[4] De straatnamen in de Afrikaanderwijk zijn tastbare getuigen van dat sentiment en onderstrepen de historische band tussen Nederland en Zuid-Afrika, in het bijzonder Transvaal.

Wanneer wijk- en straatnamen minder of geen verband met elkaar (lijken te) hebben, is de kans groot dat de koloniale verwijzingen onopgemerkt blijven. Waarnaar verwijzen bijvoorbeeld de Pleretstraat en de Djeroekstraat in Crooswijk? Uit het stratenregister blijkt dat de namen verwijzen naar Indische bezittingen van de aanlegger van de Van Meekerenstraat.[5] Wat het register echter niet vermeldt is wie de naamgever van de Pleret- en Djeroekstraat was, hoe die naamgever aan de Indische bezittingen kwam of wat de Indische bezittingen precies waren.[6] Zo blijft de precieze koloniale relatie duister.

OBJECTEN IN DE OPENBARE RUIMTE

Behalve straatnamen herinneren ook objecten aan Rotterdams koloniale verleden. Het merendeel van die objecten staat in de (semi)openbare ruimte. Het zijn vooral figuratieve sculpturen: standbeelden, bustes en portretten. Zij portretteren bestuurders, zeevaarders, ondernemers (handelaren, reders, bankiers) en enkele wetenschappers en kunstenaars die op enig moment een relatie met de koloniën hadden. Een tweede, kleinere groep objecten zijn kunstwerken of decoraties aan, op of bij een gebouw waarvan de opdrachtgever connecties met koloniën had of die deze connectie verzinnebeelden. De derde categorie objecten zijn monumenten die herinneren aan het verlies van mensen en mensenlevens.

Tot de eerste groep, sculpturen van bestuurders en zeevaarders behoren Johan van der Veeken (1549-1616) en Piet Hein (1577-1629): twee mannen die gedurende de zeventiende eeuw direct betrokken waren bij de vaart op overzeese gebiedsdelen waar de VOC en de West-Indische Compagnie (WIC) handeldreven. Van der Veeken deed dat in de hoedanigheid van bewindhebber van de Kamer Rotterdam van de VOC.[7] Een medaillon met zijn portret is geplaatst boven de hoofdentree van het stadhuis. Rechts van zijn portret bevinden zich de portretten van de humanist Desiderius Erasmus en de kunstschilder Pieter de Hooch. Dat Van der Veeken op één lijn is geplaatst met deze twee mannen is, volgens het iconografisch programma dat aan het decoratieschema van het stadhuis ten grondslag lag, omdat zij alle drie belangrijke bijdragen hadden geleverd aan het culturele leven van Rotterdam. Van der Veekens bijdrage had betrekking op de opdrachten die hij aan kunstschilders en architecten gaf.[8]

Van de zeevaarder Piet Hein staan in Rotterdam niet één, maar zelfs twee standbeelden. Beide portretteren hem als zeevaarder, maar doen dat op een heel verschillende manier. Het oudste standbeeld dateert uit 1870. Het staat op een hoge, natuurstenen sokkel en toont Hein in actie, compleet met admiraalsstaf en diverse andere maritieme en oorlogsinstrumenten. Het beeld dat in 1998 werd gemaakt is aanzienlijk minder imponerend: de sokkel is laag en eenvoudig en Heins houding is er eerder een van rust dan van actie. Bovendien ontbreken bij het laatste de attributen, afgezien van de admiraalsstaf die hij losjes tegen zijn buik houdt. Dat verschil roept vragen op. Wat is, afgezien van een artistieke interpretatie, de reden voor dit verschil? Zegt het iets over veranderende opvattingen over Hein?

Deze vragen zijn relevant in het bredere verband van onze relatie tot, en opvattingen over het koloniale verleden. Ze hangen samen met veranderende perspectieven op geschiedenis en geschiedschrijving, en in het bijzonder over de rol van de VOC en de WIC en hun opvolgers. Standbeelden en beeltenissen vertellen een verhaal: over hun opdrachtgevers, hun ontwerpers, over de tijd waarin ze zijn ontworpen en geplaatst. Het perspectief op het verleden kantelt voortdurend. De beide standbeelden van Hein belichamen wellicht die kanteling: waar het beeld van Joseph Graven vanwege zijn positie (hoog) en pose (actief) vooral een heroïsch beeld van Hein geeft, is de Hein zoals Willem Verbon hem ruim een eeuw later verbeelde aanzienlijk alledaagser en, vanwege zijn lage positie, letterlijk meer aanraakbaar. Een verschil dat wellicht samenhangt met de toenemende kritiek op koloniale veroveringen en de rol die zeevaarders als Hein daarbij speelden. Een ander exemplaar van het beeld staat overigens aan de Baai van Matanzas, Cuba, waar Hein ooit de Zilvervloot veroverde.[9]

In dit kader van een kantelend perspectief zijn ook de casus van de buste van Karel Doorman (1889-1942) aan de naar hem vernoemde straat en het Mariniersmonument op de Admiraliteitskade interessant. Beide beelden herinneren aan de Slag op de Javazee (Nederlands-Indië) in februari 1942: een gevecht waarin de Nederlandse vloot onder leiding van Doorman samen met Britse, Australische en Amerikaanse bondgenoten vergeefs probeerde te voorkomen dat het Japanse leger de Nederlandse kolonie zou bezetten.[10] De beelden herdenken Doorman en de ongeveer 900 Nederlandse en ruim 1000 geallieerde marinemensen die tijdens de slag het leven lieten. Ze herinneren echter niet aan de gevolgen van de verloren slag: de Japanse invasie van Java, en uiteindelijk de gehele archipel. Voor dat deel van het verhaal van de Tweede Wereldoorlog in Nederlands-Indië zijn andere monumenten opgericht: de Indië-monumenten op de Kerkhoflaan 1, de Overschiese Dorpsstraat 95 en het Indisch sieraad op de Boompjes.

Standbeelden vertellen zelden het hele verhaal. Om die reden is het belangrijk dat we op zoek gaan naar de verhalen die ook bij beelden horen. Neem het manshoge standbeeld van Gijsbert Karel graaf van Hogendorp (1762-1834). Dit beeld, dat in 1867 achter het huidige Schielandshuis werd geplaatst refereert in zijn symboliek aan de twee zaken waarmee Van Hogendorp onmiddellijk geassocieerd wordt: zijn bijdrage aan de totstandkoming van de Nederlandse grondwetten van 1814 en 1815 en zijn pleidooien voor vrije handel.[11] Waaraan het beeld echter in het geheel níét refereert, maar wat in verband met het koloniale verleden van Rotterdam zeker zo interessant is, zijn Van Hogendorps publicaties over de VOC en de handel in Nederlands-Indië.[12] Nog interessanter dan zijn eigen geschriften over de kolonie, zijn die van zijn broer Dirk (1761-1822) en zijn vader Willem (1735-1784). Anders dan Gijsbert Karel schreven Dirk en Willem namelijk kritische pamfletten op basis van de ervaringen die ze als VOC-dienaar in de kolonie hadden opgedaan en die, behalve aan bestuur en handel, ook aan kwesties als gezondheidszorg en slavernij raakten.[13]

Belangwekkend in dit opzicht was de novelle die Willem in 1779 schreef over de behandeling van slaven: *Kraspoekol, of de droevige gevolgen van eene te verregaande strengheid jegens de Slaaven*.[14] Deze 'zedenkundige vertelling', die zoon Dirk in 1800 bewerkte tot het toneelstuk *Kraspoekol, of de Slaaverny (Een tafereel der zeden van Neerlands Indiën)*, vertelt over de vrouw Kraspoekol en de kwaadaardige manier waarop ze slaven behandelde: 'kraspoekol' is namelijk Maleis en betekent hard (*kras*) slaan (*poekol*). Met dit verhaal hoopten de Van Hogendorps enig bewustzijn op te wekken over, en beter nog verbetering te bewerkstellingen in 'de wijze, waar op in sommige huisgezinnen de slaaven behandeld wierden, vooral door de vrouwen, die, in dit land [Nederlands-Indië] geboren en opgevoegd, de slaaven niet als hunne natuurgenooten, als medemenschen beschouwen'.[15] Zoals Rob Nieuwenhuys schreef, illustreren deze publicaties de evolutie in het denken over slavernij aan het eind van de achttiende eeuw: waar Dirk de slavernij categorisch verwierp, bepleitte zijn vader twintig jaar eerder weliswaar dat slaven goed behandeld moesten worden maar stelde hij het beginsel van slavernij nog niet aan de kaak.[16] Dat Willem en Dirk in *Kraspoekol* een heikel punt aansneden, bleek overigens toen gewezen VOC-dienaren tijdens de première van het toneelstuk in Den Haag, in 1801, zo luidruchtig protesteerden dat de uitvoering na de eerste akte gestaakt werd. Een actie die een averechts effect had omdat, naar verluidt, de ophef de verkoop van het toneelstuk eerder aanmoedigde dan temperde.

Vanaf eind achttiende eeuw, maar vooral vanaf de tweede helft van de negentiende eeuw, werden steeds meer ondernemers actief in de koloniale handel. Ook van deze mannen staan op diverse plekken in Rotterdam standbeelden. Zo zijn er de bustes van Anthony van Hoboken (1756-1850), Lodewijk Pincoffs (1827-1911) en Marten Mees (1828-1917) in het Scheepsmakerskwartier. Geplaatst als herinnering aan hun betekenis voor de stad, verwijzen ze ook naar hun betrokkenheid bij de productie, de handel en het transport van koloniale producten. Zo vergaarde Van Hoboken een aanzienlijk fortuin aan het transport van koloniale producten en aan het vervoer van in Afrika tot slaaf gemaakten naar de Amerika's en was Pincoffs actief in de winning en verwerking van gewassen die behalve door vrije arbeiders ook door tot slaaf gemaakte Afrikanen werden gewonnen en bewerkt. Mees was nazaat van een succesvolle Rotterdamse bankiersfamilie. Als een van de oprichters van de Rotterdamsche Bank was hij door het verstrekken van kredieten indirect betrokken bij diverse ondernemingen in Nederlands-Indië. De prominente positie die Van Hoboken, Pincoffs en Mees en andere handelaren en bankiers verwierven, is overigens niet alleen of hoofdzakelijk op te maken uit hun bustes. Ook in de architectuur en stedenbouwkundig lieten zij hun sporen na – daarover later meer.

Analoog aan de intensivering van bestuurlijke en commerciële relaties tussen Rotterdam en de koloniën, werden in de tweede helft van de negentiende eeuw ook de wetenschappelijke en artistieke banden intensiever. Diverse standbeelden getuigen van die relatie. De buste van natuurkundige Elie van Rijckevorsel (1845-1928), die ook onderdeel is van de beeldengroep in het Scheepsmakerskwartier, behoort tot die categorie. Van Rijckevorsel, die als enig kind van de 'koloniale' reder Huibert van Rijckevorsel een enorm vermogen erfde, koos namelijk niet voor een carrière in zaken, maar in de wetenschap. Om aardmagnetisme en meteorologische verschijnselen te onderzoeken, reisde hij vrijwel direct na de afronding van zijn promotieonderzoek achtereenvolgens vier jaar in Nederlands-Indië en vier jaar in Brazilië rond. Over zijn onderzoek schreef Van Rijckevorsel vele wetenschappelijke publicaties.[17] Over zijn persoonlijke ervaringen, die hij ook per post met zijn moeder had gedeeld, publiceerde Van Rijckevorsel een nog altijd lezenswaardig boek voor een breed algemeen publiek.[18] In cultureel opzicht het belangrijkst waren de vele etnografische en kunstzinnige voorwerpen en doeken die Van Rijckevorsel tijdens zijn reizen verzamelde, en grotendeels schonk aan het in 1885 geopende Museum voor Land- en Volkenkunde, het huidige Wereldmuseum. De schenking was, en is, een belangrijke drager van de collectie van het museum.

Een ander beeld dat verwijst naar de culturele band tussen Rotterdam en de koloniën is dat van Koos Speenhoff (1869-1945).[19] Speenhoff, die samen met zijn vrouw en dochter kleinkunstvoorstellingen gaf, maakte in 1930 een uitgebreide en uiterst succesvolle tournee door Nederlands-Indië. De indrukken en de ervaringen die Speenhoff gedurende deze bijna één jaar durende reis opdeed, vormden een bron van inspiratie voor zijn Indische gedichten en liedjes als 'O, die obat, obat!', 'Het Witte Pak', 'Tida ada, tida maoe' en 'Een baboe die men niet vergeet'.[20] Het waren gedichten en liedjes over typisch Indische onderwerpen, gelardeerd met Maleise woorden en uitdrukkingen, die in Nederlands-Indië een warm onthaal ten deel vielen.[21] In Nederlands-Indië belichaamde Speenhoff de succesvolle koloniaal bij uitstek: hij reisde per Buick met chauffeur, was regelmatig gekleed in een wit tropenpak met tropenhelm en bediende zich waar nodig van een Maleis vocabulaire.

Uit deze beschrijvingen van enkele standbeelden van prominente Rotterdammers wordt duidelijk dat deze mensen een relatie met de koloniën hadden, en dat die relatie zelden of nooit wordt benoemd of verteld. Waar dat wel mogelijk is, kan een cultuurhistorische dimensie worden toegevoegd aan de relatie tussen Rotterdam en de koloniën. Daarmee wordt de geschiedenis van Rotterdam recht gedaan en krijgt de historische gelaagdheid van de openbare ruimte meer diepgang.

ARCHITECTUUR EN STEDENBOUW

Van alle objecten zijn gebouwen en het stedelijk weefsel de meest tastbare en zichtbare getuigen van het verleden. Dat geldt voor gebouwen en straten die fysiek in de stad aanwezig zijn, maar ook voor gebouwen en straten die uit het straatbeeld zijn verdwenen en waarvan alleen foto's, prenten, stadsplattegronden, kadasterkaarten of beschrijvingen nog een beeld geven. Zichtbaar of onzichtbaar, gebouwen en straten verhalen altijd over de geschiedenis van een plek. De geschiedenis verdwijnt of verandert niet op het moment dat de fysieke, tastbare getuigen van dat verleden niet langer waarneembaar zijn. Dit geldt ook voor Rotterdam: hoewel het bombardement van 1940 nagenoeg alle gebouwen in de stadsdriehoek, het historische centrum van Rotterdam, met de grond gelijk maakte, is het verhaal van de plek gebleven, of althans te onderzoeken en te vertellen (afb. 3).

In Rotterdam zijn talrijke gebouwen en plekken aan te wijzen die, al dan niet nog herkenbaar of zichtbaar, verwijzen naar de handel met, en het bestuur over koloniën. Het gaat om talrijke, typologisch gevarieerde gebouwen, zoals loodsen en pakhuizen voor de opslag van koloniale producten en goederen, molens, fabrieken en raffinaderijen voor de verwerking van koloniale producten, scheepswerven, kantoren van ondernemingen, winkels voor de verkoop van koloniale waren of voor koloniale benodigdheden, en uiteraard woningen. Hieronder volgt, chronologisch gegroepeerd, een selectie van zulke plekken die direct of indirect, zichtbaar of onzichtbaar, herkenbaar of minder herkenbaar, getuigen van Rotterdams koloniale verleden.

DE VOC EN DE WIC (ZEVENTIENDE EN ACHTTIENDE EEUW)

Wellicht de meest afwezige getuige van het koloniale verleden in Rotterdam is het Oost-Indisch Huis van de Rotterdamse kamer van de VOC (afb. 4). Vanaf zijn voltooiing in 1698 tot zijn verwoesting in 1940 was het gebouw, vanwege zijn hoogte en met een totale gevelbreedte van bijna 60 meter, een niet te missen oriëntatiepunt aan het westelijk deel van de Boompjes. Het Oost-Indisch Huis was gesitueerd op de plek waar van 1635 tot 1685 de VOC-scheepswerf lag.[22] Toen de VOC haar werf verplaatste naar de Oostzeedijk en daarmee het terrein aan de Boompjes vrijkwam, gaf ze opdracht voor de bouw van een sober, maar functioneel en representatief gebouw met ruimten voor vergaderingen en administratie, verkoop en opslag.

Het hoofdgebouw, dat inclusief kap 20 meter hoog was, bestond uit een souterrain, een verhoogde bel-etage, drie verdiepingen met vensters en een kapverdieping.[23] Een statige hoofdentree in de volledig symmetrische gevel gaf toegang tot de vergader- en verkoopruimten op de eerste verdieping. De portretten van bewindhebbers, waaronder die van de eerdergenoemde Van der Veeken, sierden de wanden van de verkoopkamer (afb. 5).[24] De handelswaar werd opgeslagen in twee pakhuizen aan weerszijden van het hoofdgebouw. Nadat de pakhuizen in 1709 tot aan de Scheepmakershaven waren verlengd en in 1761 aan de zijde van de Scheepmakershaven door een vierde gebouw met elkaar waren verbonden, was het gebouw een vierzijdig complex rond een binnenplaats. Aan de Boompjes was deze binnenplaats toegankelijk via twee poorten tussen het hoofdgebouw en de pakhuizen.

Hoewel het pand tot 1940 werd aangeduid als het Oost-Indisch Huis, ging het eigendom van het pand na de opheffing van de VOC in 1798 diverse keren over in andere handen en had het pand verschillende bestemmingen. Blijkens een beschrijving van stadsarchivaris E. Wiersum uit 1928 doorstond het gebouw deze veranderingen uitstekend. In een boek over gebouwen van de VOC en de WIC in Nederland beschreef hij het Oost-Indisch Huis als 'een van de weinige oude gebouwen die te Rotterdam bewaard zijn gebleven' en sprak hij de hoop uit dat het 'nog langen tijd onverminkt aan de Boompjes moge prijken'.[25] Juist vanwege de nagenoeg onaangetaste staat van het gebouw, ageerde de Rotterdamse architect en lid van de Welstandscommissie J. Verheul tien jaar later tegen het voornemen om de Marinierskazerne in het Oost-Indisch Huis onder te brengen. Een functiewijziging die volgens Verheul, vanwege de daarvoor noodzakelijke transformatie van het pand, 'noodlottig zou zijn voor onze stad, die zoo bitter weinig goede, historische gebouwen bezit' en bovendien 'schade zou berokkenen aan het karakter en aan het doel waarvoor dit statige gebouw is gesticht'.[26]

Hoewel Wiersum en Verheul niet konden bevroeden dat het gebouw aan een heel andere kracht zou bezwijken – het bombardement van 1940 – waren hun pleidooi voor een zorgvuldige(r) omgang met historische gebouwen en hun kritiek op de nonchalance waarmee in Rotterdam historische gebouwen en bouwonderdelen vervangen werden door eigentijdse gebouwen en bouwonderdelen niet onterecht: in Rotterdam werden doorlopend historische gebouwen ingrijpend veranderd en zelfs gesloopt.[27]

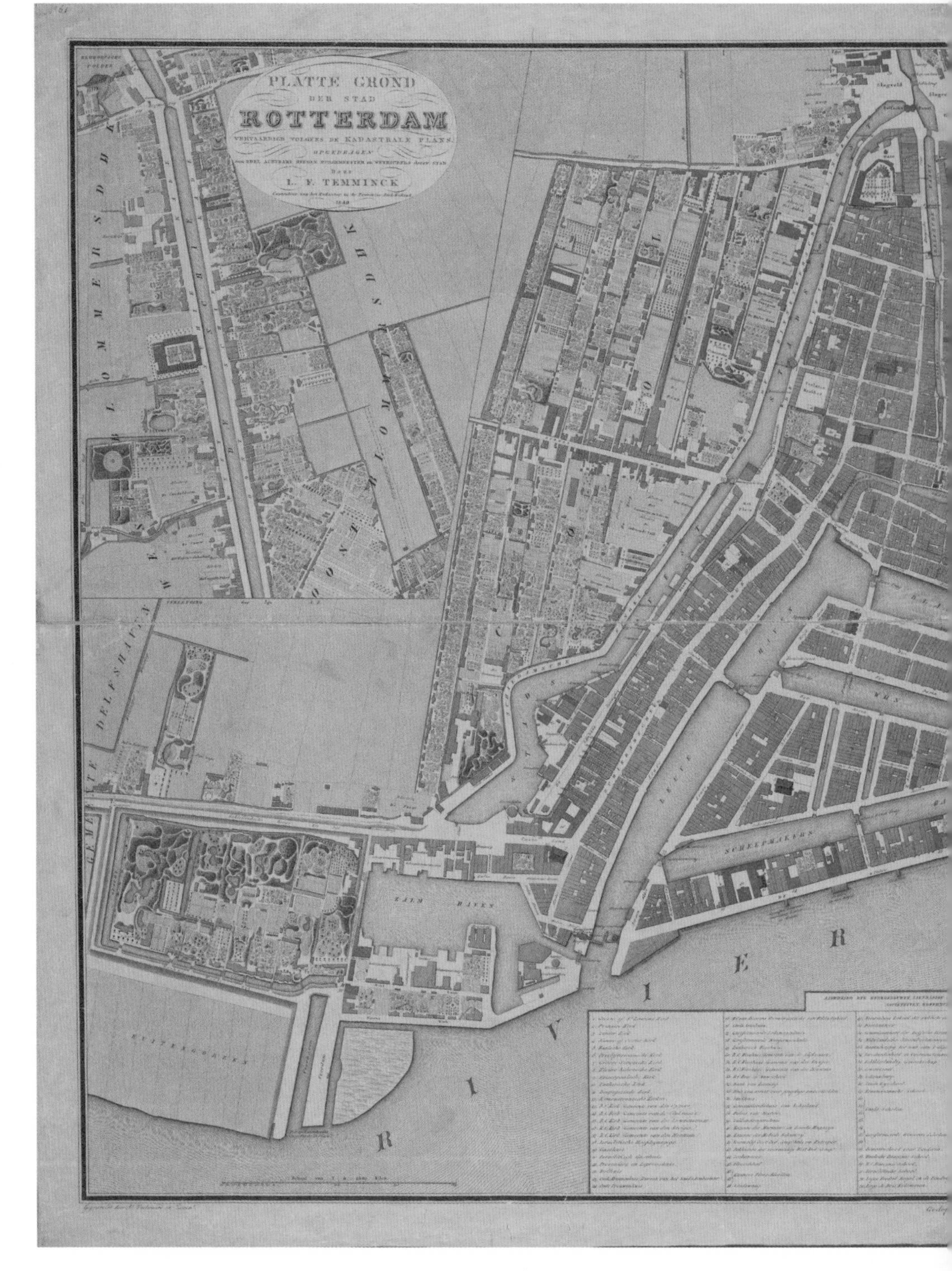

3. Stadsplattegrond van Rotterdam, 1839. (Stadsarchief Rotterdam)

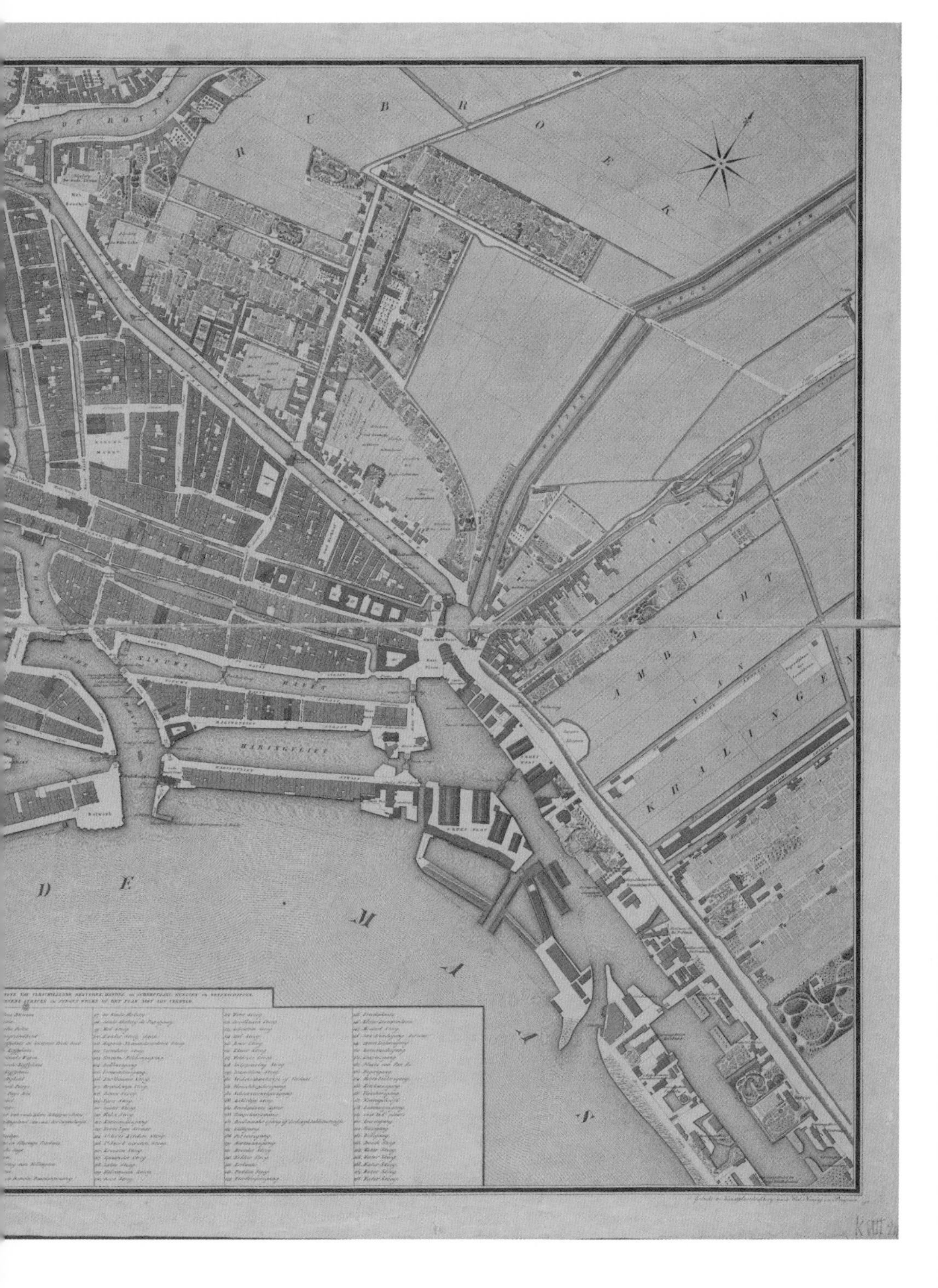
DE ROTTE
R U B R O E K
A M B A C H T
V A N
K R A L I N G E N
NIEUWE
HAVEN
OUDE
HARINGVLIET
D E
M A A S

4. Oost-Indisch Huis aan de Boompjes, 1908. (Rijksdienst voor het Cultureel Erfgoed, Amersfoort)

5. Portret van VOC-bewindhebber Johan van der Veeken uit het voormalig Oost-Indisch Huis, geschilderd door Pieter van der Werff (1695-1722). (Rijksmuseum, Amsterdam)

Een voorbeeld van de achteloze omgang met het gebouwde verleden was het complex uit 1634 van de WIC tussen Haringvliet Noordzijde en Nieuwehaven Zuidzijde (afb. 6).[28] Evenals de VOC gebruikte de WIC haar complex voor vergaderingen en de opslag van handelswaar en ammunitie. Hoewel het complex na de ontbinding van de WIC, in 1791, nog even dienstdeed als VOC-slachthuis en vervolgens als entrepot van de Indirete

Belastingen, waren de panden aan Haringvliet Noordzijde rond 1830 nog in redelijk oorspronkelijke staat. Volgens Wiersum waren de panden ooit deftige woonhuizen met opslagplaatsen voor onder meer tabak; in de voormalige bewindhebberskamer op de eerste verdieping sierde een beeltenis van Piet Hein de schoorsteenmantel.[29] Twintig jaar later echter was van het WIC-complex 'geen spoor meer te bekennen': bij de verbouwing in 1852 waren grote delen van het complex afgebroken – waarmee alle sporen van het historische complex voorgoed gewist waren.[30]

Een derde voorbeeld van een pand dat stamde uit de periode waarin de handel met de koloniën op gang kwam maar dat de tand des tijds niet doorstond, was het arsenaal, later magazijn, van de Admiraliteit op de Maze (afb. 7).[31] De Admiraliteit, die van 1588 tot 1799 het bewind voerde over de zeezaken van de Republiek der Verenigde Nederlanden, was verantwoordelijk voor de bouw, het uitrusten en het bemannen van oorlogsschepen, voor het begeleiden van de handelsschepen en voor het innen van in- en uitvoerrechten op handelswaar, inclusief die op Oost- en met name West-Indië. Voor de opslag van te verhandelen goederen bouwde de Admiraliteit in 1662 een sober en kloek gebouw op de hoek van het

6. West-Indisch Huis aan het Haringvliet, 1807. (Stadsarchief Rotterdam)

7. Admiraliteitmagazijn, getekend door Carel Frederick Bendorp, ca. 1790. (Stadsarchief Rotterdam)

Oostplein en de Nieuwe Haven.[32] De voorgevel van het magazijngebouw was georiënteerd op het Oostplein. Nadat de Admiraliteit in 1823 uit Rotterdam was vertrokken, fungeerde het gebouw tot 1940 als kazerne voor de mariniers. Ook dit gebouw werd verwoest tijdens het bombardement van 1940. Het enige tastbare deel dat anno 2020 nog aan het gebouw herinnert, is de bovenzijde van de poort rond de voormalige hoofdentree. Het boogvormige, hardstenen element met daarin uitgehouwen het wapen van de Admiraliteit, is in 1982 boven de zuidingang van de metro aan het Oostplein geplaatst, ongeveer ter hoogte van de plek waar zich vroeger de entree tot het gebouw bevond.

Twee andere, weliswaar minder tastbare maar desalniettemin evidente verwijzingen naar de voormalige aanwezigheid van de Admiraliteit in deze buurt zijn de straatnamen Admiraliteitskade en 's Landswerf. Hoewel de Admiraliteit uitsluitend gevestigd was aan het noordelijk deel van de huidige Admiraliteitskade, legt de naam 's Landswerf direct een relatie met de werf van de Admiraliteit, die hier vanaf het eind van de zeventiende tot halverwege de negentiende eeuw lag.[33] De aanleg van de werf was onderdeel van een uitbreidingsplan rond het Boerengat, dat voorzag in de aanleg van meerdere scheepswerven (afb. 8). De aanleg van de

8. VOC-werf en 's Landswerf aan het Boerengat, getekend door G. Groenewegen, 1790-1795. (Stadsarchief Rotterdam)

9. Werf Rotterdams Welvaren aan het Boerengat, getekend door G. Groenewegen, 1813-1816. (Stadsarchief Rotterdam)

scheepswerven was ingegeven door de toenemende vaart op onder andere West- en Oost-Indië en de daaruit voortvloeiende vraag naar meer, en geleidelijk ook grotere, schepen. Het uitbreidingsplan rond het Boerengat voorzag in die behoefte en leidde tot een concentratie van scheepswerven in dit deel van Rotterdam. Niet lang nadat het Boerengat als uitbreidingsplek was aangewezen, opende de VOC haar eigen werf op de oostelijke

10. Zeemagazijn van de Verenigde Oostindische Compagnie in Delfshaven, getekend door P. van Leeuwen, 1672. (Stadsarchief Rotterdam)

11. Delfshaven, getekend door G. Groenewegen, 1779. (Stadsarchief Rotterdam)

oever tegenover de werf van de Admiraliteit.[34] De in 1702 ten zuiden van de VOC-werf aangelegde werf werd in 1813 gekocht door de eerdergenoemde ondernemer Van Hoboken (afb. 9).[35] De namen Admiraliteitskade en 's Landswerf verwijzen dus niet alleen naar de organisaties die hier ooit gevestigd waren en die gelieerd waren aan de koloniën, maar ook naar de met deze organisaties samenhangende ruimtelijke ontwikkelingen.

Om een beeld te krijgen van de architectuur en de schaal van de gebouwen die de VOC en de WIC lieten verrijzen, rest in Rotterdam slechts één voorbeeld, het in 1672 gebouwde VOC-zeemagazijn in Delfshaven (afb. 10).[36] Dit magazijn, een opdracht van de Delftse Kamer van de VOC, is een monumentaal pand. Met zijn brede, drie verdiepingen tellende voorgevel aan de straat, het kolossale logo van de VOC Delft boven de centraal in de voorgevel geplaatste hoofdentree en het rijkversierde dak met in het midden een grote lantaarn en opgaande elementen met globes op de vier hoeken, was het gebouw nadrukkelijk in het straatbeeld aanwezig. Hoewel het rijk gedecoreerde dak in 1746 verloren ging tijdens een brand en het magazijn aanzienlijk soberder werd herbouwd, bleef het gebouw vanwege zijn massa een markante verschijning in het straatbeeld. Vanwege de grootschalige bebouwing die na 2000 aan weerszijden van het gebouw verrees, is het gebouw sinds die tijd niet langer het markante baken dat het ooit was (afb. 11). Behalve het logo in het hek naast de toegangstrap, links aan de voorgevel, herinnert bovendien niets meer aan de VOC-oorsprong van dit gebouw – waarbij overigens dit logo noch authentiek noch historisch correct is: het oorspronkelijke logo bestond namelijk uit de letters VOCD, van VOC Kamer Delft, en niet alleen uit de letter VOC.

Wat geldt voor de hiervoor beschreven panden, geldt ook voor de woningen waar VOC- en WIC-bewindhebbers woonden en werkten: ze zijn veelal verdwenen als gevolg van sloop of het bombardement van 1940, of ze zijn niet langer herkenbaar als gevolg van ingrijpende verbouwingen.

Omdat het niet ondenkbaar is dat VOC- en WIC-bewindhebbers in dit type panden woonden en werkten, is het bijzonder fortuinlijk dat al deze veranderingen grotendeels voorbij zijn gegaan aan enkele koopmanspanden aan het westelijk deel van Haringvliet Zuidzijde (afb. 12). Volgens de gegevens die E.A. Engelbrecht verzamelde over de woon- en werkplekken van deze mannen, woonde namelijk ongeveer 10 procent van die bewindhebbers aan het Haringvliet.[37] De bij het bombardement gespaard gebleven panden aan Haringvliet Zuidzijde geven dus waarschijnlijk een indruk van de staat waarin vooraanstaande Rotterdammers zoals VOC- en

12. Koopmanshuizen aan de oostzijde van het Haringvliet Zuidzijde, geschilderd door Pieter Tiele of Jan ten Compe, 1755-1761.[38] *(Museum Rotterdam)*

WIC-bewindhebbers, maar ook andere handelaren en reders op de koloniën, leefden.[39]

De gepaarde historische panden staan aan Haringvliet Zuidzijde 74 tot en met 98. Ze zijn gebouwd tussen 1690 en 1790 en zijn als individueel pand, als dubbele of als driedubbele geschakelde woningen ontworpen.[40] Het zijn aansprekende voorbeelden van zeventiende- of achttiende-eeuwse Rotterdamse koopmanshuizen, en zij illustreren ook een functionele en architectonische ontwikkeling. Waar aanvankelijk een opslagruimte annex werkplaats op de begane grond was gesitueerd en het woongedeelte op de verdieping, fungeerde de begane grond vanaf 1700 steeds vaker als verblijfsruimte. Deze verandering is af te lezen aan de gevelindeling. De twee deuren die aanvankelijk vanaf de straat toegang gaven tot de opslagruimte op de begane grond en het woongedeelte op de verdieping, maakten geleidelijk plaats voor één enkele entreedeur die het gehele pand ontsloot. Haringvliet Zuidzijde 78-80, 88 en 92-92b laten nog de gevelindeling zien die de vroege Rotterdamse koopmanshuizen kenmerkte; met een magazijn en een hoofdentree op de begane grond. Haringvliet Zuidzijde 84-86 en 94-96-98 illustreren de latere variant, met slechts één entree aan de straat.

Hoe het interieur van de woningen aan Haringvliet Zuidzijde was gedecoreerd is nauwelijks te zien. Op een enkele schouw of gestuukt plafond na, is de oorspronkelijke decoratie in de meeste panden in de loop der tijd volledig verwijderd. Dat is jammer, temeer omdat niet is uit te sluiten dat wand- en plafondschilderingen verwezen naar de zakelijke activiteiten van hun opdrachtgevers. Wanneer de opdrachtgever een VOC- of WIC-bewindhebber was, of wellicht op enige andere manier betrokken was bij de handel met gebieden buiten Europa, zal dat wellicht tot uitdrukking zijn gebracht in die decoraties.

Hoe een dergelijke decoratie er zou kunnen hebben uitgezien, is nog wel te zien in het voormalige koopmanshuis van Nicolaas Langenberg (1705-1750) aan de Rechter Rottekade 405-407.[41] Langenberg en zijn erven, die tussen 1735 en 1799 eigenaar van het pand waren, handelden in koffie en thee en onderhielden zakelijke relaties met Suriname. Wand- en plafonddecoraties op de eerste en tweede verdieping in de woning lijken hiernaar te verwijzen. Zo is op het rococoplafond in de salon op de eerste verdieping, behalve de personificaties van de werelddelen Europa, Amerika, Afrika en Azië, ook een kist met het VOC-logo zichtbaar. Op de tweede verdieping toont een afbeelding een gladde zee met enkele zeilschepen op de achtergrond en een fregat met Amerikaanse vlag op de voorgrond. Een tweede afbeelding op die verdieping is een heuvelachtig landschap rond een waterpartij of baai. Het landschap, dat gebaseerd zou kunnen zijn op een tekening in de *Naukeurige Beschrijvinge der Afrikaensche gewesten* uit 1668 van de geograaf Olfert Dapper, is hoogst waarschijnlijk een fantasielandschap.[42] Het toont een Europees ogend bouwwerk, vermoedelijk een kerk of een fort met een vlag in top, een brug, een hoog opgaande paal met een korfachtige beëindiging, palmbomen en enkele negroïde figuren.[43] Op een rotspartij links zijn een hut en, iets daaronder, twee figuren te zien. Op de voorgrond is een dromedaris afgebeeld. Een van de figuren zit, onder een door een andere figuur hooggehouden parasol, op deze dromedaris, die middels een halsband wordt geleid door een derde figuur.

Hoewel niet met zekerheid is vast te stellen dat de decoraties op de tweede verdieping dateren uit de tweede helft van de achttiende eeuw, en evenmin of ze bewust refereren aan de onderneming van Langenberg, zijn ze evenals de plafondschilderingen op de eerste verdieping interessant en mogelijk uniek.[44] Allereerst omdat ze, anders dan de wandschilderingen van de koopmanswoningen aan het Haringvliet, de tand des tijds hebben doorstaan. Voorts omdat ze nog in situ zijn. En ten slotte omdat ze landschappen, mensen en dieren buiten Europa afbeelden. Dat het niveau van vooral het fantasielandschap artistiek niet bijzonder hoog is, doet niet af aan het belang van de decoraties als verwijzingen naar de vaart en de handel op Afrika en Amerika. Verwijzingen die, gezien de producten waarin hun vermoedelijke opdrachtgever handelde, een direct verband lijken te leggen tussen de opdrachtgever en die gebieden. Voor zover bekend zijn dergelijke directe verwijzingen in geen enkel ander pand in Rotterdam aanwezig.

Het koopmanshuis van Langenberg maakt nog andere dingen duidelijk. Het laat op tastbare wijze zien dat in de achttiende eeuw zowel grote als kleinere private ondernemingen handelden in koloniale waar. Het illustreert verder dat niet alle handelaren in koloniale waar op eenzelfde financiële voet leefden. Want hoewel het pand van Langenberg bepaald geen bescheiden optrekje was, was het aanzienlijk bescheidener dan bijvoorbeeld de woningen van VOC-bewindhebber Josua van Belle (1637-1710) aan de Leuvehaven 103 en van suikerhandelaar Hendrik van Oordt (1710-1805) aan de Boompjes 18.[45] Wat het ten slotte laat zien is dat handelaren in koloniale waar, evenals VOC- en WIC-bewindhebbers, niet alleen in de waterstad gevestigd waren, maar ook in de noordelijker gelegen landstad – al was, afhankelijk van de aard van de handel, de ambitie mogelijk wel om in de waterstad gevestigd te zijn, om de eenvoudige reden dat boten daar aan de kades konden aanmeren.

PARTICULIEREN EN ONTWIKKELINGEN IN DE NEGENTIENDE EEUW

Rond 1800 was Rotterdam stedenbouwkundig min of meer geconsolideerd. Het centrum bestond uit twee ruimtelijk en economisch te onderscheiden delen. Ten noorden van de Hoogstraat, waar ook Langenbergs koopmanshuis gesitueerd was, lag de zogenaamde landstad: de middeleeuwse stad van overwegend smalle straten met navenante bebouwing, waar voornamelijk ambachtslui en kleine handelaren woonden en werkten.[46] Ten zuiden van de Hoogstraat lag, rond zeven havenbekkens, de vanaf eind zestiende eeuw ontwikkelde en aanzienlijk ruimer bemeten waterstad. Menig prominente reder en handelaar vestigde zich aan een van de kades in dit deel van de stad: het Haringvliet, de Wijnhaven, de Leuvehaven, de Blaak of de Boompjes, de Scheepmakershaven, de Oude Haven, de Nieuwe Haven.[47]

Ook in een ander opzicht traden negentiende-eeuwse reders en handelaren in de voetsporen van hun voorgangers. Behalve met scheepsbouw en handel bemoeiden zij zich ook met de stedenbouwkundige ontwikkeling van Rotterdam. Wanneer dat hun belangen diende, hadden ook zij een stem in dit kapittel.[48] De stadsarchitect W.N. Rose (1801-1877), die tussen 1839 en 1858 diverse uitbreidings- en verbeteringsplannen voor Rotterdam ontwierp, onderhield volgens H. Berens 'voortdurend contact met particulieren: die stonden regelmatig als initiatiefnemers op de stoep van het stadhuis'.[49] Volgens Berens waren die initiatieven niet aan dovemans oren gericht. 'Hun voorstellen kregen een plaats in de [stedenbouwkundige] concepten van Rose [en zouden] een sterke stimulans vormen voor de uitbreidingen op het Eerste en Tweede Nieuwe Werk.'[50]

De uitbreidingen waaraan Berens refereert, lagen aan de westzijde van het bestaande centrum, op de rechter Maasoever; de oever waar Rotterdam zich sinds zijn bestaan had ontwikkeld (afb. 13). Het Eerste Nieuwe Werk (1847-1851) was gesitueerd tussen de Veerhaven en de monding van de Leuvehaven (heden ter hoogte van de op- en afrit van de Erasmusbrug). Het Tweede Nieuwe Werk (1851-1852), het huidige Scheepvaartkwartier, was gelegen tussen de Veerhaven en het Park, en tussen de Calandstraat en de Westerkade. Een aanzienlijk grootschaliger en gewaagder project waar Rose

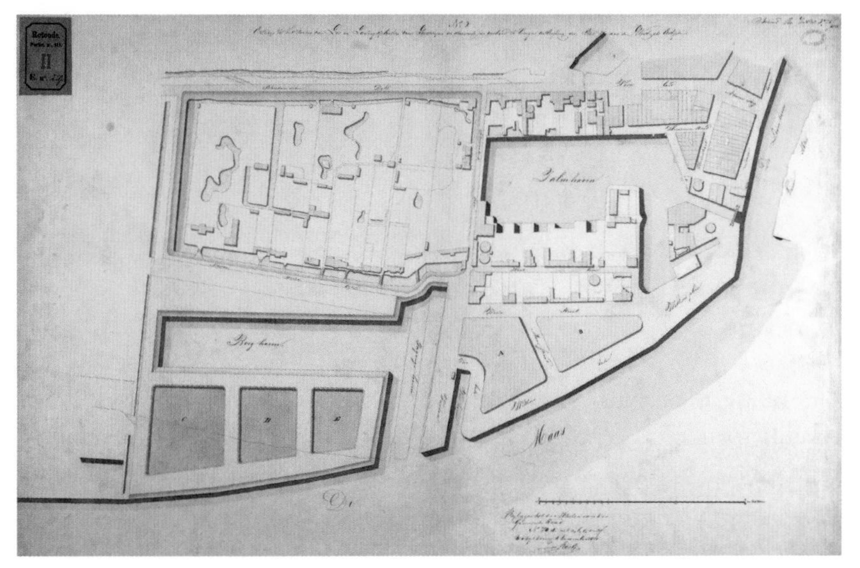

13. Muizenpolder en Zalmhaven met een indicatie van het Eerste en het Tweede Nieuwe Werk, 1851. (Stadsarchief Rotterdam)

14. Kades op het Eerste en Tweede Nieuwe Werk, 1858-1865. (Stadsarchief Rotterdam)

aan werkte, eveneens in gesprek met particuliere ondernemers, was het uitbreidingsplan op Feijenoord. Deze uitbreiding, waarvoor in 1871 het ontwerp van C.B. van der Tak werd vastgesteld, brak in tweeërlei opzichten met de stedenbouwkundige ontwikkeling tot op dat moment. Allereerst omdat het bebouwde areaal van de stad in één keer verdubbelde, voorts omdat de linker Maasoever, behalve vanwege zijn heerlijkheden en buitenplaatsen, nog niet tot de stedenbouwkundige structuur van Rotterdam had behoord.[51]

15. Buitenplaats Vijverhof aan de Schiekade, 1750-1800. (Stadsarchief Rotterdam)

Wat de genoemde negentiende-eeuwse stadsuitbreidingen gemeen hadden, was dat ze de eerste stadsuitbreidingen waren sinds lange tijd, dat ze het bebouwde stadsareaal aanzienlijk vergrootten en dat ze voorzagen in de medio negentiende eeuw nijpende vraag naar kades om schepen te

16. Schiekade westzijde bij de Heulbrug, getekend door D. Welle, 1838-1842. (Stadsarchief Rotterdam)

17. Buitenplaats Dijk- en Maaszigt aan de Oostzeedijk, schilder anoniem, ca. 1810. (Uit: Bram Oosterwijk, Koning van de Koopvaart. Anthony van Hoboken (1756-1850), *Amsterdam 1996, 170).*

laden en te lossen en naar panden om handelswaar op te slaan (afb. 14). Het was een vraag die een direct gevolg was van de steeds intensievere handelscontacten met de koloniën, waarin de in 1824 opgerichte Nederlandsche Handel-Maatschappij (NHM) en het in Nederlands-Indië van 1830 tot 1870 gehanteerde Cultuurstelsel een grote rol speelden.[52] In die zin belichamen ook het Eerste en het Tweede Nieuwe Werk en Feijenoord de relatie tussen Rotterdam en de Nederlandse koloniën.

Afgezien van stadsuitbreidingen die de gemeente realiseerde ten behoeve van de belangen van onder meer de koloniale handel, is de verbondenheid tussen het negentiende- en twintigste-eeuwse stedelijk weefsel van Rotterdam en de koloniën ook op kleinere schaal en in meer particuliere vorm aanwijsbaar. Een voorbeeld daarvan zijn enkele van de woningen en bezittingen van Anthony van Hoboken en zijn nazaten. Van Hoboken was een bijzonder gefortuneerde reder, handelaar en NHM-grootaandeelhouder.[53] Een van de eerste panden die hij kocht, in 1801, lag aan de Wijnhaven, op de hoek met de Jufferstraat. Na zijn huwelijk in 1807 fungeerde het pand als gezinswoning. Drie jaar voordat hij dit pand kocht, had hij aan de Schiekade 83 ook een buitenplaats gekocht. Buitenplaatsen waren al in de zeventiende eeuw in zwang geraakt onder bemiddelde stedelingen.

Ze lagen doorgaans in een rustige, groene en vaak landelijke omgeving en waren, behalve een mogelijkheid om op vrije dagen de drukte van de stad te ontlopen, een blijk van de welstand van hun eigenaar. De vrijstaande woning maar vooral de tuin, een essentieel onderdeel van de buitenplaats, was meestal ruim en naar de laatste mode ontworpen. Een voorbeeld van zo'n buitenplaats was Vijverhof aan de Schiekade, een van de buren van Van Hoboken (afb. 15).

Hoe Van Hobokens buitenplaats aan de Schiekade heette of eruitzag, is door het ontbreken van bronnen en beschrijvingen niet goed vast te stellen.[54] Een tekening van circa 1840 van de Schiekade ter hoogte van de Heulbrug geeft enige informati, maar is hooguit een indirecte aanwijzing (afb. 16).

Nog voordat hij zijn buitenplaats aan de Schiekade in 1815 verkocht, kocht Van Hoboken in 1811 de buitenplaats Dijk- en Maaszigt, aan de Schielandsche Hooge Zeedijk, kortweg Oostzeedijk (afb. 17). Hoewel over deze buitenplaats meer gegevens beschikbaar zijn, is ook hiervan slechts een vaag beeld te vormen.[55] Voor een visueel beeld van de woning zijn we aangewezen op twee anonieme, ongedateerde schilderijen. Een korte beschrijving benoemt, behalve de woning, de opstallen op de buitenplaats: een theekoepel, een koetshuis, een stalling, een tuinmanswoning en een oranjerie. In de landschappelijk aangelegde tuin waren een kunstmatige grot, een 'goudviskom' (vermoedelijk een vijver), en een fontein met een beeld van Neptunus geplaatst. Aan de hand van een stadsplattegrond van 1839 zijn behalve de locatie – even ten zuiden van Van Hobokens werf Rotterdams Welvaren – ook de afmetingen, de positie van de woning op het perceel en de aanleg van de tuin rond de woning te bepalen. De plattegrond geeft bovendien, al is dat niet noodzakelijkerwijs geheel waarheidsgetrouw, een indruk van de tuinaanleg.

Hoewel in het stedelijk weefsel aan en rond de Schiekade en de Oostzeedijk vandaag niets meer herinnert aan de beide buitenplaatsen van Van Hoboken, zijn er toch wel plekken met een koloniaal verleden die een link hebben met Van Hoboken. In dat opzicht sprekender zijn de villa die zijn zoon Jacob (1810-1869) in 1850 aan de Westzeedijk, het westelijk deel van de Schielandsche Hooge Zeedijk, liet bouwen, en de villa die zijn zus Hendrika (1817-1916) en haar man betrokken aan de Parklaan. Anders dan de buitenplaatsen van hun vader zijn de villa's van Jacob en Hendrika, die destijds aan de uiterste stadsgrens van Rotterdam gesitueerd waren, tot op heden duidelijk in het stedelijk weefsel herkenbaar.

18. Tuin van Villa Dijkzigt aan de Westzeedijk en het Land van Hoboken, 1922. (Stadsarchief Rotterdam)

19. Land van Hoboken en Feyenoord, 1920-1925. (Nederlands Instituut voor Militaire Historie, Den Haag)

De villa die Jacob liet bouwen verving een bestaande woning op het landgoed Dijkzigt aan de noordzijde van de Westzeedijk. De in opdracht van Jacob in 1851 naar ontwerp van J.F. Metzelaar gebouwde villa, die sinds 1987 onderdak biedt aan het Natuurhistorisch Museum Rotterdam, was gesitueerd in een royale en landschappelijk aangelegde tuin. Aan de noordzijde van de tuin grensde een ruim vijftig hectare metende weidegrond, eigendom van Van Hoboken (afb. 18). De contouren van dit 'Land van Hoboken' zijn, met enige moeite, nog steeds herkenbaar; de huidige Hobokenstaat markeert ongeveer de noordelijke grens van het voormalige Land van Hoboken (afb. 19).

Waar Dijkzigt vanaf het eind van de jaren 1920 fors van aanzien veranderde, is Schoonoord, de plek van de villa waarin Hendrika van Hoboken vanaf 1854 woonde, nog steeds een grote, groene oase. Hoewel het perceel na het overlijden van Hendrika werd gesplitst en de oorspronkelijke villa in 1925 werd vervangen door een nieuwe, zijn de villa en de tuin als stedenbouwkundige structuur onaangetast. Sinds de tuin in 1973 voor het publiek werd opengesteld, is ook aan de zuidzijde van de Westzeedijk een deel van de stad toegankelijk geworden dat, net als het Museumpark, kon ontstaan door het vermogen dat de voormalige eigenaren mede dankzij de koloniale handel opbouwden.

Dijkzigt en Schoonoord zijn niet het enige gebouwd erfgoed aan de Parklaan dat getuigt van koloniale handel. Ook Weltevreden (Parklaan 15: Van Hoboken-de Monchy), Maaslust (Parklaan 9: Mees) en Ons Genoegen/Nooitgedacht/Theebussen (Parklaan 1-3: Muller-Van Rijckevorsel) zijn, vanwege de zakelijke belangen van hun negentiende- en vroegtwintigste-eeuwse eigenaren, direct of indirect met de koloniën verbonden.[56] De Parklaan behoort daarmee, net als het Land van Hoboken, het Boerengat en de Schiekade, tot de vele plekken in Rotterdam waar het koloniale verleden in steen, stucco en struikgewas zijn sporen heeft nagelaten.

SCHAALVERGROTING, UITBREIDING EN HERBOUW (LAAT NEGENTIENDE EN TWINTIGSTE EEUW)

De stedenbouwkundige ontwikkeling die in de achttiende eeuw haar intrede deed, waarbij wonen en werken ruimtelijk van elkaar werden gescheiden, was eind negentiende eeuw een leidend stedenbouwkundig ontwerpprincipe geworden. In de stadsplattegrond van Rotterdam is het principe herkenbaar in de vorm van nieuwe woonwijken die niet alleen op enige afstand van het stadscentrum werden gesitueerd, maar ook nadrukkelijk gescheiden werden van wijken voor nijverheid en industrie. Dit geldt voor de eerdergenoemde Afrikaanderwijk en voor de wijk Feijenoord, maar ook voor het plan uit 1946 dat Cornelis van Traa (1899-1970) ontwierp voor de wederopbouw van het gebombardeerde stadshart waarin het centrum vrijwel uitsluitend bestemd was voor winkel- en kantoorpanden.

De clustering van functies en daarmee verband houdende gebouwen, en de infrastructuur die nodig was om dit alles logistiek met elkaar te verbinden, raakte ook aan activiteiten en gebouwen die verband hielden met de koloniën. De aard van die activiteiten varieerde van het financieren van handel tot het verhandelen van producten en het opslaan en doorvoeren van producten tot de verwerking ervan. Voor de gebouwen gold hetzelfde: er waren pakhuizen voor de opslag van koloniale waren, fabrieken en installaties waar koloniale grondstoffen werden verwerkt tot consumptieartikelen, en kantoorgebouwen van waaruit directies en personeel ondernemingen leidden of financierden.

Van de pakhuizen die vanaf eind negentiende eeuw werden gebouwd ten behoeve van de op- en overslag van koloniale producten zijn nog diverse voorbeelden in de stad aanwezig en in gebruik – zij het niet altijd noodzakelijk in hun oorspronkelijke hoedanigheid. Het in de jaren 1870 gebouwde Entrepotgebouw De Vijf Werelddelen, herkenbaar aan de gevels met de toponiemen Afrika, Europa, America, Azië en Australië, zijn daarvan voorbeelden, evenals de pakhuizen Celebes-Borneo-Java-Sumatra aan de Rijnhaven, die in 1937 afbrandden maar in 1950 herbouwd werden aan de Wilhelminakade 58.[57] Van de loodsen die in het zogenaamde Lloydkwartier op de kade tussen de Schiehaven en de Nieuwe Maas stonden, rest aanzienlijk minder. Op de plek waar tot halverwege de twintigste eeuw talloze passagiers- en handelsschepen naar de koloniën vertrokken en uit de koloniën aankwamen, herinneren vooral de straatnamen nog aan dat verleden: Loods Bali, Loods Borneo, Loods Celebes en Loods Java, maar ook Kratonkade, Lloydkade en Lloydstraat. De loodsen waarnaar sommige straatnamen verwijzen, stonden ooit in dit gebied. Ze waren eigendom van de Rotterdamse Lloyd (RL) een firma die in 1875 was opgericht als Stoomboot Reederij Rotterdamsche Lloyd en tot 1942 een groot deel van de goederen- en passagiersvaart tussen Rotterdam en Nederlands-Indië voor zijn rekening nam.[58] Nadat even voor 1910 een nieuw kantoorgebouw voor de RL aan de Veerhaven was gebouwd, verrees een decennium later een nieuw hoofdkantoor in het huidige Lloydkwartier. Het gebouw is eenvoudig te herkennen aan de in grote letters aangegeven firmanaam boven de hoofdingang – een onlosmakelijk onderdeel van de architectuur – en de initialen RL boven in de gevel op de zuidwesthoek.

Een heel zichtbare herinnering aan de relatie tussen Rotterdam en de koloniën is het Slavernijmonument Clave, ook in het Lloydkwartier. Het beeld, dat sinds 2013 aan de Lloydkade staat, herinnert aan de slavernij in Suriname en op de Nederlandse Antillen en de Kaapverdische eilanden, en aan de contractarbeid die daarvoor in de plaats kwam toen in 1863 slavernij officieel was afgeschaft. Het beeld herinnert daarmee dus ook aan de Rotterdamse betrokkenheid bij de trans-Atlantische slavenhandel en de slavernij in de Nederlands-Caribische koloniën.

De relatie tussen Rotterdam, koloniën en slavernij komt ook aan de overzijde van de Maas tot uitdrukking, zowel in de persoon Lodewijk Pincoffs als in de ontwikkeling en de gebouwen op Feijenoord waartoe hij het initiatief nam. Een van die gebouwen was het Poortgebouw, het hoofdkantoor van de Rotterdamsche Handelsvereeniging (RHV).[59] Het gebouw, dat in 1879 aan de noordzijde van de Binnenhaven verrees, werd net als het vrijwel gelijktijdig opgeleverde entrepotgebouw De Vijf Werelddelen gebouwd in opdracht van de directeur van de RHV, Lodewijk Pincoffs. Dat het kantoor en ook het entrepotgebouw gebouwd werd aan

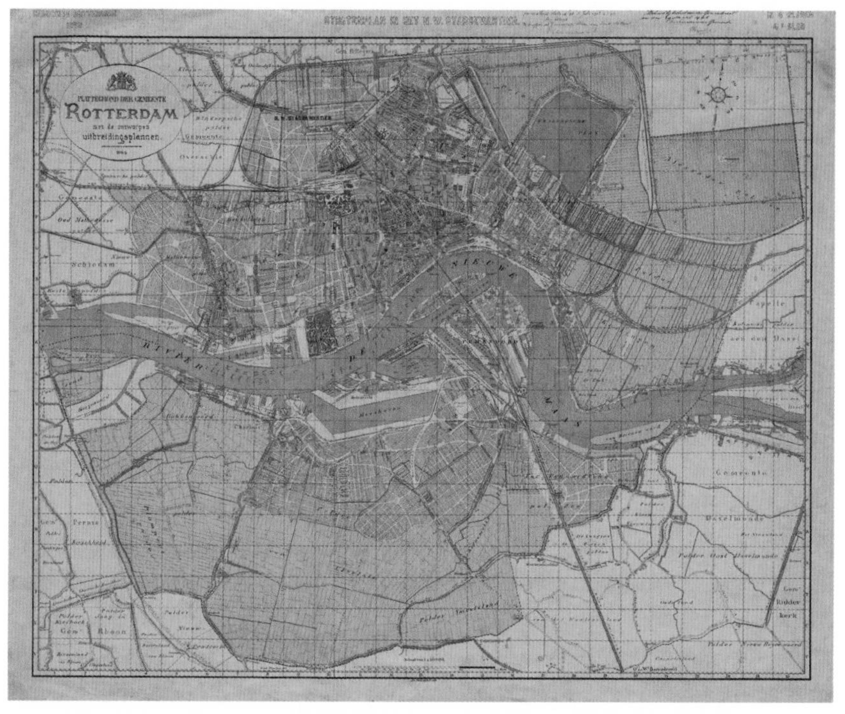

20. Stadsplattegrond van Rotterdam, 1903. (Stadsarchief Rotterdam)

de zuidzijde van de Maas had alles te maken met Pincoffs als drijvende kracht achter de ontwikkeling van Feijenoord en zijn toezegging een deel van de exploitatie ter hand te nemen. De nieuwe, ruime bekkens van de Spoorweghaven, Koningshaven, Binnenhaven en Entrepothaven, die in niet geringe mate vanwege Pincoffs visie en toezeggingen werden aangelegd, waren het begin van de ontwikkeling van de linker Maasoever. Ter herinnering daaraan staat op het plein waar de Entrepot- en de Binnenhaven elkaar ontmoeten sinds 1998 een standbeeld van Pincoffs.

Pincoffs was behalve directeur van de RHV, ook directeur van de Afrikaansche Handelvereeniging (AHV). De AHV handelde voornamelijk in producten als palmolie, cacao, koffie, rubber en ivoor die vanuit West-Afrika, met name Kongo, naar Rotterdam werden verscheept.[60] Hoewel niet al deze landen Nederlandse koloniën waren (geweest), was Pincoffs behalve havenbaron dus ook koloniaal ondernemer. In die zin getuigen ook de ontwikkeling van Rotterdam-Zuid en het Poort- en Entrepotgebouw van een koloniaal verleden.

Hoewel de havens een belangrijk nieuw vestigingsgebied vormden, ontwikkelde Rotterdam zich vanaf eind negentiende eeuw niet langer uitsluitend direct aan de oevers van de Maas (afb. 20). Na annexatie van het ten westen van de stad gelegen Delfshaven (1886) en het aan de oostzijde grenzende Kralingen (1895), werden kort na 1900 ook op de rechter Maasoever grootschalige uitbreidingen voorzien. De situering van het Van Nellecomplex aan de Delfshavense Schie laat zien dat niet alle koloniale ondernemers hun pakhuizen, kantoren en fabrieken aan de Maas vestigden: ten tijde van de bouw (1926-1930) stond het complex nog in de gemeente Overschie. De locatie bood voldoende ruimte voor het scala aan gebouwen waaraan de firma De Erven Wed. J. van Nelle (kortweg: De Weduwe) begin twintigste eeuw dringend behoefte had: een fabriek voor de verwerking van tabak, koffie en thee, kantoren, pakhuizen, een expeditiegebouw, een werkplaats annex garagegebouw en zelfs sportvelden voor de werknemers. Ruimte die niet meer te vinden was aan de Leuvehaven waar de firma sinds haar oprichting gevestigd was geweest (afb. 21). Wat Johannes van Nelle in 1782 was begonnen als een bescheiden nering in koffie, thee en tabak, was rond 1930 uitgegroeid tot een internationaal opererende producent van rookwaren, koffie en thee: genotsartikelen waarvoor de grondstoffen werden verbouwd in Europese koloniën in de tropen en die in Rotterdam werden verwerkt.[61]

Om de aanvoer en de kwaliteit van de grondstoffen voor deze producten te kunnen garanderen, exploiteerde De Weduwe, evenals tal van andere koloniale ondernemers, eigen plantages in de koloniën.[62] De tabaks- en koffie-

21. Firma De Erven Wed. J. van Nelle aan de Leuvehaven, 1930. (Stadsarchief Rotterdam)

plantages van De Weduwe lagen in Nederlands-Indië op het eiland Java.[63] Die relatie was overigens niet eenzijdig; dankzij de Internationale Crediet- & Handelsvereeniging 'Rotterdam', beter bekend als Internatio, vormde de kolonie jarenlang ook een belangrijke afzetmarkt voor de eindproducten van De Weduwe. Om de Indische markt te bedienen, produceerde de Van Nellefabriek speciale rookwaren en werden aan een Indische context refererende advertenties gemaakt. De Weduwe was niet het enige Rotterdamse bedrijf waarvoor de koloniën in twee opzichten van belang waren: enerzijds als leverancier van grondstoffen en anderzijds als afzetmarkt voor de eindproducten die met die grondstoffen werden gemaakt. Ook Unilever, dat sinds 1930 in Rotterdam was gevestigd, was voor de productie van zijn belangrijkste producten, margarine en zeep, volledig aangewezen op de grondstoffen van de koloniën en exploiteerde daartoe eigen plantages. En net als De Weduwe verkocht Unilever een belangrijk deel van zijn eindproducten weer in de koloniën, voornamelijk Nederlands-Indië.

De oorsprong van Unilever gaat terug op de margarinefabrieken van Antoon Jurgens in Oss en Simon van den Bergh in Rotterdam, en de zeepfabrieken van de broers William en James Lever in Warrington (Engeland).[64] Wat de producten die deze ondernemers vanaf respectievelijk 1871, 1872 en 1884 produceerden gemeen hadden, was het gebruik van palmolie:

22. Uitbreidingsplan Dijkzigt, ontworpen door W.G. Witteveen, 1926. (Stadsarchief Rotterdam)

een relatief nieuw, natuurlijk tropisch product dat in grote hoeveelheden in Europese koloniën geproduceerd kon worden. De palmolie die Jurgens en Van den Bergh gebruikten was afkomstig uit Nederlands-Indië.[65] Het Britse Lever Brothers Ltd liet palmolie produceren in Zuid-Afrika en West-Brits-Afrika – het huidige Gambia, Ghana, Sierra Leone en Nigeria – en, vanaf de jaren 1910, in Belgisch-Congo. Unilever ontstond door een fusie van de Margarine Unie, het bedrijf dat in 1927 was ontstaan na een fusie van de bedrijven van Jurgens en Van den Bergh, en deze Britse zeepproducent.

Ter gelegenheid van zijn oprichting gaf Unilever in 1930 opdracht tot de bouw van een hoofdkantoor aan de Rochussenstraat – het gebouw huisvest tegenwoordig de hoofdvestiging van de Hogeschool Rotterdam. Aan het gebouw komt de relatie tussen Unilever en de koloniën op één plek direct tot uiting: in een reliëf van John Rädecker waarbij hij het begrip 'Cultuur' belichaamt in de vorm van twee Afrikaanse vrouwen die twee voor Unilever belangrijke landbouwproducten vasthouden: waarschijnlijk palm- en kokosnoten. Het reliëf, dat rechts naast de hoofdentree werd geplaatst en nog steeds zichtbaar is, was voor iedere bezoeker een onverhulde en niet mis te verstane verwijzing naar deze voor Unilever essentiële landen, mensen en producten. Door zijn ligging, aan de rand van het voormalige Land van Hoboken en nabij het in 1930 in aanbouw zijnde gebouw van Museum Boijmans van Beuningen, vormde het Unilever-kantoor bovendien een markant element in de transformatie van het voormalige Land van Hoboken, naar ontwerp van stedenbouwkundig ontwerper W.G. Witteveen (1891-1979) (afb. 22).[66]

Het voormalige hoofdkantoor van Unilever aan de Rochussenstraat is overigens het eerste, maar niet het enige gebouw van de firma in de stad. Nadat het hoofdgebouw in de jaren 1950 was uitgebreid richting het Burgemeester s'Jacobplein en in 1992 een volledig nieuw hoofdkantoor aan het Weena verrees, betrok Unilever in 2008 zijn derde hoofdkantoor in de stad. Dit gebouw verrees letterlijk boven het historische fabriekscomplex van Unilevers voorganger: aan de Nassaukade op Feijenoord, een locatie die ruim honderd jaar eerder was ontwikkeld op voorspraak van de eveneens in palmolie handelende Pincoffs.

Dat het eerste hoofdkantoor van Unilever de tand des tijds heeft doorstaan en met zijn aanwezigheid direct getuigt van de koloniale geschiedenis van Rotterdam, is te danken aan het feit dat het gebouw buiten de zogenaamde brandgrens van 1940 stond. Dat de meeste 'koloniale' gebouwen dat geluk niet ten deel viel, wil echter niet zeggen dat binnen de brandgrens ieder spoor van het koloniale verleden ontbreekt. Niets in minder waar: direct na en in een enkel geval al tijdens de oorlog gaven diverse koloniale ondernemers opdracht tot de bouw van nieuwe kantoorgebouwen. Voorbeelden daarvan zijn de kantoren van de Nederlandsche Handel-Maatschappij (NHM, Blaak 34, 1941-1950), de Twentsche Bank (Blaak 28, 1950) en de Rotterdamsche Bankvereeniging (Coolsingel 119, 1941-1949).

De NHM was een gecentraliseerde handelscombinatie met aandeelhouders in meerdere steden in Nederland. Ze was in 1824 opgericht om de inzakkende handel op de koloniën te keren en tegenwicht te bieden aan Britse particulieren die de handel dreigden over te nemen. Om in deze missie te kunnen slagen, kreeg de NHM een voorkeursrecht op alle leveranties en verschepingen die in opdracht van de regering van en naar diverse Europese koloniën voeren.[67] Toen duidelijk werd dat de handel met Zuid-Amerika, Mexico en de Levant weinig profijtelijk was, ging de NHM zich voornamelijk op Nederlands-Indië richten. Met name tussen 1830 en 1870, de periode waarin in Nederlands-Indië het Cultuurstelsel van kracht was, verdienden de NHM en haar aandeelhouders, onder wie koning Willem I en Anthony van Hoboken, een fortuin aan de in Java onder dwang geproduceerde en verhandelde landbouwproducten.[68] Het was onder andere dit aspect van het koloniale bestuur van de kolonie dat Eduard Douwes Dekker, alias Multatuli, aan de kaak stelde in zijn beroemde roman *Max Havelaar, of De koffijveilingen der Nederlandsche Handel-Maatschappij* (1860).[69]

Net als heel Nederland profiteerde ook Rotterdam in hoge mate van de winsten die de NHM boekte. Berens merkt op dat de groei van de transitohandel van Rotterdam in de negentiende eeuw in niet geringe mate te danken was aan de NHM. Het naoorlogse pand aan de Blaak was het derde pand dat het Rotterdamse agentschap van de NHM betrok. Na bijna een eeuw in een pand aan de Boompjes gehuisvest te zijn geweest, verhuisde de maatschappij zijn burelen in 1916 naar de zuidzijde van de oude Blaak.[70] Het nieuwe pand, dat de oorlog niet overleefde, werd in 1950 op de vooroorlogse locatie herbouwd. Toen de NHM in 1964 fuseerde met De Twentsche Bank – waarmee de Algemene Bank Nederland (ABN) ontstond –, werd het pand via een luchtbrug verbonden met het eveneens in 1950 gebouwde pand van De Twentsche Bank (afb. 23).

In de ABN kwamen, letterlijk en figuurlijk, twee bedrijven bij elkaar die elk een lange handelsrelatie hadden met koloniën in Azië. Ook de in 1840

23. Luchtbrug tussen de kantoren van De Twentsche Bank en de Nederlandsche Handel- Maatschappij, gefotografeerd door Ary Groeneveld, 1965. (Stadsarchief Rotterdam)

24. Kantoor van de Rotterdamsche Bankvereeniging, 1946. (Stadsarchief Rotterdam)

in Enschede opgerichte Twentsche Bank, die zich richtte op het financieren van de productie en de export van in Twente geproduceerde textiel, was georiënteerd op de export naar Zuidoost-Azië, en vooral Nederlands-Indië.[71] Toen rond 1870 duidelijk werd dat die export explosief toenam, opende de bank een kantoor in Rotterdam. Het is saillant dat twee instellingen waarvan de kernactiviteiten teruggingen op handel in Nederlands-Indië, in 1964 zowel zakelijk als ruimtelijk met elkaar verbonden werden.

Een laatste voorbeeld van een naoorlogse gebouw dat refereert aan banden met de koloniën, is het kantoor van de Rotterdamsche Bankvereeniging (Robaver) aan de Coolsingel (afb. 24). De relatie tussen de Robaver en de koloniën was gelegen in de kernactiviteiten van een van de bedrijven waaruit de Robaver in 1911 was ontstaan: de Rotterdamsche Bank (RB), die in 1862 exclusief was opgericht met het doel kredieten te verstrekken aan bedrijven die in Nederlands-Indië werkzaam waren. Marten Mees, een nazaat van de vooraanstaande Rotterdamse bankiersfamilie met een lange staat van dienst in de financiering van koloniale handel, was een van de oprichters van de bank.

Hoewel de RB, als gevolg van betrokkenheid bij Pincoffs risicovolle exploitatie op Feijenoord, nog geen twintig jaar na haar oprichting genoodzaakt was haar activiteiten in Nederlands-Indië te staken, betekende dit niet dat de bank ophield te bestaan of dat de zakelijke relatie met de kolonie voorbij was. Sterker, de Robaver die ontstond na een fusie van de RB en de Deposito- en Administratie Bank en aan de Boompjes gevestigd was, was rond 1930 een van de partijen die betrokken waren bij de oprichting van onder andere de Bank voor Indië, de Hollandsche Bank voor West-Indië en de Hollandsche Bank voor Zuid-Amerika.[72] Het gebouw dat in opdracht van de Robaver na de oorlog aan de Coolsingel verrees ter vervanging van het in de oorlog zwaar beschadigde pand aan de Boompjes, werd in 1948 opgeleverd (afb. 24). Het pand is een van de laatste gebouwen in Rotterdam – naast bijvoorbeeld kantoren van Hudig-Langeveldt (Wijnhaven 61) en Shell – die gebouwd werden in opdracht van een instelling die historisch gezien terugging op een zakelijk belang in de koloniën.

ROTTERDAM OVERZEE

Behalve in Rotterdam zijn ook in voormalige koloniën nog stedenbouwkundige en architectonische sporen te vinden van de historische band tussen Rotterdam en die koloniën.[73] Aansprekende voorbeelden in Indonesië zijn Fort Rotterdam in Makassar en voormalige gebouwen van de Rotterdamsche Lloyd. Het fort in Makassar werd gebouwd nadat de VOC onder leiding van admiraal Cornelis Speelman (1628-1884) dit deel van het eiland Celebes (nu: Sulawesi) in 1669 onder haar gezag had gebracht (afb. 25).[74] Speelman, die in Rotterdam was geboren als zoon van een koopman, noemde het fort naar zijn geboortestad. Hoewel de controle over Fort Rotterdam gedurende korte perioden in handen was van Groot-Brittannië (1811-1816) en Japan (1942-1945) en het fort in de loop der tijd diverse fysieke en functionele transformaties heeft ondergaan, herinnert de naam nog altijd aan de historische band tussen het fort en de geboortestad van zijn naamgever. Ook gebouwen van de RL getuigen van de band tussen Indonesië en Rotterdam. In diverse Indonesische steden zijn ze tot op de dag van vandaag beeldbepalende elementen in het straatbeeld. Ze zijn veelal ook, evenals Fort Rotterdam, vanwege hun cultuurhistorische betekenis en hun architectonische kwaliteit door de Indonesische overheid aangewezen als Indonesisch erfgoed.

Dat niet alle gebouwen, steden en nederzettingen de tand des tijds goed hebben doorstaan en dat daaraan niet altijd menselijk handelen ten grondslag ligt, illustreert de tot twee keer toe verloren gegane nederzetting

Nieuw Rotterdam in Suriname.[75] De eerste nederzetting, die in 1820 aan de monding van de Nickerierivier werd gesticht, werd in 1870 verlaten toen duidelijk werd dat de nederzetting onvoldoende beschut bleek tegen de zee en vanaf 1866 steeds vaker overstroomd raakte. Toen na enkele jaren duidelijk werd dat ook de tweede nederzetting, die even ten zuiden van de eerste gesitueerd was, niet bestand was tegen de overstromingen, werd ook deze verlaten. De derde locatie, meer landinwaarts en op de linker rivieroever gelegen, bleek aanzienlijk bestendiger. De in 1879 gestichte nederzetting Nieuw Nickerie, waarvan het oorspronkelijke stedenbouwkundig plan nog vrijwel onaangetast is en waarbinnen vele straatnamen herinneren aan de historische band met Nederland, bestaat tot op de dag van vandaag. Van Nieuw Rotterdam resten nog slechts enkele kaarten (afb. 26).

CONCLUSIE

De gebouwde omgeving van Rotterdam getuigt op vele plekken van het koloniale verleden. Gebouwen en stedenbouwkundige structuren, maar ook (kunst)objecten en (straat)namen refereren er direct of indirect aan. Die sporen, en de daarbij behorende verhalen, verdienen meer aandacht: ze laten een andere kant van Rotterdam zien, een kant die doorgaans niet of slecht gekend is.

25. Aanzichten van Fort Rotterdam in Makassar (Indonesië), 1693. (Nationaal Archief, Den Haag).

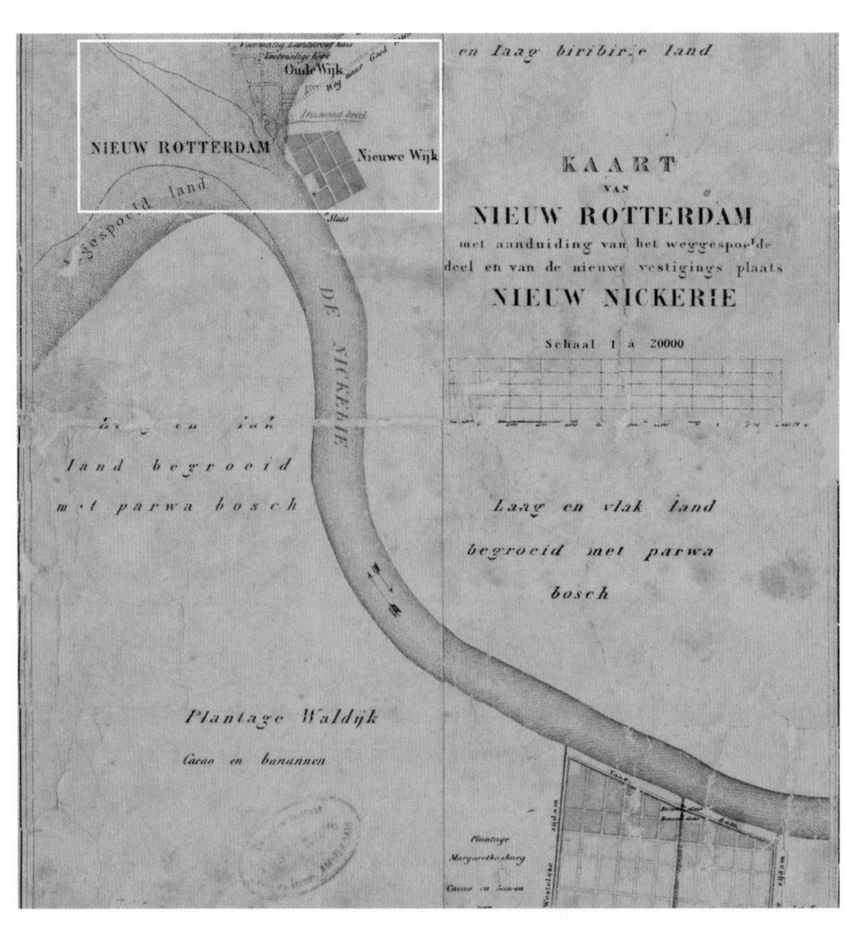

26. Nieuw Rotterdam en Nieuw Nickerie (Suriname), 1879. (Universitaire Bibliotheken Leiden, Collectie KIT*)*

Getuigen en sporen van relaties met de koloniën in de gebouwde omgeving blijken talrijker dan die gebouwde omgeving in eerste instantie doet vermoeden. Zoals voornoemde, niet uitputtende beschrijving laat zien, betekent het verlies van gebouwen en structuren die ooit fysiek van die relatie getuigden niet noodzakelijk dat die relatie onzichtbaar of ontastbaar wordt. Voor wie het wil weten, is ook heden ten dage de verknoping van Rotterdam met de koloniën nog op allerlei plekken te lezen in de architectuur en stedenbouw.

Een voorzichtige conclusie die op basis van dit onderzoek getrokken kan worden is dat er veel meer sporen te vinden zijn van de koloniale geschiedenis met Azië, in het bijzonder Nederlands-Indië, dan met Suriname en de Nederlands-Caribische eilanden. Een tweede constatering is dat koloniale handelaren en ondernemers die vormgaven aan de ruimtelijke ontwikkeling van Rotterdam vaak niet alleen zakelijk maar ook privé met elkaar gelieerd waren. De relaties die in dit beperkte onderzoek in dat opzicht zijn geschetst, doen vermoeden dat er nog een schat aan verhalen verborgen ligt over het Rotterdams-koloniale old boys network.

Wat dit onderzoek ten slotte laat zien is dat zelfs als een gebouwde omgeving sterk veranderd is, er nog steeds verhalen te vinden en te vertellen zijn. Als een omgeving verandert of verdwijnt, verandert of verdwijnt daarmee niet ook de geschiedenis. Eerder is het tegenovergestelde het geval: wanneer een omgeving verandert, voegt die verandering een laag toe aan de geschiedenis en wordt het verhaal dientengevolge complexer en misschien ook interessanter – zij het niet noodzakelijk aangenamer.

Net als in veel andere steden geldt dit laatste ook voor het oude centrum, de stadsdriehoek, van Rotterdam. Het bombardement van 14 mei 1940 mag de meeste tastbare koloniale en slavernijsporen van de stad hebben uitgewist, het heeft dat verleden daarmee niet ongedaan gemaakt. Het verleden is een gegeven. Wat wij van dat verleden zien – en (h)erkennen – is boeiend en uitdagend maar, vanwege het in Rotterdam grotendeels ontbreken van tastbare gebouwde getuigen, ook gecompliceerd en niet altijd evident. Voor wie het weet zijn relaties en verwijzingen te vinden in kleine en onverwachte dingen. Door enkele van die relaties en verwijzingen te identificeren en te duiden aan de hand van wijken, straten en gebouwen van Rotterdam, belicht dit relaas een nog weinig verkende kant van de stad: een ander Rotterdam, dat al dan niet zichtbaar getuigt van het koloniale en slavernijverleden.

NOTEN

1 Het is in dit verband interessant dat het bestuur van Stichting Herdenking 15 augustus Regio Rotterdam, die het Indische sieraad initieerde, niet op de hoogte was van de locatie van het voormalig Oost-Indisch Huis. Communicatie Han Goan Lim d.d. 24-03-2020.

2 Nadat de woning vanaf het eind van de negentiende eeuw onderdak had geboden aan een tehuis voor armlastige ongeneeslijk zieken en het opleidingsinstituut van de Nederlandse Zendingsvereniging, sloopte de gemeente het pand in 1927. Geus, 'Nogmaals 'de oorsprong' van de Puntegaalstraat', 12.

3 Bleijenberg, *De dynamische herinneringsboei in de Afrikaanderwijk in Rotterdam* en Bossenbroek, *De Boerenoorlog*, 13-15.

4 De Eerste Boerenoorlog duurde van 1880 tot 1881.

5 De Van Meekerenstraat is vernoemd naar de voormalige eigenaressen van dit stuk grond in Crooswijk: de zussen Belia Elisabeth Clara en Margaretha Josephina van Meekeren.

6 Pleret, ook Plered, is een plaatsnaam die op diverse plaatsen op Java voorkomt. Koning Amangkurat I, waarmee de VOC in 1647 een verdrag sloot, zetelde in het in Midden-Java gelegen Pleret. *Djeroek* (Indonesisch: *jeruk)* is Maleis voor sinaasappel. Het Indische bezit van de zusters was waarschijnlijk een stuk grond of plantage.

7 De Roy van Zuydewijn, 'Zuid-Nederlanders als gangmakers', 58, 60.

8 Grimm, 'Heren in zaken', 61-64.

9 Het beeld van Verbon is gemaakt in opdracht van de Rotterdamse ondernemer Willem van 't Wout. Van 't Wout schonk het beeld aan Cuba als dank voor zijn goede zakelijke relatie met Cuba. Van 't Wout was de grootste exporteur van nikkel uit Cuba. Via de haven van Rotterdam werd het nikkel naar elders in Europa vervoerd. Het beeld van Hein staat in Cuba aan de Baai van Matanzas, de baai waar Hein in 1628 de zwaar met Amerikaans zilver geladen Spaanse vloot (de 'Zilvervloot') veroverde. Gert Oostindie karakteriseert het beeld van Hein in Cuba als manhaftig – een interpretatie die ik, ongeacht de locatie van het beeld, niet deel. Beekman, 'De Cuba-handel gaat ook zonder Fidel door' en Oostindie, 'Cuba in Nederlandse ogen', 256.

10 Doedens en Mulder, *1941-1942 Slag in de Javazee.*

11 Het standbeeld van Van Hogendorp houdt de tekst van de Grondwet van 1814 in zijn rechterhand.

12 Gijsbert Karel van Hogendorp, *Verhandeling over den Oost-Indischen handel*; Gijsbert Karel van Hogendorp, *Brieven aan een participant in de Oost-Indische Compagnie*; Gijsbert Karel van Hogendorp, *Memorie over den tegenwoordigen staat van den handel en de culture in de Oost-Indische bezittingen van den staat.*

13 J.C.M. Radermacher en W. van Hogendorp, 'Korte Schets van de Bezittingen der Nederlandsche Oostindische Maatschappye; benevens eene Beschryving van het Koningryk Jacatra en de Stad Batavia', 1-70; W. van Hogendorp, 'Beschryvinge van het Eiland Timor voor zoo verre het tot nog toe bekend is', 273-306 en W. van Hogendorp, *Sophronisba of de Gelukkige Moeder door de Inëntinge van haare Dochters. Europeesche geschiedenis, ter leezinge voorgesteld aan de Moeders te Batavia*; *Redevoering der inentinge tot de ingezetenen van Batavia, na haare terug komste van Semarang*; D. van Hogendorp, 'Proeve over den slaavenhandel en de slaavernij in Neerlands-Indie', 451-464 en D. van Hogendorp, *Ontwerp om de Oost-Indische Compagnie dezer landen in haren vorige bloei, en welvaart, beschouwd als een handeldrijvend ligchaam te herstellen.*

14 W. van Hogendorp, *Kraspoekol, of de droevige gevolgen van eene te verregaande strengheid jegens de Slaaven.*

15 D. van Hogendorp, *Kraspoekol, of de Slaaverny. (Een tafereel der zeden van Neerlands Indiën.).*
16 Nieuwenhuys, *Oost-Indische spiegel*, 70.
17 J.E. van der Pot, 'Dr Elie van Rijckevorsel, 1845-1928', 201-219; Elie van Rijckevorsel, 'Verslag aan Zijne Excellentie den Minister van Koloniën, over eene magnetische opneming van den Indischen archipel, in de jaren 1874-1877 gedaan (met kaart)' *Verhandelingen der Koninklijke Akademie van Wetenschappen Amsterdam Negentiende deel* (1879) 1-35 en Elie van Rijckevorsel, 'Schetsen uit Brazilië', *Tijdschrift van het Koninklijk Nederlandsch Aardrijkskundig Genootschap* 6 (1882) 141-152.
18 Elie van Rijckevorsel, *Brieven uit Insulinde* ('s-Gravenhage: Martinus Nijhoff 1878) en Elie van Rijckevorsel, *Uit Brazilië* (Rotterdam: Elsevier 1886).
19 Cornets de Groot, 'Speenhoff en Indië' en De Haas Jr., *'t Was anders*, 170, 172.
20 De tekst van 'O, die obat, obat' en 'Het Witte Pak. Masker en démasqué' staat integraal in *De Sumatra Post* (14-02-1930) en *De Sumatra Post* (11-02-1930). De tekst van 'Tida ada, tida maoe' en 'Een baboe die men niet vergeet' staat integraal op https://www.cornetsdegroot.com/deopenruimte/vw/speenhoff/speenhoffbiografie13.html, geraadpleegd 17-02-2020. Een door Duo Speenhoff gezongen versie van 'Een baboe die men niet vergeet' is te beluisteren via https://www.youtube.com/watch?v=lPBtOFVDHpQ.
21 'Speenhoff in de residentie'. Uit een kort bericht in onder andere het *Bataviaasch Nieuwsblad* van 01-11-1931 blijkt dat Speenhoff eind 1931 voornemens was een tweede tournee door Nederlands-Indië te maken. Aangezien de Indische dagbladen in 1931 en 1932 geen melding maken van optredens van Speenhoff in Nederlands-Indië, lijkt aannemelijk dat die tweede tournee geen doorgang vond.
22 Bonke, '*De kleyne mast van de Hollandse coopsteden*', 88 en Van Gelder en Wagenaar, *Sporen van de Compagnie*, 108, 112.
23 Zie Rijksdienst voor het Cultureel Erfgoed inv.nrs. 75.371 t/m 75.380 voor uitgevoerde en niet uitgevoerde ontwerpen voor het Oost-Indisch Huis. Van Gelder en Wagenaar, *Sporen van de Compagnie*, 108-111; Verheul, *Merkwaardige oude inrijhekken alsmede poort- en hoofdingangen uit de XVIIe, XVIe en XIXe eeuw in en om Rotterdam*, 57-60 en Wiersum, 'De gebouwen der Oost-Indische Compagnie, Kamer Rotterdam', 97-98.
24 De wanden van de vergaderkamer waren gedecoreerd met 33 kleine portretten van de gouverneurs-generaal van Nederlands-Indië.
25 Wiersum, 'De gebouwen der Oost-Indische Compagnie, Kamer Rotterdam', 102.
26 Verheul, *Merkwaardige oude inrijhekken*, 60.
27 Van Berckel, *Rotterdam, geschetst in zijne voornaamste gebouwen, kerken en gestichten* en Wiersum, *Oude huizen van Rotterdam.*
28 Wiersum, 'De gebouwen der West-Indische Compagnie te Rotterdam', 167-171.
29 Het portret van Piet Hein is thans onderdeel van de collectie van Museum Rotterdam, inv.nr. 10536-A-B.
30 Wiersum, 'De gebouwen der West-Indische Compagnie te Rotterdam', 169.
31 Bonke, '*De kleyne mast van de Hollandse coopsteden*', 88, 105.
32 Kortebrand, *Beschryving der stad Rotterdam*, 146.
33 Berens, *W.N. Rose 1801-1877*, 102-103.
34 Bonke, '*De kleyne mast van de Hollandse coopsteden*', 88 en Van Gelder en Wagenaar, *Sporen van de Compagnie*, 112-114.
35 Oosterwijk, *Koning van de Koopvaart*, 85-86.

36 Van Gelder en Wagenaar, *Sporen van de Compagnie*, 98-101 en Wiersum, 'De gebouwen der Oost-Indische Compagnie, Kamer Delft, te Delfshaven', 90-93.
37 Engelbrecht, *Bronnen voor de geschiedenis van Rotterdam.*
38 Haringvliet Zuidzijde 46, het 'Huis met de beelden', is gebouwd in 1712. Het rechts daarvan gelegen Haringvliet Zuidzijde 48 is gebouwd in 1701. Beide panden hebben een deur aan de straat. De overige panden hebben zowel een hoofdentree als een magazijndeur aan de straat.
39 Het koopmanshuis van Herman van Coopstad (1708-1772) stond aan het Haringvliet. De exacte locatie is onbekend. Van Coopstad was medeoprichter van de firma Coopstad & Rochussen.
40 Het jaartal 1598 dat is aangebracht op de gevel van Haringvliet Zuidzijde 96 is twijfelachtig. Meischke en Zantkuijl dateren het pand op circa 1740. Meischke en Zantkuijl, 'De laatste oude huizen van Rotterdam', 12.
41 De datering van de decoraties is gebaseerd op hun stilistische kenmerken en de bouwgeschiedenis van het pand. Het met meer zekerheid dateren van de decoraties vereist röntgenonderzoek. Met dank aan drs Jojanneke Clarijs voor het onder mijn aandacht brengen van de dit pand en Anja Berkelaar, bewoonster van de woning, voor het verlenen van toegang tot de woning. Clarijs, *Koopmanshuizen Rechter Rottekade 405-417 te Rotterdam* en Communicatie Jojanneke Clarijs d.d. 30-03-2020.
42 Met dank aan prof. dr Henk den Heijer voor de referentie aan Olfert Dapper. Communicatie Den Heijer-Clarijs d.d. 31-03-2020.
43 De functie van de hoog opgaande paal is onduidelijk. Na consultatie van kunsthistorica Nora Schadée beschrijft Clarijs het als vogelnest. Dr Oscar Hefting (Nederlands Vestingmuseum) kan zich voorstellen dat het een uitkijkpunt was. Communicatie Clarijs en Hefting dd. 26-27 maart 2020.
44 Of de schilderingen aan de Rechter Rottekade uniek zijn, is binnen het bestek van dit onderzoek niet nader onderzocht. In vergelijking met andere bewaard gebleven interieurs zoals dat van Leuvehaven 103 en Boompjes 18 lijkt dat wel het geval. Museum Rotterdam, inv.nrs. 36417, 11305.
45 Museum Rotterdam, inv.nrs. 36417, 11305.
46 Van der Schoor, *Stad in aanwas.*
47 Engelbrecht vermeldt dat Van Belle van 1683 tot 1727 de Hoogstraat Westzijde woonde. Hoewel Engelbrecht het adres Leuvehaven 103 niet vermeldt, maakt deze informatie in combinatie met de beschrijving en datering van het interieur van de woning van Van Belle aan Leuvehaven 103 aannemelijk dat Van Belle zich in of na 1727 vestigde aan de Leuvehaven. Engelbrecht, *Bronnen voor de geschiedenis van Rotterdam*, 246 en Museum Rotterdam, inv.nr. 36417.
48 Over de bemoeienis van ondernemers met de stedenbouwkundige ontwikkeling van Rotterdam in de zeventiende eeuw schrijft Paul van der Laar: 'Leden van de koopstadelite speelden bij de uitbreiding van de waterstad een essentiële rol. Zij kochten de erven van de stad om woningen en bedrijfsgebouwen neer te zetten een financierden daarmee de havenexpansie. Het tempo en het succes van de uitbreidingen hingen vrijwel volledig van hun financiële inspanningen af.' Van de Laar, 'Rotterdam', 39.
49 Berens, *W.N. Rose 1801-1877*, 63.
50 In het kader van dit onderzoek is een saillant detail dat W.N. Rose geboren was in Cheribon (nu Cirebon) in Nederlands-Indië. Roses overgrootvader, vader en twee zoons werkten in Nederlands-Indië.
51 Heerlijkheden op de linker Maasoever waren onder andere Rhoon, Poortugaal, Hoog-

vliet, Charlois en Ridderkerk.

52 Het Cultuurstelsel hield in dat het gouvernement in Nederlands-Indië bepaalde welke tropische gewassen (cultures) lokale landbouwers dienden te verbouwen en welk deel van de oogst ze aan het gouvernement dienden af te dragen.

53 A. van Hoboken kocht en verkocht gedurende zijn leven diverse panden op verschillende locaties. Bij zijn overlijden in 1850 liet Van Hoboken de volgende onroerende zaken na: drie herenhuizen aan Wijnhaven Zuidzijde, twee herenhuizen aan Wijnhaven Noordzijde, twee woonpanden aan Leuvehaven, een woonpand aan Zuidblaak, een pakhuis aan Boompjes, een stal, koetshuis en vijf pakhuizen aan Jufferstraat, twee branderijen aan Baan, een familiegraf in Hillegersberg, aandelen in het gebouw van Sociëteit Amicitia aan Blaak Zuidzijde en concertzaal Harmonie aan Bierstraat en de heerlijkheden Rhoon en Pendrecht, en Cortgene. Oosterwijk, *Koning van de Koopvaart*, 67, 272.

54 Verheul Dzn., *De Rotterdamsche Schie 1340-1940 en de voormalige bebouwing aan de Schiekaden*, 98.

55 Van Hoboken kortte de naam van de buitenplaats af tot Dijkzigt. Om deze buitenplaats te onderscheiden van de latere buitenplaats Dijkzigt aan de Westzeedijk wordt hier uitsluitend de volledige naam gebruikt. Oosterwijk, *Koning van de Koopvaart*, 81-82.

56 De naam van de buitenplaats die ook op Parklaan 1-3 lag is onduidelijk. R. Mees schrijft in 1917 dat Parklaan 1-3 het adres was van buitenplaats Ons Genoegen. In een noot vermeldt hij dat de buitenplaats op een kaart van 1865 vermeld is als 'Theebussen'. De stadsplattegrond uit 1839 toont een buitenplaats met de naam 'De Theebussen' aan de Parklaan. De dubbele herenhuizen die Hendrik Muller rond 1870 op het huidige adres Parklaan 1-3 liet bouwen, zijn ook bekend als 'De Theebussen'. De website Topo10 vermeldt dat aan het huidige Parklaan 1-3 voorheen buitenplaats Nooitgedacht lag. Mees, 'De Muizenpolder'. Stadsarchief Rotterdam, inv.nr. 1-53-01-A en https://nieuws.topo10.nl/parklaan-1-3.htm, geraadpleegd d.d. 18-03-2020.

57 'Dagelijkse kroniek 1938', XLV en 'Dagelijkse kroniek 1950', 64.

58 Om het transport binnen Nederlands-Indië te kunnen bedienen, richtte de RL samen met de Stoomvaart-Maatschappij Nederland in 1888 de Koninklijke Paketvaart Maatschappij op.

59 Groeneveld, 'Het Poortgebouw', 31-32.

60 Van de Laar, *Stad van formaat*, 150.

61 De Wilde, 'Brand, Hendrica (1758-1813)', *Digitaal Vrouwenlexicon van Nederland*, http://resources.huygens.knaw.nl/vrouwenlexicon/lemmata/data/Nelle,%20weduwe%20van, geraadpleegd d.d. 01-04-2020.

62 Het is niet ondenkbaar, en zelfs waarschijnlijk, dat de Indische bezittingen van de zusters Belia en Margaretha van Meekeren waaraan het stratenregister refereert bij de straatnamen Pleretstraat en Djeroekstraat, ook plantages waren.

63 Bantje, *Twee eeuwen met de weduwet*, 58-63.

64 Langenhuyzen, 'Simon van den Bergh'.

65 Of Margarine Unie, net als Lever, ook eigen plantages bezat, is vooralsnog niet duidelijk.

66 Mens, *W.G. Witteveen en Rotterdam*, 180-184.

67 Volgens C. te Lintum had de NHM geen 'dadelijk monopolie van vervoer en verkoop van gouvernementsproducten' maar was sprake van een 'koninklijke garantie van 4½ % divident'. Te Lintum, 'Rotterdam en de oprichting der Nederlandsche Handelmaatschappij', 96-97.

68 Van Zanden en Van Riel, *Nederland 1780-1914*, 139-145.

69 Op de zuidelijke hoek van de Van Oldenbarneveltstraat-Mauritsweg is hoog op de gevel een meer dan levensgroot portret van Eduard Douwes Dekker, alias Multatuli, aangebracht. Het beeld is van de hand van Mathieu Ficheroux. In 1974 werd het geplaatst aan de Mauritsstraat. Sinds 1985 hangt het op zijn huidige locatie.

70 Te Lintum, 'Rotterdam en de oprichting der Nederlandsche Handelmaatschappij', 102-103.

71 Van der Werf, *Van Twentse bank naar algemene bank*, 28.

72 In hoeverre de op dat moment al zes jaar niet meer actieve voormalige president Willem Westerman een rol heeft gespeeld bij de oprichting van deze drie banken, is onduidelijk. Vanwege zijn positie en zijn werkervaring op tabaksplantages op Sumatra (Nederlands-Indië) is dit niet ondenkbaar. Westerman publiceerde zijn koloniale ervaringen in een roman getiteld *De Tabakscultuur op Sumatra's Oostkust* (Amsterdam: De Bussy 1901).

73 In Rotterdam staan, voor zover bekend, geen gebouwen uit de koloniën. Het Minangkabau-huis in het Kralingse Bos heeft, anders dan de website van de uitbater suggereert, niets te maken met het oorspronkelijk Minangkabau-huis dat op de Internationale koloniale tentoonstelling in Parijs (1931) en een jaar later op de Indische Tentoonsteling in Den Haag (1932) te zien was. Het gebouw in het Kralingse Bos is een ontwerp van de Rotterdamse architect Henk Sutterland uit de jaren tachtig van de vorige eeuw. Kroon en Wagtberg Hansen, *Sporen van smaragd*, 345, 355 en Zijlmans, 'Kralings Minangkabau-huis nu echt bijna open'. Museon Den Haag, inv.nrs. 234681, 234682, 89393a, 89393b, 89400, 89449; 'Minang kabau'; http://minangkabau.nl/about-us/, geraadpleegd d.d. 28-01-2020; https://www.omroepwest.nl/nieuws/2211673/Unieke-filmopnames-Indische-Tentoonstelling-van-1932-in-Den-Haag, geraadpleegd d.d. 14-04-2020.

74 'Fort Rotterdam Makassar 1673: Guardian of the Makassar Strait', 187-196.

75 Bakker en Van der Klooster, *Architectuur en Bouwcultuur in Suriname*, 72.

Bijlage 1:
Woon- en werklocaties van bewindhebbers VOC en WIC en personeel Admiraliteit op de Maze in de periode 1572-1795

Naam	Geboren / Gedoopt-Begraven	VOC	WIC	Admiraliteit op de Maze
Mr Willem Adriaensz. Van Goedereede	1537-1599			1597
Arent Jacobsz. Hasendonck	1543-1601			1597-1601
Jan Jaspersz. Goutvelt	c.1551-1616			1601
Willem Jan Vranckensz. van der Aa	†1613			1593
Reyer Arentsz. Kievit	1554-1606			s.a.
Pieter Lenertsz. Busch	†1606	s.a.		
Cornelis Cornelisz. Jongeneel de Oude				
Cornelis Claesz. van Driel	†1636			1608-1612
Henrick Willemsz. Nobel	1568-1649	1621-1649	1622 of 1625	1626
Jan Dirkcsz. Versijden	†1652			1616-1619
Cornelis Jansz. Hartigsvelt	†1641	1639-1641		
Cornelis Cornelisz. Matelieff, de Jonge	†1632			
Jan Jansz. Kalf	†1625			1622-1625
Harmen Matthysz. van Wielick	†1646	1619-1646		
Adriaen Lenertsz. Besemer	†1657	1642-1657		
Pieter Sonmans	1588-1660	1631-1660		
Joost Adriaensz. van Coulster	1621-1649	1626-1636		1625-1628

E.A. Engelbrecht, *Bronnen voor de geschiedenis van Rotterdam. V: De Vroedschap van Rotterdam 1572-1795* (Gemeentelijke Archiefdienst Rotterdam 1973).

Admiraal VOC-WIC	Huis koop (K) en verkoop (V)	Huis / Werk etc. koop (k) en verkoop (v)
	Hoogstraat NZ (V 1602)	Huis: Steiger (V 1614)
	Oostwagenstraat WZ (V 1589)	
	'de Salamander': Oppert OZ (V 1603, V 1607)	Ververij: Oppert OZ (naast huis) (V 1610)
	'de Bonte Os': Hoogstraat NZ (K 1575, V 1639)	
		Werk: Brouwerij 'de Olyphant', Hoogstraat NZ (K 1589)
	Houttuin (K 1592, V 1652)	Huis: Haringvliet (K 1596, V 1643). Huis 'Embden': Hoofdsteeg WZ (V 1610)
	Blaak ZZ (K 1587, V 1594)	Huis: Leuvehaven OZ (V 1628)
	'de Harde Bollen': Hoogstraat ZZ (K 1590, V 1662)	Huis (annex haringplaats): Westnieuwland (K 1605, V 1616). Huis: Leuvehaven (V 1626)
	'de Blaeuwe halve Maen': Spaanschekade (K 1589, V 1605)	
	Lombardstraat OZ (K 1601, V 1687)	
	Erven: Leuvehaven WZ (K 1608-1609-1614, V 1648)	
VOC	Spaansekade	Huis: Nieuwehaven ZZ (K 1612)
	Hoogstraat ZZ (tegenover stadhuis) (K 1606, V 1631)	
	Huis (annex brouwerij en mouterij): Westnieuwland (K 1631, V 1635)	Huis: Westnieuwland (K 1616, V 1635)
	'De Meelbael': Oppert WZ (K 1656)	
	'de Vergulde Zon': Oppert WZ (K 1625, V 1664)	Huis: in de Rame in het Hof van Weena (K 1642, V 1662)
	'Jarmeyden': Spaanschekade (K 1633, V 1656) (in 1589 heette het huis 'De Stadt Hamburch')	Huis (annex brouwerij, mouterij, erf) 'De Roode Pau': Haringvliet NZ (K 1628, V 1632). Huis: Wijnhaven NZ (K 1625). Tuin en erf in Crooswijck (K 1628).

Johan Allartsz. van der Duyn	†1630			1628-1630
Hugo Pietersz. Du Bois	†1667		1652-1667	
Willem Allertsz. van Couwenhoven	†1659			1646-1649
Cornelis Willemsz. van Couwenhoven	1632-1692	1667-1692		
Pieter van der Meyden	1579-1638	1633		
Sarach Jansz. Hairwijck	†1641		1636	
Johan van Yck	†1642			1627-1642
Johan van Berckel, de Oude	†1678			1649-1652
Willem Cryger	1654-1634		1641	
Johan Abrahamsz. de Reus	†1685	1658		
Mr Johan van der Meyden, heer van Sleeuwijck	†1677	1642-1647		
Adriaen Hartman	1604-1681		1646	1659-1663
Cornelis Coninck	†1658	1649-1658		
Henrick Rammelman	†1658	1647-1658		
Gerard van Bergen	†1665	1653-1665		
Ewout Pietersz. van der Horst	onbekend	1618		
Willem Hartigsvelt	†1664	1657-1664		
Mr Adriaan Boon	c.1623-1667			1663-1666
Adriaen Vroesen	†1669			1668
Mr Johan Kievit	onbekend	1664		
Jacob Sonmans	†1661	1657-1661		
Mr Adriaen Prins	1625-1668	1663		
Mr Johan de Vries	†1677	1667-1677		
Mr Adriaen Paets, heer van Oudcarspel, de beide Koedijken, Schoten en Schoterbosch	1631-1686	1668		1669-1672

			Brouwerij ''t Witte Paert': Leuvehaven wz (v 1645)
		Lombardstraat oz (k 1594, v 1698)	Lombardstraat oz (k 1660, v onbekend)
		Huis (annex pakhuis): Wijnhaven nz	Huis: Wijnstraat nz (k 1630). Erven: Nieuwe Beestenmarkt nz (k 1636 v 1651). Branderij: Wijnhaven nz (k 1651 v 1699)
		Nieuwehaven nz (k 1626, v 1646)	Pakhuis: Nieuwehaven nz (k 1635, v 1642)
		'het Hert': Hoogstraat zz hoek Marktveldsteeg (k 1605)	Huis: Goudse Rijweg (k 1608)
		Nieuwestraat (k 1622)	Huis: Hoogstraat wz (buiten Schiedamse Poort) (k 1622, v 1630. Huis 'de Pijnappel': Houttuin zz (k 1629). Huis: Nieuwehaven nz (k 1630). Huis: Nieuwehaven nz (k 1634, v 1635)
		'de Blauwe Arent': Oppert wz (k 1624, v 1709)	
		Haringvliet zz (k 1635, v 1662)	
		Hoogstraat nz (k 1623, v 1643)	Huis: Nieuwehaven
		Haringvliet zz (k 1675)	
		Haringvliet zz (k 1648, v 1664)	
		Leuvehaven oz (k 1639, v 1671)	
		Spaansekade (k 1648, v 1720)	Huis: Leuvehaven wx (k 1659, v 1669)
		'de Blinde Werelt' (later: 'de Vergulde Hant'): Grote Markt nz (k 1629, v 1659)	
		Hoogstraat nz (k 1641, v 1687-1682)	
		Oppert	Schiedamse Dijk
		Hoogstraat bij Vlasmarkt	
		Nieuwehaven	
		Schiedamse Dijk oz (k 1665)	Huis: Hoogstraat

Herman van Zoelen	1636-1702	1668		1672-1676
Arent Sonmans (Sonnemans)	onbekend	1670		
Mr Ewout Blanckert, heer van 's-Gravenambacht	1627-1685			1679-1682
Witte Cornelisz. de With	1599-1658			
Dominicus Roosmale		1677-1689		1688-1689
Jean de Mey, de Oude, heer van IJsselmonde	1633-1721		1667	1677-1679 & 1703-1706
Paulus Timmers, de Jonge	1622-1692	1677		1685-1691
Pieter de Mey	1642-1722			1682-1685
Josua van Belle, vrijheer van St. Hubregtsgerechts, heer van Noord-Waddinxveen, Groenwaard, Penlie, Suydelswijk en Sleeuwijk	1637-1710	1678		
Jacob Noordhey	1673-1733	1706-1733		
Mr Adriaen Boon	1653-1693		1677	
Jean Mey	†1713			1691-1694
Jacob Dane	†1699	1689		1697-1699
Mr Dirck de Raedt, heer van Kijfhoek	1649-1706	1689-1706		
Mr Samuel Beyer, de Jonge	1657-1729	1707		
Mr Willem van Hogendorp	1656-1733	1692-1733		1700-1703
Abraham Elsevier	1654-1707	1699-1707		
Mr Marinus Groeninx	1655-1730	1698-1730		
Gregorius van Teylingen	1653-1735			1709-1712
Mr Laurens Backer	1664-1704		1694-1700	
Adriaen Roosmale	1662-1740		1710-1717	1706-1707
Mr Bastiaen Schepers	1650-1704	1702		
Mr Witte Gevers	1672-1744			1712-1715
Mr Gerard van de Dussen, heer van Oud Teylingen	1662-1713			s.a. (adv.-fisk.)
Johan de Neyn	1669-1732			1721-1724
Mr Jacob Ysbrands	1665-1749			1740-1747
Mr Dirck Groenhout, heer van Capelle aan den IJssel	1680-1720	1713		1715-1718
Hugo du Bois	1680-1740	1734-1740	1730-1734	

	Hoogstraat NZ t.o. Franse Kerk	Huis: Hoogstraat WZ (K 1665)
	Scheepmakershaven hoek Bierstraat WZ (K 1668, V 1677)	
	Haringvliet ZZ (K 1660, V 1727)	
1616-onb.	Haringvliet ZZ (V 1660)	
	Boompjes (K 1687)	
	Huis (annex suikerraffinaderij): Wolfshoek, hoek Posthoornsteeg (K 1682, V 1732)	
	Blaak ZZ (V1675)	Scheepstimmerwerf, huis en erf: Boompjes (K 1682). Huis, pakhuis en erf: Wijnhaven NZ (K 1683)
	Vasteland (K 1720, V 1738)	
	Hoogstraat WZ (K 1683, V 1727)	Huis: Leuvehaven 103
	Nieuwehaven NZ	
	Wijnhaven NZ	Huis: Wijnhaven ZZ (K 1683)
	Leuvehaven bij de brug (s.a.)	
	Boompjes (s.a.)	
	Oppert (K 1669, V 1711)	
	Leuvehaven WZ (K 1704)	
	Leuvehaven OZ (K 1682, V 1716)	
	Oppert OZ (V 1757)	
	Haringvliet ZZ (K 1707, V 1778)	
	Oppert (in het huis van juffrouw Van Loon)	
	Leuvehaven	Huis: Haringvliet ZZ (K 1722, V 1723)
	Haringvliet	
	'de Boot': Hoogstraat NZ (V 1762)	
	Leuvehaven OZ (K 1699, V 1768)	
	Nieuwehaven	
	Hoogstraat NZ (K 1697)	Huis 'de Boot': Hoogstraat NZ (K 1710)
	Boompjes (K 1721)	
	Leuvehaven WZ	Hofstede 'Rodenrys' (K 1727)

Mr Franco Daniel du Bois	1710-1740		1734-1740	
Willem Schepers	1684-1750			1718-1721
Mr Engelbert van Berckel	1686-1768	1715		
Mr Adriaen Boon, heer van Molenaarsgraaf, Giessen en Steenhuysen	1683-1728		1719-1730	
Mr Hendrik Pelt, heer van Piershil	1672-1739		1719	
Mr Aegidius Groeninx, heer van Capelle aan den IJssel	1703-1737	1734		
Mr Herman Vingerhoed	1697-1762			1762
Mr Adriaan Prins	1692-1780	1720		1747-1753
Mr Adolf Visscher	1686-1746			onbekend
Abraham Gevers	1712-1780			1768-1771
Mr Otto Groeninx van Zoelen, heer van Ridderkerk	1704-1758	1740		1753-1758
Mr Gerard François Meyners	1711-1790	1755	1771-1774 1777-1783	1771-1774
Mr Hugo Cornets de Groot, heer van Noord Nieuwland	1709-1777	1738		1758-1762
Mr Jean Bichon, heer van Oost- en West-IJsselmonde	1716-1801	1759	1741	1763-1765
Jacob Jansz. Cossart	1713-1780			1774-1777
Mr Abraham Adriaan du Bois, heer van Molenaarsgraaf, Giessen en Steenhuysen	1713-1774	1742	1741	
Mr Adriaan Paets	1697-1765	1734		
Walter Senserff	1683-1752	1731		
Mr Johan Wilhem Lormier, heer van Kethel en Spaland	1716-1785			1765-1768
Isaack van Alphen	1716-1788			1756-1788
Hendrik van Beeftingh	1711-1797			1788-1789
Philip Jacob van der Goed	1728-1789	1781		
Mr Claudius van der Staal	1737-1796			1792-1795
Mr Joan Gerbrand van Mierop	1733-1807			1795

	'het Teyken van 't Zeeuwsche Wapen': Haringvliet zz (K 1738, V 1767)	
	Wijnhaven NZ (K 1730)	
	Baan bij de Binnenwegsche Poort (K 1714)	Buitenplaats
	Hoogstraat WZ (K 1719, V 1789)	Buitenplaats
	Boompjes	Huis: Nieuwehavn NZ (V 1734)
	Vasteland (V 1789)	
	'de Olifant': Haringvliet zz (K 1720, V 1780)	Buitenplaats
	Hoogstraat NZ (huurhuis)	
	Crooswijk	
	Nieuwehaven NZ (huurhuis)	Huis: Haringvliet zz. Buitenplaats
	Leuvehaven OZ (K 1720, V 1766)	
	Leuvehaven OZ (K 1742, V 1784)	
	Haringvliet zz (K 1710, V 1802)	Huis: Hang NZ (K 1656, V 1694). Huis: Watersteeg zz bij Hoogstraat (K 1671, V 1728)
	Leuvehaven OZ (K 1749, V 1767)	Huis: Leuvehaven OZ (K 1768, V 1832)
	Baan bij de Binnenwegsche Poort	
	Huis: Nieuwehaven	
	Haringvliet zz (K 1743, V 1771)	Buitenplaats
	Korte Hoogstraat NZ (K 1719, V 1789)	
	Haringvliet zz (K1760)	Buitenplaats 'Schieleven', Schiedam
	Toe Rijstuin	Huis: Wijnhaven zz (K 1683)
	Boompjes	
	Haringvliet	Buitenplaats onder Wassenaar
	Leuvehaven	Huis (annex suikerraffinaderij): Nieuwehaven NZ (K 1769)

Bijlage 2:
Straatnamen met referenties aan Nederlandse koloniën

De namen in dit overzicht hebben uitsluitend betrekking op personen, geografie, scheepsnamen, organisaties/bedrijven, producten/gewassen en uitheemse woorden die een relatie hebben met Nederlandse koloniën. Namen van parken, buitenplaatsen, (lucht)havens, beroepen, bouw-/scheepsmateriaal, etc. zijn niet opgenomen. Hoewel is getracht het overzicht zo volledig mogelijk te maken, is niet uit te sluiten dat het overzicht desondanks toch niet uitputtend is.

A

Abram van Rijckevorsel, Admiraal de Ruyter, Admiraliteit, Aert van Nes, Afrikaander, Alex de Haas, Ambon, Arthur Parisius, Aruba, Atjeh, Australië, Azië

B

Baloeran, Bananen, Barbertijn, Batavia, Beel, Berkelmans, Beyers, Bloemfontein, Bonaire, Boni, Bonte Cray, Bontekoe, Botha, Brakel (Van)

C

Caerden (Van), Charley Toorop, Christiaan de Wet, Compagnie, Cordes (De), Cornelis Tromp, Cronjé, Curaçao, Curcuma

D

Deli, Dempo, Djeroek, Dolphijn

E

Eenhoorn, Entrepot, Ericks

F

Factorij, Foelie, Fransen van de Putte

G

Galanga, Generaal van der Heijden, Geyssendorffer, Goede-Hoop

H

Halve Maen, Handel, Hato, Hatta, Henk Sneevliet, Herman Coster, Hoboken, Houtman (De), Hudson

I

Indische tuin, Indrapoera, Insulinde

J
Jacques Dutilh, Jan Greshoff, Janey Tetary, Japara, Java, Jean de Meij, Jef Last, Johan Maurits, Johannes Brand, Jolink, Jol, Joost Banckertsplaats

K
Kaap, Kaneel, Kapitein, Karbouw, Karel Doorman, Karimata, Kedoe, Keuchenius, Kortenaer, Kraton, Kijkuyt

L
Lakeman, Lands Werf ('s), Laurier, Lidewijde, Limburg Stirum (Van), Lloyd, Lodewijk Pincoffs, Lombok, Loods Bali, Loods Borneo, Loods Celebes, Loods Java, Louis Couperus

M
Madoera, Maetsuyker, Magallanes, Mahonie, Mahu, Makassar, Malakka, Marees (De), Marten Mees, Martinus Steijn, Max Havelaar, Max Woiski, Menno ter Braak, Meyde (Van der), Mohammed Roem, Müller, Multatuli

N
Nideck (Van), Nobel

O
Oldenbarnevelt (Van), Olivier van Noort

P
Paludanus, Pasgeldt, Patmos, Paul Kruger, Peperboom, Perron, Piet Heyn, Plancius, Pleret, Postpaert, Pretoria, Prof. Gerbrandy, Puntegaal

R
Retief, Rey (De la), Riebeek, Ringers, Rochussen, Roggeveen, Ruyter (De)

S
Saffraan, Saftleven, Schalk Burger, Schermerhorn, Sibajak, Slamat, Smirnoff, Soer, Sorong, Soury, Speelman, Steven van der Haghen, Stevin, Stikker, Stuyvesant, Sumatra

T
Tamarinde, Tarakan, Theeboom, Thico, Timor, Transvaal, Tuymelaer, Tula, Tweebosbuurt

V
Vergulde Draeck, Vijf Werelddelen, Virginia Gaaipad, V.O.C.

W
Wasbloem, Weerden Poelman (Van), Willem Ruys, Willem Schürmann, Witte de With

IJ
IJzer (1ste en 2de)

Z
Zeebouwer

LITERATUUR

Bakker, Michel en Olga van der Klooster, *Architectuur en Bouwcultuur in Suriname.* Amsterdam: LM Publishers, 2009.

Bantje, H.F.W., *Twee eeuwen met de weduwe. Geschiedenis van De Erven de Wed. J. van Nelle N.V. 1782-1982.* Rotterdam: De Erven de Wed. J. van Nelle, 1981.

Beekman, Bor, 'De Cuba-handel gaat ook zonder Fidel door', *de Volkskrant*, 05-08-2006.

Berckel, H.A.A. van, *Rotterdam, geschetst in zijne voornaamste gebouwen, kerken en gestichten.* Rotterdam: P.C. Hoog, 1863.

Berens, Hetty, *W.N. Rose 1801-1877. Stedenbouw, civiele techniek en architectuur.* Rotterdam: NAi Uitgevers, 2001.

Bleijenberg, R.H.G., *De dynamische herinneringsboei in de Afrikaanderwijk in Rotterdam. Een onderzoek naar de rol van de straatnamen in de Afrikaanderwijk in de ontwikkeling van de historische band tussen Nederland en Zuid-Afrika tussen 1900 en 2016.* Utrecht: Universiteit Utrecht, 2017.

Bonke, Hans, *'De kleyne mast van de Hollandse coopsteden'. Stadsontwikkeling van Rotterdam 1572-1795.* Hilversum: Uitgeverij Verloren, 1996.

Bossenbroek, Martin, *De Boerenoorlog.* Amsterdam: Athenaeum-Polak & Van Gennep, 2012.

Breukelman, J.B., 'Hogendorp (Gijsbert Karel van)', in P.J. Blok en P.C. Molhuysen, *Nieuw Nederlandsch biografisch woordenboek. Deel 2.* Leiden: A.W. Sijthoff, 1912.

Clarijs, Jojanneke, *Koopmanshuizen Rechter Rottekade 405-417 te Rotterdam. Deelrapport De interieurschilderingen.* Amersfoort: [ongepubliceerd], 2020.

Cornets de Groot, Rudy, 'Speenhoff en Indië', *Indische Letteren* 4/3 Oude Wetering/ Werkgroep Indisch-Nederlandse Letterkunde. (1989): 97-115.

Doedens, Anne, Lies Mulder, *1941-1942 Slag in de Javazee. Oorlog tussen Nederland en Japan.* Zutphen: Walburg Pers, 2017.

Engelbrecht, E.A., *Bronnen voor de geschiedenis van Rotterdam. V: De Vroedschap van Rotterdam 1572-1795.* Rotterdam: Gemeentelijke Archiefdienst, 1973.

'Fort Rotterdam Makassar 1673: Guardian of the Makassar Strait', in *Forts in Indonesia.* Jakarta: Ministry of Education and Culture, 2012, 187-196.

Gelder, Roelof van, Lodewijk Wagenaar, *Sporen van de Compagnie. De VOC in Nederland.* Amsterdam: De Bataafsche Leeuw, 1988.

Geus, J.P., 'Nogmaals "de oorsprong" van de Puntegaalstraat', *SRA* Kollum/Drukkerij Banda (1985): 7-13.

Goey, Ferry de (red.), *Vaart op Insulinde. Uit de beginjaren der Rotterdamsche Lloyd nv 1883-1914.* Hilversum: Uitgeverij Verloren, 1991.

Graaf, Jan de, *Architectuur en stedebouw in Rotterdam 1850-1940.* Zwolle: Uitgeverij Waanders, 1992.

Grimm, Peter, 'Heren in zaken. De bewindhebbers van de Kamer Rotterdam', in Peter Grimm (red.), *Heeren in zaken. De Kamer Rotterdam van de Verenigde Oostindische Compagnie.* Zutphen: Walburg Pers, 1994: 35-66.

Groeneveld, Wies, 'Het Poortgebouw. Een huis van veelsoortige bewoners', *Ons Rotterdam* 37/2 Rotterdam/Stichting Ons Rotterdam (2015): 31-32.

Haas jr., Alexander de, *'t Was anders. Leven en levenskring van 'De Heer J.H. Speenhoff, dichter-zanger' (1869-1945).* Rotterdam/'s-Gravenhage: Nijgh & Van Ditmar, 1971.

Heijden, Manon van der, Paul van de Laar (red.), *Rotterdammers en de VOC. Handelscompagnie, stad en burgers (1600-1800).* Amsterdam: Uitgeverij Bert Bakker, 2002.

Hogendorp, D. van, *Kraspoekol, of de Slaaverny. (Een tafereel der zeden van Neerlands Indiën.* Delft: M. Roelofswaert, 1800.

Hogendorp, W. van, *Kraspoekol, of de droevige gevolgen van eene te verregaande strengheid jegens de Slaaven.* Batavia: Bominicus, 1779.
Hoynck van Papendrecht, A., *Gedenkboek A. van Hoboken en Co., 1774-1924.* Rotterdam: 1924.
Kleijn, F.J., *Beschrijving en geschiedenis van Delfshaven, benevens die van Schoonderloo en het slot Spange. Kroniek van al de merkwaardige voorvallen, belangrijke oirkonden, privilegiëijn, resolutiëijn, publicatiëijn, correspondentiëijn en verdere stukken, op Delfshaven betrekking hebbende.* Zaltbommel: Europese Bibliotheek, 1970.
Kortebrand, Jacob, *Beschryving der stad Rotterdam, bevattende derzelver geschiedenissen, aanleg, uitbreiding, tegenwoordigen staat, priviligien, aanmerkelyke zeldzaamheden en openbaare gebouwen: oudheidkundige beschrijving der kloosters, die weleer binnen deze stad gevonden werden, benevens eene nauwkeurige aanwyzing der overblyfselen daarvan, welken nog voorhanden zyn: alles uit oude handschriften opgespoord, en met oordeelkundige aanmerkingen verrykt; voor het grootste gedeelte getrokken uit de nagelaatene schfiten, van den beroemden oudheidkenner, wylen den heere Jacob Kortebrand.* Amsterdam: Dirk en Jacobus Tol, 1789.
Kroon, Andréa A., Audrey Wagtberg Hansen, *Sporen van smaragd. Indisch erfgoed in Den Haag, 1853-1945.* Den Haag: De Nieuwe Haagsche, 2013.
Laar, Paul van de, *Stad van formaat. Geschiedenis van Rotterdam in de negentiende en twintigste eeuw.* Zwolle: Uitgeverij Waanders, 2000.
Laar, Paul van de, 'Rotterdam. De koopstad en de voc', in Manon van der Heijden en Paul van der Laar (red.), *Rotterdammers en de voc. Handelscompagnie, stad en burgers (1600-1800).* Amsterdam: SUN, 2002.
Laar, Paul van de, Mies van Jaarsveld, *Historische atlas van Rotterdam. De groei van de stad in beeld.* Amsterdam: SUN, 2004.

Langenhuyzen, A.W.P.M., 'Simon van den Bergh', in J. van Oudheusden (red.) *Brabantse biografieën 3. Levensbeschrijvingen van bekende en onbekende Noordbrabanders.* Amsterdam: Boom Uitgevers, 1995.
Lintum, C. te, 'Rotterdam en de oprichting der Nederlandsche Handelmaatschappij', *Rotterdams Jaarboekje* 3/2 (1924): 91-104.
Mees, R., 'De Muizenpolder', *Rotterdams Jaarboekje* 5/2 (1917): 114-126.
Meischke, R., H.J. Zantkuijl, 'De laatste oude huizen van Rotterdam: Haringvliet Zz', *Bulletin knob* 1-2/103 (2004): 1-22.
Mens, Noor, *W.G. Witteveen en Rotterdam.* Rotterdam: Uitgeverij 010, 2007.
Nieuwenhuys, Rob, *Oost-Indische spiegel. Wat Nederlandse schrijvers en dichters over Indonesië hebben geschreven vanaf de eerste jaren der Compagnie tot op heden.* Amsterdam: Em. Querido's Uitgeverijen, 1978.
Oers, Ron van, *Dutch Town Planning Overseas during voc and wic Rule (1600-1800).* Zutphen: Walburg Pers, 2000.
Okkema, Johan, *De Straatnamen van Rotterdam. Verklaring van alle bestaande en van verdwenen straatnamen.* Rotterdam: Gemeentelijke Archiefdienst, 1992.
Oosterwijk, Bram, *Koning van de Koopvaart. Anthony van Hoboken (1756-1850).* Amsterdam: De Bataafsche Leeuw, 1996.
Oostindie, Gert, 'Cuba in Nederlandse ogen', in Anita van Dissel, Maurits Ebben en Karwan Fatah-Black (red.), *Reizen door het maritieme verleden van Nederland*, 243-257. Zutphen: Walburg Pers, 2015.
Overvoorde, J.C., P. de Roo de la Faille, *De gebouwen van de Oost-Indische Compagnie en van de West-Indische Compagnie in Nederland.* Utrecht: Oosthoek, 1928.

Pot, J.E. van der, 'Dr Elie van Rijckevorsel, 1845-1928', *Rotterdams Jaarboekje* 3/5 (1945): 201-219.
Pot, J.E. van der, *Abram, Huibert en Elie van Rijckevorsel.* Rotterdam: Ad. Donker, 1957.
Pot, J.E. van der, 'Mr Rudolf Mees, geboren te Rotterdam 18 october 1880, aldaar overleden 1 september 1951', *Rotterdams Jaarboekje* 10/5 (1952): 145-151.
Prud'homme van Reine, Ronald, *Admiraal Zilvervloot. Biografie van Piet Hein.* Amsterdam: Arbeiderspers, 2003.
Ratsma, P. (red.), *Historische plattegronden van Nederlandse steden / Dl. 12 Rotterdam.* Alphen aan den Rijn: Uitgeverij Canaletto/Repro-Holland, 2008.
Ravesteyn, L.J.C.J. van, *Rotterdam in de negentiende eeuw. De ontwikkeling der stad.* Rotterdam: W. Zwagers, 1924.
Ravesteyn, L.J.C.J. van, *Rotterdam tot het einde van de achttiende eeuw. De ontwikkeling der stad.* Rotterdam: W. Zwagers, 1933.
Ravesteyn, L.J.C.J. van, *Rotterdam in de twintigste eeuw. De ontwikkeling van de stad vóór 1940.* Rotterdam: Ad. Donker, 1948.
Roy van Zuydewijn, Noortje de, 'Zuid-Nederlanders als gangmakers', in Manon van der Heijden en Paul van der Laar (red.), *Rotterdammers en de VOC. Handelscompagnie, stad en burgers (1600-1800)*, 56-77. Amsterdam: Uitgeverij Bert Bakker, 2002.
Rozendaal, Simon, *Zijn naam is klein. Piet Hein en het omstreden verleden.* Amsterdam: Uitgeverij Atlas Contact, 2019.
Schoor, Arie van der, *Stad in aanwas. Geschiedenis van Rotterdam tot 1813.* Zwolle: Uitgeverij Waanders, 1999.
Sneller, Z.W., *Rotterdams bedrijfsleven in het verleden.* Amsterdam: H.J. Paris, 1940.
Temminck Groll, C.L., *The Dutch Overseas: Architectural survey: Mutual heritage of four Centuries in three Continents.* Zwolle: Waanders Publishers, 2002.
Unger, J.H.W., *De regeering van Rotterdam 1328-1892. Naamlijst van personen die in of van wege de regeering ambten hebben bekleed, voorafgegaan door eene geschiedkundige inleiding over den regeeringsvorm van Rotterdam,* uitgegeven op last van het gemeentebestuur, 1892.
Unger, J.H.W., W. Bezemer, *De oudste kronieken en beschrijvingen van Rotterdam en Schieland,* uitgegeven op last van het gemeentebestuur, 1895.
Verheul, J., *Merkwaardige oude inrijhekken alsmede poort- en hoofdingangen uit de XVIIe, XVIe en XIXe eeuw in en om Rotterdam. 44 Reproducties naar aquarellen.* Rotterdam: Stemerding, 1936.
Verheul, J., *Merkwaardige oude inrijhekken alsmede poort- en hoofdingangen uit de XVIIe, XVIe en XIXe eeuw in en om Rotterdam. 50 Reproducties naar aquarellen (Tweede deel).* Rotterdam: Stemerding, 1940.
Verheul Dzn., J., *De Rotterdamsche Schie 1340-1940 en de voormalige bebouwing aan de Schiekaden. Enkele historische gegevens betreffende de 600-jaar bestaande Rotterdamsche Schie alsmede een geïllustreerd overzicht van de meerendeels omstreeks 1875-1880 verdwenen statige bebouwing der Schiekaden te Rotterdam, met negentien reproducties naar tekeningen door J. Verheul Dzn. Architect B.N.A.* Rotterdam: Stemerding & Co, 1940.
Voortman, R.F., 'De VOC en de stad Rotterdam', in Peter Grimm (red.), *Heeren in zaken. De kamer van de Vereenigde Oost-Indische Compagnie,* 9-34. Zutphen: Walburg Pers, 1994.
Wagenaar, Cor, *Welvaartsstad in wording. De wederopbouw van Rotterdam 1940-1952.* Rotterdam: NAi Uitgevers, 1993.
Werf, D.C.J. van der, *Van Twentse bank naar algemene bank. Geschiedenis van de Twentsche Bank, 1840-1964.* Amsterdam: Boom Uitgevers, 2014.

Wiersum, E., *Oude huizen van Rotterdam. 130 Penteekeningen door John Briedé met geschiedkundige aanteekeningen van dr. E. Wiersum, gemeente-archivaris en een bijschrift van Jac. Van Gils, architect.* Rotterdam: W.L. & J. Brussé's Uitgevers-Maatschappij, 1915.

Wiersum, E., 'De gebouwen der Oost-Indische Compagnie, Kamer Delft, te Delfshaven', in J.C. Overvoorde en P. de Roo de la Faille, *De gebouwen van de Oost-Indische Compagnie en van de West-Indische Compagnie in Nederland,* 90-93. Utrecht: Oosthoek, 1928.

Wiersum, E., 'De gebouwen der Oost-Indische Compagnie, Kamer Rotterdam', in J.C. Overvoorde en P. de Roo de la Faille, *De gebouwen van de Oost-Indische Compagnie en van de West-Indische Compagnie in Nederland,* 94-102. Utrecht: Oosthoek, 1928.

Wiersum, E., 'De gebouwen der West-Indische Compagnie te Rotterdam', in J.C. Overvoorde en P. de Roo de la Faille, *De gebouwen van de Oost-Indische Compagnie en van de West-Indische Compagnie in Nederland,* 167-171. Utrecht: Oosthoek, 1928.

Wilde, Inge de, 'Brand, Hendrica (1758-1813)', *Digitaal Vrouwenlexicon van Nederland.* http://resources.huygens.knaw.nl/vrouwenlexicon/lemmata/data/Nelle,%20weduwe%20van, geraadpleegd 01-04-2020.

Zanden, J.L. van, en A. van Riel, *Nederland 1780-1914. Staat, instituties en economische ontwikkeling.* Amsterdam: Uitgeverij Balans, 2000.

Zijlmans, Canis, 'Kralings Minangkabau-huis nu echt bijna open', *Het Vrije Volk,* 27-07-1988.

ISABELLE BOON

EEN ANDER ROTTERDAM:

SPOREN VAN HET KOLONIALE VERLEDEN IN ARCHITECTUUR EN STEDENBOUW IN BEELD

DJEROEKSTRAAT
WIJK 11

ffeecompany
J.H. SPEENHOFF
DICHTER - ZANGER
TEKENAAR
1945

SUMATRA

BORNEO

SCHOON
OORD
HISTORISCHE TUIN
SCHOONOORD

GRATITUDE

PANDORA
ROTTERDAM
PANDORA
ROTTERDAM
N
03180012

Selma 11 jaar
DRAGEN NU

BIJSCHRIFTEN FOTO-ESSAY OP DE VOORGAANDE PAGINA'S

1 Interieur van het voormalige kantoor van de Rotterdamse Lloyd in de benedenstad van Jakarta (Indonesië).

2 Kantoorgebouw van de Rotterdamsche Bankvereeniging (1946) op de hoek Coolsingel-Beurstraverse.

3 Naambordje van de Djeroekstraat op de hoek met de Pleretstraat.

4 Standbeeld van Koos Speenhoff (1968) van Adri Blok op de Oude Binnenweg-Eendrachtsplein.

5 Gevels van de pakhuizen Sumatra, Java en Borneo (1950) van Pakhuismeesteren op de Wilhelminapier.

6 Entree van de historische tuin Schoonoord via het oorspronkelijke toegangshek van de voormalige en gelijknamige villa aan de Parklaan.

7 Reliëf 'Cultuur' (1931) van John Rädecker bij de hoofdentree van het voormalige hoofdkantoor van Unilever (1930) aan het Museumpark.

8 Muurschildering van een tropisch fantasielandschap (midden achttiende eeuw) in een woning aan de Rechter Rottekade 405-407.

9 Historische gevels van koopmanshuizen aan Haringvliet Zuidzijde 78-98.

10 Geveldecoratie aan de Martinus Steijnstraat-hoek Hillewijk met in de lijst drie koppen van Afrikaanders (1900, of iets later).

TOM VAN DEN BERGE

KOLONIAAL ROTTERDAM:

MOEDERSTAD VAN ZENDING EN MISSIE, 1797–1977

KOLONIALE GESCHIEDENIS IS EEN GESCHIEDENIS VAN GEWELD EN OORLOG, VAN UITBUITING en uitsluiting, van racisme en onderdrukking. Koloniale geschiedenis is echter ook een geschiedenis van humanisme en idealisme, van filantropie en kennisverwerving, is ook een geschiedenis van ethiek. Religieuze, humanitaire en wetenschappelijke instellingen in Rotterdam streefden elk op hun eigen wijze naar 'ethische' interventies in de koloniën (inclusief abolitionisme). Tegelijkertijd hadden deze instellingen grote invloed op de verspreiding in Nederland van informatie over de koloniën. Zij maakten deel uit van wat in de koloniale geschiedenis de 'ethische politiek' ging heten, maar handelden ook vanuit een 'eigen' vooruitgangsstreven. Zoals Elsbeth Locher-Scholten in haar klassieke studie van de ethische koloniale politiek in Nederlands-Indië betoogt, is ethiek in dit verband een 'wolf in schaapskleren' – ethiek als het nieuwe onderdrukken en uitbuiten – en was de ethische politiek gericht op ontwikkeling *en* beheersing.[1] Tegen die achtergrond wil dit hoofdstuk de ethische kant van de koloniale geschiedenis van Rotterdam onderzoeken.

Het begin van de ethische politiek wordt in de historiografie meestal gedateerd rond 1900, het einde in de jaren twintig. Aan deze politiek gingen echter tal van maatschappelijke ethische initiatieven vooraf en met 'het sterven' van de ethische politiek stierf de ethiek niet.[2] In de loop van de negentiende eeuw groeide in Nederland de belangstelling voor het lot 'van den Javaan' in Indië en voor dat van 'de slavenbevolking' en 'de vrije Negers' in Suriname. Zo waren religieuze instellingen er niet alleen voor de misdeelden en de verschoppelingen in Rotterdam, maar ook voor de sloebers en de slaven in Java, Suriname en de Antillen. De protestantse zending en de katholieke missie moesten niet alleen 'inwendig' (in de Maasstad zelf) maar ook 'uitwendig' (in de landen over de oceanen) plaatsvinden. Zo was de vooruitgang in de lichamelijke en de geestelijke gezondheidszorg voor humanitaire instellingen (Ziekenhuis voor Scheeps- en Tropische Ziekten/Havenziekenhuis) aanleiding om tropische ziekten als malaria, lepra en framboesia te bestrijden. Niet alleen om de Nederlandse bevolking in de koloniën tegen deze ziekten te beschermen, maar ook om Indonesiërs, Surinamers en Antillianen die aan deze ziekten leden te behandelen en zo mogelijk te genezen. En zo moesten, in de twintigste eeuw, ook Indonesiërs, Surinamers en Antillianen in staat gesteld worden te studeren aan wetenschappelijke instellingen (Nederlandsche Handels-Hoogeschool/Nederlandse Economische Hogeschool) in het moederland.

Als er iets geweest is waardoor Rotterdammers in de negentiende en de twintigste eeuw in contact kwamen met de koloniën, dan is dat wel de organisaties en de propaganda van de protestantse zending en de katholieke missie. Om inzicht te krijgen in de ethisch-koloniale vorming van Rotterdam, richt dit hoofdstuk zich daarom in het bijzonder op het aandeel daarin van de zending en missie. Het brengt de organisaties in kaart die zich in Rotterdam ten doel stelden de zending en de missie te bevorderen, en onderzoekt de manier waarop zij propaganda voerden, en, zij het versnipperd, de inhoud en aard van die propaganda. Zoals zendingshistoricus Tom van den End in 1992 opmerkte, is het moeilijk te bepalen welke invloed de propaganda van de zending op protestants Nederland gehad heeft.[3] Hoe een divers publiek ideeën verwerkt is inderdaad moeilijk te onderzoeken. Toch valt er iets over te zeggen, als we ons richten op de publieke organisatie, de structuur en de inhoud en aard van de protestantse en katholieke propaganda.

De propaganda van de zending en die van de missie verschilden in opzet en omvang niet veel van elkaar. De zending had haar bidstonden en zendingsdagen. De missie had haar acties en missieweken. Beide hadden hun tijdschriften en tentoonstellingen. Zo hield het Nederlandsch Zendelinggenootschap (NZG), opgericht in 1797 in Rotterdam, maandelijks bidstonden waarop onder grote publieke belangstelling brieven en verslagen van zendelingen voorgelezen werden. Op deze bidstonden maakte protestants Rotterdam kennis met de zendingsvelden van het NZG in koloniaal Nederland: de Molukken, Timor, de Minahassa en Java. En zo namen tijdens de missieweek in 1925 circa 12.000 katholieke scholieren deel aan een optocht met praalwagens en muziekkorpsen die van het Schuttersveld naar het Scheepvaartkwartier voerde. De optocht trok massa's mensen, die zich vergaapten aan wagens met thema's als 'Het Missiewerk der Liefdezusters', 'Heldentaak der Missiebroeders', 'Het beschavingswerk in onze kolonies'. Omdat Nederlandse missionarissen over de hele wereld werden uitgezonden waren er ook praalwagens die 'Mgr. Lavigerie bij de negers (Afrika)', 'Barth. de las Casas, de Apostel der Roodhuiden (Amerika)' en 'Pater Damiaan op de Hawaï-Eilanden (Australië)' uitbeeldden.[4]

De essentie van de protestantse en katholieke propaganda was alle gelovigen ervan bewust te maken dat het steunen van de zending en de missie met gebed en giften een plicht was. Zo sprak de befaamde predikant en publicist J.H. Gunning in december 1897 op de jaarvergadering van de Nederlandsche Zendingsvereeniging (NZV) in de hervormde Prinsenkerk aan de Botersloot in Rotterdam: 'Het is onze eerste en heiligste plicht zendinggemeente te zijn.' In 'gaaf en gespierd' Nederlands hield hij zijn gehoor voor dat alle protestanten zich te onderwerpen hadden aan Christus' zendingsbevel: 'Gaat dan henen, onderwijst al de volken.' Zij konden deze roeping vervullen 'door elke poging om het Evangelie aan de Heidenwereld te brengen, te steunen'.[5] Zo sprak ook de vermaarde 'feestredenaar van de katholieke emancipatie', pater Borromaeus de Greeve, in januari 1920 tijdens de eerste Rotterdamse missieweek. De pater, door protestanten denigrerend 'roomse brulboei' genoemd, sprak van bevel en plicht en oreerde over het waarom en hoe van de missie: 'Tot missieactie worden wij uit innerlijken dwang gedwongen. In de kerk zit een natuurlijke zucht naar expansie, de uitbreiding is de wil van Jezus Christus. "Gaat en onderwijst alle volkeren!"' Die expansie was niet alleen de verantwoordelijkheid van priesters, maar ook die van leken. 'Priesteractie eischt leekenactie!' Alle katholieken waren apostelen en waren verplicht tot missie-actie.[6]

De boodschap van propaganda hoeft niet overeen te komen met wat de ontvanger ervan maakt. De ontvanger is niet passief. Wel kunnen we laten zien hoe de propaganda van zending en missie alle twijfel uitsloot: doel en handelen van de zending en de missie bevestigen het idee van de superioriteit van het eigen geloof en de eigen beschaving. Voor de beeldvorming van de 'Ander' betekende dit, dat deze 'in de duisternis en de schaduw des doods' gezeten was en een zondig leven leidde. Was de 'Ander' eenmaal bekeerd en dus verlicht en had hij zijn leven van ontucht opgegeven, dan kon hij als gelijkwaardig protestant of gelijkwaardig katholiek in kerk, zending en missie dezelfde functies vervullen. Dan nog blijft de vraag in hoeverre zending en missie hebben bijgedragen aan het stimuleren van werkelijke interesse bij protestants en katholiek Rotterdam in de 'gekoloniseerde Ander' als een gelijkwaardig onderdaan van een koloniaal Nederland.

MOEDERSTAD VAN DE ZENDING

Rotterdam is wel de 'moederstad' van de zending genoemd.[7] Hier werd in 1797 de eerste zendingsorganisatie van Nederland opgericht, waarvan de volledige naam luidde: het Nederlandsch Zendelinggenootschap ter Voortplanting en Bevordering van het Christendom, bijzonder onder de Heidenen (NZG). De initiatiefnemer tot de oprichting van het NZG was de in Rotterdam geboren legerarts Johannes Theodorus van der Kemp. Nadat zijn echtgenote en zijn enig kind in 1791 bij een schipbreuk verdronken waren, was de van zijn geloof vervreemde Van der Kemp tot 'een radicale

Johannes Theodorus van der Kemp, kopergravure, 1812. (SAR)

bekering' gekomen.[8] Hij keerde terug in de schoot van de hervormde kerk, herlas de Bijbel en leerde in Zeist de hernhutter broedergemeente met haar zendingsarbeid kennen. Een prekenbundel van de in 1795 opgerichte London Missionary Society (LMS) die hij onder ogen kreeg, zag hij als een teken Gods zich de rest van zijn leven aan de zending te wijden en zich tot de LMS-directie te wenden om antwoord te krijgen op zijn vraag of hij het evangelie verkondigen moest in eigen land of overzee. Van der Kemp reisde naar Londen en werd door de LMS-directie aangenomen als zendeling onder de Xhosa in Zuid-Afrika.

Toen Van der Kemp scheep ging naar Nederland had hij in zijn bagage een op zijn initiatief geschreven *Adres* van de LMS voor de christenen in Nederland met een opwekking tot zending overzee. Christenen, zo constateerde het *Adres*, waren uit winstbejag over de wereldzeeën gezeild om in verre landen handel te drijven, maar hadden hun christelijke plicht verzuimd om de ziel van de 'arme Heidenen' te redden. In het gedonder van de oorlogen en de revoluties van die dagen hoorde de LMS-directie Gods stem die alle christenen opriep het zendingsgebod na te leven: 'gaat dan heen, onderwijst al de volken, dezelve dopende in den naam des Vaders, en des Zoons en des Heiligen Geestes, lerende hen onderhouden alles wat ik u geboden heb'. Van der Kemp vertaalde het *Adres*, liet hiervan enkele honderden exemplaren drukken, stuurde deze naar zijn geestverwanten, maakte een rondreis langs allerlei gemeenten en vroeg voorgangers en kerkenraadsleden om naar Engels voorbeeld een zendingsgenootschap op te richten. Van der Kemp had met zijn actie succes en op 19 december 1797 kwamen 23 'vooraanstaande kerkleden' bijeen in de pastorie van dominee Jean Louis Verster aan het Haringvliet in Rotterdam, waar zij het Nederlandsch Zendelinggenootschap oprichtten.[9] Kort na de oprichting van het NZG ging Van der Kemp scheep naar de Oost-Kaap om de Xhosa te onderwijzen, te dopen en hun te leren onderhouden alles wat de Heer hem geboden had.

Aanvankelijk vond de directie van het NZG het niet nodig de door haar gerekruteerde zendelingen een opleiding te geven. Kandidaten – de meesten van hen waren tussen de twintig en de dertig jaar – moesten een 'levend' geloof en een 'krachtige' roeping hebben, moesten geschikt en integer zijn.[10] Een strenge selectie deed de rest: driekwart van de kandidaten die zich bij de directie in Rotterdam aangemeld hadden, kwam er niet doorheen. Toch besloot de directie al snel de zendelingen enige scholing te geven. Verster, sinds 1777 hervormd predikant in Rotterdam en een van de oprichters van het NZG, had daartoe een plan opgesteld: de kandidaatzendeling zou zich in Rotterdam vestigen om daar overdag handenarbeid te verrichten en 's avonds bij een van de directeuren van het NZG Bijbellessen te volgen. Aan Versters plan lag een curieuze vooronderstelling ten grondslag. De opleiding die de zendelingen zouden moeten volgen was afhankelijk van het veronderstelde niveau van beschaving van de te bekeren bevolking. Ging een zendeling werken onder de 'beschaafde' hindoes, dan was een academische opleiding vereist. Ging hij werken onder de 'onbeschaafde' Hottentotten, dan volstond enig algemeen onderwijs en een opleiding tot smid, timmerman of kleermaker.[11]

In 1802 begonnen de eerste drie kwekelingen aan hun opleiding. De 'directielessen' volgens het plan-Verster bleken echter niet te voldoen. Na een evaluatie ging het plan in 1816 ter ziele en werd met een 'zendingsschool' begonnen in de pastorie van dominee Samuel Kam in Berkel. Ook deze school voldeed niet en werd in 1821 opgeheven. In 1838 werd in Rotterdam toch weer een school opgericht, waaraan enkele in Rotterdam wonende NZG-directeuren verbonden waren. Het Zendelingshuis, zoals de school genoemd werd, zou wel levensvatbaar blijken.[12] In de periode 1797 tot 1854 zou het NZG 88 zendelingen uitzenden.[13]

Onder degenen die het NZG opleidde en uitzond bevond zich de eerste vrouw in de Nederlandse zendingsgeschiedenis: Johanna Jacoba Boogaard uit Rotterdam. In 1804 werd zij, twintig jaar oud, samen met haar echtgenoot, de Duitse zendeling Johann David Palm, uitgezonden naar Tharangambadi, 'plaats van de zingende golven', aan de kust van Coromandel, Tamil Nadu. Zij – 'deze dierbare beminde huysvrouw en waardege moeder' zoals op haar grafsteen op het kerkhof van Wolvendaal, Colombo, staat – zou in 1822 in Ceylon overlijden.[14] Bogaard werd uitgezonden in een tijd dat het NZG nog geen eigen zendingsterreinen had. Het genootschap rekruteerde kandidaten, leidde hen op en stelde hen ter beschikking van de London Missionary Society.[15] De LMS zond hen naar haar terreinen in Zuid-Afrika, India of Ceylon. Voor eigen rekening zond het NZG zeven zendelingen uit naar Zuid-Afrika. Onder hen bevond zich de in 1809 uitgezonden Sophia Henriëtte Burgmann. Zij had zich in 1805 bij het NZG aangemeld en kreeg in Rotterdam les van dominee Verster. In 1809 reisde zij via Engeland naar de Kaapkolonie,[16] waar zij twee jaar later zou overlijden.[17]

Naar 'eigen' terreinen zocht het NZG al direct na zijn oprichting. Zo liet de Commissie voor het Zoeken van Zendingsterreinen Overzee haar oog vallen op onder meer Macedonië (!), Georgia, Curaçao en Zuid-Afrika.

Al deze initiatieven stierven in schoonheid.[18] Na het optrekken van de kruitdampen van de napoleontische oorlogen werden de verbindingen tussen Nederland en Indië hersteld. De eerste zendeling van het NZG in Indië was de 'Apostel der Molukken', Joseph Kam (1769-1833). In 1815 arriveerde Kam op Ambon waar hij de christelijke gemeenten die al jaren geen predikant meer gezien hadden weer tot leven probeerde te brengen.[19] Daarna begaf het NZG zich op meer zendingsterreinen: Timor in 1821, de Minahassa in 1831, Midden-Java 1849, Oost-Java 1851, West-Java 1852.

Protestants Rotterdam werd betrokken bij de zending door deelneming aan maandelijkse bidstonden. Al bij de oprichtingsvergadering in 1797 had de directie van het NZG besloten deze in te stellen. Een jaar later stelde zij voor de maandelijkse bidstonden een vaste liturgie op. Ook dit verschijnsel was 'overgewaaid' uit Engeland, waar predikanten in Warwickshire, in de Midlands, op elke eerste maandag van de maand om zeven uur 's avonds in een gemeenschappelijk gebed Gods zegen afsmeekten voor de zending.[20] In de Bataafse en Franse tijd nam het aantal bidstonden en het aantal bezoekers van de bidstonden in protestants Nederland explosief toe. In 1805 was in Arnhem een ruimer lokaal nodig, was in Leiden de Engelse kerk te klein en bezochten in Vlaardingen zo'n duizend mensen de bidstonden.[21] Werden de bidstonden ook in de jaren daarna in 'ontelbare gemeenten' druk bezocht,[22] in de jaren veertig verslapte de aandacht onder de gelovigen echter. In 1844 werd de bidstond in Delfshaven gestaakt, maar in Rotterdam, de moederstad van de zending, werd hij nog geregeld gehouden.[23]

Eén onderdeel van de bidstonden zal zeker hebben bijgedragen tot hun populariteit onder de protestantse gemeenten: het voorlezen van het maandblad van het NZG *Berigten en Brieven*, in 1828 omgedoopt tot *Maandberigt*.[24] Dit maandblad bracht de koloniën – en de wereld – voor het eerst onder de algemene aandacht van protestants Rotterdam. Rotterdamse protestanten luisterden naar het voorlezen van de brieven, reisverslagen en 'dagverhalen' van zendelingen. Zij hoorden in 1817 hoe na een zware aardbeving – 'deze stemme Gods' – de christenen van Haruku (Molukken) van hun dwalingen waren teruggekeerd en hun 'afgodsbeelden' hadden verbrand.[25] Zij hoorden in 1821 ook het rapport voorlezen dat was opgesteld door L. Hehanusa, opziener van de gemeenten Sila en Leinitu op het eiland Nusalaut (Molukken), waarin hij het verbranden van afgoden bevestigde.[26] Zij hoorden in 1826 dat het overgrote deel van de bevolking op Buru (Molukken) bleef volharden in 'afgoden, ontucht en bijgeloof'.[27] Zij hoorden in 1875 van de Timorezen die op het eiland Lomblem 'niet minder dan 250 menschenhoofden afhieuwen, ook van grijsaards, vrouwen en kinderen'.[28]

Rotterdamse protestanten hoorden op een bidstond in 1828 waarom werelden overzee in handen van Nederland gesteld waren. Niet om de nationale roem te verhogen of om schatten te verzamelen. Nee, de Voorzienigheid had Oost- en West-Indië in handen van Nederland gesteld om deze te beschermen en tot welvaart te brengen. Welvaart bracht Nederland de Oost en de West door het brengen van het evangelie.[29] Rotterdamse protestanten hoorden niet alleen over de zending op Ambon, Buru en Timor; zij gingen in de maandelijkse bidstonden de wereld rond en hoorden ook over de zending onder de Khoikhoi in Zuid-Afrika, de Cherokee in Noord-Amerika, de Buriat in Siberië en de Maori in Nieuw-Zeeland. Tijdens de bidstonden leerde protestants Rotterdam de kolonie en de wereld kennen als een te beschermen en te bekeren, als een zo spoedig mogelijk 'te redden' gebied.

ROTTERDAMSE VROUWEN EN DE ZENDING

Ook vrouwen waren lid van het NZG. Dat is opmerkelijk, omdat vrouwen aan het einde van de achttiende en het begin van de negentiende eeuw van genootschappen waren uitgesloten. Opmerkelijk is ook het hoge aantal vrouwelijke leden: van de 939 medewerkende leden die het NZG tussen 1798 en 1801 aannam waren dat er 358, niet minder dan 37 procent.[30] Het woord voeren in vergaderingen, laat staan invloed uitoefenen op de besluitvorming, was vrouwen echter niet toegestaan. Van hen werd verwacht in eigen kring propaganda te voeren voor de doelstellingen van het genootschap. Wel sprak de vergadering van het NZG in 1817 de wens uit dat, alweer naar Engels voorbeeld, vrouwenorganisaties werden opgericht die de zending zouden steunen. Een bezoek van een Engelse zendeling aan Rotterdam in 1821 gaf de doorslag voor de oprichting van een dergelijke organisatie.

Het Vrouwen Hulp-zendelinggenootschap dat in 1822 in Rotterdam opgericht werd was de eerste vorm van georganiseerde vrouwelijke liefdadigheid in Nederland. De vrouwen die met de oprichting van het genootschap geschiedenis schreven waren afkomstig uit de Rotterdamse elite. Een aantal van hen was sinds de oprichting van het NZG medewerkend lid.[31] Het hulpgenootschap kende twintig directrices en twintig medewerkende leden. Onder de directrices bevonden zich onder anderen Louis

Albertine van Boetzelaer, echtgenote van T.L. Prins, burgemeester van Rotterdam; Anna Christina van den Ende, echtgenote van B. Ledeboer, oprichter en secretaris van het NZG; Aryna van der Pot, echtgenote van N.J.A.C. Hoffmann, wethouder in Rotterdam en oprichter van de afdeling Rotterdam van het Nederlandsch Bijbelgenootschap.[32] Al snel hierna zouden in andere steden vrouwenhulpgenootschappen worden opgericht: in 1823 in Amsterdam en Den Haag, in 1825 in Utrecht, in 1829 in Middelburg, in 1834 in Groningen. Tussen 1840 en 1900 zouden vrouwen in tientallen andere gemeenten dit voorbeeld volgen.[33]

Het doel van de hulpgenootschappen was geld in te zamelen voor het NZG. In Rotterdam en elders deden de leden dat door het werven van intekenaars. Van de vijfhonderd vrouwen die zich in 1822 in Rotterdam intekenden waren de meeste afkomstig uit de werkende stand.[34] Voor een stuiver per week ontving de intekenaar een traktaatje uit de serie Kleine Stukjes, voor twee stuivers ontving zij het *Maandberigt*, voor drie stuivers ontving zij beide. De tractaatjes waren zoals de titels – *Geschenk der christelijke liefde voor kinderen*, *Waarschuwing tegen het kwaadspreken*, *Iets over het vloeken* – doen vermoeden voor de interne zending bedoeld.[35] Een aantal van deze traktaatjes, zoals *Iets over het vloeken* en *Over den Zondag of den Dag des Heeren*, werden in het Maleis vertaald en op Java, in de Minahassa en op de Molukken verspreid. De historicus Annemieke Kolle heeft berekend dat de hulpgenootschappen goed waren voor een kwart van de inkomsten van het NZG. In de drie peiljaren die Kolle voor haar onderzoek selecteerde (1850, 1870 en 1900) doneerde het Rotterdamse hulpgenootschap van alle hulpgenootschappen in Nederland het meest.[36]

Traden de vrouwen van het hulpgenootschap zelden in de openbaarheid, vrouwen van andere Rotterdamse zendingsorganisaties deden dat wel, zij het zwijgend. The Rotterdam Ladies Auxiliary Missionary Society, een hulpgenootschap dat in 1840 opgericht werd en geld inzamelde voor het NZG en de LMS, hield een openbare jaarvergadering.[37] Mogen we de *Rotterdamsche Courant* geloven, dan werden de algemene vergaderingen van het hulpgenootschap, gehouden in de Engelse presbyteriaanse kerk aan het Haringvliet, door 'een talrijke [...] schare' bezocht en werd door die schare naar alles 'met de grootste aandacht en belangstelling' geluisterd.[38] Maar ook de vrouwen van het Engelse hulpgenootschap spraken op deze vergaderingen niet. Ook zij werkten en vergaderden in stilte. Zij luisterden naar de voorzitter die het jaarverslag voorlas, naar de dominees die voorstellen voordroegen en verdedigden, naar een Engelse of

Nederlandse predikant die een 'leerrede' hield, en zij luisterden naar wat de mannen te vertellen hadden. De 'bestuurderessen' van het genootschap werden op de jaarvergaderingen door die mannen voor 'hare nuttige en belangrijke diensten' bedankt.[39]

Een belangrijke organisatie in koloniaal Rotterdam was de Vereeniging van Vrouwen tot Uitrusting der Zendelingen. Deze vereniging, in 1842 opgericht door E.M. Hiebink, de zus van de directeur van het Zendingshuis, voorzag de uitgaande zendelingen van kleding en huisraad, en later ook van medische instrumenten en een medicijnkist. De kleding werd deels door de vrouwen zelf, deels door hen in opdracht vervaardigd. De onkosten bestreed de vereniging door geld in te zamelen onder de leden van het NZG. In 1867, toen zij 25 jaar bestond, organiseerde de vereniging een loterij van 'vrouwelijke handwerken en van alle voorwerpen van nut of smaak' ten bate van het NZG, als tegemoetkoming in de kosten van de zending naar Bolaäng Mongondow (Noord-Celebes).[40] De loterij was een schot in de roos: na aftrek van de onkosten bleef er 8200 gulden over.[41]

De Vereeniging van Vrouwen tot Uitrusting der Zendelingen wist niet alleen veel geld in te zamelen – per jaar tienduizenden guldens – maar zij wist Indië ook bekendheid en betekenis te geven, in Rotterdam en elders in Nederland. Over haar actie voor Bolaäng Mongondow schreef het *Maandberigt* in de zomer van 1868:

> Vóór een half jaar was het slechts enkelen gegeven den naam van Bolaäng Mongondou uit te spreken; thans leeft die op duizenden lippen. Voor een jaar wisten slechts enkelen in ons land, dat te midden van die rijke indische bezittingen ook een rijkje lag, dat, – hoewel grenzende aan de Minahasa, waar het Evangelie verkondigd wordt, – aan den Islam ten prooi valt door de nalatigheid der christenen; thans is de aandacht van duizenden daarop gevestigd.[42]

Strijden vóór iets betekent ook strijden tégen iets. Strijden voor beschaving en bekering, moest protestants Rotterdam weten, betekende ook strijden tegen 'afgodsdienst' en islam.

HET KINDER-ZENDELINGGENOOTSCHAP

'Gaat dan henen, onderwijst al de volken, dezelve dopende in den naam des Vaders en des Zoons en des Heiligen Geestes, lerende hen onderhouden alles wat ik u geboden heb' (Mattheus 28:19). Het zendingsbevel gold voor man en vrouw, maar ook voor jong en oud. In de jaren 1850 'ontdekte' de zending het kind. Van de vele kindergenootschappen die in die tijd werden opgericht – het Zutphense Kindergenootschap ten behoeve van de Zendingszaak was in 1850 het eerste – zou het Rotterdamsche Kinder-Zendelinggenootschap het succesvolst zijn. In Rotterdam was de opkomst op vergaderingen het hoogst, was het aantal leden het grootst, waren de giften het omvangrijkst. Het Rotterdamsche Kinder-Zendelinggenootschap werd in oktober 1851 opgericht door onder anderen B.J. Gerretson, handelaar in verfwaren en fabrikant in lakken en vernissen, die in de zendingsgeschiedenis van grote betekenis zou worden. Het genootschap stelde zich ten doel bij kinderen van negen tot zestien jaar belangstelling voor de zending te wekken en hen in de gelegenheid te stellen met een kleine contributie de zending te steunen. In het eerste jaar van zijn bestaan werden circa zevenhonderd kinderen lid van dit genootschap.[43] Zesmaal per jaar kwamen de kinderen – de jongens van de meisjes gescheiden – in de Engelse presbyteriaanse kerk aan het Haringvliet op een ledenvergadering bijeen. Daar werd gebeden, werden mededelingen op zendingsgebied gedaan, werden zendingsblaadjes verspreid en zendingsbusjes afgegeven.[44] De Rotterdamse kinderen zamelden veel geld in. In het *Maandberigt* werd benadrukt dat deze kinderen 'voor het grootste deel van geringe ouders' waren.[45]

Op de ledenvergaderingen werd door de bestuursleden van het Kinder-Zendinggenootschap gesproken over het werk en de wederwaardigheden van de zendelingen. Zo vertelde Gerretson de kinderen over de zendeling J.F. Riedel die werkzaam was in Tondano, Minahassa, 'het wonder van deze eeuw'. Daar voelde, hoorde en zag men dat men in een christelijke maatschappij leefde. Daar beschaamden de gemeenten 'de moedergemeenten in het vaderland' door 'geloof, liefde en reinen levenswandel'. A. Meijer vertelde de kinderen aan de hand van een zendingskaart over de 'diepgezonken toestand' van de 'Kaffers' (Khoikhoi).[46] Onder Khoikhoi, zo stelde hij, was dronkenschap 'met de daaruit voortvloeijende zonden' zeer algemeen. Vroeger liepen de 'arme kinderen' bijna geheel naakt, nu kwamen ze 'ordentelijk gekleed' naar school. Zendelingen moesten daarom blijven strijden tegen 'traagheid en onreinheid', want '[a]rbeid lacht den Kaffer niet zeer aan'.[47] L.J. Luyks gaf de kinderen 'een treffend voorbeeld van gebedsverhooring en bekeering'. Hij vertelde hun het verhaal over zendelingen die zich aan boord van de *Brittannia* bevonden op weg naar St. Thomas, een van de Maagdeneilanden in de Cariben, en dreigden geënterd te worden door het Franse piratenschip *de Roode Jacobijn*.[48] Ondanks de spannende verhalen over piraten en zendelingen, ondanks de kleurige zendingskaarten en het wonder van Tondano, verflauwde de belangstelling voor deze vergaderingen toen het orthodoxe bestuur van het genootschap besloot geen geld meer af te dragen aan het NZG, dat zijn grondslag – 'vrede door het bloed des kruises' – meer en meer verloochend had.[49]

DE NEDERLANDSCHE ZENDINGSVEREENIGING

In 1856 keerde het bestuur van het Rotterdamse Kinder-Zendelinggenootschap – Gerretson, Luyks en Meijer – zich radicaal van het NZG af. In hetzelfde jaar lieten Gerretson en Burger hun 'vennootschap tot het fabriceren van lakken en vernissen' door een notaris ontbinden. Het is niet bekend waarom die ontbinding plaatsgevonden heeft, maar dat zou weleens een religieuze reden gehad kunnen hebben. Burgers zwager was de zendeling D.J. ten Zeldam Ganswijk, die in 1854 door het NZG naar Java was uitgezonden. Misschien dat Burger het genootschap vanwege Ganswijk trouw bleef en dat Gerretson hem dat kwalijk genomen heeft.[50] De vennootschap werd voortgezet onder de firma B.J. Gerretson en C. Rutteman. Gerretson en Rutteman waren wel geestverwanten.

Het besluit van het Kinder-Zendelinggenootschap om geen gelden meer af te dragen aan het NZG bleek een vooraankondiging van de scheuring der geesten. Twee jaar later, in 1858, nam J. Voorhoeve, penningmeester van het NZG, ontslag 'omdat hij niet langer kon samenwerken met hen die een ander evangelie verkondigden, dat in zijn ogen niet overeenkwam met "het Evangelie van Christus"'.[51] Voorhoeve wilde een nieuw genootschap oprichten. Hij zocht toenadering tot de bestuursleden van het Rotterdamsch Kinder-Zendelinggenootschap en vond bij hen een warm onthaal. Op 2 december 1858 werd de Rotterdamsche Zendingsvereeniging opgericht. De oprichters van de vereniging waren behalve Voorhoeve, Gerretson, Luyks en Meijer, Gerretsons medefirmant Rutteman en Luyks' zwager de koekenbakker W. Lagerwey. Toen de oprichting algemeen bekend werd, nam het ledental in Rotterdam snel toe en vormden zich buiten Rotterdam – onder andere in Stadskanaal, Leeuwarden, Deventer en Enkhuizen – verenigingen op dezelfde grondslag. Deze verenigingen verklaarden met de Rotterdamse één vereniging te willen uitmaken. Omdat de vereniging zich over het gehele land had uitgebreid, werd de Rotterdamsche Zendingsvereeniging in 1859 omgedoopt tot Nederlandsche Zendingsvereeniging: NZV. Intussen waren in Rotterdam ook de Vrouwenvereeniging tot Uitrusting Onzer Zendelingen en de Hulpvereeniging voor Uit- en Inwendinge Zending opgericht, die de NZV met belangrijke bijdragen zouden steunen. De 'bestuurderessen' van de Vrouwenvereeniging waren onder anderen C.W. Gerretson-Hazelager en A. Luyks-Lagerwey, echtgenotes van de oprichters van de NZV. Vanaf 1859 zouden orthodoxe protestanten een eigen zendings-, een eigen vrouwen- en een eigen hulpvereniging hebben. Bij die eigen verenigingen hoorden een eigen tijdschrift, een eigen zendingsveld, eigen zendelingen en een eigen zendingshuis.

Het tijdschrift van de NZV was het maandblad *Orgaan*, het zendingsveld van de NZV was West-Java. De Rotterdammer die het *Orgaan* las werd – en dat was niet ongebruikelijk in zendingstijdschriften – in oorlogsmetaforen ingelicht over het zendingsveld. In het novembernummer van 1860 werd de bevolking van West-Java bij de lezers geïntroduceerd. Een wereldvreemde, ongevoelige, geldverkwistende moslim, zo karakteriseerde het *Orgaan* de Soendanees. De NZV zag het als haar taak 'een gedeelte van de groote aarde in bezit te nemen, en dat gedeelte waren de Soendalanden'.[52] De Rotterdammer las in het *Orgaan* dat de Heer 'een krijgsman' was, dat de NZV slechts 'Zijn bevel' opvolgde, dat zij in Zijn naam de strijd aanvaardde en dat zij onder Zijn aanvoering tot aan de overwinning strijden zou. 'Voortaan spreken wij dan ook,' las de Rotterdammer, 'van *onze* Soendanezen.'[53] De zendelingen – de 'kruisgezanten' van de NZV – zouden de Soendanezen onderwijzen, hen dopen in de naam van de Vader, de Zoon en de Heilige Geest en hun leren onderhouden alles wat Jezus hen geboden had.

De NZV leidde haar eigen zendelingen op in een eigen zendingshuis. Op 3 oktober 1861 werd een door de vereniging aangekocht pand in de Houttuin als zodanig ingewijd.[54] Vanaf die datum bestonden er in Rotterdam dus twee opleidingen voor zendelingen. Gerretson had zich uit zijn firma teruggetrokken en was huisvader geworden van het zendingshuis. Daar woonde hij met zijn vrouw en drie kinderen.[55] De kwekelingen zullen in het Rotterdamse straatbeeld niet zijn opgevallen. Zij waren met weinigen en in tegenstelling tot de kwekelingen van het NZG droegen zij geen jacquet.[56] Zij werden nog minder zichtbaar in de stad toen de opleiding in 1890 verhuisde van de 'nauwe, bedompte' Houttuin naar het landhuis Schooneberg aan de Westzeedijk, 'even buiten de drukke stad [...] begrensd door frissche weiden'.[57] De NZV had dit landhuis ten ge-

Zendingshuis Schooneberg, Westzeedijk, 1900. (SAR)

schenke gekregen van de Rotterdamse weldoener George Philip Ittmann, agent van Engelse scheepvaartondernemingen in Nederland, lid van de Nederlandsche Vereeniging tot Bevordering van de Zondagsrust en van de Vereeniging tot Behoud van Gevallen Vrouwen.[58] Aan de Westzeedijk is de opleiding gebleven tot 1919, toen zij naar Oegstgeest verhuisde.

Een kwekeling die wel in het Rotterdamse straatbeeld een opvallende verschijning geweest moet zijn was de uit de Minahassa (Noord-Celebes) afkomstige S.A. Tumbelaka.[59] Tumbelaka was de eerste Indonesiër die de Indische regering in 1915 naar Nederland uitgezonden had om een opleiding tot hulpprediker te volgen. Die opleiding vertrouwde zij toe aan de NZV. Een jaar later al slaagde Tumbelaka voor zijn examen en in januari 1917 werd hij tot hulpprediker ingezegend.[60] In diezelfde maand vertrok hij met het stoomschip *Rindjani* van Rotterdam naar Indië,[61] waar hij werd benoemd tot hulpprediker van Loewoek, Midden-Celebes.[62]

Het opleiden, afvaardigen en onderhouden van zendelingen was een kostbare aangelegenheid. De afdeling Rotterdam droeg, in verhouding tot de meeste afdelingen van de NZV, veel bij aan de schatkist. Dat is op te maken uit de rubriek 'Ontvangsten' in het *Orgaan*. De eerste vijf jaar van haar bestaan noteerde de NZV aan inkomsten, uitgedrukt in honderdtallen: 34 (1859), 55 (1860), 78 (1861), 120 (1862) en 177 (1863). Het leeuwendeel van die gelden werd bijeengebracht door Rotterdammers. In diezelfde jaren, weer in honderdtallen, respectievelijk: 24, 29, 38, 54 en 71.[63] De gelden waren afkomstig van contributies, hulpverenigingen, giften, collectes en zendingsbusjes. Een vaste contributie werd van de leden niet gevraagd.[64] Rotterdamse hulpverenigingen, zoals daar waren het Hulpgenootschap voor Uit- en Inwendige Zending, dat in mei 1859 met medewerking van enige NZV-leden opgericht was,[65] het Kinder-Zendelinggenootschap en het Jongelieden-Genootschap, vulden de schatkist in niet geringe mate. Collectes werden gehouden op de maandelijkse ledenvergaderingen, op de maandelijkse openbare bidstonden en op spreekbeurten. In navolging van de Basler Mission richtten Gerretson en Luyks in 1860 de Stuivers-Collecte op. Ieder lid verbond zich tot het bijdragen van een stuiver per week en deed dat minstens voor tien weken. In het jaar van de oprichting had deze collecte in Rotterdam al 220 'geefsters'.[66] Onmiddellijk daarna ontstonden 'vertakkingen' in Almelo, Amsterdam, Arnhem en tal van andere steden.[67] In menig jaar brachten de Rotterdamse leden de meeste stuivers bijeen. Zendingsbusjes werden door de NZV op verzoek geplaatst en werden om de drie maanden afgehaald en geleegd.[68] In 1886 bracht de NZV een nieuw zendingsbusje 'op de markt' dat zij kosteloos verstrekte: het Soendaneesje, dat bij wijze van dank met zijn hoofdje knikte als er een munt in geworpen werd. Ze werden in korte tijd razend populair en werden goed gevuld. Hoe kon het ook anders: 'Zulk een busje', adverteerde het *Orgaan*, 'is een sieraad in elke huiskamer, maar ook bijzonder geschikt voor school en catechisatie, daar deze "knikkebolletjes" in den smaak der lieve jeugd vallen.'[69]

Wie waren die Rotterdammers die zo gul en veelvuldig gaven? Dat is niet of moeilijk te achterhalen. Giften deden mensen meestal anoniem of onder initialen: 'van eene Dame uit een Christelijk gevoel *f* 2,50',[70] 'van een 22 jarig meisje [...] dat eenige oogenblikken voor haar ontslapen, aan hare moeder verzocht, om dit uit haar kleine spaarpotje aan de Zendelingen te geven *f* 1',[71] 'door een Fabrieksmeisje verzameld op de fabriek van de Erven Wed. v. Nelle *f* 7,50'.[72] 'H.D.C. voor het lezen van het *Orgaan* *f* 2,50',[73] 'Mej. H. van de Naaischool voor behoeftige kinderen *f* 6',[74] 'van Br. J.O., uit dankbaarheid *f* 10'.[75] Noemt het *Orgaan* wel naam en toenaam van de gever, dan betreft het vaak 'tussenpersonen': 'door Br. Dercksen uit het busje der Christelijke school in het Zwaanshals *f* 5',[76] 'door Br. G. Langelaar, van een weduwe *f* 2,50',[77] 'door Ds. C.B. Oorthuys van Mej. N.N. *f* 100'.[78]

Van 1860 tot en met 1910 ontving de NZV vijftigmaal een gift van duizend gulden. Dertigmaal kwam deze gift uit Rotterdam (60 procent van het totaal aantal gevallen). In elf van de dertig Rotterdamse gevallen is de naam van de gever bekend. In vier gevallen is de familienaam Bichon van IJsselmonde aan de gift verbonden. In 1866 gaf een anonieme gever ter gelegenheid van de verkiezing van Marinus Bichon van IJsselmonde tot lid van de Tweede Kamer aan de NZV een bankbiljet van duizend gulden. Bij het overlijden van zijn echtgenote en zijn dochter, en van Marinus Bichon van IJsselmonde zelve respectievelijk in 1885, 1888 en 1889, liet ieder van hen aan de NZV duizend gulden na.[79]

ZENDINGSVEREENIGING DELFSHAVEN

Toen Rotterdam in 1886 Delfshaven annexeerde kreeg de stad binnen haar grenzen een derde zendingsorganisatie: de in 1876 opgerichte Zendingsvereeniging Delfshaven. Deze vereniging zond geen zendelingen uit, maar stelde zich ten doel belangstelling voor de zending te wekken en daarvoor gelden in te zamelen. Zij deed dat door per jaar drie openbare bijeenkomsten voor volwassenen en drie vertelavonden voor zondagsschoolkinderen te organiseren. Op die openbare bijeenkomsten spraken coryfeeën uit de zending. K.J. Brouwer, director van de Samenwerkende Zendingscorporaties, sprak in 1926 in de Nieuwe Kerk aan de 's-Gravendijkwal over 'Het ontwakende Oosten'.[80] De in Charlois geboren theoloog J.A. Cramer sprak een jaar later in dezelfde kerk over 'De betekenis der zending voor de christelijke gemeente'. Hij hield zijn gehoor voor dat het zendingswerk het werk van de gehele gemeente was, dat de 'heidenen' door het evangelie uit hun 'zedelijke ellende' verlost werden en dat waar het evangelie gebracht werd, ook ziekenhuizen opgericht werden.[81] M. Bosshardt, lerares in dienst van de Salatiga-zending, sprak in 1933 in het wijkgebouw aan de Ochterveltstraat over haar werk op een school in Midden-Java.[82] Op de vertelavonden voor kinderen van de zondagsscholen wisten de zendelingen van de Utrechtsche Zendingsvereeniging (UZV) – Bout, Grondel, Wetstein, Kamma en De Neef – de leerlingen, aan de hand van lantaarnplaatjes, te boeien met verhalen over hun werk onder de Papoea's.[83] Werden de vertelavonden druk bezocht, de openbare bijeenkomsten kenden, ondanks het optreden van coryfeeën, steevast een lage opkomst. Al in 1913 had het bestuur van de Zendingsvereeniging Delfshaven in zijn jaarverslag geklaagd over de geringe belangstelling van de gemeenteleden voor de zending.[84]

Publieke belangstelling voor de zending was er wel wanneer de vereniging een jubileum vierde of films vertoonde. Op 28 oktober 1926, toen de Zendingsvereeniging in de Nieuwe Kerk haar vijftigjarig bestaan vierde, was het godshuis aan de 's-Gravendijkwal 'geheel gevuld'.[85] Veel belangstelling – er werden 870 kaartjes verkocht – was er voor de stomme film *Suriname*, die in 1928 door de zendeling Hermann Bielke van de Broedergemeente in Zeist vertoond werd.[86] Dat gold ook voor de stomme film *Melawan gelap* (Indonesisch: De strijd tegen de duisternis), gemaakt in opdracht van het Zendingsbureau Oegstgeest, over het werk in de 'Buitengewesten' van de Indische archipel. Deze film werd in 1929 door 1200 leerlingen van de zondagsscholen bekeken.[87]

De vereniging verkreeg haar inkomsten uit contributies, collectes, busjes, afdrachten van twee zondagsscholen en stuiverscollecten. Met dit geld subsidieerde zij de uitwendige maar ook de inwendige zending. Zo subsidieerde zij de Zendingsschool in Rotterdam (in 1917 verplaatst naar Oegstgeest), de Salatiga-Zending in Midden-Java en het christelijk onderwijs in Suriname, maar ook de Kinderkerk in Delfshaven, het Opvoedingsgesticht Valkenheide in Maarsbergen en de Bijbelverspreiding in Noord-Brabant.[88] Tot 1928-1929 vertoonden de inkomsten van de Zendingsvereeniging een stijgende lijn, daarna – tijdens de crisis – zette een daling in. Bedroeg de opbrengst uit de stuiverscollecte in het boekjaar 1925-1926 nog 168,20 gulden, in het boekjaar 1939-1940 was die opbrengst geslonken tot 65,90 gulden. Steeds minder mensen wist de vereniging aan zich te binden. Vergelijken we de jaren 1924 en 1939 met elkaar, dan daalde het aantal leden van 99 tot 67, het aantal contribuanten van 95 tot 40 en het aantal busjeshouders van 32 tot 13. In 1946 ging de Vereeniging ter ziele.[89]

ZENDINGSTENTOONSTELLING (1909)

Klaagde het bestuur van de Zendingsvereeniging Delfshaven al in 1913 over de geringe belangstelling voor haar openbare bijeenkomsten, de organisatoren van de zendingstentoonstelling van 1909 in Rotterdam hadden over interesse niet te klagen. Op de tienjarige Izaäk Samuel (Ies) Kijne uit Vlaardingen maakte deze tentoonstelling een verpletterende indruk. Wandelend rond de tafels met wapens, werktuigen en voorouderbeelden uit Boeroe, Halmahera en Nieuw-Guinea – waaronder de 'buit van Biak'[90] – vergaapte hij zich aan de taferelen die vervaardigd waren door kwekelingen van de Nederlandsche Zendingsschool. 'Hevig' en 'griezelig', vond hij het tafereel van dansende Papoea's, die zojuist teruggekeerd waren van een koppensneltocht. Toch moet hij dit tafereel opwindend en inspirerend gevonden hebben: nog weken na zijn bezoek aan de tentoonstelling tekende hij elk papiertje vol met mannen die woest met hun kapmessen zwaaiden en triomfantelijk de door hen buitgemaakte hoofden toonden.[91]

Wie zoals Ies Kijne de tentoonstelling in het Gebouw voor Kunsten en Wetenschappen aan de Schiedamsesingel in Rotterdam bezocht, had bij binnenkomst een in de hoogte gespannen doek gezien waarop te lezen stond: 'Alle heidenen zullen hem dienen' en 'Predikt het Evangelie aan alle creaturen'. In deze woorden uit de psalm en uit het Marcusevangelie lag het ongebreideld optimisme van de zending uit die tijd besloten. Een optimisme dat overigens het pregnantst tot uiting komt in de titel van het boek dat de Amerikaanse evangelist John R. Mott in 1900 publiceerde en dat ook de slogan was van de World Missonary Conference die in 1910 in Edinburg gehouden zou worden: *The evangelization of this world in one generation.*

In zijn rede waarmee hij de tentoonstelling opende benadrukte J.W. Gunning, secretaris van het NZG en de UZV, dat de ethische politiek die Nederland sinds 1901 in Indië voerde, 'niet zelden met wapengeweld opgedrongen [was]'. Die aldus opgedrongen beschaving, stelde hij, had geen 'zedelijken grondslag'. Sterker nog, die beschaving vernietigde de animistische grondslag van de bevolking en stelde daar niets voor in de plaats waaraan zij zich kon vasthouden. De zending nu bood de bevolking die zedelijke grondslag wel aan.[92] Gunning hield zijn Rotterdamse publiek voor: geen beschaving zonder christendom. Zo gezien behartigde de zending niet alleen een christelijk, maar ook een nationaal en imperiaal belang.[93]

De tentoonstelling, die eerder in Utrecht, Middelburg en Amsterdam te zien was geweest en ter ere van het vijftigjarig bestaan van de UZV gehouden werd,[94] wilde de bezoeker ervan overtuigen dat de zending hét middel was om 'werkelijk het goede voor onze koloniën' te doen. Kijk en vergelijk, leken de tentoonstellingsmakers de bezoeker toe te roepen: ziehier, heidenen die terugkeren van een sneltocht; ziedaar, heidenen die het licht hebben gezien en hun afgodsbeelden verbranden; ziehier, 'heidendorpen' die vies en rommelig zijn; ziedaar, christelijke dorpen die schoon en netjes zijn; ziehier, paalwoningen waar families door elkaar wonen zonder enig meubelstuk; ziedaar, een christelijke woning waar een gezin fatsoenlijk op stoelen aan tafel zit.[95] Dit alles, deze tentoonstelling, was door de makers bedoeld als een bewijs – 'één groot en machtig getuigenis' – van Gods zegeningen.

De zendingstentoonstelling in Rotterdam duurde vier dagen en werd op 24 oktober 1909 na het zingen van Psalm 72:11 – 'Alle heidenen zullen hem dienen' – gesloten.[96] De organisatoren konden tevreden zijn. De tentoonstelling was drukbezocht en had minstens één bezoeker, al was dat dan geen Rotterdammer, geïnspireerd om zendeling te worden onder de Papoea's. Negen jaar later, in 1918, zou Ies Kijne de Zendingsschool bezoeken. Hij zou glansrijk voor zijn examens slagen en zendeling-leraar in Nieuw-Guinea worden.[97]

ZENDINGSSCHOOL

Rotterdam deed zijn naam van moederstad van de zending eer aan toen daar in oktober 1905 aan de Rechter Rottekade de opening plaatsvond van de Nederlandsche Zendingsschool (NZS). De school was het resultaat van het besluit van het NZG en de UZV om hun tot dan toe gescheiden opleidingen samen te voegen. Het genootschap en de vereniging wilden komen tot samenwerking van alle zendingsorganisaties in Nederland. Zij wilden dat de school in Rotterdam een nationale functie zou hebben voor alle protestanten. Daarin slaagden zij voor een groot deel: het Sangi- en

De Nederlandse Zendingsschool, Rechter Rottekade, 1913. (SAR)

Talaud-Comité, de Doopsgezinde Vereeniging, de Gereformeerde Zendingsbond, de Gereformeerde Kerken, het Centraal Comité voor de Oprichting en de Instandhouding van een Seminarie nabij Batavia en de Broedergemeente te Zeist vertrouwden hun kwekelingen aan de NZS toe. Eén vereniging trad met haar kwekelingen vooralsnog niet tot de school toe: de NZV. Er bleven in Rotterdam dus twee protestante zendingsscholen bestaan.

In haar eerste jaar telde de NZS achttien kwekelingen die verdeeld waren over drie klassen. Elke klas duurde twee jaar, zodat de gehele opleiding zes jaar in beslag nam. De eerste klas was bestemd voor uitgebreid lager onderwijs, de tweede voor de theologische opleiding, de derde voor de 'Indische vakken', die de kwekelingen in Leiden volgden. In de derde klas werd tevens een medische cursus gegeven. Deze cursus was in overleg met de beide Rotterdamse zendingsscholen samengesteld door de directeur van het Coolsingelziekenhuis, de gerenommeerde internist Albert Abraham Hijmans van den Bergh. De cursus, die in september 1906 van start ging, bestond onder andere uit lessen in anatomie, verloskunde, interne geneeskunde en huidziekten. De kwekelingen moesten voor de anatomische les de sectie van kadavers bijwonen. Zij moesten bij minstens tien verlossingen aanwezig zijn. Voor het diagnosticeren van interne kwalen moesten zij onder leiding van internisten de ziekenzalen bezoeken. Voor de behandeling van huidziekten oefenden zij in poliklinieken. Het doel van de cursus was dat de zendeling niet alleen zichzelf en zijn gezin bij ziekte of ongeval in de tropen kon redden, maar ook dat hij de bevolking waaronder hij werkte van medische zorg kon voorzien, al dan niet als middel tot bekering.

Door het toenemend aantal kwekelingen dreigde het internaat aan de Rottekade uit zijn voegen te barsten. Bovendien raakte de school meer en meer ingeklemd tussen de almaar drukker wordende groentemarkt en de zich uitbreidende fabrieken. Voor uitbreiding van de Zendingsschool was geen ruimte. Daarom werd elders in Rotterdam naar een bouwterrein gezocht, 'daar de traditie voor een blijven in de Maasstad pleitte'.[98] Om een aantal redenen brak de zending echter met de traditie. Wilde de zending in Rotterdam blijven, dan zou dat de bouwsom – de prijs van de bouwgrond en de heikosten waren hoog – aanzienlijk verhogen. Het bestuur vond het gewenst om de kwekelingen de 'tijdroovende reizen' naar Leiden te besparen. Ook vond het bestuur het wenselijk om aanstaande zendeling-artsen en zendeling-theologen voor een bepaalde periode in het Zendingshuis op te nemen. Uiteindelijk werd besloten de Zendingsschool te verplaatsen naar Oegstgeest. Op 1 augustus 1917 verhuisden ook het Zendingsbureau van de Samenwerkende Zendingscorporaties (SZC) – ontstaan uit de samenwerking tussen NZG en UZV – en het secretariaat en de administratie van het NZG naar Oegstgeest. In 1919 hief de NZV haar opleiding op en vertrouwde haar kwekelingen toe aan de Nederlandsche Zendingsschool, en in 1923 sloot de vereniging zich aan bij de SZC. Het hoofdbestuur van het Nederlandsch Zendelinggenootschap en dat van de Nederlandsche Zendingsvereeniging bleven weliswaar in Rotterdam gevestigd, maar de Maasstad was niet meer de moederstad van de zending.

MOEDERSTAD VAN DE MISSIE

Toen J.C.H.M. Schiphorst, kapelaan van de Laurentiusparochie in Rotterdam, in januari 1920 een missieweek organiseerde, handelde hij geheel in overeenstemming met de apostolische brief *Maximum Illud*, die paus Benedictus XV (1914-1922) op 30 november 1919 de wereld in gezonden had. Hierin had de Heilige Vader tot zijn leedwezen moeten vaststellen dat er één miljard mensen op de wereld waren die nog steeds 'in de duisternis en in de schaduw des doods' verbleven. Hij was verheugd dat in de voorafgaande decennia de missie geïntensiveerd was, maar de missie, zo beklemtoonde hij, was niet alleen het werk van missionarissen, het was het werk van alle katholieken.

Katholieke Rotterdammers hadden, als we het roomse dagblad *De Maasbode* mogen geloven, bewezen dat de paus op hen kon rekenen. Massaal en emotioneel hadden zij in hun godshuizen missionarissen die naar hun missiegebied vertrokken uitgeleide gedaan. 'Stampvol' was de Steigerse kerk aan de Hoogstraat toen daar in november 1904 afscheid genomen werd van twintig priesters, broeders en zusters die scheep gingen naar Java, de Kei-eilanden en Nieuw-Guinea.[99] 'Druk bezet' was de parochiekerk van het Allerheiligste Hart van Jezus aan de Van Oldenbarneveltstraat toen daar in oktober 1907 drie paters dominicanen, die naar Puerto Rico zouden afreizen, het laatste vaarwel toegeroepen werd. 'Diep onder den indruk' waren de gelovigen van de afscheidswoorden die daar gesproken werden en 'het waren niet alleen de ouders en verwanten, die hunne tranen niet konden bedwingen'.[100] En 'tot tranen toe bewogen' was menig parochiaan toen in juni 1914 vier minderbroeders in de parochiekerk van de Heilige Rosalia aan de Leeuwenstraat het gewijde kruis kregen omgehangen als teken van hun uitverkiezing tot 'het eervol apostolaat onder de heidenen' in Brazilië.[101] Katholieke Rotterdammers hadden priesters, broeders en zusters aan boord zien gaan van de *Rindjani*, de *Wilis* of de *Kawi* – stoomschepen van de Rotterdamsche Lloyd vernoemd naar vulkanen – met bestemming Nederlands-Indië.[102] Zij hadden in hun parochiekerken bijgedragen aan collectes voor het Clemens Hofbauerliefdewerk ter bekering van de 'inlanders' en tot verpleging van de 'melaatschen' in Suriname.[103] Zij hadden het werk van de dominicaanse missie in Curaçao en dat van de missie in China gesteund.[104] Katholieke Rotterdammers, zo was de teneur van de roomse *Maasbode*, waren vervuld van liefde voor de missie.

Ook in de missie zelf waren Rotterdammers sterk vertegenwoordigd. Was het percentage Nederlandse missionarissen in verhouding tot andere landen groot – zij maakten ruim 11 procent uit van het totaal aantal missionarissen, terwijl 2 procent van het totaal aantal katholieken op de wereld Nederlands was[105] –, van de Nederlandse missionarissen was weer een groot aantal geboren 'onder de adem van de Maas'. In 1920 werkten vijftig Rotterdammers in de missie, van wie de meeste franciscanen (dertien paters) en dominicanen (negen paters en vijf zusters) waren.[106] Deze cijfers krijgen nog meer betekenis als we weten dat van de 476.960 inwoners die Rotterdam begin 1916 telde, 'slechts' 120.000 (iets meer dan een kwart van het totaal) tot de katholieke gezindte behoorden.[107] Aan missie-ijver leek het in Rotterdam niet te ontbreken.

IJver, liefde en bezieling voor het missiewerk bestonden echter niet zonder kennis van het missieveld, het missiebevel en de missieplicht. Die kennis van veld, bevel en plicht verwierven katholieken in kerk en gezin, op scholen en verenigingen, uit dagbladen als *De Maasbode* en tijdschriften als *De Katholieke Missiën* en, vanzelfsprekend, tijdens missieacties en missieweken. De eerste Rotterdamse Missieweek begon op 6 januari 1920, Driekoningen, met een algemene heilige communie in alle kerken. Op diezelfde dag vond de opening plaats van de grote missietentoonstelling in het voormalig zusterhuis van de dominicanessen aan de Oppert. De opening werd verricht door de in een paars gewaad gehulde deken van Rotterdam mgr. P.A.F. Thier. 'Sta op en word verlicht Rotterdam!', riep Thier alle parochianen toe, 'Komt Rotterdammers, komt op en laat u onderwijzen en overtuigen van het groote belang en nut der missiën.' In negen grote zalen konden Rotterdammers zich laten voorlichten en overtuigen door, onder anderen, paters dominicanen, paters redemptoristen en paters van het Heilig Hart, die er voorwerpen uit respectievelijk Curaçao, Suriname en Nieuw-Guinea geëxposeerd hadden en daarbij uitleg gaven.

Ook voor de meer dan tienduizend Rotterdamse katholieke kinderen had kapelaan Schiphorst tijdens de missieweek een programma opgesteld. Op drie dagen vond een kindermis met kindercommunie plaats en baden de kinderen voor de missie. Op vier dagen was er in het gebouw van de Sint Josef Gezellenvereeniging aan het Stationsplein voor alle katholieke scholieren een missiefeest. Missionarissen hielden er toespraken met lichtbeelden, er werd Kabylische muziek gespeeld en de kinderen kregen er een reep chocolade. Op de wikkel van de reep stond: 'Kinderen steunt de Missie'. Ter afsluiting van het feest werd er een 'negertooneelstukje in 3 bedrijven' opgevoerd, dat volgens het katholieke dagblad *De Tijd* 'uitbundigen bijval' oogstte.[108]

ROTTERDAMSCHE ONDERLINGE MISSIE ARBEID (ROMA), 1925

Missieweken, missiedagen, missiefeesten. Overal in Nederland werden ze gehouden. Missieweken in Amsterdam, Maastricht en Enschede.[109] Missiedagen in Breda, Beek en Goor.[110] Missiefeesten in Zundert, Oudenbosch en Weert.[111] En dan waren er nog de missiecongressen, de missietentoonstellingen, de missiefilmavonden, de missieoptochten, de missievoetbalwedstrijden. Rotterdam, zo pochte het grootste katholieke dagblad van Nederland *De Maasbode* in september 1925, zou het 'record' breken met '[e]en missie-krant in vele edities, een wereld-missietentoonstelling [...], een missie-congres, een missie-week, 'n missie-lichtstoet, 'n missie-optocht, 'n missie-feest van acht volle dagen'.[112]

Opnieuw had kapelaan Schiphorst rooms Rotterdam enthousiast weten te krijgen voor een missieweek. In maart 1925 had hij het comité Rotterdamsche Onderlinge Missie Arbeid (ROMA) opgericht dat deze week zou organiseren. Schiphorst had zich daarbij laten inspireren door de missietentoonstelling die in december 1924 in het Vaticaan geopend was. In zijn openingsrede bij die tentoonstelling had paus Pius XI (1922-1939) benadrukt dat de 'heldendaden en offers' van missionarissen de hulp van de wetenschap, in het bijzonder de medische wetenschap, behoefden. Daarom was er aan de tentoonstelling een medische afdeling verbonden.[113] Dát nu wilde Schiphorst ook. Hij legde dit plan voor aan zijn katholieke huisarts C.H.A.T. Fehmers, die tevens internist was in het Sint Franciscus

Gasthuis aan de Schiekade. Deze legde het op zijn beurt voor aan hun geloofsgenoten J.J. Bloemen en E.H. Hermans. Bloemen was hoofd van de afdeling huid- en geslachtsziekten van het Gemeenteziekenhuis aan de Coolsingel, Hermans was als dermatoloog werkzaam in de Havenpolikliniek aan de Maashaven. Fehmers, Bloemen en Hermans waren direct van het plan van de kapelaan gecharmeerd. Daarop vormden zij met z'n vieren het Medisch Missie Comité, een subcommissie van het comité ROMA, dat vier jaar later omgedoopt zou worden tot de stichting Nederlandsch Medisch Missie Comité (NMMC). Dit kwartet stelde de medische afdeling samen, die onderdeel uitmaakte van de tentoonstelling in de missieweek die van 21 tot en met 27 september 1925 in Rotterdam gehouden werd. Op de tentoonstelling werd in acht verschillende secties een aantal thema's uitgebeeld: de ziekten in de missielanden (cholera, dysenterie, lepra, pest, pokken), de geneesmiddelen door de missionarissen toegepast en de resultaten door hen bereikt. Voor het eerst maakte katholiek Nederland – in Rotterdam – kennis met de aard en omvang van tropische ziekten waaraan missionarissen in hun missiegebied blootgesteld waren en met de offers die zij brachten om 'in verre gewesten onder onbeschaafde volken het Geloof te [...] verkondigen'.[114] Door die kennismaking, zo was het idee van Schiphorst en de zijnen, zouden bezoekers van de tentoonstelling overtuigd raken dat de missie hun steun verdiende.

Op 20 september 1925 ontving rooms Rotterdam de bebaarde missionarissen in hun bruin, zwart of wit habijt, die met de trein op het station Delftsche Poort gearriveerd waren, met groot enthousiasme. Op de missietentoonstelling – alle Nederlandse missiecongregaties waren er vertegenwoordigd – was een 'heldenzaal' ingericht waar de grote Nederlandse priesters, broeders en zusters een plaats gekregen hadden. Daar konden de bezoekers 'kennismaken' met onder anderen de 'aalmoezenier van Atjeh' pastoor H.C. Verbraak (1835-1918), de 'apostel der melaatsen en indianen' in Suriname pater Petrus ('Peerke') Donders (1809-1887) en de 'apostel der Dajaks' in Sarawak father Felix Westerwoudt (1861-1898).[115] *De Maasbode* riep alle katholieken op om een 'eeresaluut' te brengen aan deze helden, die wellicht ooit als 'heiligen' vereerd zouden worden. De voorspelling van het katholieke dagblad kwam (bijna) uit in 1982 toen paus Johannes Paulus II (1978-2005) Peerke Donders zalig verklaarde.

De Rotterdamse pers reageerde verdeeld op de missieweek.[116] De liberale *Nieuwe Rotterdamsche Courant* besteedde geen tittel of jota aan ROMA. Het vrijzinnige *Rotterdamsch Nieuwsblad* deed van de 'RK-Missieweek' neutraal verslag, maar vermeldde wel dat de bijeenkomsten 'zeer druk bezocht' werden of 'een zeer groote schare belangstellenden' trokken.[117] *De Tribune* was ronduit negatief. Het communistische dagblad liet een Rotterdamse arbeider aan het woord, die zich bij het zien van de grote optocht met praalwagens – de apotheose van de missieweek – had geergerd aan de vrachtwagenchauffeurs van de grote bierbrouwerijen, die bij de roomse propaganda altijd goed vertegenwoordigd waren. Op die enkele vrije dag die ze hadden, mopperde hij, stelden ze zich in dienst van 'Kapitaal en Kerk' waar ze doordeweeks op zaten te 'kankeren'.[118] Het katholieke dagblad *De Maasbode* daarentegen putte zich uit in superlatieven. Het was een week geweest van 'onverminderd enthousiasme', van 'aanzwellende geestdrift', van 'blijde feestviering', van – en dat was het belangrijkste – 'versterking van het katholieke bewustzijn'.[119] Als ROMA iets duidelijk gemaakt had, dan was het wel dat de grote en eerste plicht van de kerk, van iedere katholiek, en dus van katholiek Rotterdam, het steunen van de missie was met gebed en aalmoes.

MEDISCH-HYGIËNISCHE CURSUS

De medische afdeling op de missietentoonstelling bleek propagandistisch gezien een gouden greep. De afdeling oefende op het Rotterdamse publiek een onweerstaanbare aantrekkingskracht uit. Waren het de 'photographische vergrootingen', de 'mooie diapositieven' en de waspreparaten van pokken-, framboesia- en leprapatiënten of waren het de gifslangen op sterk water die katholieke Rotterdammers ertoe brachten in lange rijen te wachten om toegang tot deze afdeling te krijgen?[120] Kwamen zij uit interesse of uit sensatiezucht? Zij die uit sensatiezucht naar de afdeling kwamen wilde de organisatie zo veel mogelijk weren. Daarom was de medische afdeling uitsluitend toegankelijk voor personen boven de zestien jaar.

De populariteit van de medische afdeling was aanleiding voor het Medisch Missie Comité om in Rotterdam een medisch-hygiënische cursus voor missionarissen te beginnen. De technische leiding van deze cursus berustte bij Hermans en H.J.C.M. van Dijk, hoofd van de afdeling interne geneeskunde van het Sint Franciscus Gasthuis. Het doel van de cursus was de missionarissen te leren hoe zij in hun missiegebieden gezond bleven en hoe zij zichzelf konden helpen als zij ziek werden. Gedurende zes weken kregen priesters, broeders en zusters de volgende vakken gedoceerd: tandheelkunde; 'cosmopolitische' huidziekten; verloskunde en vrouwenziekten; 'cosmopolitische' ziekten; ziekenverpleging; parasitologie; oogziekten; tropische huidziekten; tropische hygiëne; tropische geneeskunde; algemene ziekteleer; EHBO; keel-, neus- en oorziekten; laboratoriumkennis; kinderziekten; zenuwziekten; chirurgie; geneesmiddelenleer; koken. De lessen werden gegeven in het Sint Franciscus Gasthuis aan de Schiekade, in het Havenziekenhuis aan de Oosterkade, in de Gemeentelijke Polikliniek voor Huid- en Geslachtsziekten aan de Nieuwe Haven en in de gebouwen van de Havenquarantainedienst (sinds 1934) op Heijplaat.

De energieke Hermans, die op de Molukken onderzoek naar framboesia gedaan had, hield tijdens de opening van de eerste medisch-hygiënische cursus voor missionarissen op 15 september 1927 – feestdag van Onze-Lieve-Vrouw van Zeven Smarten – in de Regentenkamer van het Sint Franciscus Gasthuis een gloedvol betoog over de noodzaak en het nut van de cursus. Niet langer kon katholiek Nederland werkeloos toezien hoe het 'missieleger' door ziekte en sterfte zo veel verliezen leed. Hermans gaf het 'ontstellende' voorbeeld van een in Afrika actieve missieorde waarvan de missionarissen een gemiddelde levensduur van niet meer dan twee jaar hadden. Onaanvaardbaar voor katholiek Nederland was het verlies aan mensenlevens nu de geneeskunde en de gezondheidsleer zo veel vooruitgang geboekt hadden. Daarom was het noodzakelijk dat de missionaris zich een elementaire medische en hygiënische kennis eigen maakte. Bovendien zou die kennis voor de missionaris uitermate nuttig zijn. Hermans was zich ervan bewust dat de missionaris in de eerste plaats zielzorg verleende, maar hij benadrukte dat lichamelijke zorg voor de aan de missionaris toevertrouwde bevolking op 'eminente wijze' toegang gaf tot de ziel.[121] De medisch-hygiënische cursus in Rotterdam bood de noodzakelijke kennis over lichamelijke zorg. De eerste cursus was zo'n groot succes dat de cursus elk jaar geprolongeerd werd.

Geïnspireerd door dit succes besloot het Medisch Missie Comité, in overleg met de oversten van de missionerende orden en congregaties, in het Sint Franciscus Gasthuis een medische infrastructuur voor missionarissen op te bouwen. Er kwamen een keuringsraad, een behandelingsraad, een medisch maandblad en een medisch-hygiënisch adviesbureau. De Keuringsraad, die in 1928 ingesteld werd, onderzocht de aspirant-missionarissen op hun geschiktheid voor een werkkring in de tropen. De instelling van deze raad werd noodzakelijk geacht omdat de oorzaak van het hoge sterftepercentage onder missionarissen – 12 procent stierf binnen twee jaar na aankomst in hun missiegebied – gezocht werd in hun zwakke lichamelijke conditie voordat zij naar hun missiegebied vertrokken. In de jaren dat de raad actief was (1928-1939) lieten 2120 missionarissen zich in Rotterdam keuren. Van hen werden er 1844 (ruim 80 procent) goedgekeurd.[122]

Was de missionaris in Rotterdam door de Keuringsraad geschikt verklaard en had hij in Rotterdam zijn diploma van de medisch-hygiënische missiecursus behaald, dan vertrok hij uit Rotterdam met een schip van de Rotterdamsche Lloyd. De Lloyd had de missionaris graag als passagier. De rederij hanteerde lage tarieven voor geestelijken en op al haar passagiersschepen bevonden zich vaste altaren met alles wat een priester nodig had voor het opdragen van de heilige mis. Op haar vrachtschepen met passagiersaccommodatie bevonden zich kofferaltaren. Ook aan de wal onderhield de Lloyd een goede relatie met de missie. In 1925 liep het muziekkorps van de Rotterdamsche Lloyd mee in de missieoptocht.[123] In 1935 stelde de Loyd het motorschip *Indrapoera* beschikbaar, dat in de Sint Jobshaven lag, voor het congres van de Priester-Missiebond. In 1936 had de rederij een stand op de missietentoonstelling in Leiden, waarop ook haar president-directeur Willem Ruys aanwezig was. Na de oorlog verloor de Lloyd de missionaris als klant aan de luchtvaart.[124]

Keerde de missionaris uit zijn missiegebied in Indië terug naar Nederland – met de *Slamat*, de *Indrapoera*, de *Sibajak*, de *Baloeran* of de *Dempo* van de Lloyd – dan kon deze zich bij ziekte of ander lichamelijk ongemak wenden tot de Behandelingsraad. In de 'rimboekamer' van het Sint Franciscus Gasthuis werd de zieke missionaris behandeld door specialisten met tropenervaring en 'liefdevol verzorgd' door zusters Augustinessen.[125] Zo behandelde de raad in 1933 vijftien ziek teruggekeerde missionarissen,

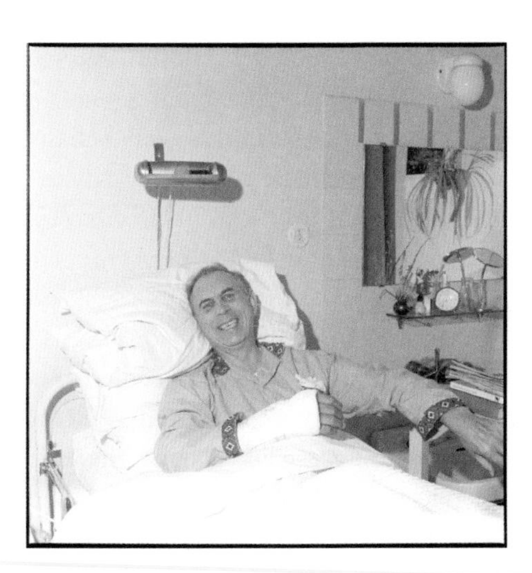

Pater Th. Verhoeven in de rimboekamer van het Sint Franciscus Gasthuis, 1967 (SAR)

onder andere voor malaria, dysenterie, maagzweer, longtuberculose, leverabces en olifantsziekte.[126] In de jaren vijftig en zestig was de rimboekamer in Rotterdam nog steeds een begrip, niet in de laatste plaats omdat in die jaren het aantal missionarissen dat ziek uit de missie terugkwam toenam, wat te wijten was aan vergrijzing. De rimboekamer, waar in 1957 72 missionarissen behandeld werden, was 'voortdurend bezet'.[127]

Twee andere onderdelen van de medische infrastructuur waren het *Medisch Missie Maandblad*, waarvan het eerste nummer in 1928 verscheen, en het Medisch-hygiënisch Adviesbureau, dat in 1929 opgericht werd. De hoofdredactie van het maandblad en de leiding van het bureau berustten bij één man: de reeds veelvuldig genoemde E.H. Hermans, in Rotterdam. Het *Medisch Missie Maandblad* was een propagandamiddel en een middel voor kennisoverdracht aan missionarissen. Zo behandelde de rubriek 'Vraag en antwoord' vragen van missionarissen en antwoorden van het Medisch-hygiënisch Adviesbureau. De rubriek 'Brieven van missionarissen' behandelde de medische en hygiënische problemen waarmee missionarissen in hun missiegebieden te kampen hadden.[128] Bij het Medisch-hygiënisch Adviesbureau konden missionarissen medische en technische inlichtingen inwinnen. Het bureau bleek in een grote behoefte te voorzien. Hermans ontving van missionarissen talloze brandbrieven en noodkreten, die hij zo veel en zo goed mogelijk probeerde te beantwoorden. Deze brieven en kreten waren vaak aanleiding tot bespreking in het *Medisch Missie Maandblad*. Zo konden andere missionarissen met Hermans' antwoorden hun voordeel doen. Voor hulp bij de aanschaf van medicijnen, medische instrumenten en verbandmiddelen kon de missionaris ook bij het adviesbureau terecht. De missionarissen maakten daar druk gebruik van, getuige de honderden aanvragen om hulp die het bureau jaarlijks ontving.

Met een keuringsraad, een medisch-hygiënische cursus, een behandelingsraad, een medisch maandblad en een medisch-hygiënisch adviesbureau was Rotterdam, zo constateerde het katholieke dagblad *De Tijd* tevreden, het 'Zend- en Ontvangstation van de Missie'.[129]

'INHEEMSE' GEESTELIJKEN IN ROTTERDAM

In zijn apostolische brief *Maximum Illud* van 1919 had paus Benedictus XV de missionerende orden en congregaties opgedragen een inheemse clerus te vormen. Beter dan wie ook wisten inheemse geestelijken, benadrukte de paus in zijn brief, hoe zij het geloof bij hun landgenoten ingang konden doen vinden. Paus Pius XI herhaalde deze opdracht in zijn encycliek *Rerum ecclesiae* van 1926 en voegde daaraan een opmerkelijke politieke dimensie toe. Paus Pius nodigde de katholieke wereld uit zich het onvoorstelbare voor te stellen. Gesteld dat in een missiegebied de inheemse bevolking, omdat zij een hogere graad van beschaving had bereikt en onafhankelijk wilde zijn, de vreemde overheerser uit haar land verdreef, dan zou dit niet zonder geweld gaan. Dit zou, vreesde de paus, grote schade toebrengen aan de kerk, tenzij er van tevoren in het gehele missiegebied een netwerk van inheemse geestelijken opgebouwd zou zijn. Paus Pius ging nog een stap verder. Wie neerkeek op de inheemse volken als een minderwaardig ras maakte volgens de Heilige Vader een ernstige fout. De ervaring wees uit dat de volken van 'het Oosten en het Zuiden' niet minder waren dan die van 'het Westen en het Noorden'. Met eigen ogen had de paus op de Romeinse colleges gezien dat 'inheemse studenten' aan hun Europese medestudenten gelijk waren in kennis en vaardigheden, ja hen daarin konden overtreffen. Daarom veroordeelde paus Pius discriminatie in het algemeen en discriminatie tussen geestelijken in het bijzonder. De Heilige Vader voegde de daad bij het woord. In hetzelfde jaar dat paus Pius *Rerum ecclesiae* de wereld in zond wijdde hij in Rome 'met eigen handen' zes Chinese geestelijken tot bisschop.[130]

Toen vier van de zes Chinese bisschoppen in december 1926 op hun reis door Nederland ook een bezoek aan Rotterdam brachten, beleefde de stad volgens het roomse dagblad *De Maasbode* een 'ongetwijfeld historische gebeurtenis'.[131] Katholiek Rotterdam was getuige van het begin van het einde van de 'Westersche voogdij over het Verre Oosten'. China, Brits-Indië en Nederlands-Indië eisten hun onafhankelijkheid op 'en wederom [was] het Rome geweest', volgens de Rotterdamse krant, 'dat het eerst den toestand [had] doorzien'. De pausen Pius en Benedictus toch hadden de 'mondigheid' van de Chinezen erkend en hun bisschoppen 'geschonken'.[132] De deken van Rotterdam J.W. van Heeswijk noemde de dag waarop paus Pius de zes Chinese geestelijken tot bisschop wijdde een 'keerpunt in de wereldgeschiedenis'.[133]

Bij hun aankomst op station Delftsche Poort werden de Chinese bisschoppen door de Rotterdamse clerus en 'een groote menigte belangstellenden' ontvangen.[134] De Rotterdamse geestelijken eerden de Chinese prelaten zoals zij de Nederlandse prelaten eerden en brachten hun de handkus.[135] In auto's met de pauselijke en de Chinese vlag reden zij naar de kerk van de Heilige Laurentius waar deken Van Heeswijk hen officieel ontving. Zij mochten dan de Nederlandse taal niet spreken en de Nederlandse gebruiken en gewoonten niet kennen, de deken verzekerde de bisschoppen in zijn welkomstwoord – in het Frans – dat katholiek Rotterdam één was met hen in het geloof, omdat zij allen – en hij citeerde uit het credo – geloofden 'in de ene, heilige, katholieke en apostolische kerk'.

Voor *De Maasbode* en de Rotterdamse geestelijken was het bezoek van de Chinese bisschoppen echter ook aanleiding om de 'grootheid' van de Nederlandse missionarissen – onder wie martelaren – in de verspreiding van het katholicisme in China te etaleren. Die grootheid typeerde volgens de krant de 'kracht' van het Nederlandse volk.[136] Zo typeerde de grootheid van de Rotterdamse pater franciscaan Victorianus Kruitwagen, die twintig jaar gewerkt had in Shanxi, een provincie ten zuiden van Beijing, de kracht van katholiek Rotterdam. Zijn rode handen, die ooit op een missietocht in China bevroren waren geweest, waren het tastbare bewijs van Rotterdams 'offerende liefde' voor China. Pater Kruitwagen, die de bisschoppen tijdens hun officiële ontvangst in vloeiend Chinees verwelkomde, sprak van de tachtig Nederlandse paters die na hem naar China gekomen waren en van wie de helft in Chinese aarde begraven lag. In de tweede helft van de negentiende eeuw waren de meeste intreders in de franciscaanse orde afkomstig uit Rotterdam.[137]

Katholiek Rotterdam was met blijdschap vervuld zo veel missionarissen naar China te hebben zien vertrekken.[138] Ook J.M. Buckx, de eerste bisschop van Finland, sprak tijdens deze gelegenheid de eerste bisschoppen van China toe. Katholiek Rotterdam, zo vond deze kerkvorst, had 'de groote eer' van het Chinese bezoek verdiend. Rotterdammers waren bezield met 'een grooten missieijver', die bleek uit hun steun aan de missie door gebed, geld en roeping.[139] Die ijver bleek in het bijzonder uit de ondersteuning door Rotterdamse parochies en particulieren van 'eigen inlandse seminaristen'. Zo was P.J. Zacharias, die tot de missie van Vijayapuram (Kerala, India) behoorde, een 'beschermeling' van de parochie H. Joseph, was Franc. de H. Soejadiran, die tot de missie van Batavia behoorde, een 'beschermeling' van Rotterdamse particulieren en was Joannes Bapt. Ma, die tot de missie van Ningxia (noordwest-China) behoorde, een 'beschermeling' van particulieren.[140]

Enkele dagen voor het bezoek van de Chinese bisschoppen had katholiek Rotterdam een al even historische gebeurtenis meegemaakt. Op 26 december had de eerste Javaanse priester, pater Satiman SJ, in de Sint-Ignatiuskerk aan de Westzeedijk een heilige mis opgedragen. Franciscus Xaverius Satiman had in 1911 aan de kweekschool in Muntilan, Midden-Java, zijn diploma behaald, was in 1913 naar Nederland gekomen om

Sint-Ignatiuskerk, Westzeedijk, 1909. (SAR)

opgeleid te worden tot priester en was in augustus 1926 in Maastricht als zodanig gewijd.[141] Op die tweede kerstdag lagen in de Sint-Ignatiuskerk Rotterdamse katholieken neergeknield aan de voeten van een Javaan, die hun zijn priesterzegen schonk. Ditmaal sprak *De Maasbode,* refererend aan de wijding van Satiman tot priester, van een 'keerpunt in de geschiedenis' van het Nederlands kolonialisme en van de katholieke missie.[142]

Het was niet de eerste keer dat katholiek Rotterdam kennismaakte met een Javaanse geestelijke. Tijdens de missieweek van 1925 had frater Albertus Soegija SJ, die in Maastricht zijn priesterstudie volgde, in een causerie het Rotterdamse publiek een uiteenzetting gegeven van 'de Javaansche volksziel'. Hij was er met een 'uiterst hartelijk applaus' verwelkomd. De Javaanse katholieken, zo sprak Soegija in zijn volgens het katholieke dagblad *Het Huisgezin* 'ontroerend dankwoord',[143] waren behalve aan God en aan de missionarissen grote erkentelijkheid verschuldigd aan katholiek Nederland en dus ook aan katholiek Rotterdam. Als katholiek Nederland, en dus als katholiek Rotterdam Java bleef steunen, zo besloot hij zijn dankwoord, dan zou Java niet voor het katholieke geloof verloren gaan.

Het Rotterdamse publiek beantwoordde Soegija's causerie met een 'levendig applaus'.[144] Frater Soegija zou in 1931 als Soegijapranata tot priester en in 1940 tot de eerste Indonesische bisschop gewijd worden.[145]

De vorming van een inheemse clerus mag door *De Maasbode* dan wel voorgesteld zijn als een keerpunt in de geschiedenis, dat was wellicht wat voorbarig. In 1940, het jaar waarin Soegijapranata tot bisschop gewijd werd, waren er van de 570 priesters in Nederlands-Indië slechts zestien – nog geen 3 procent – Indonesisch.[146]

ALGEMEENE ROTTERDAMSCHE MISSIE ACTIE (ARMA), 1935

In 1935 – tien jaar na ROMA – werd van 22 september tot 6 oktober in Rotterdam opnieuw een grote missieactie georganiseerd: de Algemeene Rotterdamsche Missie Actie, ARMA. Het acroniem ARMA, Latijn voor 'wapentuig' of 'wapengeweld', had het organiserend comité vanzelfsprekend bewust gekozen. De propaganda van de missie – en ook die van de zending – was doorspekt met oorlogsmetaforen. ARMA wilde een hulde zijn aan de 'heldenmoed' van de Nederlandse missionarissen. De paters, de broeders en de zusters in de missie waren de 'soldaten van Christus' die de taak hadden om 'donker Afrika',[147] om 'China-als-geheel',[148] meer nog, om 'geheel de wereld' voor hun Koning te veroveren.[149] ARMA wilde ook de Rotterdamse katholieken geestelijk mobiliseren, hun de 'wapens' tonen waarvan zij zich in de 'geestelijke strijd' konden bedienen en hen voor die strijd strijdlustig maken.[150] Het organiserend comité besloot zijn bijdrage aan het programmaboek met deze oproep: 'Rotterdam, te wapen voor Christus onzen Koning. God wil het.'

ARMA wilde 'het hoogste idealisme' aanmoedigen bij de jeugd en een 'prikkel' zijn voor de ouders 'om van God een missie-roeping af te smeken voor hun kinderen':

> Christen-ouders, hebt gij de moed uw jongens en meisjes aan den Goddelijken Missionaris aan te bieden? Schenkt hun een echt katholieke opvoeding; smeekt den Heer, dat hij zich verwaardige hen in Zijn oogst te zenden; spreekt hun over het Missiewerk; wellicht zult ge dan het geluk smaken een missionaris te mogen tellen onder uw kinderen, zoals er reeds zovelen uit Rotterdam en omgeving zich geheel gegeven hebben, om de stralende booglamp van het Evangelie te ontsteken in de stikdonkere nacht van het heidendom.[151]

Om dat 'hoogste idealisme' aan te moedigen mobiliseerde ARMA de katholieke jeugd van Rotterdam. Van 23 september tot en met 1 oktober werd op de katholieke scholen door de leerlingen een novene gehouden. Op deze negen dagen baden zij dat Gods zegen mocht rusten op de missie. Op verschillende scholen kwam een missionaris zijn verhaal vertellen en werden er teken- en opstelwedstrijden over de missie gehouden. In verenigingsgebouwen werden kindermissiefilms vertoond.[152]

Op dinsdagavond 24 september vond een kruisplanting plaats door de leden van de Sint Joseph Gezellenverenigingen, de Katholieke Verkenners, de Katholieke Jeugd Centrale en De Graal, een vereniging voor jonge vrouwen. De jongeren trokken op van de Rochussenstraat naar de Coolsingel. Zij droegen het kruis de Doelen binnen onder het zingen van de hymne 'Vexilla Regis' (De koningsvanen [gaan vooraan]), die ook gezongen zou zijn door de kruisvaarders toen zij ten strijde trokken tegen de 'ongelovigen'.[153] De jongeren kregen de kruiszegen van een missiebisschop en plantten het kruis op het podium. Tot slot zongen zij 'kalm en fier' het missielied.[154] Een van de strofen van dit lied luidt:

> Maar hoog uit het Noorden en diep uit het Zuid,
> Uit landen van Westen en Oosten
> Schreit broeder aan broeder in 't donker zoo luid
> Wie zal met ons licht hem vertroosten?

De broeder die schreide, riep of smeekte om hulp was een topos in de missie- en zendingspropaganda en verwijst naar het visioen dat de apostel Paulus in Troas kreeg waarin een Macedoniër hem bad: 'Kom over en help ons!' (Handelingen 16:9). Behalve het missiebevel was er dus ook deze bede om hulp die een aansporing voor alle katholieken was om de missie met gebed en aalmoes te steunen.

In de concertzaal van de Doelen aan de Coolsingel, de grootste zaal die in Rotterdam beschikbaar was, werd ook de missietentoonstelling gehouden. Bisschop Buckx, die de tentoonstelling opende, stelde met genoegen vast dat Rotterdam grote belangstelling aan de dag legde voor 'de verovering der wereld voor Christus'. Dit bleek uit het grote aantal Rotterdamse missionarissen, uit de Rotterdamse steun waarin het missiewerk zich mocht verheugen en uit het werk dat de priesters in Rotterdam voor de missie verrichtten. In de concertzaal hadden alle 24 Nederlandse missionerende orden en congregaties van priesters een stand. De missionarissen gaven zelf uitleg bij de tentoonstelling. Van de 24 missieorden en -congregaties die Nederland telde waren 72 'missiehelden' tijdens de ARMA aanwezig.[155]

Bovendien had de tentoonstelling ook weer een medische afdeling. De onvermoeibare specialist in huid- en geslachtsziekten Hermans gaf er drie keer een rondleiding.[156] Het was de laatste keer voor de oorlog dat de medische missietentoonstelling in Rotterdam te zien was.

MEDISCHE MISSIE ACTIE (MEMISA)

In mei 1945 was het centrum van Rotterdam één grote, kale vlakte en was het Nederlandsch Medisch Missie Comité op sterven na dood. Zijn bezittingen waren verloren gegaan of verwoest, zijn bestuurders waren overleden of stelden zich niet meer beschikbaar. Liquidatie van het NMMC leek nabij, maar zoals Rotterdam herrees zou ook het comité herrijzen. Dat was te danken aan de internist Fehmers, een van de medeoprichters van het NMMC, die in oktober van dat jaar de bestuursleden van het comité bijeenriep en hun voorstelde de medische bijstand aan missionarissen te continueren, waarvoor hij aller steun kreeg. Voorzitter van het comité werd de deken van Rotterdam J.H. Niekel. Als eerste afdeling herrees in 1946 de Behandelingsraad. Het hoofd van de raad J.A.G. ten Berg, internist in het Sint Franciscus Gasthuis, kreeg dat jaar in de rimboekamer de eerste gerepatrieerde missionarissen te behandelen. De missionarissen noemden dat 'in dok gaan'.[157] Onder leiding van de huisarts C.A.A. Minderop herrees in 1946 ook de Keuringsraad, die aanstaande missionarissen medisch keurde.[158] In september van dat jaar begonnen 64 cursisten in het Sint Franciscus Gasthuis aan de eerste naoorlogse medisch-hygiënische missiecursus. Meer dan voor de oorlog werd van hen verwacht op maatschappelijk terrein 'heilzaam werk' te verrichten. Deken Niekel wees er bij de opening van de cursus op dat deze moderne methode van apostolaat meewerkte 'het Rijk Gods te verbreiden'.[159] In december 1948 werd de naam van de stichting Nederlandsch Medisch Missie Comité – 'met het oog op de propaganda' – officieel omgedoopt tot Memisa (Medische Missie Actie).[160]

Memisa bleek levensvatbaar. Op zondag 15 oktober 1950 vierde de stichting haar 25-jarig bestaan, in aanwezigheid van talrijke missieautoriteiten onder wie zes bisschoppen.[161] In de dekenale kerk aan de Westzeedijk werd een pontificale hoogmis opgedragen door het paradepaard van de Nederlandse missie: de apostolisch vicaris van Semarang (Midden-Java) mgr. A. Soegijapranata SJ.[162] En weer knielde katholiek Rotterdam voor een Javaanse geestelijke. Het hoogtepunt van de feestvergadering, zo vond het katholieke dagblad *De Tijd*, was de rede waarmee mgr. Soegijapranata namens de honderden missionarissen die aan zijn zorgen waren toevertrouwd zijn dank aan Memisa bracht. Hierna maakte hij bekend dat het paus Pius XII (1939-1958) behaagd had twee medeoprichters van Memisa, Fehmers en Minderop, te onderscheiden met het ridderschap in de Orde van Sint-Gregorius de Grote,[163] een orde die het Vaticaan verleent aan hen die opmerkelijke verdiensten hebben geleverd voor geloof, kerk en maatschappij. In het jubileumjaar 1950 voerde Memisa voor het eerst een grote landelijke fondswerfactie voor het medisch missiewerk. De actie was een groot succes en bracht ruim *f* 100.000 op.[164]

Memisa zou meer en grotere successen boeken. Die successen waren in belangrijke mate te danken aan de in Rotterdam geboren en getogen A.M. (Tonny) van der Lugt. Op 1 januari 1951 werd mejuffrouw Van der Lugt – zo wilde ze aangesproken worden – benoemd tot directrice van het Centraal Bureau van Memisa, dat gevestigd was op de bovenste verdieping van de pastorie van de Sint-Ignatiuskerk, Van Vollenhovenstraat 1. Voordien werkte zij als secretaresse bij de PTT en deed zij vrijwilligerswerk voor de Katholieke Actie, de Katholieke Culturele Centrale en de Katholieke Meisjesbescherming. De opdracht die Van der Lugt van het bestuur van Memisa kreeg was om in tien jaar de inkomsten te vertienvoudigen.

Mejuffrouw Van der Lugt stroopte haar mouwen op en ging aan het werk. Op haar initiatief beklommen missionarissen in Rotterdamse kerken de preekstoel om te 'bedelen' voor de missie. Door haar inzet werd Memisa een landelijke organisatie. Nieuwe afdelingen werden opgezet in Haarlem en Roermond, in Deventer en Amersfoort, in Arnhem en Weert.[165] Onder haar leiding groeide de actie om afgedankte brillen te verzamelen voor de missiegebieden uit tot een megahit. Bij de eerste zending in 1953 ontving zij vier exemplaren, in 1961 was dat aantal gestegen tot 100.000.[166] Door haar manier van werken kregen donateurs en missionarissen een persoonlijke band met Memisa. Donateurs kregen van haar precies te weten waar hun geld naar toe ging: naar projecten voor kinderen, voor medicamenten, voor de bouw van een ziekenhuis. Met missionarissen onderhield zij een uitgebreide correspondentie.[167]

Van der Lugt werd niet alleen 'het hart en de ziel' maar ook 'de onstuimige motor' van Memisa genoemd.[168] Bedroeg de opbrengst van de jaarlijkse kerkdeurcollecte in 1951 nog 30.000 gulden, in 1961 was dat 775.000 gulden. Toen zij in 1977 met pensioen ging, had Memisa een omzet van meer dan 10 miljoen gulden per jaar.[169] De Rotterdamse Van der Lugt had van een bescheiden stichting een wereldorganisatie gemaakt.[170]

CONCLUSIE

Aan de hand van de organisatie van de zending en missie in Rotterdam en van de wijzen waarop zij propaganda voerden, heeft dit artikel inzicht gegeven in reikwijdte en ethische aspecten van de koloniale vorming in en vanuit Rotterdam. Het heeft het belang laten zien van religieuze instellingen voor deze geschiedenis van koloniale vorming. Rotterdam was moederstad van de zending. Hier werd in 1797 de eerste Nederlandse zendingsorganisatie opgericht: het Nederlandsch Zendelinggenootschap. Hier werd in 1822 de eerste vrouwen-hulpzendingsorganisatie opgericht. Hier werd in 1841 de eerste zendingsschool opgericht. Rotterdam was ook moederstad van de missie. Hier werden in 1920, 1925 en 1935 de grootste missieacties van Nederland gehouden. Hier werd een infrastructuur opgebouwd voor de medische missie, die in 1948 officieel de naam Memisa kreeg en in de jaren zeventig uitgegroeid was tot een wereldorganisatie.

De betekenis van de zending en de missie voor de verspreiding van informatie over de koloniën onder Rotterdammers is groot geweest. Dat blijkt alleen al uit het grote aantal Rotterdammers, van verschillende sociale lagen, gender en leeftijden, dat met deze propaganda in aanraking kwam en er zelf actief aan ging deelnemen. De publieke opkomst op de bidstonden van het Nederlandsch Zendelinggenootschap, waar brieven en 'dagverhalen' van zendelingen voorgelezen werden, was massaal. Als protestants Rotterdam afscheid nam van zendelingen die vertrokken naar hun zendingsveld, waren de kerken eivol. En eivol waren de kerken als katholiek Rotterdam de missionarissen die vertrokken naar hun missiegebied vaarwelzei. Talloze protestantse Rotterdammers bezochten de zendingsdagen, zoals talloze katholieke Rotterdammers de missieweken bezochten.

De aard en inhoud van de propaganda maakten de koloniën voor protestants en katholiek Rotterdam hoorbaar, zichtbaar en tastbaar. Door het luisteren naar de verhalen van zendelingen en missionarissen reisden de Rotterdammers mee op hun tournees, beleefden zij met hen avonturen, leefden zij mee met hun frustraties, smaakten zij de overwinning van de bekering. Door het zien van lichtbeelden en films kwam voor hen de kolonie dichtbij. Door het aanraken van etnografica konden zij zich in

Curaçao, Suriname of Nieuw-Guinea wanen. Niets bracht zo veel Rotterdammers zo nauw in contact met de koloniën als de organisaties en de propaganda van de zending en de missie.

Hoe nauw de propaganda van de zending en de missie de Rotterdammers echter ook met de koloniën in contact bracht, die propaganda ging uit van de superioriteit van het eigen geloof en de eigen beschaving, wat overigens niet typisch Rotterdams was. Dat gevoel van superioriteit was nauw verbonden met de oorlogsmetaforen die zending en missie in hun propaganda hanteerden. De Heer was 'een krijgsman', de zendelingen waren zijn 'kruisgezanten', de paters, de broeders en de zusters waren zijn 'soldaten'. Die kruisgezanten en soldaten hadden de taak de wereld voor hun Koning te 'veroveren'. Dergelijke metaforen boden het publiek weinig ruimte voor een voorstellingsvermogen gebaseerd op echte gelijkwaardigheid en voor werkelijke interesse in de gekoloniseerde, 'overzeese' ander. Na de Tweede Wereldoorlog veranderde de propaganda van toon. Dat uitte zich onder andere in de naamgeving aan de missietentoonstellingen. De missie gaf in 1955 aan haar tentoonstellingen het acroniem AMATE (Algemeen Comité van de Algemene Missie Actie), gebiedende wijs tweede persoon meervoud van het Latijnse werkwoord 'amare' en betekent 'houdt van!'. Dat klonk heel wat vrediger en sympathieker dan het militante ARMA. Deze vrediger toonzetting kan voortgekomen zijn uit oprechte empathie, zij gaf echter nog steeds blijk van een paternalistische houding en van de bevestiging van de superioriteit van het eigen geloof en de eigen beschaving.

Deze casus zou een uitgangspunt kunnen zijn voor onderzoek naar de bredere vraag in hoeverre Rotterdamse religieuze, humanitaire en wetenschappelijke instellingen een bijdrage hebben geleverd aan de koloniale vorming van Rotterdam, aan koloniale 'hervorming' *en* aan dekolonisatie. Daarin zouden Indonesiërs vanzelfsprekend een plaats moeten krijgen. Zo heeft een aantal Indonesiërs, dat aan de Nederlandsche Handels-Hoogeschool – in 1939 omgedoopt tot Nederlandsche Economische Hoogeschool – gestudeerd heeft, in het onafhankelijke Indonesië een prominente plaats ingenomen. Te denken valt aan Mohammad Hatta, de eerste vicepresident van de Republiek Indonesië, en Soemitro Djojohadikusumo, die in verschillende kabinetten minister van Financiën en minister van Industrie en Handel zou worden. Het blijft uiteindelijk ook de vraag in hoeverre propaganda van religieuze, humanitaire en wetenschappelijke instellingen bijgedragen heeft aan de dekolonisatie van een paternalistische manier van denken en handelen. Ook dat is stof voor verder onderzoek.

NOTEN

1 Locher-Scholten, *Ethiek in fragmenten*, 176-208. Vergelijk Bloembergen en Raben (red.), *Het koloniale beschavingsoffensief.*
2 Vergelijk Janse, 'Representing distant victims'.
3 Van den End, 'Transformatie door informatie?'.
4 *De Maasbode*, 24-09-1925, 28-09-1925.
5 *Rotterdamsch Nieuwsblad*, 18-12-1897; Brom 'Dr J.H. Gunning J.Hzn'.
6 *De Tijd*, 13-01-1920.
7 *Orgaan der Nederlandsche Zendingsvereeniging* 10:12 (1869-1870) 185.
8 Boneschansker, *Nederlandsch Zendeling Genootschap*, 32-33.
9 Boneschansker, *Nederlandsch Zendeling Genootschap*, 42-47; Lamping, 'Nederlandsch Zendeling Genootschap', 238.
10 Boneschansker, *Nederlandsch Zendeling Genootschap*, 71.
11 Idem, 73.
12 *Maandberigt* 9 (1839) 141.
13 Van den Berg, *Kerkelijke strijd en zendingsorganisatie*, 16.
14 Penry Lewis, *List of Inscriptions*, 119.
15 Lamping, *Nederlandsch Zendeling Genootschap*, 249.
16 *Berigten en Brieven* 8 (1809) 18 en Lamping, *Nederlandsch Zendeling Genootschap*, 249.
17 *Berigten en Brieven* 2 (1813) 26-28.
18 Boneschansker, *Nederlandsch Zendeling Genootschap*, 75-78.
19 Reenders, *Alternatieve zending*, 47-48.
20 Boneschansker, *Nederlandsch Zendeling Genootschap*, 84-85.
21 Idem, 87-88.
22 Idem, 88.
23 *Maandberigt* 9 (1844) 150, 153.
24 Boneschansker, *Nederlandsch Zendeling Genootschap*, 85.
25 *Berigten en Brieven* 2 (1817) 32-33.
26 *Idem* 3 (1821) 50.
27 *Berigten en Brieven* 4 (1826) 57.
28 *Maandberigt* 6 (1875) 89.
29 Idem 10 (1828) 168-169.
30 Boneschansker, *Nederlandsch Zendeling Genootschap*, 49-50; Kolle, 'In stilte', 97.
31 Kolle, 'In stilte', 101.
32 Idem, 102-103.
33 Idem, 105.
34 Idem, 99.
35 *Rotterdamsche Courant*, 14-09-1822; *Berigten en Brieven* (1827) 1:16 en *Leeuwarder Courant*, 12-08-1841.
36 Kolle, 'In stilte', 106-107.
37 *Nederlandsche Zendelinggenootschap* 1841:35 en *Rotterdamsche Courant*, 15-03-1842.
38 *Rotterdamsche Courant*, 26-10-1848, 26-04-1849, 17-04-1851.
39 *Rotterdamsche Courant*, 26-10-1848.
40 *Maandberigt* 11 (1867) 131.
41 Idem 7 (1868) 96.
42 Idem 7 (1868) 94.
43 Rietveld-van Wingerden, 'Kinderen als medewerkers', 120.
44 *Orgaan der Nederlandsche Zendingsvereeniging* 1:8 (1860-1861) 117-118.

45 *Maandberigt* 12 (1853) 191.
46 'Het Rotterdamsche Kindergenootschap', *Het Zendelingsblad voor de Jeugd* 6 (1856), 20-21.
47 *Maandberigt* 3 (1850), 35, 46-47.
48 *Kaper-kapitein*, 25-32; 'Het Rotterdamsche Kindergenootschap', *Het Zendelingsblad voor de Jeugd* (1856), 6:20-21.
49 *Orgaan der Nederlandsche Zendingsvereeniging* 1:8 (1860-1861), 117-118; Van den Berg, *Kerkelijke strijd*, 9.
50 Van den Berg, *Kerkelijke strijd*, 31-34.
51 Idem, 34.
52 *Orgaan der Nederlandsche Zendingsvereeniging* 1:3 (1860-1861), 32.
53 Idem.
54 *Rotterdamsche Courant*, 07-10-1861.
55 *Orgaan der Nederlandsche Zendingsvereeniging* 2:2 (1861), 22.
56 Van Randwijck, *Handelen en denken in dienst der zending*, 76.
57 *Orgaan der Nederlandsche Zendingsvereeniging* 51:6 (1911), 101-102.
58 *Orgaan der Nederlandsche Zendingsvereeniging* 38:11 (1898), 167 en *Rotterdamsch Nieuwsblad*, 19-04-1880, 27-07-1886.
59 Poeze, *In het land van de overheerser*, 149 en *Orgaan der Nederlandsche Zendingsvereeniging* 56:5 (1916) 60, 57:2 (1917) 26.
60 *Orgaan der Nederlandsche Zendingsvereeniging* 56:10 (1916), 171.
61 *Rotterdamsch Nieuwsblad*, 15-01-1917.
62 *Orgaan der Nederlandsche Zendingsvereeniging* 57:11 (1917), 136.
63 Idem 5:5 (1864-1865), 77.
64 Idem 1:2 (1860-1861), 23.
65 Idem 1:4 (1860-1861), 48.
66 Idem 1:3 (1860-1861), 29.
67 Idem 1:5 (1860-1861), 65.
68 Idem 1:3 (1860-1861), 34.
69 Idem 46:3 (1906), 48.
70 Idem 3:7 (1862-1863), 110.
71 Idem 4:5 (1863-1864), 78.
72 Idem 49:7 (1909), 154-155.
73 Idem 8:8 (1867-1868), 127.
74 Idem 6:6 (1865-1866), 95.
75 Idem 6:12 (1865-1866), 188.
76 Idem 17:5 (1876-1877), 79.
77 Idem 25:4 (1885), 63.
78 Idem 47:1 (1907), 15.
79 Idem 7:4 (1866-1867), 62, 25:5 (1885), 80, 28:2 (1888), 28, 29:8 (1889), 132.
80 Jaarverslag 1925-1926, z.d., in: Stadsarchief Rotterdam (verder SAR), Archief van de Zendingsvereeniging Delfshaven, 1886-1946 (verder AZD), 1179.
81 *Rotterdamsch Nieuwsblad*, 12-01-1927.
82 Jaarverslag 1933-1934, z.d., in: SAR, AZD, 1179.
83 Jaarverslag 1930-1931, z.d.; Jaarverslag 1932-1933; Jaarverslag 1933-1934, z.d.; Jaarverslag 1938-1939; Jaarverslag 1939-1940, in: SAR, AZD, 1179.
84' Zendingsvereeniging', april 1913, in: SAR, AZD, 1179.
85 *Rotterdamsch Nieuwsblad*, 29-10-1926.

86 Jaarverslag 1928-1929, z.d., in: SAR, AZD, 1179.
87 Jaarverslag 1929-1930, z.d., in: SAR, AZD, 1179.
88 'Zendingsvereeniging', april 1913; Jaarverslag 1926-1927, z.d, in: SAR, AZD, 1179.
89 Jaarverslag 1924-1925, z.d.; Jaarverslag 1939-1940, z.d., in: SAR, AZD, 1179.
90 *Berichten van de Utrechtsche Zendingsvereeniging* 23:10 (1909), 149-150.
91 I.S. Kijne, 'Wondama', z.d., in: Utrechts Archief (verder UA), Archief van de Raad voor de Zending (verder ARvdZ), 1102-2, inv.nr. 4374.
92 *Berichten van de Utrechtsche Zendingsvereeniging* 23:11 (1909), 164-165.
93 *Het Nieuws van den Dag*, 08-11-1909 en Groten, 'Difference between the self and the heathen', 504-505.
94 *Middelburgsche Courant*, 19-10-1909; *Het Nieuws van den Dag*, 08-11-1909 en *Het Vaderland*, 08-11-1909.
95 Corbey, *Korwar*, 63-65 en *Vlaardingsche Courant*, 24-11-1909.
96 *De Standaard*, 29-11-1909.
97 I.S. Kijne, 'Wondama', z.d., in: UA, AvdRZ, 1102-2, inv.nr. 4374.
98 *Rotterdamsch Nieuwsblad*, 24-05-1913.
99 *De Maasbode*, 27-11-1904.
100 Idem, 12-10-1907.
101 Idem, 16-06-1914.
102 *De Maasbode*, 03-10-1907; *De Tijd*, 29-05-1915 en *Het Centrum*, 30-08-1919.
103 *De Maasbode*, 16-03-1904, 08-03-1913.
104 Idem, 16-01-1918.
105 Willemsen, *Van tentoonstelling tot wereldorganisatie*, 9-10.
106 *Rotterdamsche Missieklok* 1920:5-6.
107 *De Katholieke Missiën* 42:5 (1917), 160.
108 *De Tijd*, 13-01-1920.
109 *De Maasbode*, 04-01-1921; *De Tijd*, 20-08-1921 en *Twentsch Dagblad Tubantia en Enschedesche Courant*, 10-06-1924.
110 *Provinciale Noordbrabantsche en 's-Hertogenbossche Courant*, 23-06-1921; *Limburger Koerier*, 22-08-1922 en *Overijsselsch Dagblad*, 28-08-1923.
111 *Dagblad van Noord-Brabant*, 27-01-1920; *De Maasbode*, 11-08-1922 en *Limburger Koerier*, 29-08-1924.
112 *De Maasbode*, 20-09-1925.
113 Geciteerd bij Van Winsen, *Meelevend begrijpen*, 5.
114 *Provinciale Noordbrabantsche en 's-Hertogenbossche Courant*, 24-06-1925.
115 *De Maasbode*, 02-08-1925.
116 Het Rotterdamse sociaaldemocratisch dagblad *Voorwaarts* van september 1925 is in Delpher niet beschikbaar.
117 *Rotterdamsch Nieuwsblad*, 22-09-1925, 25-09-1925.
118 *De Tribune*, 30-09-1925.
119 *De Maasbode*, 28-09-1925.
120 Willemsen, *Van tentoonstelling tot wereldorganisatie*, 52.
121 *De Maasbode*, 15-09-1927 en *De Tijd*, 16-09-1927.
122 Niet alle missionarissen – zij waren daartoe niet verplicht – lieten zich in Rotterdam keuren. Willemsen (*Van tentoonstelling tot wereldorganisatie*, 80-84) berekende over de jaren 1930-1934 dat ongeveer dertig procent van de uitgezonden missionarissen zich niet liet keuren.
123 *De Maasbode*, 24-09-1925.

124 *Arma*, 27; *Leidsche Courant*, 19-10-1936 en Willemsen, *Van tentoonstelling tot wereldorganisatie*, 130-131.
125 Willemsen, *Van tentoonstelling tot wereldorganisatie*, 84.
126 *Nieuwe Tilburgsche Courant*, 04-05-1934.
127 *Leidse Courant*, 18-10-1958, 26-05-1964.
128 Willemsen, *Van tentoonstelling tot wereldorganisatie*, 68-70.
129 *De Tijd*, 30-09-1935.
130 *De Zuid-Willemsvaart*, 05-01-1927.
131 *De Maasbode*, 27-12-1926.
132 Idem, 28-12-1926.
133 Idem, 29-12-1926.
134 Idem, 29-12-1926.
135 Idem, 29-12-1926.
136 Idem, 28-12-1926.
137 Van Dam, *Voor kerk en mensenwereld*, 44-45.
138 *De Maasbode*, 28-12-1926, 29-12-1926; Tiedemann, 'Shandong missions', 287.
139 *De Maasbode*, 29-12-1926.
140 Van hen en van acht andere seminaristen, die door Rotterdamse parochies en particulieren ondersteund werden, staan foto's afgebeeld in het programmaboek van de Rotterdamse missie-actie van 1935, *Arma*, 125-127.
141 Poeze, *In het land*, 146, 233-234; Steenbrink, *Catholics in Indonesia*, 383, 545.
142 *De Maasbode*, 28-12-1926.
143 *Het Huisgezin*, 22-09-1925.
144 *De Maasbode*, 22-09-192
145 Poeze, *In het land*, 147, 234-235, 285-286; Van Klinken, *Minorities, modernity*, 175-187; Steenbrink, *Catholics in Indonesia*, 516-517, 545.
146 Aritonang en Steenbrink, *A history of Christianity*, 167.
147 *De Katholieke Missiën* 59:11 (1934), 206.
148 Idem 55:3 (1930), 59.
149 Idem 65:12 (1940), 398.
150 *De Tijd*, 29-09-1935.
151 *Arma*, 63.
152 *Idem*, 121.
153 Wursten, 'Vexilla regis'.
154 *Arma*, 36.
155 *Leidsche Courant*, 19-10-1936.
156 *Arma*, 30.
157 *Overijsselsch Dagblad*, 07-01-1956.
158 *De Tijd*, 01-06-1946; Willemsen, *Van tentoonstelling tot wereldorganisatie*, 108.
159 *De Tijd*, 14-09-1948.
160 Willemsen, *Van tentoonstelling tot wereldorganisatie*, 121.
161 *De Volkskrant*, 16-10-1950.
162 Willemsen, *Van tentoonstelling tot wereldorganisatie*, 129.
163 *Nieuwe Schiedamsche Courant*, 16-10-1950.
164 Willemsen, *Van tentoonstelling tot wereldorganisatie*, 129-130.
165 Idem, 144-145.
166 *De Tijd De Maasbode*, 23-05-1961; Willemsen, *Van tentoonstelling tot wereldorganisatie*, 143.

167 Willemsen, *Van tentoonstelling tot wereldorganisatie*, 137-138.
168 *De Volkskrant*, 27-01-1960.
169 Willemsen, *Van tentoonstelling tot wereldorganisatie*, 137.
170 Idem, 275.

ARCHIVALIA

Stadsarchief Rotterdam
Archief van de Zendingsvereeniging Delfshaven, 1886-1946, toegangsnummer 1179.
Utrechts Archief
Archief van de Raad voor de Zending, 1102-2, inv.nr. 4374.

LITERATUUR

Aritonang, Jan Sihar en Karel Steenbrink, *A history of christianity in Indonesia*. Leiden/ Boston: Brill, 2008.

Arma, Algemene Rotterdamse Missie Actie. Rotterdam, 1935.

Berg, A.J. van den, *Kerkelijke strijd en zendingsorganisatie: De scheuring in het Nederlands Zendelinggenootschap rond het midden van de negentiende eeuw*. Zoetermeer: Boekencentrum, 1997.

Bloembergen, Marieke en Remco Raben (red.), *Het koloniale beschavingsofensief: Wegen naar het nieuwe Indië, 1890-1950*. Leiden: KITLV Uitgeverij [Verhandelingen 265], 2009.

Boneschansker, J., *Het Nederlandsch Zendeling Genootschap in zijn eerste periode: Een studie over de opwekking in de Bataafse en Franse tijd*. Leeuwarden: Dykstra, 1957.

Brom, A., 'Dr J.H. Gunning J.Hzn (Hilversum, 23 Jan. 1858 – Amsterdam, 20 Juni 1940)', *Jaarboek van de Maatschappij der Nederlandse Letterkunde* (1941): 29-36. https://www.dbnl.org/tekst/_jaa003194101_01/_jaa003194101_01_0005.php, geraadpleegd 09-05-2020.

Corbey, Raymond, *Korwar: Northwest New Guinea ritual art according to missionary sources*. Leiden: Zwartenkot Art Books, 2019.

Dam, Ger van, *Voor kerk en mensenwereld: De priesteropleiding van de minderbroeders-franciscanen in Nederland 1853-1967*. Nijmegen: Radboud Universiteit Nijmegen, 2004.

End, Th. van den, 'Transformatie door informatie? De bijdrage van de Nederlandse zending aan de opinievorming over het koloniale bestel', *Tijdschrift voor Geschiedenis* 105 (2009): 429-445.

Groten, Miel, 'Difference between the self and the heathen: European imperial culture in Dutch missionary exhibitions, 1909-1957', *The Journal of Imperial and Commonwealth History* 47/3 (2019): 490-513.

Janse, Maartje, 'Representing distant victims: The emergence of an ethical movement in Dutch colonial politics, 1840-1880', *BMGN – Low Countries Historical Review* 128/1 (2013): 53-80.

Kaper-kapitein, 'De zendelingen en de kaper-kapitein, of treffend voorbeeld van gebedsverhooring en bekeering', in *Het mannakruikje: Eene verzameling van geestelijke lectuur voor Christenen. Eerste Verzameling*, 25-32. Amsterdam: Höveker, 1843.

Klinken, Gerry van, *Minorities, modernity and the emerging nation: Christians in Indonesia, a biographical approach*. Leiden: KITLV Press [Verhandelingen 199], 2003.

Kolle, Annemieke, 'In stilte te werken, niet te willen schitteren: De vrouwenhulpgenootschappen voor de zending vanaf 1822', in Gerrit Schutte, Jasper Vree en Gerrit de

Graaf (red.), *Het zendingsbusje en de toverlantaarn: Twee eeuwen zendingsliefde en zendingsorganisatie in Protestants Nederland*, 95-112. Zoetermeer: Meinema [Jaarboek voor de Geschiedenis van het Nederlands Protestantisme na 1800, jaargang 20], 2012.

Lamping, A.J., 'Het Nederlandsch Zendeling Genootschap: De oprichting en beginjaren', *Rotterdams Jaarboekje* 10/5 (1997): 235-256.

Locher-Scholten, Elsbeth, *Ethiek in fragmenten. Vijf studies over koloniaal denken en doen van Nederlanders in de Indonesische archipel 1877-1942*. Utrecht: HES [proefschrift, Rijksuniversiteit Leiden], 1981.

Penry Lewis, J., *List of inscriptions on tombstones and monuments in Ceylon: Of historical or local interest. With an obituary of persons uncommemorated*. Colombo: Government Record Office, 1913. (https://books.google.nl/books?id=lWHHDwAAQBAJ&pg=PA119&lpg=PA119&dq=%22johanna+jacoba+boogaard%22+palm&source=bl&ots=aXNGU6djqP&sig=ACfU3U10YACdul2KVkoUA_xbao1XxdSJPw&hl=nl&sa=X&ved=2ahUKEwip4c3T1uXoAhVN3qQKHZBjBywQ6AEwAXoECAoQLg#v=onepage&q=%22johanna%20jacoba%20boogaard%22%20palm&f=false, geraadpleegd 14-04-2020.

Poeze, Harry A., *In het land van de overheerser. Deel 1: Indonesiërs in Nederland 1600-1950*. Met bijdragen van Cees van Dijk en Inge van der Meulen. Tweede druk. Dordrecht/Cinnaminson: Foris Publications [KITLV, Verhandelingen 100], 1986.

Randwijck, S.C. van, *Handelen en denken in dienst der zending: Oegstgeest 1897-1942*, deel 1. 's-Gravenhage: Boekencentrum, 1981.

Rietveld-van Wingerden, Marjoke, 'Kinderen als medewerkers in de zending: De kortstondige bloei van de protestantse kinderzendingsgenootschappen in Nederland (1850-1870), in Gerrit Schutte, Jasper Vree en Gerrit de Graaf (red.), *Het zendingsbusje en de toverlantaarn: Twee eeuwen zendingsliefde en zendingsorganisatie in Protestants Nederland*. Zoetermeer: Meinema [Jaarboek voor de Geschiedenis van het Nederlands Protestantisme na 1800, jaargang 20], 2012.

Steenbrink, Karel, *Catholics in Indonesia, 1808-1942: A documented history. Vol. 2: The spectacular growth of a self-confident minority, 1903-1942*. Leiden: KITLV Press [Verhandelingen 232], 2007.

Tiedemann, Roger G., 'Shandong missions and the Dutch connection 1860-1919', in W.F. Vande Walle (red.), *The history of the relations between the Low Countries and China in the Qing era (1644-1911)*. Leuven: Leuven University Press, 2003.

Willemsen, Jan, *Van tentoonstelling tot wereldorganisatie: De geschiedenis van de stichtingen Memisa en Medicus Mundi Nederland, 1925-1995*. Nijmegen: Valkhof Pers [KDSC Scripta 10], 1996.

Winsen, Gerardus Adam Christiaan van, *Meelevend begrijpen: Een studie over het verband tussen de godsdienstwetenschap en de missiologie*. Nijmegen: Lazaristen Studiehuis St. Vincentius à Paulo [proefschrift, RK Universiteit van Nijmegen], 1954.

Wursten, Dick, 'Vexilla regis', https://dick.wursten.be/vexilla_regis.htm, geraadpleegd 29-04-2020.

Voorgaande pagina's:

Pag. 318: Ellie Uyttenbroek, Juicy, In the mood for unplugged exotic neo soul singer-songwriters, *2017, naar een foto uit de Wereldcollectie. (Nederlands Fotomuseum)*

Pag. 319: Ellie Uyttenbroek, Hommage to Dries van Noten's bold, colourful world of frozen contrasts and hues, *naar een foto uit de Wereldcollectie. (Nederlands Fotomuseum)*

Pag. 320: Woodbury & Page, 1857-1866, Java, Indonesië. (Wereldcollectie Nederlands Fotomuseum, WMR-940009/18/1)

Pag. 321: Woodbury & Page, 1857-1866, Java, Indonesië. (Wereldcollectie Nederlands Fotomuseum, WMR-940009/7/4)

ALEXANDRA VAN DONGEN
& LIANE VAN DER LINDEN

EEN VERHAAL ZONDER EINDE:

KOLONIALE COLLECTIES IN ROTTERDAM[1]

JUICY. DAT WAS DE TITEL DIE *STYLE PROFILER* ELLIE UYTTENBROEK GAF AAN DE FOTO van een jonge vrouw in het rood, samen met de ondertitel *In the mood for unplugged exotic neo soul singer songwriters.*[2] De foto was ooit gemaakt in Paramaribo, ergens tussen 1865 en 1880, en in 1910 geschonken aan het Wereldmuseum.[3] Een eeuw later belandde de foto met de gehele fotocollectie van het museum bij het Nederlands Fotomuseum in Rotterdam en uit die gezamenlijke collectie, de zogenaamde Wereldcollectie, stelde gastcurator Uyttenbroek in 2017 voor het eerst een expositie samen: *Etnomanie.* Zij had carte blanche gekregen, koos voor 'stijl' als thema, en selecteerde honderd geposeerde, frontaal genomen portretten, die in haar ogen zowel de individuele expressie van de geportretteerden accentueerden, als allerlei specifieke aspecten van kleding, houding en silhouet. Uyttenbroek stileerde de foto's, kleurde ze in, vergrootte ze tot blow-ups van vijf meter hoog en gaf ze titels als *Antwerp, Hommage to Dries van Noten's bold, colourful world of frozen contrasts and hues* en *United Colors, Everybody is united by the 1980s colors of Benetton, no matter your age, race, culture or sex.* De foto's werden zo als het ware uit het daar en toen van Suriname en Indonesië gehaald en in het caleidoscopische straat- en modebeeld van hedendaags Rotterdam geplaatst. Rotterdam is volgens Uyttenbroek bij uitstek een 'etnomanische' stad waar talloze culturen en subculturen zonder noemenswaardige problemen samenleven, 'niet ondanks, maar juist dankzij de vele etnische en andere verschillen'.[4]

Hoe anders was drie jaar later het perspectief van de tentoonstelling *Dossier Indië* in het Wereldmuseum over de geschiedenis van koloniaal Indonesië, samengesteld door gastcurator Thom Hoffman. Ook hij selecteerde portretten uit de collecties van het Wereldmuseum en het Nationaal Museum voor Wereldculturen. Hij koos onder andere voor foto's van Woodbury & Page van de 'sociale' typen die volgens de gangbare Europese opvattingen aan het einde van de negentiende en het begin van de twintigste eeuw Indië bevolkten en die in serie werden gefotografeerd voor de commerciële markt. Dergelijke foto's werden vooral door de Europese elite gekocht en belandden in familiealbums of bij familie in het moederland. Het waren souvenirs die het inheemse leven in de kolonie afbeeldden zoals Europeanen dat zagen: landschappen, vorsten en vrouwen, ambachtslieden, boeren en boerinnen in een soort tijdloze, onveranderlijke staat van 'oostersheid'. Hoffman toonde de koloniale context van destijds en daarbinnen de blik van toen, inclusief de achterliggende visie op het inheemse leven in het Oosten.

Zo kozen twee verschillende hedendaagse gastcuratoren foto's uit dezelfde collecties om daarmee totaal verschillende verhalen en boodschappen te presenteren, uit en over het koloniale verleden. Daarover gaat dit artikel, over de geschiedenis van het verzamelen en tentoonstellen van koloniale collecties in Rotterdam: wie verzamelde wat en waarom? Welke verhalen zijn en worden er met die verzamelingen verteld: koloniaal, postkoloniaal of zelfs 'dekoloniaal'?[5] Wie vertelden die verhalen? Particuliere en beroepsmatige verzamelaars, amateurs, wetenschappers en kunstliefhebbers, museumprofessionals, ten slotte ook 'iedereen'? Tezamen presenteren deze collecties een veelzijdige, meerstemmige vertelling, die als een biografie van de koloniale collecties van de stad te lezen is. Het Wereldmuseum neemt in dit stuk een prominente plaats in, omdat daar het merendeel van de koloniale collecties terecht is gekomen.

Gekozen is voor museale collecties, waarmee voor een breed publiek tentoonstellingen zijn gemaakt. De verhalen die hiermee werden verteld, droegen een onmiskenbare boodschap van de verteller, over de koloniën en over Nederland als (post)koloniale mogendheid. Boekenverzamelingen en archieven, zoals van het Rotterdamsch Leeskabinet en het Stadsarchief Rotterdam, werden niet in de eerste plaats verzameld om te worden geëxposeerd en hebben ook een heel ander karakter; zij vallen, op een enkele uitzondering na, buiten de scope van het onderzoek.

Een laatste toelichting betreft de lardering van de tekst met vijftien zelfstandig te lezen korte verhalen over evenzoveel objecten van verschillende Rotterdamse musea.[6] Het zijn kleine verhalen over de koloniale praktijk van 'zwijgen en verhullen, preken en verbieden, omarmen en stilzetten, nostalgisch idealiseren en buitensluiten', waarmee – zo realiseren wij ons nu – de kolonie overheerst kon worden. [7] Ze tonen de keerzijde van de koloniale medaille die destijds werd uitgereikt op grond van bewezen 'verantwoordelijkheidsgevoel en initiatief, de beschavings- en verheffingsopdracht, het moderne welvaartsbeleid en geleidelijke medezeggenschap, opvang en assimilatie'.[8] Ze gaan over wat toen niet werd verteld en wat nu alsnog zicht geeft op toenmalige koloniale denkwijzen, op de reflectie daarvan in onze verhalen over andere culturen, en op het zelfbeeld van Nederland toen en nu. In de objectverhalen liggen de koloniale en postkoloniale onderlagen soms aan de oppervlakte, *follow the money* en *follow the fighting*. Soms geven de objecten hun onderliggende verhaal pas prijs als de lezer, als Alice in Wonderland, *through the looking glass* kijkt.

VERZAMELEN ALS SELF-FASHIONING

Rotterdam, met zijn rijke en lange maritieme en handelsgeschiedenis, was zeker in de tweede helft van de negentiende eeuw een belangrijke vertrek- en aankomsthaven. Steeds meer zeelui, reders, handelaren, avonturiers, soldaten, zendelingen, wetenschappers, gouvernementsdienaren en toeristen gingen van hieruit de wereld over. Vooral de Oost-Indische kolonie was een favoriete bestemming. Het reizen was steeds aanlokkelijker en gemakkelijker geworden en de wereld kleiner. Men reisde gewoon omdat het kon en de reizigers legden hun reizen graag vast, om privé- maar ook om zakelijke redenen. De een hield een logboek bij, de ander was een trouwe briefschrijver en weer anderen legden dagboeken aan. En altijd namen ze voorwerpen mee terug. Om *se souvenir*, zich de reis te herinneren, om als cadeautje weg te geven of als studiemateriaal met collega's te onderzoeken. Wat er precies mee terug genomen werd, hing af van wie de reizigers onderweg ontmoetten, wat ze zelf mooi vonden of wat vreemd leek en toch op een bepaalde manier verwant aan het eigen leven. Reders kochten scheepsmodellen en kaarten. Militairen kwamen terug met krissen, speren, pijlen en schilden. Een arts was geïnteresseerd

Kassian of Sem Céphas, Studioportret van zittend Javaans meisje, *circa 1890-1910, daglichtgelatinezilverdruk. (Wereldcollectie Nederlands Fotomuseum,* WMR-*906312-1)*

Dit portret is gemaakt in de fotostudio van Kassian Céphas (1845-1912) en zijn zoon Sem (1870-1918) in Yogyakarta, in een van de reeksen 'sociale typen'. Deze opnames waren in het laatste kwart van de negentiende eeuw erg populair in welgestelde Europese, Chinese en Indonesische kringen. Deze foto was te koop in zwart-wit en als gekleurde ansichtkaart met de titel *Javaansche schone*.

Kassian Céphas was de eerste Javaanse beroepsfotograaf en werkte samen met zijn zoon Sem als hoffotograaf van het sultanaat Yogyakarta. Zij hadden door hun opdrachtfotografie toegang tot zowel de Indonesische als Europese elite en zijn bekend geworden om hun opnames van oud-Javaanse monumenten, portretten van vorstenfamilies en van Javaanse vrouwen. Zij werkten onder andere met prostituees die zich naakt lieten fotograferen en met bevriende vrouwen die zich in specifieke poses lieten modelleren.

De vrouw op dit portret is van gewone afkomst, gelet op haar eenvoudige kleding met alleen boven en onderaan de *kemben* (borstdoek) een versierde rand. Wat opvalt is dat zij niet naar de toenmalige Javaanse conventies in beeld zit: frontaal, met haar gezicht gericht op de camera, haar blik ofwel iets naar beneden of niets ziend recht vooruit, en met gevouwen handen rustend in haar schoot. De pose op de foto, met boezem iets naar voren en door de drapering van de *kain* (beendoek) met accent op de achterkant, voldeed aan de Europese *tournure*-mode van die dagen. Voor Javanen was deze houding echter veel te amicaal. De foto was dan ook geënsceneerd naar de Europese smaak van mannen. Zij konden er hun fantasieën over Indonesische vrouwen op loslaten, die er naar koloniaal-westerse ideeën seksueel lossere normen op nahielden, terwijl Europese vrouwen aan deze foto geen aanstoot hoefden te nemen. Zelfs in kleur kon die in het familiealbum worden geplakt of naar Nederland worden gestuurd en zo het Europese geconstrueerde beeld uitdragen van de onschuldige, exotische Javaanse 'schonen'.

in de inheemse geneeskunst en de attributen die daarbij hoorden. Zo ontstonden in Rotterdam allerlei kleine, en in welgestelde kringen ook grote, verzamelingen met voorwerpen uit alle delen van de kolonie. Veel ervan was betrekkelijk lukraak bij elkaar gebracht, maar er werd ook systematisch verzameld, vaak vanuit wetenschappelijk oogpunt, om er kennis mee te vergaren over verre landen en volken en die kennis zichtbaar en toepasbaar te maken. De collecties dienden ook om aanzien te verwerven, zich ergens tegen af te zetten, bij een bepaalde groep te willen horen of een bepaalde boodschap over te brengen, ter 'self-fashioning', zoals dat wel wordt aangeduid.[9] Dat gold zeker ook voor onderstaande verzamelaars, wier collecties exemplarisch zijn voor wat later in met name het Wereldmuseum bij elkaar kwam.

ELIE VAN RIJCKEVORSEL, EEN ROTTERDAMS VENSTER OP DE WERELD

Elie van Rijckevorsel (1845-1928) kwam uit een welgestelde en bekende Rotterdamse handels- en bestuurdersfamilie.[10] Zelf was hij natuurkundige en een verwoed wereldreiziger naar onder meer Nederlands-Indië en Brazilië. Tijdens een rondreis in Nederlands-Indië, van 1873 tot 1877, deed hij aardmagnetisch onderzoek en legde omvangrijke verzamelingen aan van wapens, textiel, gebruiksvoorwerpen en zeventiende-eeuwse meubels. Het grootste deel van zijn collectie bestond uit geweren, krissen, speren en (koppensnellers)zwaarden van verschillende Indonesische eilanden.[11] Belangstelling voor wapens was in zijn tijd en milieu heel gewoon, wapens behoorden in de negentiende eeuw in welgestelde kringen tot het familiebezit en sierden huis en landgoed.

Wat Van Rijckevorsels interesse voor wapens achteraf een extra dimensie geeft, was het tijdstip waarop hij in Indië aankwam: vlak nadat in 1874 Nederlandse troepen de kraton van Atjeh in bezit hadden genomen. Opmerkelijk was ook met wie hij op Java onder anderen optrok: generaal Van Swieten, die zich op veel plaatsen liet huldigen als de 'pacificator' van Atjeh.[12] In zijn vele brieven naar huis beschreef Van Rijckevorsel hoe vrolijk en feestelijk zijn kennismaking met Jakarta was, waar net uitbundig de inname van de Atjehese kraton werd gevierd. De onderwerping van Atjeh was wat hem betrof een groot succes, maar hij legde in zijn correspondentie geen enkele relatie tussen de oorlog en de wapenverzameling die hij tezelfdertijd aanlegde. Hij leek vooral geraakt door de schoonheid van zijn aankopen, niet door hun gevechtskracht, en beschreef hooguit de vervaardiging en het (ritueel) gebruik ervan. Op Bali schreef hij: 'Het verschil in godsdienst zal wel oorzaak zijn, dat hier veel meer kunstzin is overgebleven dan op Java, waar hij door den islam gedood is. Alles is geornamenteerd in den traditioneel Indischen stijl. De wapens zijn bijzonder sierlijk, natuurlijk zal ik trachten er wat machtig te worden.'[13] De wapens werden in zijn handen mooie, functieloze en zeldzame siervoorwerpen. Ze weerspiegelden in de self-fashioning van Van Rijckevorsel een overwinnelijk, wonderschoon en onveranderlijk exotisch Oosten. Een visie die hij met zijn aankopen ook wilde uitdragen, gezien zijn vele schenkingen en legaten aan het Wereldmuseum, Museum Boijmans Van Beuningen en het Rotterdamsch Leeskabinet.[14]

WILLEM ANTON ENGELBRECHT, LIEFHEBBER VAN ONTDEKKINGSREIZEN

Kennis over de Indische kolonie was ook een sterke drijfveer voor de Rotterdamse reder-koopman Willem Anton Engelbrecht (1864-1965).[15] Hij was geboren en getogen in Indië in een vooraanstaande Europese familie met uitgebreide internationale bestuurlijke, militaire en handelsnetwerken. Aanvankelijk koos hij zelf voor een militaire carrière, en zijn gevechtsinspanningen in Atjeh leverden hem zelfs de Militaire Willemsorde 4e klasse op. Maar gezondheidsredenen dwongen hem het leger en Indië te verlaten. Hij vertrok in 1898 naar Rotterdam, waar hij via zijn tantes toetrad tot een wijdvertakte bestuurlijke, handels- en havenelite. In de daaropvolgende jaren speelde hij een belangrijke rol in het commerciële, maatschappelijke en culturele leven van Rotterdam. Hij werd firmant van het cargadoorsbedrijf Wambersie & Zn, was een van de grondleggers van de werkgeversorganisatie Scheepvaart Vereniging Zuid, speelde een belangrijke rol bij de oprichting van de Handelshogeschool (nu Erasmus Universiteit) en was 25 jaar lang voorzitter van de Rotterdamse commissie van het Koninklijk Nederlands Aardrijkskundig Genootschap (KNAG). Tijdens zijn voorzitterschap organiseerde het KNAG in samenwerking met het koloniale bedrijfsleven en het gouvernement diverse expedities naar destijds nog nauwelijks ontgonnen buitengewesten, met het doel ze in kaart te brengen en te onderzoeken op mogelijke exploitatie.

Jan Hoynck van Papendrecht. Inscheping van koloniale troepen aan de Willemskade te Rotterdam in 1882, aquarel. (Atlas van Stolk, Rotterdam, inv. 2494)

De koloniale troepen die de Amsterdamse kunstenaar Jan Hoynck van Papendrecht (1858 -1933) op deze aquarel in beeld bracht kregen vlak voor hun inscheping op de Willemskade in Rotterdam nog een bijbel uitgereikt van het Nederlandsch Bijbel Genootschap. Zo waren ze pas echt gevechtsklaar voor de oorlog in Atjeh, die in 1873 was begonnen en waarvan in 1882 het einde nog lang niet in zicht was. De inzet van Nederland was beëindiging van de 'zeeroverij' in de Straat van Malakka, en gebiedsvergroting met de rijke landbouwgrond van Atjeh. Het sultanaat van Atjeh vocht voor zijn onafhankelijkheid. Gedurende deze bloedige en langste koloniale oorlog die tot 1913 zou voortduren, kwamen er wel 100.000 Atjehers om, tegenover

Kruis 'voor Krygsverrichtingen' met opschrift 'Atjeh 1873-1885', schenking van Anthony Hoynck van Papendrecht. (Museum Rotterdam, 59231)

zo'n 14.000 Europese en Indonesische militairen van het KNIL en nog eens 10.000 man die aan de Nederlandse kant doodgingen aan besmettelijke ziekten. De Atjeh-oorlog veroorzaakte in Nederland heftige politieke en maatschappelijke discussies tussen voorstanders en tegenstanders als de schrijver Multatuli en Tweede Kamerlid Abraham Kuyper. Op het spel stonden het Nederlands prestige als koloniale mogendheid en de mythe van de Nederlandse militaire onoverwinnelijkheid.

Een van de strijders in Atjeh was Anthony Hoynck van Papendrecht (1864-1933), de jongere broer van de kunstenaar. Hij kreeg het kruis 'voor Krygsverrichtingen' uitgereikt met opschrift 'Atjeh 1873-1885'. Als directeur van het in 1905 geopende Museum van Oudheden (de voorloper van Museum Rotterdam) schonk hij zijn kruis aan het museum. Op de achterzijde ervan schreef hij met inkt zijn initialen.

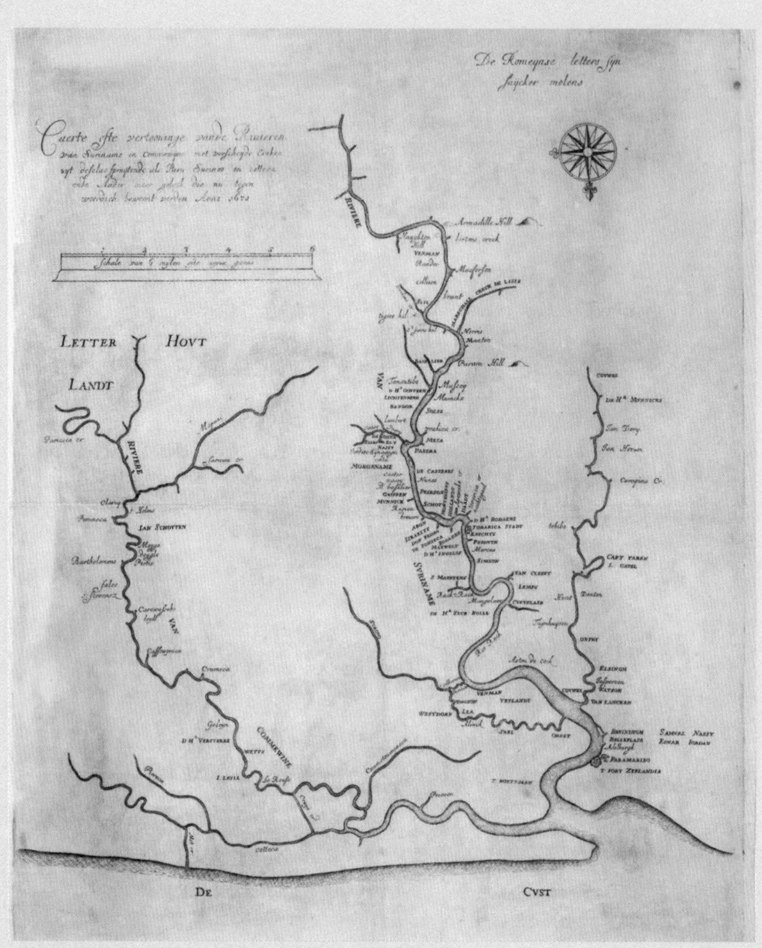

Willem Mogge, Caerte ofte vertooninge van de Rivieren van Suriname en Commewijne met verscheyde creken uyt deselve spruijtende als Para, Surinoo en Cotteca ende ander meer gelyck die nu tegenwoordich bewoont verden Anno 1671, *koperdruk. (Maritiem Museum, K119)*

Het Maritiem Museum bezit de twee oudste gedrukte kaarten van Suriname, afkomstig uit een veel grotere cartografische collectie van K. Vaandrager. Deze koperdruk uit 1671 is vermoedelijk vervaardigd naar een (verloren) manuscriptkaart van landmeter Willem Mogge. Hij kreeg in 1667 van de Staten van Zeeland de opdracht om 'een pertinente en correcte caerte van geheel Serename' te maken en om toezicht te houden op de bouw van nieuwe vestingwerken. In dat jaar was Suriname bij de Vrede van Breda met de Engelsen toebedeeld aan de Republiek der Zeven Verenigde Nederlanden en de daaropvolgende kolonisatie van het gebied was gebaat bij goede kaarten. Op deze kaart zijn de Suriname- en de Commewijnerivier in beeld gebracht met de tabaks- en suikerplantages en namen van plantage-eigenaren. De plantagenamen in kapitalen geven aan welke plantages een suikermolen bezaten. Een tweede ingekleurde en geïllustreerde versie van Mogges kaart dateert van 1677. Op beide kaarten staat Mogge vermeld als eigenaar van de plantage Imotapi.

In 1962 exposeerde het Maritiem Museum Mogges kaarten in een expositie over Suriname, *Zuid Zuid-West*. De begeleidende catalogus gaf een korte introductie van de geschiedenis en cultuur van Suriname en behandelde de waterwegen, de scheepvaart en de mogelijkheden van een uitbreiding van de haven van Paramaribo. De keuze voor Suriname als onderwerp voor een tentoonstelling was destijds bijzonder voor Rotterdam. De eerste naoorlogse expositie over Suriname van het Wereldmuseum zou toen nog zestien jaar op zich laten wachten. *Zuid Zuid-West* trok veel bezoekers en werd dan ook verlengd. In 1963 kreeg het museum de collectie Vaandrager in bruikleen. Een deel daaruit werd later aangekocht, waaronder deze kaarten van Suriname die goed pasten in het verzamelprofiel van de belangrijke cartografische collectie van het museum. In 2008 werden de kaarten nog eens tentoongesteld in *Op zoek naar Eldorado* (2008). Ze ontbraken opvallend genoeg op *De Grote Suriname Tentoonstelling* in de Nieuwe Kerk in Amsterdam (2019).

Dit werk lag helemaal in de lijn van Engelbrechts persoonlijke belangstelling voor de grote ontdekkingsreizen uit de zestiende en zeventiende eeuw en hun gevolgen voor de Nederlandse handel en scheepvaart. Rond dat thema legde hij een collectie aan van circa duizend items van uitzonderlijke kwaliteit: reisbeschrijvingen en journalen, wereld- en landbeschrijvingen, boeken over scheepvaart, zeerecht en visserij, en vooral atlassen en kaarten. Hoogtepunten van zijn collectie waren acht zestiende-eeuwse Portugese manuscriptkaarten die als basis fungeerden voor de VOC-reizen naar Indië. Ook Engelbrecht hield zijn collectie niet voor zichzelf. Vanaf 1919 gaf hij herhaaldelijk delen van zijn collectie in bruikleen en als schenking aan het Maritiem Museum. Na zijn overlijden, in 1962, kon de gemeente Rotterdam, zoals testamentair door Engelbrecht was vastgelegd, de hele verzameling aankopen tegen een korting van 20 procent op de taxatiewaarde. In 1966 werd eruit geëxposeerd in *Lof der Zeevaart*.

DOUWE KLAAS WIELENGA. ALLEDAAGSE VOORWERPEN EN VORSTELIJKE KUNSTNIJVERHEID

Douwe Klaas Wielenga (1880-1942) verzamelde gedurende de zeventien jaar waarin hij met zijn gezin op Sumba (Oost-Indonesië) woonde en werkte bijna uitsluitend voor een publiek. Toen hij er in 1904 als missionair gereformeerd predikant aankwam, werd het eiland 'gepacificeerd' en was het in veel opzichten nog slecht toegankelijk. Het zendingswerk werd in Wielenga's tijd sterk beïnvloed door liberale opvattingen over sociaal engagement en volksopvoeding die sinds de tweede helft van de negentiende eeuw in Nederland opgang deden. Vakken als godsdienstwetenschap, linguïstiek en land- en volkenkunde hadden in de opleiding van aspirant-zendelingen een prominente plaats en etnografische voorwerpen werden hierbij gezien als belangrijke hulpmiddelen. Wielenga had dan ook een voorbereidende taal- en medicijnenstudie gevolgd en op Sumba bouwde hij een kleine polikliniek en ook een schooltje. Hij deed pionierswerk, als zendeling, architect, aannemer, reiziger, onderwijzer, taalonderzoeker én verzamelaar.[16]

Voor een reizende tentoonstelling van de zending in Nederland over het gewone Sumbanese leven verzamelde hij alledaags huishoudgerei, gevlochten tasjes en mandjes, muziekinstrumenten en sieraden. Op eigen initiatief bracht hij – verkregen als ceremonieel geschenk, geruild en een enkele keer gekocht – nog een omvangrijke textielcollectie bij elkaar van bijzondere weefsels en kralenwerk, die waren vervaardigd door de vrouwen van vorstenfamilies. Op verlof in Nederland in 1912 kreeg het Wereldmuseum in Rotterdam voor een expositie zijn collectie in bruikleen. Later bood hij de doeken te koop aan en met hulp van vooraanstaande Rotterdamse families kon een groot deel van de collectie inderdaad worden aangekocht. Een ander omvangrijk deel schonk hij aan het museum.[17]

De Sumba-verzameling was niet meer alleen een hulpmiddel voor zendelingen in opleiding, maar diende nu ook als publieke kennisoverdracht over de kolonie. Bovendien had Wielenga behalve op functionaliteit ook verzameld op de kunstzinnigheid en authenticiteit van het handwerk, met een goed oog voor de grote regionale verscheidenheid in stijlen en technieken, het bijzondere kleurenpalet en de rijke variatie in plant-, dier- en mensmotieven. Daarover schreef hij in 1914 aan het museum: 'Het wordt anders voortdurend moeilijker werkelijk mooie doeken te krijgen. Er is op Java een grote vraag naar die doeken, zoodat men voor de export begint te werken en dat is de dood voor de kunst.'[18] Verzamelen was, zo illustreert dit citaat, in de negentiende en twintigste eeuw behalve met militaire expansie, zending en wetenschap, ook nauw verweven met opvattingen over esthetiek en kunst.

CAREL GROENEVELT EN JOHAN VICTOR JANSEN, INSTITUTIONEEL VERZAMELEN

Wat waar ter wereld ook door onderzoekers, missionarissen, zendelingen en militairen aan etnografica werd verzameld, ging in Nederland voor een groot deel naar volkenkundige musea. Deze waren voor uitbreiding van hun collecties aanvankelijk vooral aangewezen op persoonlijke contacten tussen de directeur en een zo breed mogelijk netwerk 'in het veld'. De opdracht aan tussenhandelaar Carel Groenevelt (1899-1973), met ervaring in de handel in Indonesische kunst, kwam aanvankelijk van het Amsterdamse Tropenmuseum; om de kosten te delen werd het Wereldmuseum in 1953 mede-opdrachtgever. Vijf jaar later moest het Tropenmuseum om financiële redenen de samenwerking alsnog beëindigen. Groenevelt bleef wel voor Rotterdam werken, tot hij in 1962 vanwege de dreigende inval van Indonesië in Nieuw-Guinea naar Nederland terugkeerde. In de jaren ervoor maakte hij vele tientallen korte of soms maanden durende verzamelreizen, waarin hij voor Rotterdam ruim 5300 objecten bij elkaar bracht. Die kostten het museum 181.822 gulden, zo'n driekwart van het totale aankoopbudget van vijf jaar; hiervoor had B&W speciale toestemming gegeven.[19]

Prauwvoorsteven, Centraal-Asmat, Zuidwest-Papoea, hout, kalk, rode oker. (Wereldmuseum, WM-*35715)*

Dit bijna een meter lange, houten voorsteven is waarschijnlijk afkomstig van een ceremoniële prauw. Het hoofd in de vorm van een schedeltrofee en de armen en benen van de uitgebeelde voorouder in de houding van een bidsprinkhaan zijn koppensnellerssymbolen.

De Asmatcultuur kwam pas vanaf het midden van de twintigste eeuw in contact met de buitenwereld. Toen vestigde de missie zich in dit gebied van Oceanië waar eerder alleen wat onderzoekers en handelaren actief waren. Zodoende hadden de Asmat veel eigen cultuurelementen behouden, zoals het koppensnellen, de kern van hun cultuur. Hierin draaide alles om de levenskracht die in de menselijke schedel huist. Als deze in een dorp door sterfgevallen verminderde, was het zaak om levenskracht terug te halen door vijanden te doden en hun gesnelde koppen mee te nemen.

Carel Groenevelt (1899-1973), die dit voorsteven bemachtigde voor het Wereldmuseum, was opgetogen over zijn aanwinst. Op 13 november 1954 schreef hij: 'De tocht heeft uitermate zeldzame en mooie dingen opgeleverd, in totaal een dikke 150 stukken, [...] eenige mooie voorstevens waaronder 2 zelf afgezaagd, prachtstukken.' Met afzagen had Groenevelt al eerder ervaring. In een brief van 2 november 1952 vermeldde hij dat het hem niet lukte om alleen de voorstevens van prauwen te verkrijgen: 'Ik heb toen met eenige kerels gesmoesd en hebben ze in volle zee van een groote prauw het schegbeeld afgezaagd.' Over de verwerving van nog een ander voorsteven merkte hij in een brief van 15 mei 1955 op: 'Ik voelde me eerlijk gezegd een beetje als een beeldenstormer, maar toen ik de prauw na mat en deze 85 c. m. breed en 14 mtr lang bleek, heb ik snel uitgerekend dat dit stuk aan vracht ong. op FL 2500, - zou komen, dus maar zagen.'* Hoe het Wereldmuseum destijds op Groenevelts verzamelpraktijk reageerde is niet bekend; de stukken zijn opgenomen in de collectie. In 2011 zijn aan de beschrijvingen van de objecten, verworven door Groenevelt, verwijzingen uit zijn brieven toegevoegd over zijn verzamelpraktijk.

---

* Hollander, *Een man met een speurdersneus,* 78 en 79.

Wat werd verworven, was een kwestie van samenspraak tussen Groenevelt 'ter plaatse in het veld' en museumconservator Johan Victor Jansen (1898-1970) in Nederland. Zij waren lang niet altijd gelijkgestemd. Voor Groenevelt als kunsthandelaar was authenticiteit belangrijk: zijn voorliefde ging uit naar oude en esthetische stukken en pas naar nieuwere stukken als ze waren gemaakt naar de traditie. Jansen wilde als etnoloog meer een dwarsdoorsnede van Nieuw-Guineaculturen kunnen tonen met kunst- én alledaagse voorwerpen. Hij stuurde Groenevelt zelfs een 'Beknopte leidraad bij het aanleggen van een representatieve collectie etnografica van een of andere stam', met aanwijzingen over wat in ieder geval verzameld moest worden: kleding, sieraden, ceremoniële en religieuze zaken, muziek- en genotmiddelen, voorwerpen met betrekking tot koppensnellen, werktuigen en gereedschappen enzovoort. Al schreef hij erbij heus wel te begrijpen dat niet alle rubrieken bij alle volken te vinden zouden zijn. Groenevelt wees hem fijntjes op de vaak precaire praktijk van het verzamelen: 'Denk u nu eens in. U komt met de motorboot aan in een dorp, dertig, veertig prauwen komen naar ons toe en we hebben maar een uur tyd, gezien waterstanden afstanden enz. U begrypt dan toch wel dat ik eerst begin om een mooi ding te koopen, want zou ik b.v. beginnen met een pyl te koopen dan kan U er donder op zeggen dat ze met niet anders als met pylen aankomen en liefst met de beroerste....'.[20]

Waar Jansen en Groenevelt elkaar wel in vonden was hun poging om, zo lang Nieuw-Guinea nog onder Nederlands gezag stond, snel de hand te leggen op zoveel mogelijk objecten. Indonesië was immers sinds lang de grootste publiekstrekker van de volkenkundige musea in Nederland – preciezer – sinds de *Internationale Koloniale en Uitvoerhandel Tentoonstelling* in Amsterdam, een tentoonstelling die in 1883 leidde tot de oprichting van het huidige Wereldmuseum.

KOLONIALE UITSTALLINGEN

Tot het openingsjaar van de omvangrijke en prestigieuze *Internationale Koloniale en Uitvoerhandel Tentoonstelling* in Amsterdam kon het grote publiek in Rotterdam alleen met de materiële inheemse cultuur in Indonesië kennismaken via uitstallingen van het Nederlands Zendelinggenootschap (NZG), de Rotterdamsche Diergaarde en in het woon- en het koetshuis van mecenas Van Rijckevorsel. Het Zendingshuis van het NZG had van zijn zendelingen sinds het midden van de negentiende eeuw een stroom aan etnografica ontvangen, bestemd voor de opleiding van kwekelingen maar al snel ook te bezichtigen door 'vrienden van de zending'. Een klein deel van de verzameling bestond uit bijzondere rituele voorwerpen die bekeerlingen aan de zendelingen gaven om hun bekering kracht bij te zetten, maar veruit de meeste objecten waren alledaagse gebruiksvoorwerpen, goedkoop of als geschenk verkregen. Waardevol was dat de zendelingen bij alle voorwerpen informatie meestuurden, veelal technisch van aard en heel gedetailleerd over het gebruik ervan. Bijvoorbeeld over hoe een object van hoorn werd gebruikt om vuur te maken, namelijk door eerst een stukje zwam in de kleine opening van het benedeneinde van de trekker te stoppen en dan in het kokertje aan te steke door het met de vlakke hand naar binnen te slaan en er weer snel uit te halen, waarna het door de wrijving zou gaan branden.[21]

Van de NZG-collectie was in 1874 een 69 pagina's tellende catalogus gemaakt, waaruit een achterliggende visie voor de presentatie blijkt.[22] De voorwerpen waren net als in de uitstalling in het Zendingshuis 'economisch' geordend, in twintig rubrieken: Modellen van gebouwen, Kleding, Huisraad, Keuken- en eetgerei, Toiletbenodigdheden en luxe artikelen, et cetera. Een etnografische ordening zou volgens Johan Christiaan Neurdenburg (1815-1895), onderwijzer en latere directeur van de zendingsopleiding, niet goed bij de collectie aansluiten. De objecten vertegenwoordigden slechts een beperkt deel van het inheemse leven en waren bovendien niet aan specifieke regio's toe te schrijven. Neurdenburgs economische ordening was bedoeld om inzicht te geven in de stand van de lokale nijverheid en de mogelijkheden van maakproductie. In dit verband getuigden de opgestuurde collectievoorwerpen weliswaar van 'enige kunde van de inlandse industrie, maar ook van gebrek aan smaak, netheid en zorgvuldige bewerking'.[23] Impliciet liet de catalogus de waarde en de noodzaak zien van het werk van de zendelingen. Zij werden geacht de inheemse volken naast religieuze verlichting ook beschaving bij te brengen op het gebied van onderwijs en gezondheidszorg en tegelijkertijd de kwaliteit van lokale kunstnijverheid te bevorderen.

Gelegenheidsglas T Welvaren van Siparipabo, *ca. 1725-1750, loodglas met radgravure, legaat Elie van Rijckevorsel. (Museum Boijmans Van Beuningen, 259 (KN&V)*

Op de rand van dit achttiende-eeuwse gelegenheidsglas is het opschrift T WELVAREN VAN SIPARIPABO te lezen, boven een afbeelding van de Surinaamse suikerplantage *Siparipabo*. De afbeelding is gebaseerd op een illustratie uit het boek van J.D. Herlein, *Beschryvinge van de volks-plantinge Zuriname* uit 1718. De randgravure toont enkele tot slaaf gemaakten, het huis van de plantage-eigenaar, de suikermolen en enkele hutten. Met dit type gelegenheidsglazen proostten plantage-eigenaren in Suriname met hun Nederlandse handelspartners op het welzijn van hun koloniale handelsactiviteiten. De Siparipabo-plantage, omstreeks 1770 een van de 400 plantages, behoorde tot de oudste van Suriname. Een eigentijdse inventaris noemt de in Rotterdam geboren koopman Willem Pedy Jr als eigenaar. Hij trouwde in 1718 in Suriname met Catharina Marcus en na hun dood in 1769 kwam de plantage door vererving via de familie Pedy in bezit van de Rotterdamse (regenten)families Van Mierop en Van Teylingen. In 1829 werd de plantage opgeheven.

Wanneer en hoe dit wijnglas in bezit kwam van de Rotterdamse natuurkundige en verzamelaar Elie van Rijckevorsel (1845-1928) is onbekend. Het wordt niet genoemd in de inventarislijst die Van Rijckevorsel in 1895 van zijn collectie samenstelde, waardoor het onaannemelijk is dat het glas tot het familiebezit heeft behoord. Zijn familiegeschiedenis laat verschillende koloniale aanknopingspunten zien. Zowel Elie's vader, Huibert van Rijckevorsel (1813-1866), als grootvader Abram van Rijckevorsel (1790-1864) dreven handel in koloniale producten. Waarschijnlijk is het glas na 1895 door Van Rijckevorsel gekocht, mogelijk van of via een andere Rotterdamse glasverzamelaar en leeftijdgenoot Dirk Hudig (1842-1915). Ook Hudigs familiegeschiedenis heeft een koloniale connectie via het voorouderlijke handelshuis Ferrand Whaley Hudig & Zn., verstrekker van plantageleningen.

In 1928 werd het glas aan Museum Van Beuningen gelegateerd. Niet eerder is er dieper ingegaan op de specifieke herkomst van dit glas en zo bleef de achterliggende slavernijgeschiedenis ervan onzichtbaar.

Betaalmeesterskast van Moluks ebbenhout, eikenhout en zilver uit Indonesië. 1680-1710, schenking van de Erasmusstichting in 1935. (Museum Boijmans Van Beuningen, Div.M 20 (KN&V)

Dit soort kasten werd een *comptoir* of *kantoor* genoemd. Ze werden vervaardigd naar voorbeeld van Japanse kabinetten, die in de zeventiende eeuw heel geliefd waren. Deze kast bestaat uit een bovendeel met laden op een onderstel met getordeerde poten en is gemaakt op de Molukken. Het ebbenhouten snijwerk heeft de vorm van bloem- en plantmotieven, die afgeleid lijken te zijn van decoraties op grafstenen aan de Coromandelkust. In dat gebied ligt een aantal grafzerken van Nederlandse voc-dienaren en hun familieleden met soortgelijke motieven. In 1935 is de kast uit het bezit van Elie van Rijckevorsel (1845-1928) samen met enkele andere koloniale meubels aan het nieuwe museum Boijmans Van Beuningen geschonken door de Erasmusstichting, waarvan Van Rijckevorsel de oprichter was.

Van Rijckevorsel kwam in aanraking met koloniale meubels tijdens zijn onderzoeksreis door Indonesië (1874-1877). Over die kennismaking noteerde hij:

> 'Het meeste belang boezemden mij verschillende meubels in, die in de 17de en 18de eeuw vervaardigd moeten zijn en waarin allerlei invloeden weder te vinden zijn. Zoo vertoonen een paar kasten en enkele stoelen een zuiver renaissance-karakter, doch in de bijzonderheden is het lofwerk geheel Oostersch, een mengsel van Indischen en van Chineeschen smaak.'*

In 1883 liet Van Rijckevorsel zijn Indische collecties wapens, batiks en meubels zien op de Internationale Koloniale & Uitvoerhandel Tentoonstelling in Amsterdam. Speciaal daarvoor liet hij het oorspronkelijke geelkoperen beslag van de twee sleutelplaten en de twaalf scharnierstukken van deze kast vervangen door zilverwerk. Zo werd de betaalmeesterskast steeds meer hybride van vormgeving en paste die eigenlijk steeds minder bij de wereldtentoonstelling van 1883. Lindor Serrurier, samensteller van de etnografische afdeling van die wereldtentoonstelling en directeur van het Rijks Etnografische Museum, hechtte juist aan authenticiteit en aan 'het plaatselijk of raskarakter' van de etnografica en liet daarom liever gebruiksvoorwerpen van armere klassen zien, omdat volgens hem 'de Europeesche invloeden zich het eerst in de woningen der meer gegoeden doen gevoelen'.** Vanwege diezelfde Europese invloed belandde de kast in de collectiepresentatie van de afdeling Europese kunstnijverheid van Museum Boijmans Van Beuningen.

---

* Gaba-Van Dongen (et al), *Wie teveel omhelst*, 135.

** Bloembergen, *De koloniale vertoning*, 92.

Een andere plaats waar het negentiende-eeuwse Rotterdamse publiek kon kennismaken met inheemse volken en hun culturen was de Rotterdamsche Diergaarde. De dierentuin was in 1857 als particulier initiatief opgezet en bezat, zoals voor dierentuinen destijds heel gebruikelijk was, door particulieren opgebouwde collecties waarin natuurhistorie en cultuurhistorie nauw met elkaar waren verweven. De etnografische voorwerpen werden dan ook gecategoriseerd naar een evolutionaire systematisering van mineralen, planten en dieren (waartoe ook mensen werden gerekend) en vervolgens geclassificeerd en gepresenteerd naar hun ontwikkelstadium. Hoe de opstelling er precies uitzag, is niet bekend. Er is maar een enkele foto bewaard gebleven, in de jubileumgids uit 1912 die een zaal vol voornamelijk Indonesische spullen toont. Wel is bekend dat de collectie zo hard groeide dat de ruimte al snel te klein werd en dat in de loop van de twintigste eeuw de combinatie natuurhistorie en etnografie niet meer vanzelfsprekend werd gevonden. De *Nieuwe Rotterdamse Courant* van 17 mei 1927 schreef hierover: 'Er is een zaal met ethnografica, welke eigenlijk in eene natuurhistorische inrichting als een Diergaarde niet thuis behooren.' Toen de diergaarde in 1940 naar een nieuwe locatie verhuisde, werd de etnografiezaal dan ook opgedoekt. Het Wereldmuseum mocht kiezen wat het uit de collectie wilde hebben en koos 350 objecten, waarvan ruim honderd afkomstig uit Indonesië en daterend van eind negentiende en begin twintigste eeuw. Meer achtergrondinformatie dan de namen van schenkers kreeg het museum er niet bij, want bij het bombardement op Rotterdam was het archief verloren geraakt.[24]

De derde negentiende-eeuwse Rotterdamse presentatieplaats voor materiële inheemse cultuur was het woonhuis van Elie van Rijckevorsel aan de Parklaan 3. Direct na terugkomst van zijn Indië-reis in 1878 had hij z'n aanwinsten tentoongesteld in het Maritiem Museum der Koninklijke Nederlandse Yachtclub, vergezeld van een catalogus voor tien cent. Alle 535 etnografische objecten stonden erin, ook met hun inheemse namen, en anders dan in het Zendingshuis of in de dierentuin Blijdorp niet geordend op economische of evolutionaire grondslag, maar 'etnografisch', naar eiland van herkomst en zelfs naar residentie.[25] Ook daar zat een visie achter. Van Rijckevorsel wilde met zijn expositie tegenwicht bieden aan de desinteresse voor Indië in Holland, ondanks de vele baten uit de kolonie. 'Het is werkelijk bedroevend zoo weinig belangstelling, als men over het algemeen in het moederland voor Indië over heeft. En heb ik toch niet gelijk, als ik zeg dat onze grootste belangen in Indië geconcentreerd zijn.'[26] Na sluiting van de expositie richtte hij, waarschijnlijk op dezelfde manier, zijn speciaal verbouwde woonhuis in als etnografisch privémuseum. In het tot Kunstzaal verbouwde koetshuis achter zijn woning kon het publiek ook zijn privécollectie schilderijen, Europees glaswerk, Aziatisch porselein en zeventiende-eeuwse koloniale meubels bewonderen. In zijn *self-fashioning* maakte Van Rijckevorsel een duidelijk onderscheid tussen etnografica en westerse kunstcollecties.

Zowel de verzameling van het NZG als de collectie van Van Rijckevorsel werden in 1883 geselecteerd voor de *Internationale Koloniale en Uitvoerhandel Tentoonstelling* in Amsterdam. Het bestuur van het NZG zag in de wereldtentoonstelling een mooie gelegenheid om zowel volkenkundige kennis als de praktijk van zendelingen onder de aandacht te brengen en zodoende de terugloop in het aantal kwekelingen, donateurs en leden te kunnen keren. Het zond ruim vijfhonderd objecten in.[27] Van Rijckevorsel zag eveneens een nieuwe mogelijkheid voor kennisoverdracht en stelde z'n vergelijkbaar grote collectie ter beschikking, zelfs zijn niet eerder tentoongestelde zeventiende-eeuwse Indische meubels, met een Molukse betaalmeesterskast als esthetisch hoogtepunt.

KOLONIALE VERTONINGEN IN WERELDTENTOONSTELLINGEN

De *Internationale Koloniale en Uitvoerhandel Tentoonstelling*, de eerste en enige koloniale tentoonstelling van dat formaat in Nederland, werd georganiseerd door verschillende belangengroepen en diende allerlei doelstellingen: economische, religieuze, ideologische, wetenschappelijke, ethische en esthetische. Het voornaamste doel was de uitbreiding van handelscontacten en het creëren van nieuwe afzetmarkten. Dit was ingebed in een beschavingsoffensief van ethische of religieuze aard dat steunde op een sterke arm, de koloniale staat, die de belangen kon realiseren en verdedigen. Dat alles was gebaat bij gedegen, wetenschappelijk onderbouwde kennis die een zo compleet mogelijk beeld gaf van de omvang, aard en eigenaardigheden van die nieuwe markten, in casu van de inheemse bevolking in Nederlands-Indië.

Koloniale Afdeling der Internationale Koloniale en Uitvoerhandel Tentoonstelling, Amsterdam 1883, foto P. Oosterhuis. (Wereldcollectie Nederlands Fotomuseum, WMR-906478)

Etnografische collectie Rotterdamsche Diergaarde in Jubileumgids 1912. (Archief Diergaarde Blijdorp)

Vitrine met objecten uit toenmalig Nederlands-Nieuw-Guinea (noordkust), 1903. (Wereldcollectie Nederlands Fotomuseum Rotterdam WMR-907447)

Wereldmuseum, 1915, foto E. Miedema (Wereldcollectie Nederlands Fotomuseum, WMR-413474)

De etnografische afdeling van de expositie was dan ook de grootste, bijeengebracht door Lindor Serrurier (1846-1901), conservator en sinds 1882 directeur van het Rijks Etnografisch Museum in Leiden. Hij volgde in grote lijnen het twaalfdelige classificatiesysteem naar 'levensbehoefte' van zijn eigen museum, dat weer was afgeleid van de twintig economisch georiënteerde rubrieken van het NZG.[28] De rangschikking illustreerde een ontwikkeling van de eerste behoeften zoals eten, drinken, kleding en woning, naar gebruiksvoorwerpen en verdedigings-, jacht-, landbouw- en handelsinstrumenten, en naar de wetenschap en de vrije kunsten. De achterliggende visie, lichtte Serrurier toe, was om 'de geschiedenis van zoodanige voorwerpen of ornamenten [te] doorgronden, omdat de reeks met oordeel samengesteld, de opvolgende stadiën van ontwikkeling doet zien'.[29] Een moderne etnografische expositie leunde naar zijn idee dus zwaar op wetenschappelijke evolutionaire principes en daarmee op grondigheid en volledigheid. De zalen, wanden en vitrinekasten op de wereldtentoonstelling stonden dan ook tjok- en tjokvol. Want hoe meer voorwerpen, hoe beter de vergelijking en hoe duidelijker het beschavingsniveau van de makers en gebruikers van de voorwerpen kon worden vastgesteld. De maatstaf was daarbij de westerse, superieur geachte beschaving. De afstand tussen 'wij' en 'zij' werd scherp aangezet en maakte en passant duidelijk waarom Nederland zich inspande voor verheffing van de inheemsen en met welk resultaat. Zo rechtvaardigde Nederland zijn koloniale praktijk en claimde het tegelijkertijd de statuur om zich internationaal met de grote Europese mogendheden te meten. En zo bevorderde de expositie de handel, verbreidde ze het vooruitgangsgeloof en de beschavingsmissie en betekende ze een stimulans voor zowel internationalisering als voor een trots nationalisme van het betrekkelijk jonge Koninkrijk der Nederlanden.

Achter de gedecideerdheid van de vertoning ging echter een aantal vraagstukken schuil, die wetenschappelijke en politieke kringen nog lang na 1883 bezighielden. Bijvoorbeeld: moest het Westen de koloniën naar eigen modern voorbeeld verheffen, of juist inheemse volken in hun eigen waarde bezien en behouden? Traditioneel werden inheemse culturen beschouwd als primitief en exotisch en richtte etnografisch onderzoek zich op dagelijkse, authentieke voorwerpen. Dat criterium had zich als vanzelfsprekend uitgebreid naar Indische oudheden, naar hofkunst en naar ambachtelijke kunstnijverheid, naar hindoe-Javaanse tempelruïnes, met gouddraad doorweven stoffen en hoog-ambachtelijk vlechtwerk. Daarvan waren op de wereldtentoonstelling bijzondere voorbeelden te zien, en wel aanzienlijk minder primitief dan evolutionair had moeten blijken. Toch werden ze niet gerangschikt onder kunsten, maar gepresenteerd als gebruiksvoorwerpen. Dat lot ondergingen ook voorwerpen van inheemse geneeskunst die onder de noemer 'bezwering' werden geplaatst, en andere objecten die in de categorie 'godsdienst en godsdienstige gebruiken' geen aanspraak meer konden maken op de betiteling Kunst of Wetenschap. De achterliggende gedachte lichtte Serrurier toe in de catalogus: 'de kunst wordt er niet om haarzelve beoefend [...] zij dient alleen als middel; zij verheft zich niet boven de ornamentiek'.[30] Over de kunst uit de West-Indische kolonie was hij nog scherper: 'De boschnegers verloochenen geenszins hunne Afrikaansche afkomst in de smakelooze, grillige en opzichtige wijze waarop zij zichzelfen en hunne gereedschappen opsmukken.' Een voorwerp moest kortom naast autonoom ook nog mooi zijn om tot kunst te worden gerekend.[31]

Zo bleef schoonheid als criterium gereserveerd voor kunstvoorwerpen uit de westerse beschaving. Maar juist dat soort innerlijke tegenstrijdigheden die in de expositie naar voren kwamen, trokken eind negentiende en begin twintigste eeuw de aandacht van toonaangevende culturele elites. Zij roemden wel de schoonheid van oosterse kunst en cultuur en hadden hoge waardering voor de religieuze beschavingen binnen inheemse culturen, waarvan zij zichzelf als de ethische beheerders zagen. De latere wereldtentoonstellingen in Parijs (1889, 1900) en Brussel (1910) speelden hierop in en gaven meer ruimte aan inheemse kunstschatten, eigentijdse aristocratische kunst en ambachtelijke kunstnijverheid. Ze onderkenden weliswaar verschillen tussen westerse en inheemse culturen, maar beschouwden alle culturen als gelijke onderdelen van één menselijke beschaving. In 1883 had de koloniale vertoning nog vooral een primitief en in z'n eenvoud ook eenzijdig en eenvormig beeld van inheemse culturen opgeroepen. Niet lang erna werden inheemse culturen niet langer als anders en per definitie minder ontwikkeld gezien. De exposities zoomden juist in op de rijke verscheidenheid en hoge kwaliteit van de kunst- en cultuuruitingen, op de hoogontwikkelde ornamentiek die 'Het Oosten had behouden terwijl de kunstnijverheid in het Westen aan vervlakking, uniformering en imitatie ten onder dreigde te gaan.[32] Het vraagstuk van de verbeelding en presentatie van inheemse culturen werd er wel ingewikkelder op.

Korwar, voor 1906, leisteen, Wandamenbaai, Papua, Indonesië, schenking 1906. Th. H. Ruys. (Wereldmuseum, WM-8512)

Korwars zijn relatief kleine, vrijwel altijd houten beelden voor in huis, in gebruik bij de culturen van de Geelvinkbaai. Ze bevatten de ziel van een overleden familielid. Korwars fungeerden als intermediair tussen mensen en geesten en boden op verzoek hulp en raad bij kwesties als ziekte en dood, planning van speciale gebeurtenissen en duiding van belangrijke voorvallen. De beelden werden met zorg behandeld en weggehouden bij buitenstaanders, tenzij ze voor de handel waren gemaakt en dus niet ritueel geladen. De Utrechtse Zendingsvereeniging schreef al in 1874 dat er reproducties in omloop waren, te herkennen aan nonchalanter en haastiger snijwerk en aan hun schone oppervlak zonder sporen van vuil, tabak, alcohol en olie die echte korwars een patinalaag geven.

De hier getoonde leistenen korwar is geschonken door de Nederlandse resident van Doreh (West Nieuw-Guinea), Th.H. Ruys. Het beeld is niet gesneden in de Doreh-stijl die wordt gekenmerkt door naturalistische staande figuren die een soort schild voor zich houden. De zittende houding en de bolvormige naar achteren getrokken haardracht die het hoofd langwerpiger doet lijken, behoren tot de stijl van de veel zuidelijker Wandamenbaai. Deze korwar is waarschijnlijk in het noorden (na)gemaakt in een gesteente dat daar veel meer voorkomt dan in het zuiden.

Deze korwar is ook niet 'echt', maar gemaakt door een Maleise handelaar, zo schreef zendeling J.A. van Balen vanuit de Wandamenbaai in 1906 aan het Wereldmuseum. Verschillende andere bronnen, waaronder brieven van zendelingen aan de Utrechtse Zendingsvereeniging, bevestigden dat leistenen korwars imitaties zijn of tenminste gewantrouwd moesten worden. Korwars voor de verkoop en korwars voor ritueel gebruik werden wel vaak door dezelfde specialisten vervaardigd. Dat maakte het onderscheid tussen 'echt', 'authentiek' en 'onecht' ingewikkeld. Het Wereldmuseum bezit voorbeelden van alle varianten.

ROTTERDAMSCHE SCHOUWBURG.

OP MAANDAG DEN 15 AUGUSTUS 1853,

eene Eerste Voorstelling van:

DE NEGERHUT,

TOONEELSPEL in *acht* Tafereelen, getrokken uit den Roman van dien naam, van Ms. Beecher Stowe, naar het Fransch van Dumanoir en d'Ennery, door den Heer G. van Beek. Gemonteerd met nieuwe Decoratiën, vervaardigd door en onder opzigt van J. Eduard de Vries, en nieuwe Costumes, zoo als het te Parijs op den Schouwburg van *L'Ambigu Comique* wordt opgevoerd.

EERSTE BEDRIJF. *Eerste Tafereel. De Scheiding. Tweede Tafereel. De Negerhut. Derde Tafereel. De IJsgang op de Ohio.*

TWEEDE BEDRIJF. *Vierde Tafereel. De Vlugt. Vijfde Tafereel. De Slavenjagt.*

DERDE BEDRIJF *Zesde Tafereel. De Bekeering van den Slavenhandelaar. Zevende Tafereel. De Slavenmarkt. Achtste Tafereel. Dood en Redding.*

VERDEELING.

BIRD, Raadsheer	*de Hr. Albregt*
HARRIS, rijk Grondeigenaar	*de Hr Veltman.*
HALLEY, Slavenhandelaar	*de Hr. Roobol.*
SHELBEY, Inwoner van Kentucky	*de Hr. van Golverdinge.*
SAINT CLAIR, Inwoner van Nieuw Orleans	*de Hr. J van Ollefen.*
EDUARD, Neef van Harris	*de Hr. Morin.*
GEORGES, Slaaf van Harris	*de Hr. Tjasink.*
TOM, Neger van Shelbey	*de Hr Metsch.*
BENGALI, jonge Neger	*Mw. Albregt-Engelman.*
PHILEMON, idem	*Mw. Anna Kleine.*
Een Kommissaris	*de Hr. van Velsen.*
Een Inspecteur	*de Hr Schenk.*
TOMKINS	*de Hr. N. Vos.*
MATTHEWS	*de Hr. Beukers.*
Een Uitroeper	*de Hr. Kistemaker.*
QUIMBO	*de Hr. Stroeve.*
JENKENS	*de H. Klaassen.*
Een Schipper	*de Hr. Fransen.*
Een Neger	*de Hr. S. Vos.*
ELISA, Slavin bij Shelbey	*Mw. Engelman-Bia.*
HENRI, haar Zoon, 4 à 5 jaren oud	*de Jonge Hr. A. van Hamme.*
EVANGELINE, Dochter van St. Clair	*Mw. S. Sablairollet.*
Mw. BIRD	*Mw. Tiensma-Rinkes.*
CHLOË, Negerin, Vrouw van Tom	*Mw. Stoetz-Majofski.*
Eene oude Mulattin	*Mw. C. van Velsen.*
Een jong Meisje	*Mw. Lysen.*

HET STUK SPEELT IN DE VEREENIGDE STATEN.

Uithoofde der uitgebreidheid van het bovenstaande, zal er geen Nastuk gegeven worden en de Pausering plaats hebben NA HET ZESDE TAFEREEL.

Aanvang ten zeven ure precies.

***Balcon* f 2,10. *Loges* f 1,50. *Parterre* f 1,20. *Gallerij* f 0,50.**

J. VAN BAALEN & ZONEN.

Affiche van de theatervoorstelling De Negerhut *in de Rotterdamsche Schouwburg, Archieven van de Grote Schouwburg aan de Coolsingel te Rotterdam. (Stadsarchief Rotterdam,* GAR01: *1853-08-15)*

Dit affiche kondigde de Rotterdamse première aan van *De Negerhut*, een toneelbewerking van de internationale bestseller uit 1852 van de Amerikaanse schrijfster Harriet Beecher-Stowes *Uncle Tom's Cabin. Life Among the Lowly.* Hoofdpersoon in het verhaal is de jonge tot slaaf gemaakte Eliza, die met haar kind een barre tocht onderneemt om hun slavernij te ontvluchten en daarbij op de hielen wordt gezeten door slavenjagers.

In 1853 werd het boek in Nederland uitgegeven als *De negerhut: een verhaal uit het slavenleven in Noord-Amerika.* Het had meteen grote invloed op de al eerder opgerichte en verdeeld geraakte *Nederandse Vereeniging ter Bevordering van de Afschaffing van Slavernij.* Protesten tegen slavenhandel en slavernij klonken in Rotterdam al sinds de achttiende eeuw.* Uniek voor die tijd was het *Rotterdam Ladies Antislavery Committee*, dat in 1841-1842 een eigen, vrouwenpetitie tegen de slavernij aan de kroon aanbood. Maar het was toch Beecher-Stowes boek dat mede aanleiding was om in Nederland en Rotterdam het abolitionisme (de afschaffing) nieuw leven in te blazen. Een minstens zo grote invloed als *De negerhut* had het in 1854 uitgebrachte boek *Slaven en vrijen onder de Nederlandsche wet* van het liberale Kamerlid en predikant Wolter Robert baron van Hoëvell. Net als *De Negerhut* was het boek met dramatische prenten geïllustreerd en verschenen er binnen een jaar meerdere herdrukken.

Op *Uncle Tom's Cabin* werden vrijwel meteen theaterproducties gebaseerd, zoals *De Negerhut*, die op 15 augustus 1853 in Rotterdam in première ging. Weliswaar propageerde het verhaal de afschaffing van de slavernij, maar de theatervoorstellingen stimuleerden tegelijkertijd racistische stereotypen. Dat blijkt al uit het woord 'negerhut' in plaats van alleen *cabin* in de Amerikaanse titel en uit het feit dat de hoofdpersonen in *blackface* door witte acteurs werden gespeeld.

Het zou nog tot 1862-1863 duren voor in het Nederlands parlement de *Wet Afschaffing Slavernij* werd aangenomen en ingevoerd.

---

* Van Stipriaan, *Rotterdam in slavernij.*

DE KOLONIALE VERTONING IN ROTTERDAM

Ondertussen was de *Internationale Koloniale en Uitvoerhandel Tentoonstelling* in 1883, die zo'n 1,5 miljoen bezoekers had getrokken, de aanleiding voor Rotterdam om een nieuw museum op te richten, 'eene instelling die in een groote handelsstad als Rotterdam op den duur zeker groot nut zou kunnen stichten'.[33] Nog in hetzelfde jaar kreeg Rotterdam dankzij de haven- en bestuurlijke elite en het NZG zijn eigen volkenkundige museum. Drijvende krachten achter dit initiatief waren Van Rijckevorsel en Neurdenburg. De een beloofde zijn Indische collecties te schenken en de ander namens het NZG de bruikleen van alle objecten die in Amsterdam geëxposeerd waren, plus de collectie van het Zendingshuis, in totaal ruim 1300 stuks. Het museum kwam onder dezelfde directie als het Maritiem Museum en werd gehuisvest in hetzelfde gebouw, het voormalige Yachtclubgebouw. Het was in Nederland de derde in zijn soort. Het Museum voor Volkenkunde in Leiden begon in 1864 onder de naam Rijks Etnografisch Museum, het Tropenmuseum in Amsterdam heeft zijn wortels in het Koloniaal Museum uit 1871 in Haarlem.[34]

Oppervlakkig gezien verschilden de collecties van de drie musea niet veel van elkaar. Ze waren alle bijeengebracht door particuliere verzamelaars met meer en minder specifieke smaakvoorkeuren en door amateur- en beroepsverzamelaars met hun eigen beroepsbelangstelling: missionarissen en zendelingen, wetenschappers van diverse disciplines en later ook museumprofessionals. Ingewijden onderscheidden wel een verschil in oriëntatie: Leiden onderhield als rijksmuseum nauwe banden met koloniale bestuurskringen en via de universiteit ook met door het rijk gefinancierde wetenschappelijke expedities. Bij het Koloniaal Museum, een initiatief van de Nederlandsche Handel-Maatschappij, tekenden handel en nijverheid de collectie, samen met de aanzienlijke natuur- en cultuurhistorische schenking van 1200 objecten van de Amsterdamse dierentuin Natura Artis Magistra. In Rotterdam was de collectie meer dan de andere twee opgebouwd uit schenkingen van het Nederlands Zendelinggenootschap en de Utrechtsche Zendingsvereeniging. Het museum was bovendien een gemeentemuseum en ontving zeker in de beginjaren vele schenkingen van Rotterdamse weldoeners, die graag bijdroegen aan de aankoop van bijzondere stukken en collecties.

Inhoudelijk was het Wereldmuseum schatplichtig aan de wereldtentoonstelling van 1883. Niet alleen via Van Rijckevorsel en Neurdenburg, die als bestuurslid hun ervaringen met de wereldtentoonstelling inbrachten, maar ook wat betreft de inrichting, waarvoor de etnografische afdeling van de wereldtentoonstelling min of meer als blauwdruk fungeerde. Net als de wereldtentoonstelling streefden de exposities in het nieuwe museum naar volledigheid. Ze stonden net zo vol, hanteerden een evolutionaire rangschikking en gingen uit van tegenpolen: primitief versus beschaafd, tijdloos versus in ontwikkeling, authentiek versus hybride, alledaagse gebruiksvoorwerpen versus kunstvoorwerpen, en inheemse kennis en bijgeloof versus westerse wetenschap. De rechtvaardiging van het Nederlands kolonialisme die in de koloniale expositie verweven was, reisde als onderliggende boodschap mee naar Rotterdam.

Net als de wereldtentoonstelling in Amsterdam, was het nieuwe volkenkundige museum in zijn vertoningen allesbehalve consistent, en dat tot ver in de twintigste eeuw. De exposities vertelden over natuurvolken van Nieuw-Guinea én de hindoe-Javaanse beschaving, over tijdloze eenvoud én bijzonder gevarieerde kunstnijverheid. Maar hoe primitief en onbeschaafd waren bijvoorbeeld de Sumbanezen nou eigenlijk? Ze stonden bekend als koppensnellers, slavenhouders en gewelddadige rovers en de eenvoud van hun cultuur werd getoond aan de hand van simpele gebruiksvoorwerpen. Maar in dezelfde expositie waren ook de kunstzinnige weefsels van hun aristocratie te zien, ikats in schitterende kleuren en versierd met ingenieus kralenwerk. De weefsels werden hoog gewaardeerd, maar de categorisering en lage classificering veranderden daarmee niet.

Een vergelijkbaar vraagstuk diende zich aan bij de batikcollectie van het museum, met schitterende doeken uit de collectie van Van Rijckevorsel. Een aantal ervan waren vervaardigd in Europese en Chinese batikkerijen aan de noordkust van Java. Van Rijckevorsel had ze in de jaren 1870 gekozen om hun stijlontwikkeling en esthetische kwaliteit, en om een zo breed mogelijke variatie aan batiks te kunnen vertonen. Daarbij was hij met zijn aankoop van Noord-Javaanse batiks de Nederlandse volkenkundige musea ver vooruit. Daar golden lange tijd uitsluitend de batiks uit de Javaanse hofcultuur als authentiek en het verzamelen waard.[35] Waren de Indo-Chinese en Indo-Europese batiks dan niet authentiek? En waar hoorden die producten dan in de hiërarchie?

Kralingsche Katoendrukkerij, koningssprei, 1817-1832, bedrukte katoen, Rotterdam. (Museum Rotterdam, 21292)

Deze sprei werd gemaakt door de *Kralingse Katoenmaatschappij* (KKM), de voortzetting van de katoendrukkerij *Non Plus Ultra* uit 1720. Samen met zes grote stalenboeken, meerdere drukblokken en grote losse stalen uit de periode 1870-1930 is de sprei in 1933 aan Museum Rotterdam geschonken. Op verzoek van dit museum droeg het Wereldmuseum in 2014 uit zijn collectie nog eens zes stalenboeken en een aantal drukblokken van de KKM over. Waarom de verzameling van de fabriek destijds over twee museumcollecties werd verdeeld is onduidelijk. Het Wereldmuseum beschikt over twee handels-stalenboeken en het Museum Rotterdam over een stalenboek met stoffen voor Nederlandse woninginterieurs.

In het laatste kwart van de negentiende eeuw drukte de KKM imitatiebatikstoffen voor de Afrikaanse en vooral voor de Indonesische kledingmarkt. Voor het gros van de Indonesische bevolking waren de imitatiebatiks een gewild alternatief voor de kostbare, handgetekende batiks van eigen bodem. In 1920 bereikte het Kralingse bedrijf met meer dan 200 personeelsleden zijn grootste omvang. Maar door de groeiende concurrentie uit het Verre Oosten viel de internationale afzetmarkt weg en moest de KKM in 1932 sluiten.

In het museum was de sprei jarenlang opgeborgen bij de grote lappen stof. Het kwam pas tevoorschijn tijdens een onderzoek naar sits en toen pas werden het motief, de letters W en het koninklijke wapen herkend. Het is een koningssprei, gemaakt in opdracht van koning Willem I (1772-1843). Hij had in 1824 de Nederlandsche Handel-Maatschappij opgericht om de handel met Nederlands-Indië en de Nederlandse industrie te bevorderen. Met de bedrukte sprei als geschenk wilde hij inheemse vorsten gunstig stemmen en hen tevens de kwaliteit van bedrukte katoen laten zien. Volgens de overlevering zijn er verschillende spreien gedrukt; een ervan wordt bewaard in Rotterdam en een bij Museum Twentse Welle. De laatste directeur van de KKM, J. van Sillevoldt, werd namelijk in 1935 directeur van de Twentse Katoendrukkerij, hij schonk de sprei aan het Twentse museum.

Het begrip authenticiteit lag ingewikkeld. Beroepsverzamelaar Groenevelt wilde medio twintigste eeuw voor Rotterdam een speciale boombastschildering bemachtigen. Toen die niet meer te krijgen leek te zijn, gaf hij opdracht haar opnieuw te maken, naar voorbeeld van foto's van oude stukken. Hij liet dit project stopzetten omdat het resultaat tegenviel, niet omdat bijvoorbeeld conservator Jansen de authenticiteit van de schildering betwijfelde.[36]

In de tweede helft van de twintigste eeuw werd de gangbare tegenstelling tussen alledaagse gebruiksvoorwerpen en kunst-om-de-kunst in toenemende mate een punt van discussie, mede gevoed door nieuwe ontwikkelingen in de antropologie. In die wetenschappelijke discipline werden culturen gezien als gelijkwaardige samenlevingen met eigen normen, waarden en gedragsregels, en om die zo goed mogelijk te verbeelden werden thematische presentaties en evocatieve manieren van opstellen ontwikkeld.[37] Gaandeweg won die visie op culturen in de koloniën terrein; het zelfbeeld van Nederland als grootse koloniale mogendheid veranderde mee. Maar het zou nog tot ver na de onafhankelijkheid van Indonesië en Suriname duren voordat het museum daadwerkelijk 'gedekoloniseerde' exposities zou samenstellen. Eerst moest het museum het perspectief veranderen van waaruit het naar de eigen collectie en het koloniale verleden keek.

TEGENDRAADSE VERHALEN

Drie momenten markeren het proces dat het Wereldmuseum van een koloniaal naar een postkoloniaal perspectief leidde. Het eerste was de aanstelling in 1964 van een nieuwe conservator Indonesië.[38] Het tweede was de ontvangst in 1996 van de collectie *Negrophilia* en ten slotte de expositie *De erfenis van de slavernij* (2003). Het waren momenten waarop het museum een actieve positie innam in het maatschappelijke dekolonisatiedebat, dat in Nederland na de overdracht van Nieuw-Guinea in 1962 schoorvoetend begonnen was.

De eerste naoorlogse Indonesië-tentoonstelling, *Batik oud en nieuw* (1962), dateerde van ervoor en wat hierin werd getoond en verteld, wie erin figureerden, verschilde nauwelijks van de vroegere presentaties uit de koloniale tijd. Wat de nieuwe conservator Anneke Djajasoebrata het meeste opviel, zo vertelde zij terugkijkend in 1995, was het grote verschil tussen het Indonesië van de jaren zestig zoals zij dat kende, en het beeld van Indonesië dat het museum liet zien.[39] De meisjes die tijdens gamelanvoorstellingen in het museum optraden, waren tuttig en ouderwets gekleed, naar illustraties uit oude boeken, leek het wel. Djajasoebrata is cultureel antropologe en had ten tijde van de koude oorlog rond Nieuw-Guinea/Irian Barat stage gelopen in zowel het Tropenmuseum als in het Rijksmuseum.[40] In Amsterdam had ze geen toegang gekregen tot het depot, waardoor haar stage een fiasco werd. In Leiden mocht ze wel het depot in, al werden haar ervaringen met het Tropenmuseum en vooral haar wens om de collectie van het toenmalige Nederlands-Nieuw-Guinea te bestuderen met beleefde gereserveerdheid ontvangen. Pas later schreef ze beide voorvallen toe aan haar Indonesische nationaliteit.

Rotterdam leek die gereserveerdheid niet te hebben. Het Wereldmuseum nam haar in dienst als assistent-conservator Indonesië en ging al een jaar na haar aanstelling akkoord met haar eerste aankoop: *Wajang Perdjuangan*. Deze wajangset bestond uit ruim 150 poppen, was gemaakt door een poppensnijder van naam en was tot dan toe in het bezit van de vorst van Mangkunagara op Oost-Java. Het zou nog een kwart eeuw duren voordat de complete set ook in het museum werd vertoond. Het wajangverhaal ging over het Indonesische vrijheidsstreven en dat hoorde, was de redenering, bij geschiedenis en niet bij volkenkunde. Pas in 1990 presenteerde het Wereldmuseum *Wayang Revolusi*, een multimediapresentatie over ruim 350 jaar verzet tegen de Nederlandse kolonisatie, verteld vanuit Indonesisch perspectief. Daarna volgden fototentoonstellingen met typerende titels als *Indonesia in wording* (1995) en *Agressi II: Operatie Kraai* (1996).[41] Ze gingen vergezeld van lezingenprogramma's als *Uw herinneringen zijn de onze niet (1991)*, die uiteenlopende invalshoeken en standpunten naar voren brachten. Al deze producties belichtten de complexiteit van de dekolonisatie en brachten verandering in de gangbare opstelling van het museum en zelfs in de maatschappelijke discussie erover. De grote winst was vooral het omvangrijke arsenaal aan nieuwe verhalen dat het museum nu aanboorde.

Een tweede grote impuls tot perspectiefverandering kreeg het museum met de verwerving van de collectie *Negrophilia* in 1997. De verzameling was in de jaren tachtig aangelegd door de kunstenaars Rufus Collins en Felix de Rooy en had als thema westerse beeldvorming over Afrikaanse, Indiaanse en Aziatische culturen. Voor het museum waren al die Javaanse Jongens-shagaffiches en Zulu-Lulu-cocktailstampers buitengewoon vreemde collectie-items.[42] Daar lagen authentieke, exotische, of tenminste excentrieke stukken van elders uit de wereld in het depot.

Raden Mas Sajid, Wajang Perdjuangan, *militaire politieman (links) en soldaat, circa 1955, beschilderd leer en hoorn, Yogyakarta, Indonesië. (Wereldmuseum Rotterdam,* WM-57272, WM-57271*)*

Wajang Perdjuangan werd in 1964 door het Wereldmuseum aangekocht en in 1990 slechts eenmalig als complete set geëxposeerd. Het wajangspel dateert van het einde van de jaren veertig en werd gemaakt om in alle uithoeken van Indonesië voorlichting te geven over ruim 350 jaar oorlog en verzet tegen de Nederlandse koloniale bezetting en onderdrukking. In het spel zijn vrijheidsstrijders als Sentot en Teuku Umar taaie tegenstanders van veldmaarschalk Daendels en generaal Van Heutsz. Bekende historische leiders als Soekarno en Hatta staan tegenover de Nederlandse gouverneur-generaal en leden van de Volksraad. Tezamen laten de poppen een goedgekozen dwarsdoorsnede zien van de koloniale samenleving: Indonesische en Nederlandse soldaten, Nederlandse beambten, Indonesische boeren en intellectuelen, oude en jonge vrijheidsstrijders. Traditiegetrouw werd het goede kamp, de Indonesische karakters in dit geval, op de rechterkant van het doek gespeeld, de Nederlanders op de linkerkant. In de klassieke wajang is het verder gebruikelijk

om het spel van twee kanten te bekijken, als pop en vanachter het scherm als schim. Dit tweezijdige gebruik weerspiegelt de Indonesische overtuiging dat iedere waarheid ten minste twee kanten heeft. Het is maar vanwaar je kijkt. *Wajang Perdjuangan* kent maar één kijkrichting, want het kolonialisme kende geen goeds.

Opvallend is dat de poppen niet zijn uitgevoerd in fijn filigrain, omdat ze alleen als pop en niet als schim werden bekeken en er geen licht doorheen hoefde te vallen. Het lijkt ook alsof alle ietwat gezette Nederlandse militairen met blozende wangen uit eenzelfde mal zijn gesneden, terwijl de Indonesische figuren juist vol uitdrukking zijn. In deze vorm voldeed het wajangspel niet aan de esthetische kwaliteitseisen van museumdirecteur Stanley Bremer, die het Wereldmuseum wilde omvormen tot een museum voor Aziatische kunst. Op zijn initiatief gaf de gemeente Rotterdam in 2005 de set in langdurig bruikleen aan het Museum Wayang in Jakarta. 'We deden er niets meer mee,' vertelde Bremer aan *de Volkskrant* (17 augustus 2005).

Samarakkaans houtsnijwerk, Centraal-Suriname, voor 1948, hout. (Wereldmuseum, WM-29953)

Dit houtsnijwerk maakt deel uit van een serie over het dagelijks leven en rituelen rond een begrafenis van Saramakkaners, een van de Surinaamse marrongemeenschappen die destijds de slavernij zijn ontvlucht. Het Wereldmuseum kocht het in 1948 van Zr. mej. I. Eringa, maar bezit de bijbehorende papieren niet meer. Gelet op de titulatuur is Eringa waarschijnlijk een zuster van de Evangelische Broedergemeenschap die in 1946 was begonnen met medische zorg in het binnenland van Suriname. Het is een opmerkelijke aankoop, want de Surinamecollectie van het museum is hoofdzakelijk uit schenkingen opgebouwd en zelden met eigen aankopen uitgebreid.

Het tafereel van dit houtsnijwerk toont het ritueel van een overledene als draagorakel dat door een hoofdgrafdelver (derde figuur van rechts) wordt bevraagd om vast te stellen of hij of zij een goed mens was. Twee assistenten geven de berichten door aan de kapitein (zittend links). Een van hen draagt een fles voor een plengoffer. Als de overledene een goed mens blijkt te zijn wordt minstens een week lang gerouwd, er worden klaagliederen gezongen en er wordt gefeest. Bij een slechte dood vindt de begrafenis binnen een, twee dagen in stilte plaats.

Lange tijd wist het museum niets over dit snijwerk, tot in 1991 de collectie ter voorbereiding van de expositie *Sranan, Cultuur in Suriname* (1992) werd voorgelegd aan antropoloog, onderzoeker en ervaringsdeskundige Thomas Polimé. Hij wist wat het tafereel voorstelde en herkende de verwijzing naar de Saramakkaanse overtuiging dat doodgaan altijd wordt veroorzaakt door goden, geesten of door een vijand die gebruikmaakt van magische krachten. Met deze informatie is het houtsnijwerk in 1992 voor het eerst geëxposeerd, niet als esthetisch object maar in de betekenis die oorspronkelijk aan het beeldverhaal werd geven. Enkele houtsnijwerken uit deze serie waren ook te zien in de expositie *De erfenis van de slavernij* (2003), in de sectie *De verborgen schatkamer van de marronkunst*.

Welgestelde Europese families die in de zeventiende eeuw hun fortuin hadden verdiend met koloniale handel en slavernij lieten zich graag portretteren met hun tot slaaf gemaakte bediende. Driehonderd jaar later herhaalt de postmoderne kunstenaar Rob Scholte dit beeldmotief in zijn schilderij *Utopia* uit 1986. Het werk is een persiflage op Édouard Manets *Olympia* uit 1863 waarop een naaktmodel een bos bloemen krijgt aangereikt door een Afrikaanse bediende, en is tevens een navolging van een andere *Olympia*-adaptatie door de Engelse kunstenaar Paul Spooner, *Cabaret Mechanical Theatre Manet's Olympia*. Manet op zijn beurt had zich laten inspireren door de zestiende-eeuwse *Venus van Urbino* van Titiaan. Beeldmanipulator Scholte kopieert, ordent en persifleert bestaande beelden in een nieuwe context. In navolging van de sculptuur van Spooner gebruikte hij voor zijn compositie een houten ledenpop op een ligbank en koos hij een Amerikaanse bijzettafel uit circa 1920 in de vorm van een Afrikaanse bediende, een zogenaamde *butlertray* of *dumb waiter*.

Rob Scholte, Utopia, *1986, acrylverf op doek (Museum Boijmans VanBeuningen, 3121 (MK) en bijzettafel, zgn. butlertray, beschilderd hout, ca 1920, Verenigde Staten. (Wereldmuseum, WM-600552)*

Verschillende uitvoeringen van *butlertrays* zijn te vinden in de collectie *Negrophilia* in het Wereldmuseum, verzameld door de kunstenaars Felix de Rooy en Rufus Collins. De omvangrijke Negrophiliacollectie bestaat uit gebruiksvoorwerpen, strips, speelgoed, boeken en reclameaffiches, en illustreert de westerse beeldvorming over andere culturen. Wat *Olympia*, *Utopia* en Negrophilia met elkaar gemeen hebben, is dat ze de veelvormige doorwerking laten zien van onderliggende koloniale machtsverhoudingen, slavernij en racisme in twintigste-eeuwse westerse populaire beeldcultuur en beeldende kunst.

De Negrophilia-collectie bestond uit materiaal uit de eigen, eigentijdse, populaire westerse cultuur: ruim vijfduizend negentiende- en twintigsteeeuwse reclame-uitingen, gebruiksvoorwerpen, speelgoed, drukwerk en productverpakkingen. Het ging in deze collectie niet om de afzonderlijke voorwerpen, maar om de kijk op het koloniale verleden die de collectiestukken gezamenlijk boden: in verbloemde en onverbloemde vorm weerspiegelden ze het racisme dat onlosmakelijk met kolonialisme is verbonden.[43]

Deze nieuwe perspectiefwisseling werd in 1998 aan het publiek gepresenteerd in de eerste jaarlijkse Imago Mundi-lezing *Wat verbeelden we ons eigenlijk*, in 2002 gevolgd door de presentatie *De wereld bezien door westerse ogen*.[44] Met deze wisseltentoonstelling in een speciale wandvitrine wilde het museum het publiek de achteloosheid voorhouden waarmee stereotiepe, van oorsprong koloniale, beelden het hedendaagse dagelijkse leven doordringen. Het museum opende een nieuw oeuvre aan verhalen waarin de koloniale periode niet meer werd opgesloten in het verleden, maar verbonden werd met het heden, met de toenmalige maatschappelijke discussie over 'wij en de ander'.

Deze nieuwe lijn van denken culmineerde in *De erfenis van de slavernij* (2003), een van de eerste tentoonstellingen in Nederland gewijd aan het eigen slavernijverleden. Tot dan toe was Suriname sowieso slechts in één grote tentoonstelling, *Sranan, Cultuur in Suriname* (1992), in beeld geweest in het museum, en de Nederlandse Antillen vrijwel niet. Beide gebieden waren vergeleken met het voormalige Indië ondergeschoven kindjes in de koloniale geschiedenis van Nederland en er werd daarom ook maar weinig verzameld.[45] De *Erfenis van de slavernij* maakte daar op spraakmakende wijze een eind aan, onder andere door een videofilmpje van zwarte, witte, jonge en oude mensen nu met slavenkettingen van toen. Deze beklemmende video is volgens gastcurator De Rooy de sleutel van de tentoonstelling, die het Nederlandse slavernijverleden nadrukkelijk presenteerde als gezamenlijke geschiedenis. De expositie voerde de bezoekers langs thema's als *De gouden vruchten van slavernij*, *Het zwarte leed* en *Het plantageleven* naar het thema *Verzet: onderdrukking of bevrijding*, gevisualiseerd in een labyrint van transparante verzetsmuren met documenten, gravures, landkaarten, en vitrines met wapens die door slaven en slavenjagers werden gebruikt. De tentoonstelling eindigde met *De verborgen schatkamers van de marronkunst*, gevolgd door een art gallery met eigentijds werk verbonden aan de slavernijgeschiedenis en de verwerking van dat verleden.

Met deze opzet wilde De Rooy historisch inzicht geven in het leven van tot slaaf gemaakten en van marrons, die de slavernij waren ontvlucht. Maar bovenal wilde hij met zijn totaalkunstwerk de stilte doorbreken van nu over toen, en hedendaagse emoties als gevolg van eeuwenlange, gewelddadige onderdrukking en racisme laten zien, horen en beleven. Zo wilde hij een bijdrage leveren aan 'het de-traumatiserings- en helingsproces van onze maatschappij'. Hiermee was een belangrijke perspectiefwisseling van het museum voltrokken. Voortaan werd het koloniale verleden bewust bezien vanuit het hier en nu, zoals op de tentoonstelling werd onderstreept in de *video wall* waarmee werd geopend. Een scala aan mensen van de Antillen en Aruba, en uit Suriname, Ghana, Nigeria en Nederland, politici, historici, bekende Nederlanders, zwarte rolmodellen, jongeren, daklozen en junkies legden korte statements af over onafhankelijkheid, kolonisatie en verzet.

De omgekeerde chronologie van het heden naar het verleden was de uiterste consequentie van de ontwikkeling die het museum in 1964 had ingezet. Het museum ontwikkelde zich van beheerder van een verzameling die in het verleden was vergaard door allerhande verzamelaars, wetenschappers en museumprofessionals tot een instelling die de eigen taak en rol in de samenleving om andere culturen te verbeelden opnieuw uitvond. De plaats van amateurverzamelaars, evangelisten en kunstliefhebbers werd ingenomen door westers opgeleide conservatoren en door (gast) curatoren zoals Djajasoebrata en De Rooy, die kennis combineerden met ervaringsdeskundigheid. De presentatievormen werden uitgebreid met lezingen, discussieavonden en interactieve publieksprogramma's. Gastcuratorschap ontwikkelde zich tot een probaat instrument om de beoogde perspectiefwisseling te blijven actualiseren, en in de collectievorming werd ruimte gemaakt voor westerse populaire cultuur over niet-westerse culturen. De focus van verzamelen en presenteren, tot slot, verlegde zich van daar en toen naar hier en nu, van koloniaal naar postkoloniaal.

POSTKOLONIALE VERHALEN OVER WERELDKUNST

Deze verschuiving van koloniaal naar postkoloniaal was zeker niet alleen voorbehouden aan het Wereldmuseum, al werden in Rotterdam de bijbehorende ontwikkelingen soms eerder ingezet en waren ze structureler van karakter.[46] Alle volkenkundige musea in Nederland moesten zich na de dekolonisatie beraden op hun verzamelingen. Net als in Rotterdam waren de voormalige koloniën bij de meeste volkenkundige musea aanvankelijk uit de aandacht verdwenen, al was het maar omdat systematisch verzamelen in Indonesië door de slechte politieke verhoudingen lange tijd geen optie was.[47]

Het (internationale) debat over het koloniale verleden groeide en bereikte in voormalig koloniserende landen de politiek en het cultuurbeleid over gemeenschappelijk cultureel erfgoed. De discussie ging niet alleen over schuld en excuses, maar ook over de groeiende multiculturaliteit van de zogenaamde moederlanden ten gevolge van de dekolonisatie, een discussie die in Nederland culmineerde in de cultuurnota *Ruim baan voor culturele diversiteit* (1999). Demissionair staatssecretaris Rick van der Ploeg stelde daarin dat het gesubsidieerde culturele aanbod en de publieke belangstelling daarvoor een te eenzijdig beeld gaven van de Nederlandse samenleving: 'In dit land en ook in andere westerse landen maken we een hiërarchisch onderscheid tussen westerse en niet-westerse kunst, hoge en lage kunst en professionele en amateurkunst. [...] door dit perspectief ontstaan blinde vlekken'.[48] Van der Ploeg kondigde vervolgens aan voor de periode 2001-2004 extra budgetten binnen de cultuurbegroting vrij te willen maken voor Culturele Diversiteit en Nieuw Publieksbereik ter hoogte van 40 tot 60 miljoen. Deze stevige (financiële) aansporing namen de Rotterdamse musea ter harte en al dan niet steunend op postkoloniale overwegingen zetten ze een nieuwe koers in, onder de noemer 'wereldkunst' dan wel culturele diversiteit en met een bijbehorend mondiaal of juist lokaal perspectief.

Museum Boijmans Van Beuningen koos voor een mondiale invalshoek op 'wereldkunst' en Museum Rotterdam (voorheen Historisch Museum Rotterdam) voor een lokale kijk op maatschappelijke diversiteit.[49] Al enkele jaren eerder had Museum Boijmans Van Beuningen zich in de postkoloniale discussie gemengd met de expositie *Pavillon du Maroc. Visies op Marokkaans gebruiksaardewerk* (1998). Hierin stelde het museum het koloniale onderscheid aan de kaak tussen het verzamelen en het exposeren van Europees en Noord-Afrikaans gebruikskeramiek in volkenkundige en kunstmusea.[50] Illustratief was de opstelling met, op esthetische kwaliteit geselecteerd, Marokkaans aardewerk afkomstig uit het Musée National des Arts d'Afrique et d'Océanie in Parijs. Eerder was deze selectie aardewerk getoond op de Parijse *Exposition Coloniale* in 1931. Naast deze opstelling was een collectie Marokkaans aardewerk van het Wereldmuseum te zien, dat in 1958 als gebruiksgoed was geëxposeerd in de tentoonstelling *Souq. Markt in Marokko* door gastcurator Herman Haan. Het maakte in één oogopslag duidelijk wat destijds als kunst werd gezien en wat als etnografica, wat voor schoonheid stond en wat voor alledaagse functionaliteit. Tegelijkertijd liet de tentoonstelling zien dat de vormgeving van mediterrane keramiek een gedeelde geschiedenis heeft in Europa, Noord-Afrika en de Arabische wereld.

Kort daarop, in 2001, nodigde Museum Boijmans Van Beuningen twee gastconservatoren uit, Salah Hassan en Iftikar Dadi. Deze experts op het gebied van Afrikaanse kunst en Afrikaanse diaspora-kunstgeschiedenis en van contemporaine kunst van Zuid-Azië en het Midden-Oosten en hun diaspora's, stelden een tentoonstelling samen met achttien internationale diasporakunstenaars, die zij de vraag voorlegden 'hoe Europees is Europa eigenlijk'. In het resultaat, *Unpacking Europe, Towards a critical reading*, was Europa 'de ander' en lag het zwaartepunt op 'Oost' en 'Zuid' in plaats van op 'West' en 'Noord'. Bestaande en nieuwe werken van Yinka Shonibare, Fred Wilson, Ni Haifeng, Maria Magdalena Campos-Pons en anderen presenteerden een radicaal andere blik op de (tentoonstellings)geschiedenis van de beeldende kunst en vormgeving.[51] Fred Wilson bijvoorbeeld gaf een aantal kunstwerken en voorwerpen uit de museumcollectie nieuwe labels. Een schilderij van Picasso kreeg als bijschrift *Made in Africa* en een vitrine met Europees glaswerk, vorken en molens *Made in the Middle East*. Gastcurator Iftikar Dadi legde *Unpacking Europe* als volgt uit: 'In vijfhonderd jaar heeft Europa – of meer algemeen, het Westen – de rest van de wereld overheerst en verregaand beïnvloed. In geografische zin, door de koloniën die het zich toe-eigende. En in ideologische zin, door het culturele erfgoed dat Europa als het hare beschouwt, als norm te verkondigen.'[52] *Unpacking Europe* legde daarentegen het accent op de Europese wortels in oude beschavingen buiten het Europese continent, van Afrika tot Rusland en Midden-Amerika, waardoor het onhoudbaar was om van 'wij' en 'zij' te spreken. *There are no 'them' and 'us', if 'we' are 'them'*, aldus kunstenaar Fred Wilson.

In dezelfde lijn verbeeldde de Brits-Nigeriaanse kunstenaar Yinka Shonibare in zijn solotentoonstelling *Double Dutch* (Museum Boijmans Van Beuningen, 2004) hoe op de golven van het westerse imperialisme Oost, West, Noord en Zuid elkaar beïnvloedden. Hij stelde installaties samen met karakteristiek geklede paspoppen in Europees-Victoriaanse stijl, uitgevoerd in waxprintstoffen uit Afrika, gemaakt door Vlisco in Helmond en geïnspireerd op Indonesische batiks.

Elias van Nijmegen (1667-1755), Betimmering en negen behangsels uit het huis van Josua van Belle II (1680-1738), 1730-1733, Leuvehaven 103. (Museum Rotterdam)

Museum Rotterdam bewaart een deel van de betimmering en geschilderde behangsels van een achttiende-eeuws Rotterdams herenhuis. De voorstellingen, vervaardigd tussen 1730 en 1733 door kunstenaar Elias van Nijmegen, verwijzen naar Jozua, de Bijbelse leider van de Israëlieten en opvolger van Mozes, die met het Israëlitische volk het land Kanaän veroverde. Dezelfde naam droeg de opdrachtgever van deze betimmering, de Rotterdamse koopman Josua II van Belle (1680-1738), die van 1706 tot 1738 bewindvoerder was van de VOC-kamer van Rotterdam. Josua II was de rijke erfgenaam van Josua I (1637-1710), die zijn fortuin internationaal had vergaard door op de handelsactiviteiten van zijn vader voort te bouwen. Grootvader Jacob van Belle (1595-1661) was een Rotterdamse hoedenmaker die handeldreef op Spanje; zijn zoons Josua I en Pieter leidden samen jarenlang een handelshuis in goederen, koopmanschappen en effecten in Sevilla. Nadat Josua I in 1673 naar Nederland was teruggekeerd wist Pieter op Curaçao van de Spaanse koning een subcontract voor het zogenaamde slaven-*asiento* te verwerven. Daarin stond vastgelegd dat jaarlijks 3000 slaafgemaakten aan de Spaans-Amerikaanse koloniën moesten worden geleverd. De West-Indische Compagnie verzorgde het transport en raakte actief betrokken bij de zogenaamde *asiento de negros*.

Terug in Rotterdam vervulde Josua I belangrijke bestuurlijke posities, zoals bewindvoerder van de plaatselijke VOC-kamer en burgemeester van Rotterdam. Hij was ook een verwoed kunstverzamelaar en legde een collectie van circa 250 schilderijen aan van onder anderen Titiaan, Tintoretto, Bruegel, Brouwer, Rubens, Vermeer en Rembrandt. Veel van deze werken zijn later door Josua II verkocht om er de betimmering en de beschilderde behangsels van zijn huis mee te kunnen betalen. Hiervan is een deel bewaard gebleven, omdat het tijdens het bombardement van Rotterdam in mei 1940 opgeslagen lag in een depot buiten de stad. Studenten Kunstgeschiedenis van de Universiteit van Amsterdam hebben in opdracht van het museum op basis van nader onderzoek in 2011 een reconstructie van de ontvangstkamer gemaakt.

Shonibare's installaties lieten zien hoe door de voortschrijdende globalisering alles en iedereen hybride wordt, zwart én wit, mannelijk én vrouwelijk, homo- én heteroseksueel, trans- én monocultureel.

De diaspora- en wereldkunst die *Unpacking Europe* en *Double Dutch* presenteerden, brachten in het museum een bewustwordingsproces over etnocentrisme op gang. Het leidde ook tot een verandering in het publieksbeleid. Het museum ging zich inzetten om nieuwe publieksgroepen met uiteenlopende culturele achtergronden bij zijn activiteiten te betrekken. Maar de veel oudere discussie over westerse en niet-westerse kunst werd door het museum wel in eigen kring van kunstmusea, maar nauwelijks met het Wereldmuseum gevoerd. Kunstcritici constateerden tien jaar na *Double Dutch* dat de beide typen musea naar elkaar waren toe gegroeid.[53] Met name het Wereldmuseum organiseerde al een aantal decennia exposities van contemporaine kunstaankopen uit Afrika en nieuwe aanwinsten op het gebied van kalligrafie. *Metropolis M, Tijdschrift over hedendaagse kunst*, sprak van autonome manifestaties van een 'allesomvattende, esthetische wereldcultuur', in tegenstelling tot exposities van kunstmusea die juist 'de etnogeografische oriëntatie van het kunstwerk en de culturele identiteit van de kunstenaar' centraal stelden.[54] Dergelijke initiatieven hadden echter nog niet geleid tot een fundamentele discussie over westerse kunst en 'wereldkunst' en de criteria die daarbij golden. De weg naar een nieuw perspectief dat voorbij de koloniale zienswijze in de verzamel- en presentatiepraktijk ging, was kortom rond de laatste eeuwwisseling nog niet helemaal gelopen.

VIA CULTURELE DIVERSITEIT NAAR SUPERDIVERSITEIT EN GROOTSTEDELIJKHEID

Museum Rotterdam koos een ander pad dan Museum Boijmans Van Beuningen en concentreerde zich niet zozeer op de doorwerking van een koloniaal verleden als wel op de eigentijdse superdiverse stad. Het ontwikkelde een nieuwe verzamel- en presentatiepraktijk, vanuit een positie als netwerkmuseum. Het stippelde een hedendaags erfgoedprogramma uit dat mensen wil verbinden, met elkaar, met hun Rotterdamse heden, en met hun verleden zoals dat gestold en bewaard in de museumcollectie lag. Museum Rotterdam stelde een *urban curator* aan, ging letterlijk de stad in, en legde zich toe op 'participerend verzamelen'. Dat leidde in 2009 tot het vierjarige project *De stad als muze*: een systematische verkenning van bijzondere ontwikkelingen in de stad zoals die in nauwe samenwerking met uiteenlopende groepen buurtbewoners werden onderzocht en verzameld. De resultaten werden in het museum getoond, maar vooral in allerlei buurtlocaties. Zo'n stads-antropologisch onderzoek begon bijvoorbeeld met verbazing over een uithangbord van döner aan de façade van een Poolse winkel, die werd gedreven door een Turkse Rotterdammer. Wat hij eerst niet wist, was dat zijn winkel naast een van de grootste Poolse kerken in Nederland zat. Totdat hij op zaterdagen en zondagen veel Poolse gezinnen en arbeidsmigranten over de vloer kreeg. Hij begon Poolse producten te verkopen, noemde de winkel *Stokrotka* en werd in 2011 opgenomen in het netwerk en het onderzoeksarchief van het stadsmuseum.

Sinds deze en vele andere verkenningen van *De stad als muze* is de participatie van Rotterdammers in museumactiviteiten toegenomen. In het project *Echt Rotterdams Erfgoed* dat sinds 2016 loopt, strekt de participatieve werkwijze zich uit tot het verzamelproces en de collectievorming. Alle Rotterdammers gelden als ervaringsdeskundige erfgoedmakers en een speciaal aangestelde 'Raad Echt Rotterdams Erfgoed' beslist samen met museumbezoekers wat eigentijds erfgoed is. De Raad verzamelt een nieuw verhalen- en voorwerpencorpus over Rotterdammers en het Rotterdam van nu. Het is geen traditionele, fysieke collectie, maar een dynamische erfgoedlijst met individuen, gemeenschappen en initiatieven die voor de stad kenmerkend zijn. Op nummer drie bijvoorbeeld staat momenteel burgemeester Aboutaleb, op vier Dr. Mau de Sambalman. Die laatste maakte thuis sambal naar recepten uit Suriname en verkocht die op de fiets op straat, op terrassen en in cafés – totdat de gemeente in 2017 een ventverbod instelde. Op een gedeelde zesde plaats staan de Giovanni van Bronckhorst Foundation en Khalid Chennouf, oud-wereldkampioen karate van Marokko, die nu in Rotterdam thaiboks-trainer is van de jeugd in het Oude Westen.

Behalve de collectievorm is dus ook de collectievorming van karakter veranderd. Echt Rotterdams Erfgoed wordt ook geen museumbezit, want Museum Rotterdam ziet de hele stad als museum en biedt die collectie een podium, in eigen huis en op locatie, in Verhalencafés bijvoorbeeld. Zo'n bijeenkomst is geen professionele theatershow-op-locatie, maar 'een platform voor de expressie van culturen en het erfgoed van de stad. [...] Het weerspiegelt hoe we met elkaar samenleven.'[55] De rol van het museum is volgens dit concept niet langer verzamelen en bewaren, maar het actief volgen van de levende collectie in Rotterdam via Rotterdamse mensen, organisaties en bewegingen met sociale impact op de stad.

Krachtvrouwen Oude Westen, Echt Rotterdams Erfgoed *nr. 11.*
(Museum Rotterdam, foto Wijnand Groenen)

Krachtvrouwen Oude Westen staan op nummer 11 van de inventarislijst van *Echt Rotterdams Erfgoed*, een 'collectie' waarmee Museum Rotterdam sinds 2016 een nieuwe manier van verzamelen is gestart. Aangedragen en geselecteerd door Rotterdammers legt het museum met *Echt Rotterdams Erfgoed* een actieve collectie van de stad aan van verhalen en voorwerpen die Rotterdamse pioniers op allerlei gebied belangrijk vinden en waarmee het museum vernieuwingsprocessen wil volgen. Deze erfgoedlijst is bedoeld als een weerspiegeling van grootstedelijk Rotterdam waarin koloniale en mondiale connecties een onmiskenbare rol spelen. Een van de criteria van Museum Rotterdam om op de erfgoedlijst terecht te komen is openstaan voor verbinding met andere groepen en gemeenschappen.

Krachtvrouwen Oude Westen werd opgezet door Amina Ali Hussen, hier op de foto te zien met het Keurmerk van Echt Rotterdams Erfgoed. Zij ondervond aan den lijve dat het voor vrouwen die hier niet zijn opgegroeid moeilijk is om een nieuw leven op te bouwen. Met de *Krachtvrouwen Oude Westen* wilde Hussen vrouwen stimuleren om de controle over hun leven in eigen hand te nemen, de straat op te gaan en elkaar te leren kennen. Haar initiatief illustreert hoe mensen met verschillende achtergronden samenwerken om elkaar en de stad te versterken. De krachtvrouwen komen wekelijks bij elkaar, bespreken problemen rond opvoeding, armoede en huiselijk geweld én doen mee aan een vast programma. Zo koken zij bijvoorbeeld, want 'culturen praten via hun pannen. Als mensen samen koken komt het gesprek vanzelf', aldus Hussen.* Er worden ook taallessen gegeven en inmiddels hebben de vrouwen een eigen kledinglijn, gemaakt van Afrikaans geïnspireerde waxprints. Met de inkomsten kunnen ze tegenwoordig de huur van hun pand betalen. Twee kledingstukken zijn niet meer voor de verkoop, ze worden geëxposeerd in het museum en worden waarschijnlijk ook opgenomen in de museumcollectie.

* Van Dijk, *Echt Rotterdams Erfgoed*, deel 1, 40.

Een ander nieuw verhalenconcept ontstond in 2013: *Verhalenhuis Belvédère* op Katendrecht, het eerste huis in Nederland dat immaterieel erfgoed opspoort en zichtbaar maakt.[56] Het doel is om zo veel mogelijk mensen met elkaar en met de stad te verbinden door middel van cultuur, kunst en (persoonlijke) verhalen. Zowel het Verhalenhuis Belvédère als Museum Rotterdam ontwikkelen voor hun erfgoedwerk nieuwe verzamel- en presentatievormen, variërend van buurtontbijten en (luister)voorstellingen tot (stads)ontdekkingstochten en inspiratieprogramma's. Het Verhalenhuis bedacht bijvoorbeeld *De Volkskeuken*: eet- en ontmoetingsavonden zoals *De Volkskeuken van Peggy Wijntuin (Rotterdam–Suriname),* waarin de (culinaire) geschiedenis van de hedendaagse stad wordt opgediend. Het Verhalenhuis werkt ook samen met musea in de stad om gezamenlijk nieuwe verbindingen te leggen tussen bestaande collecties en nieuwe persoonlijke verhalen.

Ogenschijnlijk passen de nieuwe collecties en programma's van Museum Rotterdam en Verhalenhuis Belvédère niet in de postkoloniale lijn. Maar veel van de verhalen en voorwerpen hebben wel degelijk een koloniale connectie, omdat een groot deel van de Rotterdamse verhalenvertellers nu eenmaal een koloniale achtergrond heeft. Zij vertellen nieuwe verhalen over hun leven nu, hoe hun persoonlijke geschiedenis hen heeft gevormd, om altijd weer in het heden uit te komen of zelfs verder te gaan in de toekomst. En daarmee geven ze een nieuw inzicht in de nawerking van koloniale verhalen en in andere, eigentijdse verhalen. Zo beschouwd is het postkoloniale perspectief, via superdiversiteit, opgegaan in een grootstedelijk perspectief waarin het koloniale verleden per definitie is geïntegreerd in het nieuwe oeuvre aan actuele verhalen. De begrippen verzamelaars en collectievorming zijn hierbij opgerekt tot alle Rotterdammers en tot alle verhalen die zij kiezen en als potentiële gastcuratoren presenteren. En zo zijn voor een netwerkmuseum en een verhalenhuis de begeleidende discussieprogramma's van weleer in een veel grotere variatie aan samenkomsten uiteindelijk het hoofdprogramma geworden.

GROOTSTEDELIJKHEID, VIA EEN LANGE OMWEG

En het Wereldmuseum, waar bleef dat in deze turbulente ontwikkeling tot superdiversiteit en grootstedelijkheid? Het ontwikkelde zich evengoed tot grootstedelijke verhalenverteller, alleen via een wat andere weg. In 1986 veranderde het zijn naam in Museum voor Volkenkunde (zonder Land!) en in 2000 in zijn huidige, nog typerender naam: Wereldmuseum. Het stelde in 1992 een beleidsmedewerker Cultuurontmoetingen aan met als nogal ruim werkterrein de 'wisselwerking tussen wereldwijde ontwikkelingen en de Rotterdamse/Nederlandse samenleving'.[57] Een voor deze veranderingen kenmerkende tentoonstelling was *Het reispaleis* (1994), een expositie voor kinderen die vanuit een Rotterdams plein naar de herkomstculturen van de pleinbewoners voerde, naar Suriname, Turkije, Marokko, Friesland en Brabant. Migratie was ook het onderwerp van de expositie *Rotterdammers* (1999), waarin tien familieportretten de Rotterdamse migrantengeschiedenis van onder anderen Italianen, Zeeuwen, Turken en Bosniërs in de twintigste eeuw illustreren.[58] De ouderen vertellen hoe ze hier zijn beland; de jongeren kijken vooruit en maken plannen voor hun toekomst. Behalve dat *Rotterdammers* een groot succes was, zette het ook de eerder ingezette discussie op scherp waarom eigenlijk de Rotterdamse migrantengeschiedenis door het Wereldmuseum werd behandeld en niet door Museum Rotterdam. Macht der gewoonte. De culturen van de grootste groepen migranten hoorden van oudsher tot het werkgebied van het Wereldmuseum en dat gold sindsdien ook als die culturen in Rotterdam waren gevestigd. Museum Rotterdam liet het zo, maar niet voor lang. Van het filmische vervolg van de migrantenfamilies uit *Rotterdammers* dat in 2010 werd gemaakt, was Museum Rotterdam de opdrachtgever.

Een van de vele en soms ook tegengestelde koersveranderingen die het Wereldmuseum inzette was rond de eeuwwisseling meer aandacht voor de culturele diversiteit van Rotterdam. Eerst streefde het museum naar meer inhoudelijke afstemming met de twee volkenkundige musea in Amsterdam en Leiden. Zelf gaf het alvast prioriteit aan Afrika en het islamitisch cultuurgebied, ten koste van Azië. Dit beleid veranderde onder het directeurschap van Stanley Bremer, van 2001 tot 2015. Hij had plannen om van het Wereldmuseum een gespecialiseerd museum voor Aziatische kunst te maken. Daarin was nauwelijks ruimte voor de koloniale geschiedenis van de stad of voor de Rotterdamse bevolkingsgroepen die uit dat verleden voortkwamen, terwijl zij juist al decennia werden gezien als belangrijke publieksgroepen van het museum. Bremers plannen hadden überhaupt geen connectie met volkenkundige, postkoloniale of op culturele diversiteit georiënteerde doelstellingen. Hij dacht zich een volstrekt nieuwe koers te kunnen veroorloven, omdat 'zijn' nieuwe museum niet van subsidies afhankelijk zou zijn. Het zou zich gaan bedruipen met de inkomsten van een sterrenrestaurant, een *high end* museumwinkel en muzikale soirees, met in de nabije toekomst een reisbureau, een datingservice en een boetiekhotel, en vooral met de opbrengsten van een grootscheepse ontzameling van de Afrikaanse en Amerikaanse collecties. De nieuwe koers zette grote delen van de museumcollecties op nonactief; op de vaste opstelling van 'museumschatten' na bestond het tentoonstellingsprogramma alleen nog uit overnames en exposities met bruiklenen van particulieren. Die gang van zaken bracht het museum aan een financiële afgrond en werd pas gekeerd door de gemeente Rotterdam, onder druk van de Publieksactie Wereldmuseum.

In 2017 werd het Wereldmuseum opgenomen in een samenwerkingsverband met het Nationaal Museum van Wereldculturen (NMVW), dat in 2014 was gevormd door het Tropenmuseum, het Museum voor Volkenkunde in Leiden en het Afrikamuseum in Berg en Dal. Onder die paraplu hervatte het Wereldmuseum de eerder ingezette perspectiefverschuiving naar mondiale ontwikkelingen en hun doorwerking in Rotterdam. Na een ingrijpende renovatie verscheen *Superstraat* (2020), een expositie voor kinderen die, anders dan *Het reispaleis,* de kinderen in het hier en nu van grootstedelijk Rotterdam houdt en toont hoe de stad onderling en met de wereld is verbonden. Zo laat bijvoorbeeld een van de 'bewoners' van *Superstraat,* een graffitiartiest, zich niet alleen inspireren door zijn Indonesische afkomst maar evenzogoed door street art en Chinese en Arabische kalligrafie.

Een tweede tentoonstelling in hetzelfde jaar was *Dossier Indië, Anders kijken naar koloniale fotografie (1840-1949)* van eerdergenoemde Thom Hoffman. Hij selecteerde ruim driehonderd foto's uit de beeldarchieven van diverse erfgoedinstellingen en -collecties, gemaakt door Europese, veelal Nederlandse fotografen, en combineerde die met films en persoonlijke verhalen.[59] De vroegste foto's creëren een droombeeld van een gelukzalig en onveranderlijk Indië, dat pas in de twintigste eeuw wordt verdrongen door een scherper beeld van Indië als wingewest met z'n ongelijke maatschappelijke verhoudingen, geweld en racisme. *Dossier Indië* brengt de vele koloniale oorlogen in beeld en eindigt met de Onafhankelijkheidsoorlog, 1945-1949. Voor de ruim 300.000 'repatrianten' – Indische Nederlanders, Molukkers, Indische Chinezen – die deze geschiedenis meemaakten, eindigde de koloniale periode echter niet in 1949 maar met hun vertrek naar Nederland tussen 1945 en de jaren zestig. Hun verhaal blijft grotendeels buiten beeld, omdat de expositie het perspectief verschuift van Nederlandse kolonialen naar gekoloniseerde Indonesiërs en dan is 1949 een min of meer logische einddatum.[60]

Buiten beeld van *Dossier Indië* blijft ook de laat-koloniale, hybride Indische samenleving, die ruim voor de Tweede Wereldoorlog in de kolonie was ontstaan. Aan deze dynamische kosmopolitische samenleving werd door veel meer groepen en individuen deelgenomen dan 'de Indonesiërs' en 'de Hollanders'. Het persoonlijke en maatschappelijke leven van hen allen werden behalve door ras ook door geld, status, opleiding en netwerken bepaald. Zij hielden er een in veel opzichten kosmopolitische levensstijl op na. Voor hen golden ook andere normen dan alleen de 'koloniale' en er leefden onder hen ook andere politieke opvattingen en mogelijk andere politieke constructies dan alleen een nieuwe Indonesische en een aanmerkelijk ingekrompen Nederlandse natiestaat. Maar die diverse vooroorlogse samenleving is 'in de vertaling naar de postkoloniale natiestaat verloren gegaan. Er is geen ruimte meer voor, niet in Nederland en niet in Indonesië'.[61] In de verder voornamelijk lovende reacties op *Dossier Indië* klinkt deze kanttekening door in een blog van een van de sprekers van de publieksgesprekken-op-zaal:

> Het is jammer dat zo'n in potentie interessant en vruchtbaar perspectief niet ten volle is benut. De tentoonstelling blijft, ondanks alle goede bedoelingen de kijker zijn blik 'anders' te sturen, te vaak hangen in oppervlakkigheid en soms in ronduit traditioneel koloniale perspectieven.[62]

Het hier genoemde driedelige publieksprogramma droeg de titel *Blinde vlekken* en daarin onderzochten specialisten in koloniale geschiedenis, Indische letteren en postkoloniale literatuur samen met het publiek de perspectieven en (onbewuste) stereotypen van *Dossier Indië*. De achterliggende vraag was hoe de verschillen in visies op het gezamenlijke verleden van Nederland en Indonesië te overbruggen zijn. De werkvormen daarvoor zijn al gekozen: een voortgaande gedachtewisseling tussen alle 'partijen', samenwerking met relevante instellingen, zoals in dit geval het Indisch Herinneringscentrum, en nauw contact met sprekers en 'beeldmakers' van jongere generaties. Zij zijn bij uitstek de potentiële ervaringsdeskundigen van 'dekoloniaal herinneren' en daarmee ook veelbelovende vertellers van grootstedelijke verhalen. Stuwende kracht achter het bewustwordingsproces van blinde vlekken is het Research Center for Material Culture van het NMVW, dat sinds enige jaren een belangrijke bijdrage levert aan het proces van *decolonizing the museum*. In dit voetspoor loopt het Wereldmuseum mee.

NIEUWE VERHALEN EN VERHALEN IN DE MAAK

De uitdrukking 'dekoloniaal herinneren' is in het Wereldmuseum geïntroduceerd door Quinsey Gario. Hij is een van de vier kunstenaars in de expositie *Identities, Contemporary Caribbean Perspectives* (2020), die is samengesteld door gastcurator en kunstenaar Sara Blokland.[63] Alle vier presenteren zij oud en nieuw werk waarin geschiedenissen van het Caribische gebied een inspiratiebron zijn. Performance-dichter en beeldend kunstenaar Quinsey Gario onderzoekt het gewelddadige element van koloniale verhoudingen en de kennis daarover: hoe is die verworven, hoe wordt ze doorgegeven, door wie, en welke rol spelen verhalen en ambachten daarbij? Zijn opstellingen van objecten uit de museumcollectie, film en zelf verzamelde objecten uit het Caribisch gebied weerspiegelen een proces van 'dekoloniaal herinneren' dat leidt tot nieuwe verbeeldingen en vertellingen en een nieuwe belevenis van (post)koloniale geschiedenis.

De bijdrage van het museum aan dit proces bestaat uit de dekolonisatie van de eigen collecties, onder meer door de daarover vertelde verhalen meerstemmig te maken en in grootstedelijke context te plaatsen. Zo is het museum in 2018 een *Extended Family* begonnen met jonge creatieve Rotterdamse makers uit de stad, met beeldend kunstenaars, theatermakers, (mode)ontwerpers, culinair specialisten en muzikanten. Samen met hen verkent het museum 'de verschillende manieren waarop de wereldwijde culturele dynamiek van globalisering, kolonialisme, migratie of religieuze en spirituele vorming bijdraagt aan de identiteit van de stad en de leefwereld van de mensen die erin leven'.[64] Het *Meerjarenbeleidsplan Wereldmuseum Rotterdam 2021-2024* spreekt van jaarlijkse bijeenkomsten en van publieksactiviteiten van de Extended Family en dat voorspelt weer nieuwe interpretaties, betekenissen en verhalen rond de museumcollectie.[65]

Wat verder nog wordt verwacht zijn activiteiten die met een zijlijn aan dekolonisatie zijn verbonden, via thema's als herkomstonderzoek en restitutie van voorwerpen. Het NMVW nam hierin het voortouw en stelde in samenspraak met collega's in binnen- en buitenland in 2019 een werkdocument op met aanwijzingen voor de indiening van restitutieclaims en de gronden waarop die zullen worden beoordeeld.[66] Het onderzoekt nu de eigen collectie op objecten waarvan kan worden vermoed dat die destijds als roofkunst zijn verworven en verhandeld.

De inzet is om zich ook open te stellen voor claims van objecten van bijzonder nationaal, cultureel of maatschappelijk belang voor het herkomstland. Het NMVW staat hierin niet alleen, aan het herkomstonderzoek doen ook instellingen als het NIOD mee. De bedoeling is met concrete claims aan de slag te gaan en werkenderwijs een museumsectorbrede aanpak te ontwikkelen voor het teruggavebeleid, met de kanttekening dat het ministerie van OCW als eigenaar van de museumcollecties het laatste woord heeft, zoals bij het Wereldmuseum de gemeente Rotterdam uiteindelijk beslist. Volgens zijn *Collectiebeleidsplan 2021-2024* geeft het museum in de komende jaren prioriteit aan herkomstonderzoek.[67] De bijbehorende verhalen over restitutie en wat de herkomstlanden er daarna mee gaan vertellen zijn nog te groen om nu al verteld te worden; zij vallen bovendien grotendeels onder een andere regie dan die van het Wereldmuseum. Het is de vraag of en hoe Nederland en Rotterdam in die verhalen zullen voorkomen, wanneer die 'ander' zelf het woord neemt.

Een kans voor nieuwe verhalen over de koloniale doorwerking van de geschiedenis ligt ook in de vele objecten die zich in verschillende Rotterdamse musea bevinden en die tot nu toe zelden in (gezamenlijke) tentoonstellingen werden samengebracht. Museum Rotterdam, Wereldmuseum en Boijmans Van Beuningen zijn van plan om de komende jaren presentaties samen te stellen rond de koloniale connecties van hun collecties en de resultaten van het onderzoek naar het koloniale en slavernijverleden van Rotterdam. De musea zouden gebaat zijn bij gezamenlijke continuering van het onderzoek naar de gedeelde geschiedenis, die besloten ligt in alle Rotterdamse koloniale collecties. Met als uitkomst meer verdieping en gelaagdheid van toekomstige tentoonstellingen.

A NEVER ENDING STORY

Verzamelingen, vertellers en verhalen, dit zijn de drie rode draden in 'Een verhaal zonder einde, Koloniale collecties in Rotterdam'. Om er meer zicht op te krijgen zijn de draden in dit artikel doorgetrokken, of beter gezegd ontwikkeld. Want de drie lopen door elkaar, zowel in tijd als naar inhoud. Door de focus te leggen op verschillende collecties en op een aantal voorwerpen uit Rotterdamse musea zijn verschillende perspectieven zichtbaar

Twee negentiende-eeuwse singha's, beschilderd hout, pate en metaal, Lombok, Indonesië. (Wereldmuseum Rotterdam, WM-24123, WM-24124)

Deze *singha's*, mythologische leeuwen die in Indonesië fungeerden om te beschermen en het kwaad te weren, zijn in 1917 aan het Wereldmuseum in bruikleen gegeven en in 1920 alsnog geschonken. Hoewel de schenker bekend is, A.C. Grützner uit Soerabaja en Amsterdam, was er geen verdere documentatie te vinden en bleef de herkomst van de beelden lange tijd onbekend. Totdat Ewald Vanvugt onderzoek deed naar de oorlogsbuit op Lombok en in *De schatten van Lombok* (1994) vermeldde dat deze singha's in 1894 zijn buitgemaakt door soldaten van het toenmalige Nederlands-Indische leger en tot die tijd aan weerszijden van de hoofdingang van het vorstenverblijf op Lombok hebben gestaan. De bronnen die hij hiervoor had geraadpleegd, noemde hij echter niet. Wel maakte hij een opmerking over het museum: 'Wie in Rotterdam de schoonheid van de twee Leeuwen van Lombok ziet, hoeft van de leiding van het Volkenkundig Museum niets te weten van hun herkomst.'*

In een publicatie uit 2000 over de museumschatten noemde het Wereldmuseum de herkomst van de singha's wel, maar net zo summier als Vanvugt.** In 2005 is in de museumregistratie een verwijzing naar Vanvugts onderzoek opgenomen.

Door hoeveel en welke handen deze beelden tussen 1894 en 1917 zijn gegaan, behalve die van de schenker Grützner, is nog steeds onbekend. Wel is zeker dat de beelden van 129 cm hoog niet zomaar onder de arm mee te nemen waren, dat ze niet volgens voorschrift bij de legerleiding zijn ingeleverd en in de illegale handel terecht zijn gekomen. In het toekomstige herkomstonderzoek, waaraan het Wereldmuseum volgens hun *Collectiebeleidsplan 2021-2024* prioriteit wil geven, zullen deze singha's ongetwijfeld worden betrokken.

* Vanvugt, *De schatten van Lombok,* 115.

** *De Schatten van het Wereldmuseum Rotterdam*, 37.

gemaakt waarmee in de loop der tijd naar koloniale voorwerpen is gekeken: vanuit cultuurhistorisch, kunsthistorisch en eigentijds perspectief op etnografica of kunst of populaire cultuur, of combinaties daarvan. De particuliere verzamelaars van koloniale objecten die in de negentiende eeuw met mooie spullen en verhalen thuiskwamen kregen allengs gezelschap van semi-beroepsvertellers als zendelingen en wetenschappers en van prof-vertellers bij musea. Eind twintigste eeuw kwamen daar nog veel meer vertellers bij, mensen met ervaringskennis van koloniale en slavernijgeschiedenis, buurtbewoners met eigen verhalen, jongere generaties die anders vertellen en ook andere dingen willen vertellen.

Met de vertellers veranderden de verhalen. Eerst gingen ze over natuurvolken, oude oosterse beschavingen, over lacunes in de koloniale en slavernijgeschiedenis, over daar, maar ook toen al – ongewild en onbewust – over hier. De museale verhalen gingen over culturele wisselwerking, wereldculturen en grootstedelijkheid, en behalve over toen, ook over het nu en wat er nog gaat komen. Zo groeiden met steeds meer voorwerpen, met 'iedereen' als verteller, met uiteenlopende perspectieven en nieuwe thema's de verhalen over culturen exponentieel mee. Ze werpen nu niet meer alleen een blik op het verleden, maar ook op de toekomst; ze gaan nu niet meer alleen over anderen, maar over iedereen. En ze worden niet meer door één enkele vertelinstantie gepresenteerd, maar zijn meerstemmig: *multiple histories* verwijzend naar *multiple realities* van evenzoveel vertellers van *a never ending story. Juicy.*

NOTEN

1 Voor dit artikel heeft een groot aantal mensen ons waardevolle adviezen gegeven. Met dank aan: Marieke Bloembergen (Universiteit Leiden), Anne Marie Boer (destijds gastcurator Wereldmuseum), Raymond Corbey (Universiteit Leiden), Francine Brinkgreve (Nationaal Museum van Wereldculturen), Anneke Djajasoebrata (destijds Wereldmuseum), Caroline Drieënhuizen (Open Universiteit), Sjouk Hoitsma (destijds Museum Rotterdam), Ingrid de Jager (Museum Rotterdam), Eline Kevenaar (Wereldmuseum), Paul van de Laar (Museum Rotterdam), Linda Malherbe (Verhalenhuis Belvédère), Sjoerd van den Meer (Maritiem Museum), Cees van den Meiracker (destijds Wereldmuseum), Thomas Polimé (destijds gastcurator Wereldmuseum), Arie van der Schoor (Gemeente Rotterdam), Jantje Steenhuis (Stadsarchief Rotterdam), Alex van Stipriaan Luïscius (Erasmus Universiteit Rotterdam), Annette de Wit (Maritiem Museum). En met speciale dank aan Edy Seriese (Indisch Wetenschappelijk Instituut/Indische Cultuur).

2 Uyttenbroek, *Etnomanie*, 2017.

3 Het Wereldmuseum heeft verschillende naamsveranderingen ondergaan, in dit artikel wordt alleen de naam Wereldmuseum gebruikt. In 1885 werd het geopend als Museum voor Land- en Volkenkunde, onder hetzelfde dak en dezelfde directeur als het Maritiem Museum Prins Hendrik. In 1948 verhuisde het Maritiem Museum; het Museum voor Land- en Volkenkunde bleef in het pand aan de Willemskade. In 1986 veranderde de naam in Museum voor Volkenkunde en sinds 2000 noemt het museum zich Wereldmuseum.

4 Uyttenbroek, *Etnomanie*, 2017.

5 Postkoloniaal wordt hier gebruikt in de betekenis die de kritische stroming binnen geesteswetenschappen, literatuur en politicologie eraan geeft, als kritiek die het westerse kolonialisme en de doorwerking ervan na de dekolonisatie blootlegt. Dekoloniaal verwijst naar een denkkader dat mensen in staat stelt om te herkennen hoe dynamieken van machtsverschillen, sociale uitsluiting en discriminatie zijn verbonden met koloniale geschiedenis en om kennis en kennisproductie te ontkoppelen van westerse perspectieven en nog gangbare koloniale waarden.

6 Twee van de vijftien objecten zijn afkomstig van de Atlas van Stolk en het Stadsarchief Rotterdam, als een vingerwijzing naar koloniale collecties bij andere instellingen dan musea.

7 Légène, *Spiegelreflex*, 29.

8 Idem, 29.

9 Drieënhuizen, *Koloniale collecties, Nederlands aanzien*, 16.

10 Gaba-Van Dongen et al., *Wie teveel omhelst*, 14-15.

11 Rijckevorsels hele Indische collectie telde 535 objecten, waarvan 291 wapens.

12 Dit artikel gebruikt de Indonesische geografische namen.

13 Gaba-Van Dongen et al., *Wie teveel omhelst*, 114.

14 Van Rijckevorsel heeft zijn verzameling oude drukken en geïllustreerde negentiende-eeuwse reisbeschrijvingen aan het Rotterdamsch Leeskabinet geschonken. https://www.eur.nl/campus/rotterdamsch-leeskabinet/collectie/bijzondere-collecties.

15 Lichtenauer, 'W.A. Engelbrecht', 315-322.

16 Kok, *De gereformeerde zending op Soemba*, 2019.

17 Zie voor de bruiklenen en schenkingen van Wielenga's Sumba-collecties de Jaarverslagen 1912, 1914 en 1921 van het Wereldmuseum, Stadsarchief Rotterdam.

18 Archief Wereldmuseum, Rotterdam, correspondentiemap Wielenga, brief van D.K.

Wielenga aan directeur J.W. van Nouhuys, Pajiti, 3-7-1919.

19 Hollander, *Een man met een speurdersneus*, 52.

20 Idem, 93.

21 America, *Zending op de wereldtentoonstelling*, 17.

22 *Catalogus van voorwerpen en modellen*, 1874.

23 Dirkse, 'Tentoonstellingen van missie en zending', 38-49.

24 Museum voor Land- en Volkenkunde, *Jaarverslag*, 1939.

25 Van Rijckevorsel, *Notitie van Nederlands-Indische Wapens, Kleedingstukken, enz.*, 1878.

26 Gaba-Van Dongen et al., *Wie teveel omhelst*, 104.

27 America, *Zending op de wereldtentoonstelling*, 22.

28 Van Wengen, 'Indonesian collections', 92.

29 Bloembergen, *De koloniale vertoning*, 92.

30 Idem, 90.

31 Idem, 91.

32 Idem, 93.

33 Gaba-Van Dongen et al., *Wie teveel omhelst*, 110.

34 De voorloper van het Museum voor Volkenkunde in Leiden was het Japansch Museum uit 1837. De geschiedenis van het Tropenmuseum begon in 1871 met het Koloniaal Museum in Haarlem. In 1910 werd het museum, na verhuizing naar Amsterdam, voortgezet onder de naam Vereeniging Koloniaal Instituut. In 1950 werd het omgedoopt tot Tropenmuseum.

35 Légène, *Spiegelreflex*, 129.

36 Groenevelt correspondeerde over dit project vrijelijk met het museum. De reactie van conservator Jansen is jammer genoeg niet bewaard gebleven.

37 Zie voor ontwikkelingen in het museale beleid van het Wereldmuseum: Faber, Van der Linden en Wassing (red.), *Schatten van het Museum voor Volkenkunde*, 9-11.

38 Overigens aanvankelijk aangesteld in de rang van assistent-conservator.

39 Djajasoebatra, lezing, 1995.

40 Nederlands-Nieuw-Guinea was tot 1962 een Nederlandse kolonie. Onder internationale druk werd het bestuur tijdelijk overgedragen aan de Verenigde Naties, waarna het onder de naam Irian Barat onder Indonesisch bestuur kwam.

41 *Indonesia in wording, Foto's van Cas Oorthuys en Charles Breijer 1947-1949*; *Agressi II: Operatie Kraai* ging over de tweede zogenoemde politionele actie en werd samengesteld door gastconservator Louis Zweers in samenwerking met het Wereldmuseum.

42 Zulu Lulu coctailstampers van plastic waren populair in de jaren tachtig van de vorige eeuw. Oplopend per staafje werd de zwarte vrouwenfiguur ouder en kreeg ze dikkere lippen, dikkere billen en grotere hangende borsten.

43 In 1989 was een deel van de *Negrophilia*-collectie te zien in de spraakmakende expositie *Wit over Zwart* in het Tropenmuseum.

44 *Wat verbeelden we ons eigenlijk*, Hedy d'Ancona, Rotterdam 1998.

45 Tussen 1902 en 2003 waren er, behalve *Sranan, Cultuur in Suriname* (1992), zeven tentoonstellingen over Suriname of de Antillen. De eerste was *Suriname ver land dichtbij* (1978). Daarna volgden drie kleine reizende tentoonstellingen, bestemd voor bibliotheken, culturele centra en scholen: *Aki Antillanos: Cultuur van Antillianen op de Antillen en in Nederland* (1988), *Goden in de familie, Hindoeïsme in Suriname en Nederland* (1989) en *Surinaamse indianen in Nederland* (1992). Uit 1990 dateert *Fotografie in Suriname, 1839-1939*, gevolgd door twee solotentoonstellingen van kunstenaars Anton Vrede (1991) en John Lie a Fo (1994).

46 Het Tropenmuseum bijvoorbeeld had in de expositie *Wit over Zwart* de eerdergenoemde *Negrophilia*-collectie al in 1989 laten zien, maar het nam, anders dan het Wereldmuseum, de objecten niet op in de collectie.
47 Légène, *Spiegelreflex*, 16-17; Van Wengen, 'Indonesian collections', 101-102.
48 Van der Ploeg, *Ruim baan voor culturele diversiteit*, 3-4.
49 In 1999 is de naam van het Historisch Museum Rotterdam veranderd in Museum Rotterdam. In dit artikel wordt wordt alleen de huidige naam gebruikt.
50 Van Dongen en Veini, *Objets Mobiles, 1998.*
51 Hassan en Dadi, *Unpacking Europe*, 2001. De deelnemende kunstenaars aan *Unpacking Europe* waren Willem Boshoff, Maria Magdalena Camos-Pons, Heri Dono, Coco Fusco, Ni Haifeng, Fiona Hall, Susan Hefuna, Isaac Julien, Rachid Koraïchi, Ken Lum, Nalini Malani, Yvette Mattern, Johannes Phokela, Keith Piper, Anri Sala, Yinka Shonibare, Vivan Sundaram, Nasrin Tabatabai, Beate Terfloth, Carmela Uranga, Fred Wilson en Shi Yong.
52 Hassan en Dadi, *Unpacking Europe*, 20.
53 Smits, 'Niet Willen Weten', 62-70.
54 Idem.
55 *Echt Rotterdam Erfgoed Journaal*, 2.
56 https://www.belvedererotterdam.nl/, zie ook: Van de Sande, *Hier is daar, daar is hier.*
57 Van 1992 tot 2001 was Liane van der Linden beleidsmedewerker Cultuurontmoetingen, na 2001 is deze functie niet gecontinueerd.
58 Samenstelster van *Rotterdammers* was gastcurator Anne-Marie Boer (Museon).
59 Hoffman raadpleegde onder andere de collecties van het Nationaal Museum van Wereldculturen, het Rijksmuseum en het NIOD, instituut voor oorlogs-, holocaust- en genocidestudies.
60 Voor Indonesië eindigt die perspectiefwisseling al eerder in 1945, wanneer Indonesië zijn onafhankelijkheid uitroept.
61 Raben, 'De knopen van de bevrijding', 23.
62 Drieënhuizen, 'Uitnodigende tentoonstelling', geplaatst 24 december 2019.
63 De andere deelnemende kunstenaars zijn Kevin Osepo en Rachel Morón.
64 Meerjarenbeleidsplan Wereldmuseum Rotterdam 2021-2024, ongepubliceerd, archief Wereldmuseum.
65 Het meerjarenbeleidsplan onderscheidt drie programmalijnen, *Iconen van de wereld, De kunst van het leven* en *De verbonden wereld*, waarin Rotterdam in meer en mindere mate is te herkennen.
66 *Return of Cultural Objects: Principles and Process*, Nationaal Museum van Wereldculturen, 07-03-2019: https://www.volkenkunde.nl/sites/default/files/2019-05/Claims%20for%20Return%20of%20Cultural%20Objects%20NMVW%20Principles%20and%20Process.pdf
67 *Collectiebeleidsplan Wereldmuseum 2020-2024*, ongepubliceerd, archief Wereldmuseum 2020.

LITERATUUR

America, Claartje, *Zending op de wereldtentoonstelling, Een inzicht in de deelname van het Nederlandsch Zendelinggenootschap aan de Internationale Koloniale en Uitvoerhandeltentoonstelling in 1883*. Utrecht: Rijksuniversiteit, 2018.

Beecher Stowe, Harriet, *De Negerhut (Uncle Tom's Cabin). Een verhaal uit het slavenleven in Noord-Amerika*, vertaling C.M. Mensing. Haarlem: A.C. Kruseman, 1853.

Bloembergen, Marieke, *De koloniale vertoning, Nederland en Indië op de wereldtentoonstellingen (1880-1931)*. Amsterdam: Wereldbibliotheek, 2002.

Bloembergen, Marieke en Martijn Eickhof, 'Travelling far on rather short legs', *The Newsletter* 59 (2012).

Bos-Rietdijk, E., 'De collectie Engelbrecht in het Maritiem Museum Prins Hendrik', *De boekenwereld* 9/2 (1992): 86-96.

Catalogus van voorwerpen en modellen, ter veraanschouwelijking van het huiselijk en maatschappelijk leven der bevolking van Oostelijk-Java, de Minahassa (Celebes), Ambon, de Oeliassers, Boano, enz., verzameld in het Zendelinghuis van het Nederlandsche Zendelinggenootschap. Rotterdam: M. Wyt & Zonen, 1874.

Coert, Ted, 'Koloniaal meubilair', in Alexandra Gaba-van Dongen, Linda Hanssen en Paul van de Laar (red.), *Wie teveel omhelst houdt weinig vast. Elie van Rijckevorsel 1845-1928*. Rotterdam: Erasmusstichting, 2011.

Craandijk, Jacobus, 'Levensbericht van Johan Christiaan Neurdenburg', in *Jaarboek van de Maatschappij der Nederlandse Letterkunde*. Leiden: E.J. Brill, 1896.

Corbey, Raymond, *Korwar: Northwest New Guinea Ritual Art according to Missionary Sources*. Leiden: C. Zwartenkot Art Books, 2019.

De Schatten van het Wereldmuseum Rotterdam. Bussum: Uitgeverij Thoth, 2000.

Dijk, Nicole van, *Echt Rotterdams Erfgoed*, deel 1. Rotterdam: Museum Rotterdam, 2018.

Dirkse, Paul, 'Tentoonstellingen van missie en zending', in H.L.M. Defoer, et al., *De heiden moest eraan geloven, Geschiedenis van zending, missie en ontwikkelingssamenwerking*. Utrecht: Stichting Het Catharijneconvent, 1983.

Djajasoebrata, Anneke, 'Wajang Perdjuangan, een schimmenspel als voorlichting over de Indonesische onafhankelijkheidsstrijd' *Spiegel Historiael* 8/2 (1973).

Dongen, van, Alexandra, en Elisa Veini, *Objets Mobiles. Visies op Marokkaans gebruiksaardewerk*. Rotterdam: Museum Boijmans Van Beuningen/NAi Uitgevers, 1998.

Drieënhuizen, Caroline, *Koloniale collecties, Nederlands aanzien: de Europese elite van Nederlands-Indië belicht door haar verzamelingen, 1811-1957*. Amsterdam: Universiteit van Amsterdam, 2012.

Echt Rotterdam Erfgoed Journaal, editie #1. Rotterdam: Museum Rotterdam, 2020.

Faber, Paul, Anneke Groeneveld en Michael Gibbs, et al., *Toekang Potret, 100 fotografie in Nederlands Indië 1839-1939*. Amsterdam/Rotterdam: Fragment/Museum voor Volkenkunde Rotterdam, 1989.

Faber, Paul, Liane van der Linden en René Wassing (red), *Schatten van het Museum voor Volkenkunde*. Rotterdam: Museum voor Volkenkunde Rotterdam; Amsterdam: Meulenhoff/Landshoff, 1987.

Gaba-Van Dongen, Alexandra, et al., *Wie teveel omhelst houdt weinig vast, Elie van Rijckevorsel 1845-1928*. Rotterdam: Erasmusstichting, 2011.

Henk Gras, *'Een stad waar men zich koninklijk kan vervelen?' De modernisering van de theatrale vermakelijkheden buiten de schouwburg in Rotterdam, circa 1770-1860*. Hilversum: Uitgeverij Verloren, 2009.

Greub, S., (red.), *Art of Northwest New Guinea: From Geelvink Bay, Humboldt Bay, and*

Lake Sentani. New York: Rizzoli Int. Publications, 1992.
Groeneveld, Anneke, et al. (red.), *Fotografie in Suriname 1839-1939.* Amsterdam/Rotterdam: Fragment/Museum voor Volkenkunde Rotterdam, 1990.
Elbrig de Groot, Karel Schampers en Rob Scholte, *How to star.* Rotterdam: Museum Boijmans Van Beuningen, 1988.
Hannema, D., 'In memoriam A. Hoynck van Papendrecht', *Rotterdams Jaarboekje* 2/4 (1934): 43-45.
Hoitsma, Sjouk, 'Rotterdams Katoen: aanwinst Museum Rotterdam', blog *Modemuze*, 21 november 2014, https://muze.nl/blog/rotterdams-katoen-aanwinst-museum-rotterdam.
Hollander, Hanneke, *Een man met een speurdersneus, Carel Groenevelt (1899-1973), beroepsverzamelaar voor Tropenmuseum en Wereldmuseum in Nieuw-Guinea*, Tropenmuseum Bulletin, 379. Amsterdam: KIT Publishers, 2007.
Hondius, Dienke en Felix de Rooy, *De erfenis van de slavernij.* Rotterdam: Wereldmuseum, 2003.
Knaap, Gerrit, *Céphas, Yogyakarta: Photography in the Service of the Sultan.* Leiden: KITLV Press, 1999.
Kok, G.J., *De gereformeerde zending op Soemba, deel 1 en deel 2*, gereformeerdekerken.info, 14 maart 2019, geraadpleegd 19-01-2020.
Levitt, Peggy, *Artifacts and Allegiances: How museums put the nation and the world on display.* Oakland: University of California Press, 2015.
Légène, Susan, *Spiegelreflex, Culturele sporen van de koloniale ervaring.* Amsterdam: Uitgeverij Bert Bakker, 2010.
Lichtenauer, W.F., 'W.A. Engelbrecht', *Economisch-Historisch Jaarboek* 30 (1965): 315-322.
Museum voor Land- en Volkenkunde, *Jaarverslag.* Rotterdam, 1906.
Museum voor Land- en Volkenkunde, *Jaarverslag.* Rotterdam, 1939.
Ploeg, Rick van der, *Ruim baan voor culturele diversiteit, cultuurnota 2001-2004.* Den Haag: ministerie van Onderwijs, Cultuur en Wetenschappen, 1999.
Raben, Remco, 'De knopen van de bevrijding, Zeventig jaar Indonesische onafhankelijkheidheid', *De Groene Amsterdammer* 139/33 (2015).
Renselaar, H.C. van, 'Oude kaarten van Suriname', *De West-Indische Gids* 45/1 (1966).
Rijckevorsel, Elie van, *Notitie van Nederlands-Indische Wapens, Kleedingstukken, enz.* Rotterdam: Maritiem Museum der Koninlijke Nederlandsche Yacht-Club, 1878.
Rooy, Felix de, 'De erfenis van de slavernij', in *De erfenis van slavernij. Tekstboek,* 1. Rotterdam: Wereldmuseum, 2003.
Sande, Esseline van de, *Hier is daar, daar is hier. Verhalenhuis als vrijplaats.* Rotterdam: Verhalenhuis Belvédère, 2017.
Nora Schadee, 'Glazen', in Alexandra Gaba-van Dongen, Linda Hanssen en Paul van de Laar (red.), *Wie teveel omhelst houdt weinig vast. Elie van Rijckevorsel 1845-1928.* Rotterdam: Erasmusstichting, 2011.
Schefold, Reimer en Han Vermeulen, 'Treasure Hunting? Collectors and Collections of Indonesian Artefacts', in *Mededelingen van het Rijksmuseum voor Volkenkunde*, 30. Leiden: Research School School of Asian, African, and Amerindian Studies, 2002.
Smits, Alice, 'Niet Willen Weten', *Metropolis M* 32/5 (2011).
Stolwijk, Anton, *Atjeh. Het verhaal van de bloedigste strijd uit de Nederlandse koloniale geschiedenis.* Amsterdam: Uitgeverij Prometheus, 2016.
Tentoonstellingscatalogus *Zuid Zuid-West: geschiedenis Nederland-Suriname*, Maritiem Museum Prins Hendrik. Rotterdam: Maritiem Museum Prins Hendrik, 1962.

Uyttenbroek, Ellie, *Etnomanie.* Rotterdam: Nederlands Fotomuseum, 2017.
Vanvugt, Ewald, *De schatten van Lombok, Honderd jaar Nederlandse oorlogsbuit uit Indonesië.* Amsterdam: Uitgeverij Jan Smets, 1994.
Veldhuisen-Djajasoebrata, Anneke, 'Wajang Perdjuangan, een schimmenspel als voorlichting over de Indonesische onafhankelijkheidsstrijd', *Spiegel Historiael,* 8/2 (1973).
Verbong, Geert, 'Katoendrukken in Nederland vanaf 1800', in Bea Brommer (red.), *Katoendruk in Nederland.* Tilburg/Helmond: Nederlands Textielmuseum/Gemeentemuseum Helmond, 1989.
Wekker, J.B.Ch., *Historie, technieken en maatschappelijke achtergronden der karteringswerkzaamheden in Suriname sinds 1667.* Utrecht: Universiteit van Utrecht, faculteit Geowetenschappen, 1983.
Wengen, Ger van, 'Indonesian collections at the national museum of Ethnology in Leiden', in Reimer Schefold en Han Vermeulen (red.), *Treasure Hunting? Collectors and Collections of Indonesian Artefacts.* Leiden: Research School of Asian, African, and Amerindian Studies, 2002.
Wielenga, Douwe K., *De zending op Soemba,* herzien en bijgewerkt door T. Van Dijk en P.L. Luijendijk. Hoenderloo: Hoenderloo's Uitgeverij en Drukkerij, 1949.
E. Wiersum, E. en J. van Sillevoldt, 'De katoendrukkerij Non Plus Ultra', *Rotterdams Jaarboekje* 9/2 (1921): 67-84.

ONGEPUBLICEERD

Anneke Djajasoebrata, *The Infuence of Times and Politics on Working with Indonesian Public Collections, a Personal View*, lezing uitgesproken in Rijksmuseum voor Volkenkunde. Leiden, 6 oktober 1995.

Caroline Drieënhuizen, *Of Beauties and Brides: Gender, Race and Agency in a Dutch Colonial Museum Collection,* 2020.

Familie in Rotterdam, 1980. Foto Maria Toby. (Collectie Nederlands Fotomuseum)

ESTHER CAPTAIN

EEN (T)HUIS VINDEN IN ROTTERDAM

KOLONIALE EN POSTKOLONIALE MIGRANTEN VAN EN NAAR DE MAASSTAD[1]

IN DE WIJK SCHIEMOND VERWIJZEN EEN AANTAL STRAATNAMEN NAAR SCHEPEN DIE voor rederij Koninklijke Rotterdamse Lloyd voeren: Indrapoerastraat, Slamatstraat, Japarastraat, Dempostraat, Baloeranstraat, Kedoestraat en Sibajakstraat. De Lloyd baseerde de scheepsnamen op gebieden, bergen en vulkanen in Indonesië.[2] Schiemond geldt daarmee als een 'Indische buurt' die van oudsher veel bedrijvigheid kende: veel havenbedrijven waren vanaf midden negentiende eeuw in de wijk gevestigd. In de jaren zestig van de twintigste eeuw vertrokken veel van deze bedrijven naar de nieuwere havens, wat de haven van Schiemond overbodig maakte. Na enkele jaren leegstand begon de gemeente Rotterdam in de jaren tachtig met de herstructurering van het gebied. De sloop van de oude bedrijfspanden maakte ruimte vrij voor nieuwbouw in de vorm van sociale huurwoningen. De eerste straten met een Indische vernoeming waren in 1982 gereed; de bouw van de wijk was afgerond in 1989. Maar in tegenstelling tot andere grote steden als Amsterdam en Den Haag kent Rotterdam geen grote Indische buurt. De stad was überhaupt vrij laat met koloniale straatnaamverwijzingen, al zijn die er uiteraard wel.[3] In 1866 was de eerste verwijzing, de Javastraat, een initiatief van particulieren. Naast verwijzingen naar 'de Oost' zijn er in Rotterdam straatnamen die herinneren aan 'de West': zo heeft de wijk Hoogvliet een Aruba- en Curaçaoplein. Deze straatnamen maken nieuwsgierig naar de koloniale en postkoloniale connecties tussen de stad en de archipel: wie had contact met wie en waarom?

Rotterdam is een havenstad: van hieruit vertrokken mensen en goederen naar de Cariben en Zuidoost-Azië (en elders uiteraard, maar dat valt buiten het kader van dit boek). Het is ook de plaats van aankomst, doorkomst en ontvangst: van mensen en goederen uit de overzeese gebieden. In voorgaande hoofdstukken is de Maasstad vooral beschreven als plaats van vertrek. In dit hoofdstuk ligt het accent vooral op de havenstad als plaats van ontvangst van mensen uit de Cariben en Zuidoost-Azië. Het is helaas nauwelijks mogelijk om een betrouwbare schatting te maken van het aantal mensen dat sinds de zeventiende eeuw vanuit 'de West' en 'de Oost' naar Nederland, en specifiek Rotterdam, kwam. De registratie van scheepspassagiers was zeer onvolkomen, terwijl bovendien veel archieven verloren zijn gegaan. Daarnaast vormden Surinamers en Antillianen bijvoorbeeld geen afzonderlijke categorie in de statistieken, gezien hun Nederlands paspoort. Niettemin zijn er bronnen die melding maken van de aanwezigheid van (ex-)slaafgemaakten en vrije zwarte personen uit de Cariben in de Maasstad. Rotterdam onderhield, samen met Middelburg en Amsterdam, een drukke vaart op Paramaribo in Suriname. De oprichting van de West-Indische Compagnie (WIC) in 1621 was hierbij van cruciaal belang voor het ontstaan en de ontwikkeling van de relatie tussen Nederland en de Caribische eilanden die tot op het heden voortduurt. De WIC, 'half handelsorganisatie en half kapersbedrijf', maakte een eind aan de heerschappij van Spanje en Portugal in de Cariben.[4] Niet alleen namen Nederlanders tijdelijk een aantal Portugees-Braziliaanse handelsplaatsen over, ze veroverden bovendien Suriname en de zes Caribische eilanden Aruba, Bonaire en Curaçao (de Benedenwindse Antillen) en Sint Maarten, Sint Eustatius en Saba (de Bovenwindse Antillen). Nederland raakte hierdoor betrokken bij de trans-Atlantische slavenhandel, met als effect dat slaafgemaakte Afrikanen ook in Nederland aankwamen.

(ON-)VRIJHEID

Een zeer vroeg voorbeeld van hun aanwezigheid met een bescheiden link naar Rotterdam is 'een opmerkelijke gebeurtenis die in november 1596 te Middelburg plaatsvond en zo langzamerhand beroemd is geworden in de geschiedschrijving met betrekking tot de Nederlandse slavenhandel', aldus Emy Maduro.[5] Zij beschreef dat in het Zeeuwse havenstadje 'een verdachte lading van honderd stuks Mooren en Moorinnen' ter verkoop aan wal was gebracht en dat burgemeester Ten Haeff van Middelburg zich hiertegen verzette. Hij hield een pleidooi in de vergadering van de Staten van Zeeland waarin hij stelde dat deze vrouwen, mannen en kinderen in hun natuurlijke vrijheid moesten worden gesteld en dat niemand kon beweren dat ze zijn eigendom waren. De Staten van Zeeland namen een resolutie aan waarin het stadsbestuur deze Afrikanen met de daartoe behorende plechtigheden hun vrijheid gaf. De uit Rotterdam afkomstige koopman Pieter van der Haghen probeerde echter enkele dagen daarna alsnog van deze mensen te profiteren: hij diende een verzoek in bij de Staten-Generaal voor toestemming om deze Afrikanen naar Portugal 'te mogen brengen en daar aan land te zetten'. Tevergeefs; de Staten sloegen zijn verzoek af. Overigens laten archieven van de kerkhoven te Middelburg zien dat binnen het tijdsbestek van drie maanden niet minder dan negen Afrikanen uit deze groep stierven. Ook al waren zij vrij, ze bezweken alsnog onder de last van een gedwongen reis naar en verblijf in Middelburg in de Hollandse wintermaanden.

De onvrijheid van slaafgemaakten bleef de gemoederen in Nederland (en elders) nog lang bezighouden. Ruim tweeënhalve eeuw later liepen Rotterdamse vrouwen voorop in de Nederlandse discussie over de afschaffing van slavernij, daartoe geïnspireerd door de Engelse Elisabeth Fry, die lid was van de quakers, een ondogmatisch religieus genootschap. Fry richtte het Rotterdam Ladies Antislavery Committee op en publiceerde verschillende pamfletten. Het damescomité stuurde in 1842 een petitie naar koning Willem II met het verzoek de slavernij af te schaffen, ondertekend door 129 vrouwen, van wie velen van Britse komaf. In de petitie brachten ze naar voren dat het systeem van slavernij 'vijandig' was voor de verspreiding van het christelijk geloof. Het comité vroeg om speciale aandacht voor het lot van vrouwen: 'Als vrouwen zouden wij bij Uwe Majesteit inzonderheid ten gunste der slavinnen willen pleiten, want op haar drukt de slavernij dubbel zwaar.'[6] Koning Willem II had nog niet eerder zo'n pleidooi ontvangen en was stomverbaasd. In de hoop het initiatief in de kiem te smoren, beloofde hij in een reactie de slavernij in de toekomst op een voorzichtige manier af te schaffen. Ook vroeg hij de vrouwen om hun activiteiten te staken om de rust in de koloniën te kunnen bewaren. Het zou nog twintig jaar duren voordat Nederland in etappes een einde maakte aan slavernij in zijn koloniën: op 1 januari 1860 in delen die onder zijn bestuur stonden in Nederlands Oost-Indië, op 1 juli 1863 in Suriname en de Nederlandse Antillen.

Het is misschien niet zo verwonderlijk dat de gebeurtenis in Middelburg prominent in onze geschiedenisboeken is beland. Het is doorgaans prettiger om te lezen over Nederlanders die slaafgemaakten hun vrijheid geven, dan over Nederlanders die zonder terughoudendheid of gewetensbezwaren van slaafgemaakten profiteerden, of om over slaafgemaakten te lezen zonder te weten hoe zij zelf stem zouden hebben gegeven aan hun ervaringen met Nederlanders. Een verhouding tussen slaveneigenaar en slaafgemaakte was per definitie ongelijkwaardig. Deze relatie kon wel veranderen als eigenaar en slaafgemaakte vanuit de koloniën naar Nederland reisden. De Staten-Generaal van de Nederlanden had namelijk in 1776 bepaald dat iedereen op Nederlandse bodem in principe vrij was. Uitzondering hierop was een slaveneigenaar die zijn of haar 'bezit' tijdelijk naar Nederland meenam. Slaafgemaakten moesten dan wel binnen zes maanden, of met speciale toestemming binnen twaalf maanden, terugkeren naar de slavenkolonie. Bleven deze slaafgemaakten langer, dan werden ze per definitie vrije inwoners van Nederland. Meestal bleven ze wel in dienst van hun vroegere eigenaar, want ze konden nog niet zoveel kanten op. Zeker in het begin zullen ze de taal niet (goed) hebben gesproken en de dienstbetrekking betekende in ieder geval kost, kleding, inwoning en wellicht ook een inkomen.[7]

Anders was de relatie tussen een witte Nederlander en een vrije Afrikaan, Antilliaan of Surinamer in de vroegere eeuwen; zij waren formeel gelijkwaardig ten opzichte van elkaar. Hier is de context van de omringende samenleving van belang: omdat Afrikanen, Afro-Antillianen en Afro-Surinamers (plus Aziaten) in de Nederlandse samenleving getalsmatig veruit in de minderheid waren, werden zij op basis van hun uiterlijk zichtbaar. Deze dynamiek gaf schrijver Arthur Japin in zijn roman *De zwarte met het witte hart* als volgt mee aan hoofdpersoon Kwasi Boachi:

> De eerste tien jaar van mijn leven was ik niet zwart. Ik was op veel manieren anders dan de mensen om mij heen, maar donkerder was ik niet. Dat weet ik. Er is een dag geweest waarop ik een verkleuring gewaarwerd. Later, toen ik dan eenmaal zwart wás, ben ik weer verschoten. (...) Kleur heb je nooit zelf, kleur krijg je door anderen.[8]

Het kleurverschil maakte Afrikaanse en Aziatische personen daarmee in een voorheen doorgaans wit Rotterdam zichtbaar. Wat voor gevolgen dit kon hebben, komt later in dit hoofdstuk aan de orde. Dit hoofdstuk begint met een beschrijving van (enkele) gelijk- en (meestal) ongelijkwaardige relaties: tussen slaveneigenaren en slaafgemaakte Afrikanen, Afro-Antillianen, Afro-Surinamers en Aziaten, tussen vrije Nederlanders en vrije Afrikanen, Afro-Antillianen, Afro-Surinamers en Aziaten, allen met een link naar Rotterdam.

Niet iedere gekleurde passagier die in Rotterdam uit het Atlantisch gebied aankwam, was onvrij. Zo kwam het regelmatig voor dat een witte man, in dienst van de WIC of anderszins werkzaam in of rond een van de Nederlandse forten langs de Afrikaanse kusten, een relatie kreeg met een (vrije) Afrikaanse vrouw. Het kwam regelmatig voor dat zij hun ro-Europese kinderen voor hun opvoeding naar Nederland stuurden. Dat deed ook de uit Groningen afkomstige Pieter Woortman. Hij was sinds 1741 in dienst van de WIC en klom op tot de rang van directeur-generaal van Elmina aan de voormalige Goudkust, het huidige Ghana. Woortman had ook zijn twee zonen Jan en Hendrik naar Ghana laten overkomen. De drie Woortmannen onderhielden relaties met Afrikaanse vrouwen en alle drie stuurden een aantal van hun kinderen naar Nederland voor onderwijs. De zorg daarvoor vertrouwden ze toe aan handelshuis Coopstad & Rochussen in Rotterdam. Daar hadden de Woortmannen een zakelijke band mee: ze informeerden het handelshuis welke ruilgoederen het handelshuis het best vanuit Rotterdam naar de Goudkust kon meenemen. Vijf kinderen, twee jongens en drie meisjes, kwamen in Rotterdam aan bij Coopstad & Rochussen, die hen voor hun opvoeding vervolgens onderbracht bij de Kralingse schoolmeester Adrianus Bik. Hij had al eerder kostgangers uit Elmina gehad. Zo groeiden vijf Afro-Europese jongeren, gerelateerd aan de hogere kringen van de stad, op in het Rotterdam van de tweede helft van de achttiende eeuw.[9]

In de koloniale tijd was het tamelijk gebruikelijk om over en weer tussen de overzeese gebiedsdelen van ons land te reizen: van en naar Oost-en West-Indië. Het levensverhaal van de zoon van Charles Paul Benelle de la Jaille is daar een treffende illustratie van. Charles Paul Benelle de la Jaille was eigenaar van de Surinaamse plantage Nieuwzorg. Hij kreeg in Nederland een buitenechtelijke zoon met de dochter van een bewindhebber van de WIC, directeur van de Sociëteit van Suriname en eveneens plantagebezitter. Deze jongeman vertrok naar Nederlands-Indië en kreeg daar in 1816 een zoon bij de tot slaafgemaakte Rosina van Ternate. Hij erkende zijn kind en overleed vlak daarna. Zijn zoontje werd op vierjarige leeftijd naar Rotterdam gestuurd voor zijn verdere opvoeding. Wat zijn moeder Rosina van Ternate daarvan vond is helaas niet bekend. In Rotterdam werd het jongetje Benelle de la Jaille ondergebracht bij kostschoolhouder en onderwijzer Dirk Broer (1774-1834). De voogden betaalden dit uit de nalatenschap van f 12.000,-. De jongen kon goed leren en wilde predikant worden in Oost-Indië. Daar is het niet van gekomen; hij keerde in 1835 terug naar zijn geboorteland en ging de koloniale ambtenarij in.[10]

Deze twee voorbeelden betreffen kinderen uit Ghana en Oost-Indië die door hun gefortuneerde koloniale vaders naar Nederland werden gestuurd. Deze Afro-Europese en Indo-Europese kinderen waren vrije personen in Rotterdam. Getalsmatig waren vrije Afrikanen, Afro-Europeanen en Indo-Europeanen in Nederland in de minderheid. De groep van slaafgemaakten was groter. In veel gevallen namen slaveneigenaren vanuit de Cariben slaafgemaakten mee naar Nederland om in de huishouding te werken, bijvoorbeeld als kindermeisje of in de keuken. Soms was er sprake van een hele entourage die een Nederlands gezin op zijn reis naar patria vergezelde. Zo vertrok in 1776 het echtpaar Reijnsdorp met hun kind uit Paramaribo naar Amsterdam, vergezeld van drie vrouwelijke en drie mannelijke slaafgemaakten. Soms reisden deze kinderen zonder hun ouders naar Nederland, vergezeld door slaafgemaakten of in het gezelschap van een vrije zwarte vrouw of man. Niet alleen vanuit Suriname, maar ook vanuit de Antillen was sprake van 'Swarten en Swartinnen' die als huispersoneel naar Nederland meekwamen. Net zoals in andere Europese landen ligt het volgens historicus Emy Maduro voor de hand dat ook in Nederland een zwarte bediende gold als symbool voor de in de koloniën vergaarde rijkdom.[11] Het kwam ook voor dat een eigenaar zijn slaafgemaakte op de boot naar Nederland met de opdracht om na aankomst onmiddellijk naar Suriname terug te keren, nu als kindermeisje van zijn kind(-eren). Zo schreef in 1773 een in Suriname gevestigde handelaar aan zijn Rotterdamse zakenrelatie:

> Verder voorneemens zynde myne oudste dogter Anna Maria Louwisa Thomas [naar Paramaribo] te ontbieden, zoo zulle [ik] pr Capn [op het schip van kapitein] Jan Malmberg, die voorneemens is, in April aanstaende [naar Nederland] te zeylen, meede senden de Neegerin Venus, om haar te koome affhaelen, en op de Reys te kunnen oppassen.

In een enkel geval liet ook een vrije gekleurde zich door een slaafgemaakte naar Nederland vergezellen, zoals Ester van Paramaribo met haar slaafgemaakte Saraatje.[12]

OPVANGTEHUIZEN VOOR ZEEPERSONEEL

Niet alleen koloniale gezinnen uit de Cariben ondernamen de overtocht per boot naar Nederland samen met een slaafgemaakte en (soms meerdere slaafgemaakten) als 'hulp aan boord'; ook de Oost-Indische samenleving kende dit fenomeen. In Indië was er zelfs een eigen term voor: de zeebaboe (letterlijk: (vrouwelijke) bediende op zee).[13] Hiermee duidde men de beroepsgroep aan van waarschijnlijk honderden Indonesische vrouwen. Een deel was in dienst van een koloniale familie die hen voor de duur van de zeereis van of naar Indië aannam om voor hun kinderen te zorgen, een deel was in dienst van een rederij. Zo reisden zij regelmatig heen een weer als bediende op zee. Talenkennis was onontbeerlijk voor het uitoefenen van hun beroep, evenals 'vrij van zeeziekte' zijn. Deze aanbeveling is te vinden in annonces waarin Indonesiërs hun diensten aanbieden. Over zeebaboes is doorgaans veel minder bekend dan Indonesiërs uit de elite, die voor studie of voor oriëntatie naar Nederland kwamen, terwijl de groep van zeebaboes numeriek veel groter was. Alleen uit kleine advertenties in het *Koloniaal Weekblad* en andere bladen blijkt dat deze groep Indonesiërs ook in Nederland vertoefde.[14] Ook waren er Indonesische zeelieden die via de havens van Amsterdam en Rotterdam in Nederland arriveerden en hier eveneens kortstondig verbleven. Voorts waren migranten die binnen het Koninkrijk der Nederland van 'de Oost' naar 'de West' en weer retour reisden, zoals een groep van 223 'Oostindiërs' (lees: Javanen, EC) die een tussenstop in Rotterdam maakten. Afkomstig uit Indonesië waren zij, na de afschaffing van de slavernij door Nederland in 1863, ingehuurd als contractarbeider op de plantages in Suriname. Na het verstrijken van hun contractperiode keerden zij in 1910 via de Rotterdamse haven terug naar Java. De sociaal bewogen journalist en uitgever M.J. (Rie) Brusse beschreef hun tussenstop in de Rotterdamse haven in de somberste kleuren: 'weerlooze slachtoffers, uitgebuit en verwaarloosd', 'armer dan arm', 'oud geworden en afgeleefd', 'deerniswaardig [...] vergeleken bij het transport versche koelies, dat de vorige maand vol moed, óók over Rotterdam, weer op weg naar West-Indië gegaan was.'[15] Het verblijf in Rotterdam was volgens Brusse voor deze ongelukkigen een 'week in de oase'; bootwerkers hadden zelfs geld bijeen gebracht 'om onder de stumperige en meerendeels zoo allerliefste koeliekindertjes koekjes uit te deelen'.[16] Het laatste transport van contractarbeiders uit Indonesië naar Suriname vond plaats in 1938.

De maatschappelijke positie van zeelui, bedienden en contractarbeiders kon kwetsbaar zijn. Een aantal zeebaboes was economisch succesvol en verdiende goed met wat zij 'dienstreizen' noemden. Arbeidsuitbuiting kwam echter ook voor, waarbij zeebaboes die in Nederland waren aangekomen door de familie in isolement werden gehouden. Een artikel in *Koloniale Studiën* van 1916 constateerde ten aanzien van Indonesische bedienden: 'Daar leven in Nederland eenige honderden personen van Inlandschen landaard, wier positie in vele gevallen niet zoo heel veel van lijfeigenschap verschilt. Rechteloosheid is in elk geval vaak hun deel.'[17] Een kortdurend dienstverband maakte het er niet beter op. Voor Indonesische vrouwen en mannen die tijdelijk in Nederland vertoefden, kwamen opvangtehuizen tot stand, in Amsterdam en Den Haag. In 1899 opende Vereeniging De Zendingzaak aan het Mariniersplein in Amsterdam 'Roemahnja Orang Djawa' (Tehuis voor Javanen). De bedoeling van het Amsterdamse tehuis was de Javaanse zeelieden en zeebaboes in aanraking te brengen met het christendom. Als reden hiervoor gaf de Vereeniging aan dat de zeelieden tijdens hun Nederlandse oponthoud 'dan juist niet altijd de Christenen van de beste zijde leeren kennen. Zelf in hooge mate ondeugend, komen die Javanen dikwijls op plaatsen, hier niet te noemen, waarvan het beter was dat zij wegbleven.'[18] Het was overigens geen groot succes; in 1906 is het tehuis waarschijnlijk gesloten. De Vereniging Oost en West opende in 1919 aan de Van Boetzelaerlaan 2 in Den Haag pension 'Persinggahan, tehuis voor Nederlands-Indische Bedienden' (letterlijk: pleisterplaats). Hoofdfunctie van het tehuis was het bieden van onderdak aan Indonesische (zee-)bedienden; omdat een Nederlandse familie (tijdelijk) geen ruimte had om die zelf te verschaffen; op eigen kosten van de baboe of djongos (bediende); in afwachting van een betrekking; of op kosten van het tehuis als er sprake was van een noodsituatie. In Persinggahan was eveneens een bureau gevestigd dat kosteloos bemiddelde bij verkrijgen en aanbieden van Indonesisch personeel. In tegenstelling tot het Amsterdamse Roemahnja Orang Djawa, werd het Haagse Persinggahan geroemd als een uitermate succesvol initiatief dat in sociaal opzicht een belangrijke functie voor de maatschappelijk kwetsbare groep van Indonesisch (huis- en zee-)personeel vervulde. Of in de stad Rotterdam een vergelijkbare opvangplek was, is onbekend. Het lijkt aannemelijk dat zeelieden, zeebaboes en Djongossen die in Rotterdam arriveerden voor onderdak naar pension Persinggahan in Den Haag gingen. Persinggahan sloot in 1948.

Dat – nog los van materiële zorgen – het bestaan als Indonesische bediende in Nederland niet gemakkelijk was, bevestigt het verhaal 'Onze baboe' uit 1911. De in zijn woorden 'kersverse verlofganger S.' tekende op hoe hij na tien jaar afwezigheid met echtgenote, kinderen en baboe vanuit Indië in de haven van Rotterdam aankwam. Van daaruit begon voor hen 'een klein stukje landreis':

> Maar 'n landreis vol ongekende gewaarwordingen, want O Grote Goden ik had er mij geen rekenschap van gegeven, dat wij met 'n baboe reisden, en dat wij met die baboe ons gingen bewegen onder plattelanders. (...) 't feit, dat wij: man, vrouw, kinderen en dienstbode in 'n herberg moesten schuilen om gevrijwaard te wezen voor de opdringende mensenmassa, was voor ons 'n geweldige openbaring. (...) In Rotterdam werd 't preludium ingezet van wat ons in kleinere gemeenten te wachten stond, in Rotterdam, dat ik mij altijd gedroomd had als steeds in omvang toenemende kosmopoliet.[19]

Direct na hun ontscheping in de Maasstad stond het reisgezelschap uit Indië bloot (sic) aan de nieuwsgierige blikken van mede-reizende Nederlanders en personeel. Zo opperde een meisje van elf of twaalf jaar: 'Dat zijn allemaal negers, is 't niet ma? Aan die ene kun je 't heel goed zien.' Hierop reageerde verlofganger S.:

> En ik, die dacht, dat wij zo weinig geleden hadden door 't indiese zonnetje! Na nauwelijks twee uur gedebarkeerd te zijn de opmerking te horen, dat ik 'n neger was met m'n hele lieve familie incluis! Wat 'n openbaring! Wat moet die baboe suggestief gewerkt hebben, dit ondanks ons gewoon hollands gepraat en gedoe, wij niet meer of minder gerangschikt werden dan onder 'n heel ander mensenras![20]

Het kon nog erger. Vergeleken met steden als Amsterdam en Leiden woonden in Rotterdam al veel minder Indonesiërs, maar het gezin vestigde zich op het platteland. De baboe bleek een bezienswaardigheid. Dorpelingen verzamelden zich om hun huis, in de hoop een glimp van deze Indonesische vrouw op te vangen.

TWINTIGSTE EEUW

Ontving men in de haven van oudsher al koloniale goederen, vanaf het begin van de twintigste eeuw nam de komst van personen uit 'Oost' en 'West' sterk toe. Door de technologische vooruitgang werd de zeereis tussen Rotterdam en de overzeese gebieden aanmerkelijk bekort. Hierdoor lag de overtocht vanuit Rotterdam naar overzee, maar ook vanuit de overzeese gebieden náár Rotterdam voor meer personen binnen handbereik. Het was een significante verandering: reizigers waren niet langer hoofdzakelijk afkomstig uit Rotterdam en de rest van Nederland, maar, omgekeerd, ook uit de koloniën. Wel waren reizigers uit Indië/Indonesië en de Cariben getalsmatig veruit in de minderheid vergeleken bij de Nederlanders en andere Europeanen die tussen Rotterdam en de koloniën heen en weer reisden. Naast technische ontwikkelingen waren er nieuwe politiek-beleidsmatige inzichten die op het ontstaan van migratie naar Rotterdam van invloed waren. Vanaf 1901 was de Nederlandse regering van mening dat Nederlands-Indië niet langer alleen mocht worden beschouwd als een wingewest, waarvan de natuurlijke rijkdommen en de menskracht van de lokale bevolking uitsluitend in economische zin en ten gunste van Nederland werden geëxploiteerd. Nu zagen de Nederlandse autoriteiten een nieuwe taak voor zichzelf weggelegd, omdat het een 'Eereschuld' ten opzichte van Indonesiërs had opgebouwd. Nederland zou de Indonesische bevolking moeten 'verheffen' door onderwijs en het aanleggen van infrastructuur (irrigatiewerken, (spoor)wegen, bruggen, etc.). Met het verschaffen van educatie ontstond een – kleine – groep van Indonesiërs die in de Nederlandse taal en naar Nederlands model waren opgeleid. Een aantal van hen vertrok voor verdere scholing naar Nederland. Dit gold ook voor Indische Nederlanders, en voor Surinamers en Antillianen uit de West. Studiemigratie was ruim voor de Tweede Wereldoorlog al een bekend fenomeen: jonge mannen en vrouwen uit de koloniën verbleven als student (tijdelijk) in Nederland.[21]

De komst van koloniale en, na de oorlog, postkoloniale reizigers náár Rotterdam was soms wenselijk en voorzien, soms ook onverwacht en ronduit ongewenst, maar het was hoe dan ook een gevolg van de eerdere aanwezigheid van Rotterdammers overzee. Was in de voorgaande eeuwen eenrichtingsverkeer vooral kenmerkend voor de relatie tussen 'moederland' en 'koloniën', de twintigste eeuw laat zich karakteriseren als transnationaal en circulair: er zijn over en weer contacten en er is niet langer per definitie een eenzijdige relatie. Soms is de verhouding nog altijd ongelijkwaardig en is er sprake van continuïteit in de relatie tussen koloniale overheerser en gekoloniseerde, dan weer toont de twintigste eeuw een aantal breukpunten waaruit het zelfbewustzijn van Indische, Indonesische, Chinese, Molukse, Surinaamse en Antilliaanse Nederlanders tot uitdrukking komt, zowel in hun gemeenschappen in Rotterdam als in hun herkomstlanden, die na 1945 ieder voor zich soevereiniteit of een vorm van zelfbestuur claimen.[22]

In het tweede deel van dit hoofdstuk staat Rotterdam tijdens de oorlog en de naoorlogse periode centraal en beschrijf ik vier fasen. De eerste fase bestaat uit de Duitse bezetting van Rotterdam (1940-1945) met Indisch, Indonesisch, Surinaams en Antilliaans/Arubaans verzet tegen het naziregime, gevolgd door de Onafhankelijkheidsoorlog van Indonesië (1945-1949). De tweede fase beslaat de postkoloniale Nederlands-Indisch-(Chinese) en Molukse migraties naar Rotterdam en omgeving. De derde fase vindt plaats rond de onafhankelijkheid van Suriname in 1975. De vierde en laatste fase is er een waarin niet alleen veel Antillianen zich vestigen, maar waarin Rotterdam ook in bredere zin een multiculturele stad wordt.

MOHAMMAD HATTA

Het zichtbaar anders zijn en het bekijks dat dit trok was waarschijnlijk een ervaring die veel Indonesiërs deelden, ongeacht of zij baboe of djongos dan wel student in Nederland waren. Baboes en djongossen behoorden als bedienend huispersoneel tot de lagere klasse in de samenleving en waren in Nederland ten opzichte van Indonesische studenten getalsmatig in de meerderheid. Een kleinere groep bestond uit Indonesiërs in Nederland die afkomstig waren uit de Indonesische elite en die voor hun vervolgopleiding naar Nederland kwamen. Dit waren zonen of dochters (meestal jongens) van adellijke en andere vooraanstaande, vermogende families, die als studenten hun vorming aan een universiteit voortzetten.

Voor Rotterdam is de vooroorlogse aanwezigheid van een zekere Indonesische student van zo'n grote betekenis geweest, dat op campus Woudestein van de Erasmus Universiteit Rotterdam een gebouw naar hem is vernoemd. 'I live right there in Hatta,' aldus een studente in een voorlichtingsfilm over studeren in Rotterdam.[23] Daarmee verwijst ze naar het Hatta-gebouw, een hoogbouwcomplex dat onderdak biedt aan 372 Nederlandse en internationale studenten. Hoeveel studenten die in het

Hatta-gebouw wonen, weten iets over de naamgever ervan? En hoeveel Rotterdammers zullen weten dat Hatta een belangrijk deel van zijn politieke ontwikkeling en vorming verwierf toen hij in Rotterdam verbleef? Omdat Hatta en Soekarno als de latere vicepresident en president de twee 'founding fathers' van de Republiek Indonesië zijn, staan we in dit hoofdstuk langer bij Hatta stil.

Mohammad Hatta, in 1902 geboren in het toenmalige Fort de Kock (thans Bukittinggi) op Sumatra, kwam uit een welgestelde, religieuze familie. De positie van zijn familie stelde hem in staat om Europees onderwijs te volgen: de Europeesch Lagere School en later de MULO in Padang, een van de belangrijkste steden op dat eiland. Europees onderwijs waarin Nederlands de voertaal was, opende deuren naar vervolgonderwijs dat voor de meeste Indonesische jongeren gesloten was. In 1921 arriveerde de jonge Hatta in Rotterdam om daar aan de Nederlandsche Handels Hoogeschool aan de Pieter de Hooghweg te gaan studeren. Hij deed dit met een beurs omdat de financiële positie van zijn familie inmiddels was verslechterd.[24] Op 28 november 1923 staat hij in het *Algemeen Handelsblad* vermeld als student die een academisch examen heeft gehaald: in Hatta's geval een examen voor het vak handelseconomie.[25] Hatta houdt zich niet alleen met zijn studie economie bezig. Hij raakt betrokken bij de vereniging van Indonesische studenten in Nederland, dan nog 'Indische Vereeniging' geheten. Al een jaar na aankomst treedt hij toe tot het bestuur van de vereniging, die direct een eerste naamswijziging ondergaat: Perhimpoenan Indonesia (PI), ofwel 'Indonesische Vereeniging' in plaats van 'Indische Vereeniging' - een bewuste keus voor de Indonesische taal.[26] Hatta is ook actief als redactielid van *Hindia Poetra*, het blad van de vereniging. Tevens is hij een van de drijvende krachten achter een steeds toenemende politieke stellingname van de vereniging en interesseert zich voor het marxisme. Zo onderhoudt hij contacten met Semaoen, een van de leiders van de Indonesische communistische partij die vanuit Moskou aanhangers probeert te werven onder Indonesische studenten in Europa. Hatta echter staat een meer (links)nationalistische koers voor. In 1926 wordt Hatta voorzitter van de Perhimpoenan Indonesia.

In datzelfde jaar roept Hatta op tot een boycot van de scheepvaartmaatschappij Rotterdamse Lloyd, omdat hem bij het wegbrengen van een bekende de toegang tot de kade werd verboden. De reden hiervoor was dat Hatta 'een rooie' (een communist/marxist) zou zijn. Het *Algemeen Handelsblad voor Nederlandsch-Indië* schreef over de 'brutaliteit' van

Hatta: 'Zou je ze nou niet in d'r lurven nemen en eens goed door elkaar rammelen ? Zulk geboefte, wat verbeeldt zich dat wel.'[27] Het is een van de weinige vastgelegde gebeurtenissen over Hatta's leven in Rotterdam. In februari 1927 maakte Hatta deel uit van een delegatie van Indonesische studenten die het eerste congres van de Liga tegen imperialisme en koloniale overheersing in Brussel bijwoonde.[28] In september 1927 werd hij samen met drie andere Indonesische studenten gearresteerd onder beschuldiging van opruiing en verboden contacten met communistische agenten. Al eerder, in de zomer van dat jaar, had de politie een inval gedaan bij de Perhimpoenan Indonesia en allerlei documenten in beslag genomen. Na enkele maanden voorarrest begint in maart 1928 het proces tegen de vier studenten.[29] Tijdens de rechtszaak ontkent Hatta de contacten met Semaoen niet, maar verzet hij zich tegen de beschuldiging dat hij en zijn medestanders communistische agitatoren zijn. Zijn verdediging is de basis van de brochure 'Indonesië Vrij', die in 1928 in druk zal verschijnen. Uiteindelijk zou de rechtbank in Den Haag besluiten alle vier studenten in vrijheid te stellen. Historicus Harry Poeze stelt dat de arrestatie van Hatta en zijn medestanders een volkomen averechts effect voor de Nederlandse regering had: het zette Hatta en de zaak van de Indonesische onafhankelijkheid volop in de belangstelling.[30] Na zijn vrijlating concentreerde Hatta zich meer op zijn studie, hoewel hij actief bleef binnen de Perhimpoenan Indonesia en de Liga tegen imperialisme. In de jaren na 1928 heeft Hatta regelmatig contact met politici en schrijvers van socialistische snit, zoals Henriëtte Roland Holst. In 1932 rondt Hatta zijn studie in Rotterdam af en keert hij terug naar Indonesië. Eind jaren veertig is hij weer in Nederland: dit keer als vicepresident van Indonesië die tijdens de Ronde Tafel Conferentie als hoogste Indonesische vertegenwoordiger aanwezig is bij soevereiniteitsoverdracht van Nederland aan Indonesië op 27 december 1949. Meer over de Perhimpoenan Indonesia, waarin Hatta zo'n belangrijke rol speelde, volgt later in dit hoofdstuk.

In het vooroorlogse Rotterdam waren kleine gemeenschappen van Indische, Chinese, Surinaamse en Antilliaanse Nederlanders en Indonesiërs ontstaan, bestaand uit studenten, bedienden, zeelieden en havenarbeiders. Studenten, vaak afkomstig uit de elite, waren naar Rotterdam gekomen voor hun opleiding. Bedienden waren dikwijls met hun Nederlandse werkgever meegekomen. Zeelieden waren door scheepvaartbedrijven gecontracteerd en als arbeiders in de haven van Rotterdam blijven hangen. Chinezen hadden zich sinds 1911 in de wijk Katendrecht gevestigd.

Hun komst vloeide voort uit de zeemansstaking die eerder in datzelfde jaar had plaatsgevonden. Omdat de economie wereldwijd groeide en het transport overzee toenam, wilden zeelieden daarvan meeprofiteren: zij eisten een hoger loon en betere arbeidsomstandigheden. Toen zij dat niet kregen, legden ze in juni 1911 het werk neer; niet alleen in veel havens in Nederland, maar ook in België, Engeland en de VS kon geen schip meer uitvaren. De Rotterdamse Lloyd bedacht een list en haalde in het diepste geheim ongeveer honderd Chinese zeemannen uit het Londense Chinatown. Zij werden in Rotterdam als stoker of kolensjouwer aan het werk gezet op trans-Atlantische schepen die zo, ondanks de staking, toch konden uitvaren. Na afloop van een staking zette een rederij stakingsbrekers op straat, zodat het gewone personeel weer aan de slag kon. Maar dat gebeurde ditmaal niet. Rederijen namen zelfs nog meer Chinezen in dienst, waardoor honderden Nederlandse zeelui hun werk verloren. De Chinezen vestigden zich in Katendrecht, midden in het havengebied. De wijk groeide uit tot het Rotterdamse Chinatown, waar rond 1929 ongeveer vijfhonderd Chinezen woonden. Ze werkten vooral binnen de eigen groep, en openden eethuizen die namen als Cheung Kwok Low en Wae Hing Lau droegen.[31] Bovendien waren 66 Indonesische schepelingen in de meidagen van 1940 in de havens gestrand.[32] In materieel opzicht hadden deze schepelingen het door de zorg van de Koninklijke Lloyd beter dan veel Rotterdamse burgers. De Lloyd had ze van de loodsen op het haven terrein overgebracht naar een ontruimd schoolgebouw. De maatschappij vulde hun voedseltoewijzing volgens distributiebonnen aan. Uit in Rotterdam gestrande schepen werd de rijstvoorraad gehaald, waarmee tot november 1941 dagelijks een maaltijd werd bereid. Daarna werden door ruil van brood- en aardappelbonnen rijstvoorraden verkregen, zodat tot augustus 1944 nog drie maal per week rijst kon worden gegeten.[33]

DE TWEEDE WERELDOORLOG

Voor Indisch-(Chinese) Nederlanders en Indonesiërs in Rotterdam betekende de Duitse bezetting een zware slag omdat de banden met het moederland werden verbroken. Konden sommige indo's vanwege hun dubbele, Indonesisch-Nederlandse herkomst nog hun toevlucht zoeken bij familie in Nederland, Indonesiërs waren in alle opzichten op zichzelf aangewezen. Hun eerste reflex na de inval van de Duitsers was Nederland

Chinezen bij viswagen, Katendrecht 1946. Foto Kees Molkenboer. (Collectie Nederlands Fotomuseum)

te ontvluchten en terug te keren naar Indonesië, dat nog niet bezet was. Maar in een wereld in oorlog was dat, zo beschrijft journalist en schrijver Herman Keppy, moeilijk en kostbaar.[34] Begin 1942, met de Japanse bezetting van de archipel, was contact tussen Nederland en Indonesië volstrekt onmogelijk geworden. Voor joden in Nederland, al dan niet van Indische afkomst, was een vertrek naar Nederlands-Indië in eerdere jaren een beproefde vluchtroute geweest. Deze weg was nu definitief afgesloten.[35] Surinaamse joden in Nederland leken aanvankelijk beter af dan Nederlandse joden: 'Vaak was niet aantoonbaar dat hun vier grootouders allen jood waren geweest; hierdoor ontliep een aantal van hen de noodlottige registratie als jood en daardoor de deportatie naar de naziconcentratiekampen. Niettemin overleefden vele in Nederland verblijvende Surinamers de bezetting niet.'[36] Hun aantal wordt geschat op honderd slachtoffers. Over het aantal Antilliaanse joden in Nederland tijdens de Tweede Wereldoorlog is, behalve over de bekende verzetsheld George Maduro, nagenoeg niets bekend.

Na de Nederlandse capitulatie op 15 mei 1940 konden Indonesische organisaties hun activiteiten in Nederland vooralsnog legaal voortzetten. De al eerder genoemde landelijke studentenvereniging Perhimpoenan Indonesia was opgericht in 1908 als Indische Vereeniging en kreeg in 1924 haar Indonesische naam. PI had van oudsher een politiek progressieve en antifascistische oriëntatie.[37] Indonesische studenten en afgestudeerden in Nederland, onder wie Mohammad Hatta en Soetan Sjahrir, deelden het voornaamste agendapunt van de vereniging: het streven naar de onafhankelijkheid van Indonesië.[38] Eind jaren dertig besloot het PI-bestuur dat einddoel tijdelijk op te schorten, omdat het een groter gevaar zag in het fascisme: 'Zij aan zij met de Nederlanders wensten de Indonesiërs eerst tegen dat gevaar te strijden.'[39] Er ontstonden PI-verzetsgroepen in Amsterdam, Leiden en Den Haag, die contact onderhielden met kleinere groepen Indonesische verzetsstrijders in Rotterdam, Delft, Utrecht en Wageningen. In Rotterdam bestond de verzetsgroep uit Soemitro Djojohadikoesoemo, Teuku Mohammad Hanafiah, Joesoef Moedadalam, Moorianto Koesoemo Oetoyo, Brenthel Soesilo, Saroso Wirodihardjo en de broers Djajeng en Gondo Pratomo. Beide broers studeerden aan de Handelshogeschool: Djajeng sinds 1937, Gondo vanaf 1940. De Indonesische verzetsmensen beschikten over vuurwapens: de uit Atjeh afkomstige Moedadalam pleegde met een Nederlandse knokploeg een overval op een Duitse politiepost en bemachtigde daarbij vier Walther-pistolen.[40] Djageng Pratomo was vooral betrokken bij de verspreiding van meerdere illegale bladen. In een woning aan de Aelbrechtskade in Rotterdam werden *De Bevrijding* en *De Vrije Katheder* gedrukt. Djajeng Pratomo viel in handen van de Sicherheitsdienst, kwam in kamp Vught en overleefde concentratiekamp Dachau.

Naast Indonesische studenten waren Indische jongemannen actief in het Rotterdamse verzet. Wim de Lange, stoker-olieman 2e klasse van de Koninklijke Marine, weigerde als enige niet-officier in 1940 de erewoordverklaring aan de Duitsers te tekenen. Als krijgsgevangene kwam hij in het bekende Colditz-kamp terecht, waar hij als technische man een cruciale rol speelde bij ontsnappingen.[41] Zijn (half)broer Philip de Lange was pas zestien jaar en een middelbare scholier toen hij in 1942 begon met verzetsactiviteiten, bestaande uit het opleiden van marconisten uit Engeland, wapens ophalen na droppings en distributiekantoren overvallen.

Hij was in de zomer van 1944 betrokken bij de overval op het distributiekantoor op het Afrikaanderplein in Rotterdam-Zuid en in september van datzelfde jaar bij het tot zinken brengen van de *Westerdam*, een schip van de Holland-Amerika Lijn. Het was door de Duitsers geconfisqueerd om als blokkadeschip in de Nieuwe Waterweg te dienen, wat door de verzetsactie niet meer lukte.

Geen jongeman meer (want geboren in 1908), maar wél Indisch was Charles Douw van der Krap: commandant van de Hr.Ms. *Balder*, een kanonneerboot die in de meidagen van 1940 vlak bij Rotterdam in het droogdok lag. Hij zag op 10 mei 1940 Duitse parachutisten in Rotterdam neerkomen die de twee Maasbruggen aanvielen. Hierop begaf Douw van der Krap zich naar de dichtstbijzijnde marinekazerne, waar hij het bevel over een afdeling ongeoefende marinetroepen op zich nam en het gevecht aanging met Duitse parachutisten.[42]

Niet alleen Indische en Indonesische, maar ook Surinaamse en Antilliaanse Nederlanders raakten bij het Rotterdamse verzet betrokken. Onder hen was Leo Lashley (1902-1980), geboren in Suriname en naar Nederland gekomen om medicijnen te studeren. Hij vestigde zich als oogarts in Rotterdam en werd tijdens de oorlog voorzitter van de Rotterdamse artsenvereniging. Hij protesteerde in die functie tegen de oprichting van de nazistische Artsenkamer in 1942, sloot zich aan bij het verzet en bezorgde onderduikers veilige adressen. Tijdens de oorlog is improvisatie belangrijk: zo moest hij zich verdiepen in het vak van vrouwenarts toen een ondergedoken Joodse vrouw in de Breepleinkerk in Rotterdam-Zuid moest bevallen. Lashley was als enige arts bereid om bij de bevalling te helpen. De baby kwam achter het orgel van de kerk ter wereld. Nadat hij een paar keer door de Duitsers was gearresteerd, dook Lashley zelf onder. Na de oorlog was hij als arts bij het Militair Gezag betrokken bij de berechting van collaborateurs.[43] In 2016 vernoemde de gemeente Rotterdam hem in de wijk Zuiderhof rond het voormalige Zuiderziekenhuis: de Leo Lashleylaan.

Naast het artsenverzet was er de gewapende strijd, waaraan de Surinaamse KNIL-officier Hugo Desiré Rijhiner (1905-1991) deelnam. In de jaren twintig trad hij in Nederlands-Indië toe tot het Koninklijk Nederland-Indisch Leger (KNIL). In 1939 kwam hij, inmiddels onderluitenant, met verlof in Nederland met het voornemen om door te reizen naar Suriname. Toen het Duitse leger Nederland bezette, werd Rijhiner gemobiliseerd en was hij verantwoordelijk voor de verdediging van een munitiedepot in Overschie, nabij Rotterdam. Bij het inspecteren van de troepen tijdens de gevechten in mei 1940 raakte hij gewond door eigen vuur. Ondanks zijn verwondingen keerde hij de volgende dag naar het Rotterdamse front terug.[44] Meer versterking uit Suriname en de Antillen in de strijd tegen de Duitse bezetter arriveerde in oktober 1944. Een groep Surinaamse en Antilliaanse mariniers kwam aan in het reeds bevrijde Terneuzen als onderdeel van Naval Party 3004, een Britse eenheid. Deze eenheid ondersteunde aan de zijde van de geallieerde troepen de bevrijding van West-Zeeuws-Vlaanderen, Walcheren en Zuid-Beveland. Na de bevrijding – en voor sommigen een daaropvolgende militaire inzet in Indonesië – bleef een deel van deze mariniers in Nederland. De Surinamer Chris Menig trouwde in 1946 met Pieternella (Nelly) Schalk, in Rotterdam.[45] Cornelio de Windt, geboren in Curaçao, trad dat jaar in het huwelijk met Pieternella Ruisaard; net als Menig werd hij overgeplaatst naar Rotterdam.[46]

Net zoals Indonesische en Indische studenten en militairen weigerden om een loyaliteitsverklaring aan het Duitse naziregime te ondertekenen, kregen ook studenten uit Suriname en van de Antilliaanse eilanden met dit dilemma te maken. Voor de uit Curaçao afkomstige student Wilhelmus Siegfried van Meeteren, beter bekend als Shon Wé, was het doorslaggevende argument om niet te tekenen de wens een 'goed vaderlander' te zijn. Hij diende vanaf 1938 als militair in Weert en was na de capitulatie in mei 1940 door de Duitsers krijgsgevangen gemaakt. Na zijn vrijlating ging hij studeren aan de Economische Hogeschool te Rotterdam. Het ware dilemma deed zich voor toen de Duitsers de weigeraars opdroegen zich te melden voor de Arbeitseinsatz. Shon Wé woonde bij zijn gehuwde zuster in. Weigering zou haar gezin in gevaar kunnen brengen en hij meldde zich aan. Met een groep lotgenoten ging hij op transport naar Berlijn en werd daar in een fabriek gedwongen tewerkgesteld. In juni 1945 keerde Shon Wé terug naar Nederland.[47]

De bekendste Antilliaanse verzetsmannen zijn de Arubaan Segundo Jorge Adelberto (Boy) Ecury en de uit Curaçao afkomstige rechtenstudent en reserveofficier George Lionel Maduro, die in het verzet in de omgeving van Den Haag actief was. Ecury was betrokken bij het gewapend verzet (knokploegen) in Den Haag, Delft, Tilburg en Rotterdam. In het Charlois Volkshuis aan de Dorpsweg in Rotterdam-Zuid stelde Ecury uit voorzorg zijn laatste wilsbeschikking op.[48] Het hoofdkwartier van de Rotterdamse knokploegen was aanvankelijk gevestigd in het gebouw van de Christelijke Ambachtsschool aan de Gordelweg, maar was na 'Dolle Dinsdag' op 5 september 1944 verplaatst naar een loterijkantoor aan de Diergaardesingel. In oktober 1944 kreeg Ecury's knokploeg opdracht om een beruchte NSB'er te liquideren. Wat volgde was een moordaanslag aan de Vierambachtstraat, die echter mislukte. Door verraad moesten Ecury en twee ploegmaten onderduiken aan de Mathenesserlaan 352a in Rotterdam. Op 5 november 1944 woonde hij een hoogmis bij in de katholieke kerk aan diezelfde laan, dicht bij zijn onderduikadres. Na de mis liep hij terug naar huis, langs de *Aussenstelle* Rotterdam, het hoofdkwartier van de SD op de hoek van de Heemraadssingel en de Mathenesserlaan. Duitsers hebben Ecury toen herkend en sleepten hem het gebouw in. Hij zag geen kans om de pistolen die hij op zak had te gebruiken.[49] Enige tijd na zijn arrestatie overviel de SD zijn onderduikadres. De volgende dag stelden de Duitsers Ecury in staat van beschuldiging. Tijdens de verhoren beloofden de Duitsers hem clementie en een veilige terugkeer naar Aruba op voorwaarde dat hij de namen van zijn verzetskameraden zou onthullen. Hierop zou Ecury hebben geantwoord: 'In het huis van mijn ouders is geen plaats voor een verrader.' Hij werd op 6 november 1944 door een vuurpeloton van de SS op de Waalsdorpervlakte gefusilleerd. Het overlijdensbericht bereikte zijn ouders op Aruba pas eind juni 1945, kort na de bevrijding van Nederland.[50]

Zoals er tijdens de oorlog Indonesische schepelingen in Rotterdam waren, was er omgekeerd ook scheepspersoneel uit Rotterdam overzee. Vijftien 'Rotterdam-Chinezen' vonden in 1942 hun laatste rustplaats op de begraafplaats Kolebra Bèrdè in de wijk Kas Chikitu op Curaçao.[51] Zij hadden de naam Rotterdam-Chinezen gekregen om hen te onderscheiden van andere Chinezen op het eiland. De groep bestond uit stokers en ander machinepersoneel op de kleine olietankers die tijdens de oorlog tussen de Venezolaanse petroleumvelden en de Shellraffinaderij op Curaçao pendelden. Ze waren in dienst van de Curaçaose Scheepvaart Maatschappij (CSM), die Chinese contractarbeiders voor het werk in de bloedhete machinekamers van de tankers inzette. Toen de Chinezen op 20 april 1942 staakten tegen de levensgevaarlijke omstandigheden waaronder ze hun werk moesten doen, schoot de militaire politie hen op brute wijze dood. Het meedogenloze optreden van de militaire politie werd in de hand gewerkt door de visie van de autoriteiten, die van mening waren dat de olieproductie voor de geallieerde oorlogsmachine onder geen beding gevaar mocht lopen. Voor deze 'Rotterdam-Chinezen' richtte de

Chinese gemeenschap op Curaçao een monument op; in 2007 kreeg het kerkhof de status van Nationaal Monument.

Dat Rotterdam als havenstad niet alleen mensen en goederen naar elders uitzond, maar ook ontvanger was, werd na de bevrijding van Nederland op 5 mei 1945 onderstreept door de oprichting van de stichting Nationale Hulpactie Roode Kruis (HARK), met prinses Juliana als beschermvrouwe. Het centraal bureau van HARK was in Rotterdam gevestigd en groeide uit tot een grote import- en distributieorganisatie met 450 betaalde en 10.000 onbetaalde medewerkers in ongeveer 1000 provinciale en plaatselijke comités. In nauwe samenwerking met de overheid zag de organisatie toe op de distributie van de enorme hoeveelheid hulpgoederen die door inzamelingen waren verkregen: vanuit het buitenland, maar ook vanuit de Antilliaanse eilanden. Tijdens de oorlog waren op de Antillen namelijk diverse steunfondsen tot stand gebracht, waarin de eilandbewoners geld en goederen voor Nederlandse oorlogsslachtoffers inzamelden. Er was zoveel enthousiasme op de eilanden en er ontstonden zoveel fondsen en comités, dat werd besloten om alles te coördineren via het Curaçaos Nationaal Steunfonds en via het Aruba Hulpfonds voor Nederland.[52] Op 19 november 1945 verscheepte het Aruba Hulpfonds de eerste zending hulpgoederen met de MS *Cadila* naar Nederland. De Rotterdamse pakhuismeester nam de 49 kisten met dekens, boven- en onderkleding en schoenen voor vrouwen, mannen en kinderen in Nederland in ontvangst. Op 23 december 1945 stuurde het HARK-comité Rotterdam een telegram aan het Aruba Hulpfonds voor Nederland: 'Deze eerste Kerstmis als vrij volk gevoelen wij behoefte u hartelijk te danken voor grooten steun van u door zendingen *relief* goederen ondervonden – stop – voor slagen van ons werk uw sympathie en hulp van onschatbare waarde waarvoor wij ten zeerste erkentelijk – stop –.'[53]

De vaak als 'innig' getypeerde band tussen de Cariben en Nederland heeft daarmee een ander karakter dan die tussen Indonesië en Nederland. Waar Indonesische studenten in Nederland de voorkeur gaven aan een gefaseerde bevrijding ('eerst Nederland, dan Indonesië bevrijden'), koesterden Antilliaanse studenten geen uitgesproken nationalistische ideeën over dekolonisatie: 'een 'anti-makamba'-houding was hun vreemd. Wel leefde in deze groep het ideaal na hun studies terug te keren en het eigen land op te bouwen.[54] Voor Surinaamse studenten gold toen nog hetzelfde.

NIEUWE ROTTERDAMMERS UIT INDIË/INDONESIË

Na de capitulatie van Duitsland en de bevrijding van Nederland op 5 mei 1945 was het Koninkrijk der Nederlanden in de breedste zin van het woord nog niet vrij van vijandelijke mogendheden. Het duurde in Nederlands-Indië tot 15 augustus 1945 voordat Japan zich overgaf. Waar landgenoten in Nederland weer in vrijheid konden leven zoals voor de oorlog, trokken Indonesiërs, vertegenwoordigd door president Soekarno en vicepresident Hatta, op 17 augustus 1945 de vrijheid naar zich toe door de onafhankelijkheid van de Republiek Indonesië uit te roepen. Omdat Nederland weigerde de Indonesische soevereiniteit te erkennen, brak vervolgens een chaotische periode aan met opnieuw conflict, geweld en oorlog die alle bevolkingsgroepen in de archipel raakte. Vanuit de Rotterdamse haven vertrokken tienduizenden militairen om in Indonesië te gaan vechten. Het dagblad *De Rotterdammer* sprak van een 'ernstige toestand' en drukte in oktober 1945 een foto af van de Hr.Ms. *Van Kinsbergen* 'die onder enorme belangstelling van de Parkkade in Rotterdam naar Indië vertrok'.[55] Veel Nederlandse jongemannen vertrokken tussen 1945 en 1949, als dienstplichtige of als oorlogsvrijwilliger, naar een voor hen volstrekt onbekend land. De achterblijvers, gezinsleden en buurtgenoten, leefden met hen mee en zamelden ter ondersteuning geld in 'voor onze jongens in Indië' – een veel gebezigde uitdrukking die ook *Het Nieuwsblad voor de Hoekse Waard en IJsselmonde* gebruikte om de opbrengst van een collecte te melden.[56]

Ondertussen waren begin 1946 nog zeker enige duizenden Indonesische zeelieden op Nederlandse schepen werkzaam. Niet alleen de KPM, ook de Rotterdamsche Lloyd en de Maatschappij Nederland hadden vele Indonesiërs in dienst. Velen van hen hadden in Indonesië aangemonsterd, waren door de oorlog op uiteenlopende plaatsen terechtgekomen en hadden nu maar één wens: naar huis! Dat laatste stuitte echter op nogal wat problemen. De scheepsruimte en het scheepspersoneel waren allereerst nodig voor het vervoer van voorraden, van militairen en van wapens. Voor zover het daarbij ging om de repatriëring van Nederlandse burgers en militairen vanuit Indonesië naar Nederland leverde dat voor de Indonesische zeelieden geen bezwaren op. Anders werd dat echter toen Nederland militairen en wapens naar Indonesië verscheepte vanwege de strijd die daar was uitgebroken. Deze troepen en dit materieel zouden worden ingezet tegen Indonesiërs; mogelijk dus tegen de familie en tegen de dorpen van Indonesische zeelieden. De Bond van Indonesische Zeelieden ging hier dan ook tegen in protest.[57]

Op 15 april 1945 publiceerde de afdeling Rotterdam van de Bond van Indonesische Zeelieden een manifest waarin zij aankondigde dat de leden in staking zouden gaan. De staking begon in Rotterdam en breidde zich daarna uit tot zelfs in België. Er waren op dat moment ongeveer 250 Indonesische zeelieden in Nederland die op vertrek naar huis wachtten: circa 100 in Rotterdam en 150 in Amsterdam. Het manifest geeft aan dat een deel van deze zeelieden bereid was om aan te monsteren, op voorwaarde dat hun schepen niet zouden worden betrokken bij het vervoer van troepen en wapens naar Indonesië. Dit bleek echter keer op keer weer het geval te zijn. Om het Indonesisch personeel tot een besluit te dwingen, zo verhaalt het manifest, had de directie van de Rotterdamsche Lloyd besloten hun gage te halveren. De bemanning had dat echter geweigerd, om niet de indruk te wekken zich bij de gang van zaken neer te leggen door het bedrag wél te accepteren. Uiteindelijk heeft het Ministerie van Overzeese Gebiedsdelen het recht van de zeelieden om troepen- en wapenvervoer naar Indonesië te weigeren erkend. Het duurde bijna twee maanden voordat deze kwestie was opgelost. Op 15 juni 1945 waren de Indonesische zeelieden vertrokken nadat het Ministerie van Overzeese Gebiedsdelen de verantwoordelijkheid van het transport op zich had genomen.[58]

Pas op 29 december 1949 droeg Nederland formeel de soevereiniteit aan Indonesië over en erkende daarmee de onafhankelijkheid van het land – wat voor Indonesiërs al ruim vier jaar lang realiteit was. In de tussenliggende periode van 1945 tot 1949 had het merendeel van de Nederlanders en een aantal Indische en Chinees-Indische Nederlanders hun conclusie getrokken: Indonesië was niet langer het land waar ze wilden of konden blijven. Degenen die in Nederland waren geboren of er al eerder hadden gewoond, repatrieerden meestal vlot naar Nederland. Voor veel van hen en ook voor later naar Nederland overgekomen Indische en Chinees-Indische Nederlanders en ook Molukkers betekende het een definitief afscheid van hun geboorteland en migratie naar een onbekend 'moederland'.

Hoewel de groep uit Indonesië als een collectief van 'repatrianten uit Indië' bekendstaat, was de groep heterogeen en verschilde de behandeling door de Nederlandse overheid ten aanzien van Nederlanders, 'Chinees'-

Indische en Molukse Nederlanders aanzienlijk. Niet iedere persoon die volgens het koloniale bestel tot de Europese bevolkingsgroep behoorde, was even welkom in Nederland: 'Blank was overal gewenst, bruin vrijwel nergens.'[59] Vanaf begin oktober 1945 kreeg de opvang en verzorging van oorlogsevacués vanwege het toenemende geweld tegen hen in Indonesië verhoogde prioriteit. Hiertoe werd het Bureau Repatriëring Indië opgericht, onder de vlag van het Militair Gezag. Tot hospitaalschepen verbouwde koopvaardijschepen werden ingezet voor het vervoer van het merendeel van deze *displaced persons*, waarbij het Commissariaat voor Indische Zaken voorrang gaf aan 'in Nederland geboren staatsburgers'.[60] Provinciale inspecteurs waren belast met de huisvesting van evacués: zij zochten door heel Nederland naar beschikbare woonruimte. In zwaar getroffen steden en dus zeker in Rotterdam heerste grote woningnood en gold een vestigingsverbod. Wel meerden lijnschepen en gecharterde schepen onafgebroken aan in de haven van Rotterdam, met evacués uit Indonesië aan boord die, als zij geen familie of goede vrienden hadden bij wie ze terechtkonden, na aankomst verder over Nederland werden verspreid. Dat gold in beperkte mate toch ook voor Rotterdam. Door de haast waarmee pensions nodig waren, werden soms bizarre fouten gemaakt. Zo werd met hotel Europa in Rotterdam zonder inspectie vooraf een contract afgesloten. Dit 'hotel' bleek voorheen een bordeel te zijn geweest; 's nachts stonden zeelui op de ramen te bonken. Het was er vies en vuil; na klachten van bewoners werd het contract opgezegd.[61] In juli 1947 arriveerde de Indo-Afrikaanse oorlogsweduwe Juliana Goutier-Niks met haar vijf zoontjes gedwongen in Nederland, omdat haar gezin tijdens de Indonesische onafhankelijkheidsstrijd in gevaar was. Als afstammelinge van een *belanda hitam* ('zwarte Nederlander', de Afrikaanse KNIL-soldaat Najoersie uit Burkina Faso) beschikt zij bij geboorte over het Nederlands staatsburgerschap. Zoon Rudy Goutier memoreert: 'Bij aankomst in Rotterdam werden we verwelkomd door een muziekkapel op de kade, maar mijn moeder huilde aan één stuk door. We zijn toen opgevangen in een doorgangshuis op de Coolsingel, waar we een korte periode zouden verblijven.'[62]

De Nederlandse autoriteiten kwamen voor een veel groter huisvestingsvraagstuk te staan dan zij aanvankelijk hadden aangenomen. Bij de Ronde Tafel Conferentie (RTC) van 1949 was de Nederlandse regering er (ten onrechte) van uitgegaan dat Indo-Europeanen voor de Indonesische nationaliteit zouden kiezen.[63] Begin 1950 besefte de Nederlandse overheid dat er veel meer immigranten uit Indonesië zouden arriveren, voor een permanent verblijf. Men beoogde deze nieuwkomers in doorgangshuizen te plaatsen, zoals eerder met de groep oorlogsevacués uit Indonesië, waarbij het plan was om deze contractpensions voor een langere periode te exploiteren. Eind 1950 had de overheid daartoe met ruim vierhonderd pension- en hotelhouders door het hele land contracten afgesloten. Voorts was voorzien in panden voor zelfstandige bewoning door gezinnen, en opvangkampen, waaronder enkele militaire complexen in Rotterdam. Per 1 januari 1951 trad de Wet Huisvesting Gerepatrieerden in werking, die bepaalde dat 'het verblijf in pensions van zo kort mogelijke duur dient te zijn, opdat de gezinnen een plaats in de gewone Nederlandse samenleving krijgen'.[64]

Ook Rotterdam ging deze nieuwkomers huisvesten. In latere jaren kregen Indische en Chinees-Indische gezinnen de optie om een flatwoning te huren in de Rotterdamse nieuwbouwwijken Hoogvliet en Overschie. In 1955 hield de Stichting Kerkelijke Sociale Arbeid der Hervormde Gemeenten te Rotterdam (KSA) een enquête over de mening van Nederlanders over Indische Nederlanders: 123 van de 615 aangeschreven Rotterdammers vulden deze in.[65] Het merendeel van de respondenten toonde begrip voor de komst van repatrianten en migranten naar Nederland, 20% wees dit af. 46% beoordeelde de regeling ten aanzien van de woningtoewijzing voor deze groep 'wel billijk' tegenover 37% 'onbillijk'.[66] Tot begin jaren zestig zouden migranten uit Indonesië blijven arriveren. Een schatting wijst uit dat de Indische gemeenschap in Nederland rond 2000 in totaal ruim 400.000 mensen (eerste en tweede generatie) telde, inclusief Molukkers.[67] Hoeveel van deze groep zich in Rotterdam had gevestigd is niet vast te stellen, maar het zal stellig om tienduizenden zijn gegaan.

Inmiddels had zich een nieuwe groep migranten aangediend: op woensdagavond 21 maart 1951 meerde de ss *Kota Inten* afkomstig uit Soerabaja, af aan de Lloydpier in Rotterdam, met aan boord circa 900 Molukse militairen van het KNIL met hun gezinsleden. In totaal kwamen in het voorjaar van 1951, op dienstbevel van de Nederlandse regering, ongeveer 13.000 Molukse Nederlanders met twaalf grote scheepstransporten vanaf Java naar Rotterdam en Amsterdam. Naast de *Kota Inten* arriveerden de schepen *Atlantis*, *Castel Bianco*, *Fairsea*, *Goya*, *Roma* en *Skaubryn* in de Rotterdamse haven.[68] De komst van Molukkers naar Nederland was een gevolg van de opheffing van het KNIL. In een onafhankelijk Indonesië was ook een koloniaal leger uiteraard verleden tijd. Een deel van de militairen stapte over naar het Indonesische leger. Demobilisatie op de Molukken werd niet toegestaan, omdat daar in 1951 de Repbliek der Zuid-Molukken (Republik Maluku Selatan: RMS) was uitgeroepen. Noch de Indonesische, noch de Nederlandse regering wilde dat de RMS zou worden versterkt met ex-KNIL-militairen. Bij aankomst op Nederlandse bodem volgde – tot verbijstering van de militairen – het bericht dat zij uit de militaire dienst werden ontslagen.

Het beleid van de Nederlandse regering ten aanzien van de huisvesting van Molukse migranten zou haaks staan op dat wat het eerder had ontplooid voor de 'repatrianten'; terwijl die werden geacht te assimileren, werd het de Molukse Nederlanders decennialang juist zeer moeilijk gemaakt om te integreren. De gedachte was dat het verblijf van de Molukse migranten tijdelijk zou zijn en dat zij weer zouden terugkeren naar de Molukken. Molukse Nederlanders kwamen in 52 woonoorden door heel

Jongemannen in Kamp Q, Slikkerveer, fotograaf onbekend. (Collectie Moluks Historisch Museum)

Nederland terecht. De ligging ervan buiten de bebouwde kom was bewust zo geïsoleerd mogelijk gekozen om integratie met Nederlanders te voorkomen. In de nabije omgeving van Rotterdam kwamen twee woonoorden tot stand: Kamp Q aan de Benederijweg 175b in het dorpje Slikkerveer, ten noorden van Ridderkerk, en het woonoord IJsseloord in Capelle aan den IJssel.

Molukse mannen konden als lasser of in de gieterij op de scheepswerven aan de slag en wikkelden dynamo's in de fabriek van Electro Smit Slikkerveer. Directeur Frans Smit had een bedrijfsloods op het fabrieksterrein, Kamp Q genaamd, als woonruimte voor Molukse vrijgezellen ter beschikking gesteld. Vanaf januari 1952 arriveerden zij in Kamp Q: 'Om kwart voor tien reed de bus het kamp binnen. We voelden de kou haast niet, want we waren vol van blijdschap. Blij vanwege het feit dat we de kans kregen iets verder te komen, dan degenen die achterbleven. [...] Het was toch een hele stap wat wij deden, want het was door de overheid en de bonden verboden voor Ambonezen om te gaan werken. We negeerden dat verbod, daar hadden we geen boodschap meer aan! In de namiddag kwamen we in Slikkerveer aan, waar we goed werden ontvangen met een kopje thee en een mariakaakje maar de meesten van ons stonden al te popelen om naar de slaapvertrekken te gaan om; een goed plekje te bemachtigen.'[69] De uit Saparua afkomstige Henk Pattiwael vond het leven in Kamp Q in Slikkerveer gezellig: 'Er werd veel gekaart, gegokt en de jongens zaten achter de vrouwen aan.'[70] Pattiwael herinnert zich Slikkerveer als een streng gelovig dorp. De bewoners vonden het bijvoorbeeld niet leuk als de Molukkers op zondag gingen fietsen. Sommige jongens gingen naar een Nederlandse kerk, maar ook kwam de Molukse dominee Sahetapy geregeld naar het kamp voor kerkdiensten. In 1953 schakelde de burgemeester van Ridderkerk de bewoners van Kamp Q in bij de Watersnoodramp, waar ze op zijn verzoek meehielpen zandzakken te vullen en dijken te verstevigen.[71]

Vanaf 1955 was de gemeente Capelle aan den IJssel in onderhandeling met de rijksoverheid over de bouw van twee Molukse woonoorden, waar echter 'het altijd dominante Rotterdam' vanwege uitbreidingsplannen van de stad niet aan mee wilde werken. De Capelse Winkeliersvereniging reageerde zeer teleurgesteld en vroeg 'namens alle Capelse neringdoenden het tweede woonoord alsnog te aanvaarden. Meer mensen geeft meer handel en een betere boterham.'[72] De Maasstad kreeg echter haar zin: er kwam slechts één woonoord in Capelle, IJsseloord, bestaande uit 38 prefab

Woonkamer in woonoord IJsseloord, Capelle aan de IJssel, fotograaf onbekend. (Collectie Moluks Historisch Museum)

houten barakken, in pasteltinten geschilderd, met in totaal 190 woningen. Ieder huis had een keuken, bergruimte en een hurk-wc. Verder bouwde de aannemer een kerk met consistorie, een sociaal centrum, een school, een bad- en washuis, een kantine, twee beheerderswoningen en twee kolenbergplaatsen. De eerste bewoners arriveerden in februari 1958. Met de opheffing van Kamp Q in hetzelfde jaar verhuisden de meeste nog overgebleven vrijgezellen ook naar IJsseloord. Daar woonden ze tussen ex-KNIL-militairen die vanuit andere woonoorden (onder meer Vught, Tiel en Eijsden) waren overgeplaatst. De meeste mannen in IJsseloord vonden werk bij de scheepswerven Van der Giesen, Vuyk en Verolme en andere firma's in Rotterdam, zoals Chrysler, Van Nelle, Heineken en graanverwerker Meneba.

Julius Huliselan uit Saparua kwam in mei 1958 in IJsseloord.[73] Kort daarop ontmoette hij zijn toekomstige vrouw en in oktober van dat jaar betrok het paar een nieuwe woning in het woonoord. De huur was drie gulden in de week. Vergeleken met de woonsituatie buiten IJsseloord was dat heel gunstig. Nederland zat in de wederopbouw en de woningnood was groot. In de barakken waren wooneenheden van verschillende grootte gebouwd. Bij gezinsuitbreiding kon men verhuizen naar een grotere woning binnen het kamp. Er ontstond een hechte gemeenschap, met een eigen cultuur. Binnen de protestante kerk Geredja Indjili Maluku (GIM) waren veel verenigingen actief: zang-, vrouwen- en jongerenverenigingen, een fluitorkest en zondagsscholen. De inwoners maakten veel muziek en sportten graag. Twee eigen voetbalclubs speelden in de competitie van de KNVB: FC Maluku en SC Sagu Boys.

In 1972 verhuisde het gezin Huliselan naar de Tualstraat in de nieuwe Molukse wijk Oostgaarde in Capelle aan den IJssel. Deze woonwijk kreeg straatnamen die verwijzen naar de Molukken. Gaandeweg was namelijk gebleken dat het perspectief op terugkeer naar de Molukken niet reëel was: het tijdelijk verblijf in Nederland werd permanente vestiging. Na 1960 richt het overheidsbeleid zich op voorzichtige integratie. Daarvoor was het nodig dat de Molukkers uit de verafgelegen, bouwtechnisch slechte en inmiddels overbevolkt geraakte woonoorden verhuisden naar stenen woningen, tussen de Nederlanders. In het verlengde van het nieuwe beleid kwam onder meer Moordrecht in zicht als een van de gemeenten waar een Molukse woonwijk kon worden gebouwd.[74] Moordrecht lag niet ver van het Rotterdamse havengebied, wat gunstig was voor de werkgelegenheid. In 1961 was de woonwijk tussen Schielands Hoge Zeedijk en de Ringvaart gereed. De straten in de Molukse wijk kregen de namen van leden van het Koninklijk Huis. De meeste Molukse ex-KNIL-militairen hadden zich inmiddels omgeschoold tot fabrieksarbeider. Een busbedrijf zette arbeidersvervoer op naar Rotterdam, onder andere naar de Vondelingenplaat, de Botlek en Pernis. Verder waren Molukkers werkzaam bij de bierfabriek Oranjeboom in Rotterdam, productiebedrijven in de regio en de Koninklijke Verenigde Tapijtfabrieken in Moordrecht. Een van de best betaalde klussen was het schoonmaken van de laadruimte van tankers in de Rotterdamse haven. Het was zwaar werk: met een schraper maakten de Molukse mannen olie en andere materialen aan de binnenkant van een tankruimte los.[75] Onder de rook van Rotterdam werd, naast Capelle aan den IJssel, Slikkerveer/Ridderkerk en Moordrecht, ook een Molukse gemeenschap gesticht in Krimpen aan den IJssel. In 2015 organiseerde Werkgroep Samen voor het eerst The Walk: een 14 kilometer lange wandeling van Rotterdam naar Krimpen aan den IJssel die in het teken staat van de komst van de eerste Molukkers naar Nederland in 1951. The Walk is een wandeling uit eerbetoon aan de eerste generatie Molukkers en vraagt aandacht en erkenning voor het Molukse verhaal. De wandeling begint bij de Lloydkade, een van de locaties waar de schepen met Molukkers aanmeerden.[76]

Montage van de Simca Aronde in de Nederlandsche Kaiser-Frazer Fabrieken NV (Nekaf). Foto Cas Oorthuys. (Collectie Nederlands Fotomuseum)

De verschillende migrantengroepen uit Indonesië laveerden tussen enerzijds assimilatie en anderzijds behoud van hun eigen cultuur en identiteit. Ondanks het dwingende beleid van de Nederlandse overheid om zich vroeg of laat aan te passen, vonden Indische, Chinese en Molukse Nederlanders tal van manieren om vast te houden aan waarden, gewoontes en tradities die voor hen belangrijk waren. Soms bleven deze onzichtbaar voor Nederlanders, omdat ze binnenshuis bleven en naar buiten toe juist een zo aangepast mogelijk gedrag werd vertoond, soms kwamen ze in alle energie en expressie zichtbaar naar buiten.

Indorock was daar een van: hun eigen, spectaculaire versie van de rock-'n-roll die Indische Nederlanders – kort daarvoor aangekomen in

Nederland – in de tweede helft van de jaren vijftig begonnen te spelen. Kende Rotterdam in de jaren dertig een levendige jazzscene, in de jaren zestig waren tal van Indische bands actief, waaronder The Black Devils, The Cherokees, The Crazy Strangers, Electric Johnny & His Skyrockets, Franky Franken, The Javalins, The Marlins, Oety & His Real Rockers en The Tarantula's.[77] Oety & his Real Rockers is een van de meest tot de verbeelding sprekende en roemruchte formaties uit de indorock-scene.[78] Het was de allereerste rock-'n-roll band in Rotterdam, bestaande uit de broers Oety, Errol en Jimmy Johannes. George Kooymans, gitarist van de Haagse Golden Earring, herinnert zich een talentenjacht begin jaren zestig waar Oety & His Real Rockers live speelden: 'Toen dacht ik: "*What the fuck* is dit?" Die bassist had zijn bas aan een polsbandje en speelde recht voor zich uit. Ik werd totaal, volkomen van de wereld geveegd. Wij waren nog broekies en die Nederlandse bands waren heel braaf. Die Indo's hadden bravoure en dat showelement, ik vond dat kicken.'[79] Op de affiches werden Oety & His Real Rockers aangekondigd als 'een wervelwindshow zonder weerga!' – 'Een reputatie die ze volledig waarmaakten. De pers kraakte ze echter volledig af. Nooit is er over een Nederlandse rockband zo negatief geschreven. Nederland was anno 1960 nog niet klaar voor de wilde rock-'n-roll klanken van deze en andere Indo bands.'[80] Een verge-

Broers Jan (links) en Armand (rechts) Captain, juli 1965 in Rotterdam. (Privébezit Esther Captain)

lijkbare negatieve ontvangst was de Surinaams-Rotterdamse jazzmusici al eerder overkomen. Het weerhield noch de jazzmusici, noch de indorockers ervan om door te spelen. Oety & His Real Rockers traden regelmatig op in theater Odeon aan de Gouvernestraat in Rotterdam.[81] Het gebouw is nog steeds in gebruik, nu als multifunctioneel wijkgebouw, en is daarmee een historische plek van de vroege indorock.

Misschien is mijn vader Armand Captain (1944-2003), geboren in een Indisch-Chinese familie in Jakarta, weleens bij zo'n optreden van een indorock-band geweest. Zijn gezin (ouders en drie kinderen onder wie Armand) arriveerde in 1956 met de ss *De Groote Beer* in Nederland. Mijn vader zat van 1963 tot 1966 op de Zeevaartschool in Rotterdam (tegenwoordig Maritieme Academie), waar hij bij Radio Holland een opleiding volgde tot telegrafist voor de grote vaart. Reders hadden in 1917 Radio Holland, een bedrijf gespecialiseerd in navigatiesystemen voor de scheepvaart, opgericht. In 1919 opende Radio Holland een kantoor in Nederlands-Indië; een kantoor te Curaçao volgde niet lang daarna. Het is dan ook niet verwonderlijk dat de Zeevaartschool studenten uit de koloniën aantrok: 'Een pittige opleiding! Armand woonde op kamers met leuke studiegenoten in de wijk Hoogvliet. Veel van zijn studiegenoten komen uit West-Indië. Leuke jongens!'[82] In het begin van zijn opleiding verbleef mijn vader in het katholieke internaat Huize Savio, een klooster van de Salesianen van Don Bosco (SDB) aan de Honingerdijk 70 in Rotterdam. Zijn fotoalbum toont plaatjes van 'ijverige studenten in Huize Savio', aldus het onderschrift, en laat Indisch-Chinese jongemannen in hun studievertrekken zien. Eenmaal op zichzelf wonend, op kamers in Hoogvliet, volgen er foto's met daarop een mix van Indische, Chinese en Caribische vrijgezellen, sportend, studerend en met elkaar op stap tijdens uitjes naar Duitsland en Luxemburg en op vakantie naar Spanje. Het hoeft eigenlijk niet te verbazen dat zij elkaar opzochten: hun kosmopolitische instelling, het voor hun zo vertrouwde meebewegen in verschillende culturen en contexten en het omgaan met Nederlanders van wie velen in de jaren vijftig en zestig nog niet zoveel gewend waren, schepte een band. Met hun komst veranderden Nederland en zijn inwoners. Zo kwam de indorock op, en met de komst van Indische migranten en de terugkeer van militairen uit Indonesië groeide de vraag naar Indisch eten. Ze schoten in deze decennia als paddenstoelen uit de grond: in iedere stad en in ieder dorp vestigde zich een restaurant met de aanduiding 'Chin.Ind.Rest.' (Chinees-Indisch restaurant). Op de menukaart stonden klassiekers als nasi rames, saté, foe yong hai en babi pangang, aangepast aan de Nederlandse smaak. In 1960 waren er 80 Chinese en Chinees-Indische restaurants in de provincie Zuid-Holland, in 1970 171. Het jaar 1982 laat het hoogste aantal van 443 zien, in 1993 waren er 391, waarna de daling definitief inzette: in 2019 waren er nog maar 182 Chinees-Indische restaurants.[83] Op 1 juli 2020 maakte het Kenniscentrum Immaterieel Erfgoed Nederland bekend dat de Chinees-Indische restaurantcultuur wordt bijgeschreven in hun inventaris, wat de eigenheid van deze keuken voor Nederland bevestigt. 'Binnen de Chinees-Indische restaurantcultuur en haar gerechten komen verschillende culturen samen: de Chinese, de Indische en de Nederlandse, en komt voort uit de kruisbestuiving ertussen,' aldus stichting Meer Dan Babi Pangang.[84]

Omdat officiële archieven pas sinds vrij recentelijk inzetten op het verwerven van materiaal uit het verleden van mensen van buiten de landsgrenzen, is het bijzonder om te zien dat Chinees specialiteitenrestaurant China uit Capelle aan den IJssel zich letterlijk en bewust de lokale geschiedenis heeft in geschreven. Restauranthouder Kin Sun Cheung, afkomstig uit de Britse kroonkolonie Hongkong, kwam in 1965 in de Chinese horeca in Rotterdam te werken. Zijn ambitie om met echtgenote Koi Cheng een eigen restaurant te openen ging in 1971 in vervulling, aan de Slotlaan in Capelle. In de badkamer van hun eigen flatwoning boven de zaak kweekte het echtpaar taugé, aangezien deze groente nog niet in de supermarkt verkrijgbaar was. Voor sommige Capellenaars was restaurant China de eerste ervaring met afhaaleten, soms in een van thuis meegebrachte pan. Voor weer andere Capellenaars was het de eerste ervaring met uit eten gaan. Bij het vieren van het 35-jarig bestaan van hun zaak, in 2006, vroeg de familie in plaats van bloemen en cadeaus geld over te maken aan de Historische Vereniging Capelle (HVC), dat een bedrag van bijna 2500 euro in ontvangst kon nemen en daarover dankbaar schreef in hun nieuwsbrief.[85]

Inmiddels gelden Chinees-Indische restaurants als 'een verdwijnend Nederlands fenomeen', die de concurrentie maar moeilijk aankunnen met modernere eetformules van migranten, zoals shoarmazaken en rotishops. In 2019 telde Rotterdam nog 21 'ouderwetse' Chinees-Indische restaurants.[86] Ook het vooroorlogse Chinatown in Katendrecht, na San Francisco de tweede Chinese gemeenschap buiten China, was aan het veranderen. Vanwege stadsontwikkeling in de jaren tachtig moest de Chinese buurt in Katendrecht uitwijken naar een nieuw Chinatown aan de Kruiskade en omgeving (Kruisplein, Schouwburgplein, West-Kruiskade, Diergaardesingel, Mauritsweg en Westersingel). Momenteel wonen in deze wijk niet alleen Chinezen, maar ook veel Nederlanders, Antillianen, Surinamers en mensen afkomstig uit verschillende Afrikaanse landen. Het geldt als de grootste Chinese buurt in Nederland: minder toeristisch dan de Amsterdamse en Haagse Chinatowns, maar meer functioneel, passend bij de havenstad.[87] Veel van de Chinese winkels voorzien in de behoefte van lokale bewoners: naast restaurants zijn er Chinese supermarkten, bakkerswinkels, traditioneel-geneeskundige praktijken en acupuncturisten.

NIEUWE ROTTERDAMMERS UIT SURINAME EN DE ANTILLEN

Kwamen in de jaren vijftig en zestig veruit de meeste 'postkoloniale' migranten in Rotterdam uit Indië/Indonesië, in het decennium dat daarop volgde zou de stad veel meer mensen uit de Cariben ontvangen. De onafhankelijkheid van Suriname in 1975 resulteerde in de komst van veel migranten uit dit land naar Nederland. Op 25 november 1980 eindigde de periode waarin Surinamers vrij konden kiezen voor een Nederlands paspoort. Zij stonden voor de keuze de Surinaamse nationaliteit of de Nederlandse aan te nemen, het laatste op voorwaarde dat ze dan naar Nederland zouden emigreren. Uiteindelijk koos ruim een derde van de bevolking voor de laatste optie.[88] Kort na de oorlog woonden enkele duizenden Surinamers in Nederland, in 1970 waren dat er 30.000, in 1980 waren er 160.000 Surinaamse Nederlanders en in 2008 ruim 335.000.[89] Ongunstige economische ontwikkelingen in de jaren tachtig, vooral op Curaçao, leidden vervolgens ook tot omvangrijke Antilliaanse emigratie naar Nederland. Omdat Antilliaanse Nederlanders over een Nederlands paspoort beschikten, behield deze migratie een wat meer circulair karakter: men reisde heen en terug, over en weer. Wel vestigden zich netto meer Antilliaanse Nederlanders in Nederland dan er terugkeerden.[90] In 1960 woonden circa 2500 Antillianen in Nederland, in 1980 ruim 40.000, in 2000 was hun aantal ruim 107.000 en in 2008 waren er 131.000 Antilliaanse Nederlanders.[91]

Een substantieel aantal van de Surinaamse en Antilliaanse Nederlanders vestigde zich in Rotterdam, immers de tweede stad van Nederland. Net zoals eerder in de jaren vijftig bij de huisvesting van migranten uit Indonesië, voerde de rijksoverheid in 1975 een spreidingsbeleid in om de migratie uit Suriname te reguleren. 'Gebundelde deconcentratie', was de term die ambtenaren produceerden, waarmee ze het beleid aanduidden om Surinaamse en wat later Antilliaanse Nederlanders in 'enigszins grotere steden' (boven de 25.000 inwoners) onder te brengen.[92] Het spreidingsbeleid en de gebundelde deconcentratie waren niet populair en belangengroepen van minderheden waren er kritisch over. Deze beleidslijn ten aanzien van huisvesting is in loop van de jaren tachtig weer geheel losgelaten omdat ze niet succesvol bleek.[93] Nieuwkomers uit de Cariben wilden namelijk zo snel mogelijk een zelfstandige woonruimte verkrijgen en namen sneller genoegen met een duurdere of minder populaire woning. De bereidheid om meer te betalen en de acceptatie van een minder gewenste woning leidde tot het ontstaan van 'concentratiewijken'. In 1984 kende de gemeente Rotterdam ruim 550.000 inwoners, waarvan 14 procent van niet-Nederlandse herkomst. Het aantal inwoners dat in Suriname en op de Antillen geboren was, bedroeg 22.835 personen.[94] In 1987 woonde de helft van de Antilliaanse bevolking in elf van de in totaal 84 Rotterdamse wijken: oudere buurten, uitbreidingswijken aan de uiterste rand van de stad met veel nieuwbouw, en de groeikernen rondom de stad.[95]

Anders dan de naoorlogse migranten uit Indonesië probeerden Caribische Rotterdammers zich politiek te organiseren. In 1974, nog voor de onafhankelijkheid van Suriname, wilden Surinaamse Rotterdammers met een eigen lijst meedoen aan de gemeenteraadsverkiezingen. In centrum Wi Masanga aan de Rauwenhoffstraat in Rotterdam vond de oprichtingsvergadering plaats van de Partij voor Surinamers.[96] Politieke belangenbehartiging op basis van herkomst en/of etniciteit brengt een aantal dilemma's in beeld: welke partij vertegenwoordigt haar achterban het best, bij welke partij voelt men zich het meest thuis en via welke partij is het mogelijk om de meeste invloed uit te oefenen? 'Waarschijnlijk zullen de Antillianen in Rotterdam zich bij de partij aansluiten,' berichtte dagblad *Het Vrije Volk*; dat zou dan een strikte partijpolitieke ordening op basis van herkomst en/of etniciteit doorkruisen. Het streven naar een eigen partij bleek vanwege praktische redenen niet te realiseren, aangezien de inschrijvingstermijn voor nieuwe partijen al was verstreken; als alternatief werd aan de PvdA in Rotterdam het voorstel gedaan 'om een of twee Surinamers in haar kandidatenlijst op te nemen'.[97] Daarna zijn er, behalve op landelijk niveau met de Vrije Indische Partij (VIP) voor 'iedereen met betrokkenheid met Nederlands-Indië of Suriname', geen initiatieven bekend waarin postkoloniale migranten zich op een gezamenlijke politieke agenda organiseren.[98] Wel

Kruiskade. Foto Peter Martens. (Collectie Nederlands Fotomuseum)

Kruiskade. Foto Peter Martens. (Collectie Nederlands Fotomuseum)

werden Surinaamse Rotterdammers vanaf de jaren tachtig voor reguliere landelijke en lokale partijen actief in de gemeenteraad en deelgemeenteraden. Verreweg de meesten sloten zich aan bij de PvdA; bij D66, VVD, SP, GroenLinks en ouderenpartijen is hun aandeel minder groot.[99]

Al zou het er uiteindelijk niet van komen, de ambitie om een 'eigen' partij op te zetten was begrijpelijk, zeker toen de stad na 1975 in korte tijd een groot aantal 'rijksgenoten' ontving, met alle strubbelingen van dien. 'Het Rotterdamse gemeentebestuur doet geen moeite te verdoezelen, dat Surinamers en Antillianen door de Rotterdamse bevolking vaak worden gediscrimineerd', luidde de eerste zin van een artikel in *de Volkskrant* uit 1976.[100] 'De mededeling "geen rijksgenoten" in advertenties, waarin kamers worden aangeboden, is in dit verband kenmerkend', aldus de krant, en zorgde voor spanningen in 'de oude wijken waar voormalige rijksgenoten de relatief goedkope huizen bewonen tussen autochtone Rotterdammers'.[101] Het aantal Surinaamse Rotterdammers was in korte tijd toegenomen tot 22.000 mensen, ongeveer 2000 daarvan woonden in of nabij de West-Kruiskade in het Oude Westen, waar problemen met huisvesting, werkloosheid (door een teruglopende conjunctuur en opleidingsverschillen) en drugsgebruik het grootst waren. De gemeente stelde Mau Fabri, in 1958 uit Suriname in Rotterdam gearriveerd, als 'streetcornerworker' aan: vertrouwenspersoon en autoriteit binnen de wereld van West-Kruiskade-Surinamers. In 1976 bracht Fabri de publicatie *Het witte monster* uit, waarin hij zijn desillusie als sociaal werker over het West-Kruiskadeproject beschreef: 'het eerste boze zwarte boekje van Rotterdam'.[102]

MULTICULTUREEL ROTTERDAM

In de jaren tachtig waren volledige assimilatie en integratie niet langer de doelstellingen waaraan migranten volgens beleidsmakers moesten voldoen. De Minderhedennota van 1983 introduceerde de term 'minderheid' als officiële term voor nieuwkomers in Nederland. Indische Nederlanders vielen niet meer onder deze nieuwe term, omdat deze groep door beleidsmakers geïntegreerd was verklaard; wel had het begrip betrekking op Molukse, Surinaamse en Antilliaanse Nederlanders (plus arbeidsmigranten die na de postkoloniale migranten in Nederland waren gearriveerd). De nota legde nadruk op het verschaffen van een gelijkwaardige positie aan minderheden in de samenleving, ervan uitgaande dat zij een achterstandspositie innamen. Volgens beleidsmakers dienden minderheden met bepaalde inzichten, houdingen en vaardigheden te worden uitgerust om in Nederland te kunnen functioneren. De nieuwe slogan was 'integratie met behoud van identiteit': 'de eigen identiteit' werd wel erkend maar behoorde tot de privésfeer; maatschappelijk moesten migranten zich (nog steeds) aanpassen.[103]

Daarmee creëerde deze beleidslijn een eigen bestuurlijke realiteit, die al snel tot uiting kwam in een groot aantal Rotterdamse migrantenorganisaties. Er werden tal van organisaties voor en door Surinaams-Nederlandse Rotterdammers opgericht, zoals de stichting Surinaamse Organisatie voor Belangenbehartiging en Emancipatie Rotterdam (SOBER) en de stichting Kategoriale Rijnmondse Organisatie van Surinamers voor Beleidsbeïnvloeding en Emancipatie (KROSBE), die beide als pleitbezorger optreden richting beleidsmakers, geheel conform de termen van toen. SOBER organiseerde in centrum Odeon onder meer informatiebijeenkomsten over de toelatings- en verblijfsmogelijkheden van Surinamers in Nederland.[104] In 1988 stond SOBER onder de titel 'PY-764 is niet meer' stil bij het vliegtuig van de Surinaamse Luchtvaart Maatschappij (SLM) dat neerstortte

Familie in de Jensiusstraat, 1980. Foto Maria Toby. (Collectie Nederlands Fotomuseum)

bij vliegveld Zanderij. Hierbij kwamen meer dan 170 inzittenden om, onder wie enkele Surinaamse Rotterdammers.[105] Voorts waren er vrouwenorganisaties als het Surinaams Vrouwenoverleg Rijnmond (SVOR) en het Surinaams Vrouwenhuis Prefoeroe, voor jongeren de stichting Fri Man Gron, voor ouderen de stichting Kon Makandra, om elkaar te ontmoeten sociëteit Wi Masanga, en om te sporten voetbalvereniging Jal Hind (in 2017 opgegaan in Rotterdam United). Wi Masanga aan de Rauwenhoffstraat 39, opgericht in 1972, is een van de oudste Surinaamse organisaties in Nederland.

De jaren tachtig en negentig waren tevens decennia waarin zwarte, migranten- en vluchtelingenvrouwen (zmv-vrouwen) van zich deden spreken.[106] Het Surinaams Vrouwen Kollektief, gevestigd aan de Beukelsdijk 30 en later aan de Doelstraat 257, vertolkte met voorzitter Machteld Cairo (1945-2011) een belangrijke stem voor Rotterdamse vrouwen. Geboren in Paramaribo ging ze in 1970 voor vakantie naar Nederland, om er niet meer weg te gaan. Cairo volgde de sociale academie en kwam in het welzijnswerk terecht, eerst als vrijwilligster en vanaf 1985 in een betaalde baan.[107] Een jaar eerder had ze het Surinaams Vrouwen Kollektief opgericht, met als doel: 'Bevorderen dat er een einde komt aan de achtergestelde po-

Poster Surinaams Vrouwenkollektief, 1985. (Collectie Stadsarchief Rotterdam)

sitie van Surinaamse vrouwen en dat iedere vrouw kan emanciperen en participeren in de Nederlandse samenleving'.[108] 'Informeren, motiveren, activeren en signaleren', was het motto van de vrouwen. Het Surinaams Vrouwen Kollektief voegde zich daarmee in zijn officiële stukken in de beleidslijn die stoelde op het aanpakken van achterstanden, maar Cairo stelt dat het Kollektief 'er vanaf het begin geen geheim van maakte dat het een organisatie voor hoger opgeleide en getalenteerde vrouwen was'. Dit betekende echter dat ze geen geld kregen: 'In die tijd kreeg iedere organisatie subsidie om op te starten, dus voor je koffiekan en je kantoorspullen. Wij werden alsmaar afgewezen. De Gemeente was gewend om vrouwen geld te geven die zich bijvoorbeeld in een isolement bevonden, maar omdat wij ons profileerden als hoger opgeleiden schrok dat af. Via een categorale instelling hebben we uiteindelijk onze eerste subsidie gekregen.'[109]

Naast het organiseren van allerlei activiteiten, zoals de jaarlijkse Zwarte Vrouwendag, bracht het Surinaamse Vrouwen Kollektief een nieuwsbrief uit, waarin de redactie zich eind 1985 onder de titel 'kinderfeest of symbool van racisme' kritisch uitsprak over Sinterklaas – 'een traditioneel koloniaal feest' – en opriep tot het zoeken naar alternatieve vormen voor de Sinterklaasviering.[110] Ook de viering van Keti Koti (de afschaffing van de slavernij door Nederland in 1863) kreeg aandacht. In 1990 kwam de Zwarte Vrouwen Hulptelefoon tot stand, met als doel zwarte en andere migrantenvrouwen wegwijs te maken in de wereld van de hulpverlening.[111] Het Surinaams Vrouwen Kollektief is bij uitstek in de jaren tachtig te plaatsen, waar op basis van de categorie herkomst, dan wel (etnische) afkomst subsidies werden verstrekt, ook al gaf Machteld Cairo in 1989 aan dat ze het liefst werkte met 'vrouwen van verschillende groepen, zoals Marokkaanse vrouwen, Turkse vrouwen en ook witte vrouwen. [...] De Surinaamse vrouwen ken ik wel, dat lukt vanzelf. Dat samen doen met verschillende bevolkingsgroepen met hun eigen culturen is juist het leuke.'[112] Daarmee droeg het minderhedenbeleid bij aan de vorming van nieuwe collectieve identiteiten.

Dit was eveneens het geval bij een Rotterdams evenement dat als 'typisch Antilliaans' is gestart: het jaarlijkse Zomercarnaval. De eerste versies van het Zomercarnaval vonden in de jaren zestig plaats, georganiseerd door studenten. Toen zij naar de Antillen terugkeerden, stopte ook de organisatie van het carnaval. In 1983 kwam de stichting Antilliaans Zomercarnaval Comité (AZCC) tot stand, dat al snel ondersteuning van de

Rotterdamse gemeenteraad wist te verwerven door nadruk te leggen op het multiculturele en internationale karakter van het feest.[113] De gemeente drong aan op deelname van Marokkaanse, Turkse en Chinese groepen aan het carnaval en er kwamen ook andere Caribische, Latijns-Amerikaanse en Kaapverdische deelnemers. In 1988 verdween het predicaat 'Antilliaans' en werd de officiële naam Zomercarnaval Rotterdam. De constatering dat het feest 'zijn exclusief Antilliaanse karakter steeds meer lijkt te verliezen' kan deels worden herleid tot het diversiteitsbeleid dat de gemeente ging nastreven.[114] Het meer recente Rotterdamse beleid staat haaks op het minderhedenbeleid van begin jaren tachtig: toen dienden migranten zich binnen hun 'eigen' etnische categorie te profileren, terwijl daarna diversiteit als beleidsdoelstelling werd geformuleerd. In 2001 ontving de organisatie van het Zomercarnaval de prestigieuze Prins Clausprijs, een erkenning van de 'artistieke innovatie en het bouwen van interculturele verbindingen' door het festival.

In het licht van het succes en de bezoekersaantallen van het Rotterdamse Zomercarnaval maar vooral ook van de succesvolle traditie van de Haagse Pasar Malam (avondmarkt) – nu het Tong Tong Festival[115] – is het begrijpelijk dat in Rotterdam de Pasar Malam, hét culturele evenement van Indische Nederlanders, veel beperkter van omvang is. Dit festival vindt, vergelijkbaar met de eerste edities van het Zomercarnaval, sinds eind jaren zestig plaats: in 1968 organiseerde de christelijke jongerenvereniging Feijenoord een Pasar Malam.[116] In de zomer van 1970 organiseerde Rotterdam een groot evenement onder de noemer C70 (Communicatie 70): het markeerde het einde van de wederopbouw en had stadspromotie tot doel. In het kader van C70 was er vijf dagen lang een Pasar Malam in de Ahoy-hal: '7000 m² tentoonstellingsruimte met o.a. een echte indische keuken en een markpresentatie van de meest uiteenlopende produkten uit Oost en West'.[117] Momenteel kent de stad dit evenement onder de naam Pasar Malam Istimewa XL. Naast 'concurrentie' van het Zomercarnaval in de Maasstad speelt het, als gezegd, een rol dat in Den Haag de grootste Pasar Malam op het Malieveld plaatsvindt: de jaarlijkse Tong Tong Fair. Het Zomercarnaval en de Pasar Malam bleken culturele evenementen die een vaste waarde voor de stad hadden. Ooit gestart als specifiek Antilliaans respectievelijk Indisch, bleken ze dynamisch van karakter en inhoud. Ook al was het soms beleidsgestuurd, ze veranderden mee, parallel aan de groei die Rotterdam als multiculturele stad doormaakte. En eigenlijk is daarmee voor het Zomercarnaval en de Pasar Malam de cirkel weer rond:

een multicultureel profiel is bij uitstek passend, aangezien deze festivals zijn geworteld in enerzijds de Caribische en anderzijds de Indo-Europese mengcultuur.

In de decennia van en na de komst van de postkoloniale migranten heeft Rotterdam zich ontwikkeld tot een van de meest diverse steden van Nederland. Anno 2020 bedraagt het aandeel inwoners met een migratieachtergrond 52,3% en is daarmee groter dan het aantal Rotterdammers dat geen eigen of directe familie-ervaringen met migratie heeft. Van de Rotterdammers heeft 8,1% een migratieachtergrond uit Suriname, 4,1% uit de Antillen, 7,4 % uit Turkije, 7% uit Marokko, 2,4% uit Kaapverdië, 10% uit 'overige niet-westerse' landen, 10% uit overige landen uit de Europese Unie, en 4,7 uit 'overige westerse' landen.[118] Daarmee is Rotterdam een multiculturele stad en profileert zich ook nadrukkelijk als zodanig met burgemeester Ahmed Aboutaleb, die in 2009 aantrad. Hij is voorzitter van het college van burgemeester en wethouders en van de gemeenteraad. Deze bestaat uit dertien fracties (2020), waarvan Leefbaar Rotterdam de grootste partij is met elf zetels, gevolgd door VVD, D66, GroenLinks en PvdA met elk vijf zetels en kleinere partijen.[119] Zowel postkoloniale migranten als de daaropvolgende arbeidsmigranten en vluchtelingen heb-

Basisschool Juliana van Stolberg. Foto Robert de Hartogh. (Collectie Nederlands Fotomuseum)

ben een plek in het college en in de gemeenteraad en proberen daarmee óók de belangen van hun etnische achterban te behartigen. De motie die Peggy Wijntuin namens de PvdA in 2017 indiende en waarvan dit boek een van de resultaten is, past in een beleidskader waarin de stad streeft naar inclusiviteit en het kennisnemen van meerdere perspectieven op de geschiedenis van de stad en haar inwoners.

Het zijn de gezichten van bekende Rotterdammers die de diversiteit van de stad duidelijk in beeld brengen. Sport en entertainment zijn twee bekende sectoren waarin migranten duidelijk zichtbaar zijn. De voetbalclubs Feyenoord, Excelsior en Sparta in de stad zijn een kweekvijver voor jonge talenten en profvoetballers die hun sporen hebben verdiend. De lijst is lang (maar niet uitputtend) en laat Rotterdammers zien als Regi Blinker, Jean Paul Boëtius, Winston Bogarde, Giovanni van Bronckhorst, Royston Drenthe, Orlando Engelaar, Joshua John, Cuco Martina, Bobby Petta, Revy Rosario, Sonny Silooy, Luciano Slagveer, Kevin Wattamaleo en Giorginio Wijnaldum. In de badmintonsport blonk Mia Audina uit, in atletiek was atlete Nelli Cooman zeer succesvol, in judo zijn Dex en Guillaume Elmont actief en in de bokssport Don Diego Poeder en Regilio Tuur. De muziekwereld kent Rapper Emms (Broederliefde), kaseko-zanger Ewald Krolis en Remon Stotijn (Postman). En er is zoveel meer dan sport en entertainment – denk aan bekende Rotterdammers als modeontwerpster Fong Leng, aan Beb Vuyk, die niet alleen literatuur schreef maar ook Indische kookboeken, of Johan Manusama, president in ballingschap van de RMS. Zo zijn er nog veel meer: dit lijstje is allesbehalve uitputtend.

Waar personen Rotterdam kunnen verlaten door verhuizing of overlijden, zijn er blijvende postkoloniale markeringen in de stad te vinden in de vorm van onder meer straatnamen. Sinds 1989 is er bij het Kralingse Bos de Hattasingel, vernoemd naar Mohammad Hatta: student in Rotterdam, Indonesisch politicus, stichter van de republiek Indonesië (met president Soekarno), vicepresident (1945-1956) en premier (1948-1950) van Indonesië. In 1996 volgde de Mohammed Roemhof, naar de Indonesische staatsman Roem, wiens naam is verbonden aan de Van Royen-Roem Overeenkomst van mei 1949, de opmars naar de soevereiniteitsoverdracht. Voorts heeft de gemeente in het Lloydkwartier het havengebied doorontwikkeld naar een wijk met appartementen en creatieve bedrijven. De straatnamen verwijzen, net als in Schiemond, naar de geschiedenis van de Lloyd: vanaf 2005 zijn hier de Lloydstraat, Kratonkade, Loods Borneo en Loods Celebes verschenen.[120] Het toekennen van straatnamen is een oneindig proces, en daarbij zal in het postkoloniale Rotterdam ongetwijfeld het koloniale verleden van de stad nog vaker worden herdacht. Zo zullen – in lijn met de initiatiefnota 'Straatnamen, zet diversiteit letterlijk op de kaart!' van D66, GroenLinks, Nida, PvdA en SP – nog in 2020 in de wijk Charlois straatnamen worden onthuld die verwijzen naar het slavernijverleden in de Cariben: Tulastraat, Thicopad, Janey Tetarypad, Virginia Gaaipad en Bonipad. Voorts zullen in de wijk Hoogvliet Peperpotpad en Slagbaaipad, verwijzingen naar voormalige plantages in Suriname en Bonaire tot stand komen.[121]

NOTEN

1 Jan Bant ondersteunde de auteur als onderzoeksassistent. Zij dankt voorts Rosa de Jong voor het vooronderzoek, alsmede Nanneke Wigard en Ron Habiboe voor hulp bij het materiaal over Molukse Nederlanders. Ook gaat dank uit aan Vilan van de Loo die informatie over zeebaboes gaf.
2 Blijenberg, 'Rotterdam'. Zie ook: www.indischebuurten.nl, bezocht op 21-04-2020.
3 Zie hierover de bijdrage van Pauline van Roosmalen in deze bundel.
4 Oostindie & Maduro, *In het land van de overheerser II*, 140.
5 Idem, 141.
6 Hondius e.a., *Gids Slavernijverleden Nederland*, 72.
7 Van Stipriaan, *Slavernij in Rotterdam*. Paginanummer nog aanvullen?
8 Japin, *De zwarte met het witte hart*, 13.
9 Van Stipriaan, *Slavernij in Rotterdam*. Paginanummer later aanvullen?
10 Jean Jacques Vrij, 'Leven na de dood. Het nageslacht van Charles Paul Benelle de la Jaille' in: *Wi Rutu*, 13:2 (2013), 23-27.
11 Oostindie & Maduro, *In het land van de overheerser II*, 150.
12 Idem, 6, 11-12.
13 Zie: www.dezeebaboes.nl, bezocht op 05-07- 2020.
14 Poeze, *In het land van de overheerser* I, 82.
15 Oostindie & Maduro, *In het land van de overheerser II*, 46.
16 Idem, 46.
17 Poeze, *In het land van de overheerser* I, 151.
18 Idem, 83.
19 Idem, 88.
20 Idem, 89.
21 Deekman, *Kinderen in Holland.*
22 Veel Indische en Indonesische gezinnen in Nederlands-Indië/Indonesië waren gemengd Ind(ones)isch-Chinees. Indo is een afkorting van Indo-Europeaan of Indo-Europees en verwijst naar mensen met een dubbele Indonesische-Europese (Indonesisch-Nederlandse) herkomst. Indo(-Europees) en Indisch zijn synoniemen van elkaar, evenals Indo-Europeaan en Indische Nederlander. Indo is geen afkorting van Indonesisch.
23 Zie: https://www.youtube.com/watch?v=Pmc1VL1rNHg, bezocht op 02-07-2020.
24 Poeze, *In het land van de overheerser*, I, 165.
25 *Algemeen Handelsblad*, 28-11-1923, 2.
26 Poeze, *In het land van de overheerser*, I, 163.
27 *Algemeen Handelsblad voor Nederlandsch-Indië*, 28-08-1926, 2. Dit artikel was gebaseerd op een bericht in de Chinees-Indonesische krant *Sin Po*.
28 Poeze, *In het land van de overheerser*, I, 211.
29 *Bataviaasch Nieuwsblad*, 10-04-1928, 9.
30 Poeze, *In het land van de overheerser*, 215.
31 Van Wonderen, *Chin.Ind.Spec.Rest.*, 17.
32 Schwidder, 'Eerst Nederland', 233 en Poeze, *In het land van de overheerser*, I, 307.
33 Poeze, *In het land van de overheerser*, I, 307.
34 Keppy, *Zijn jullie kerels*, 192.
35 Captain, *Achter het kawat*, 20.
36 Oostindie & Maduro, *In het land van de overheerser*, II, 46.
37 Poeze, *In het land van de overheerser*, I, 300.

38 Keppy, *Zijn jullie kerels*, 189.
39 Keppy, *Zijn jullie kerels*, 11; zie ook Schwidder, 'Eerst Nederland', 233-240.
40 Keppy, *Zijn jullie kerels*, 202.
41 Idem, 62-67.
42 Idem, 23.
43 Zie: https://www.rijnmond.nl/nieuws/100877/Antilliaanse-en-Surinaamse-verzetsstrijders-in-WOII, bezocht op 30-04-2020.
44 Van der Horst, *Wereldoorlog*.
45 Zie: https://www.bevrijdingintercultureel.nl/bi/suriname.html#eengroep, bezocht op 06-05-2020.
46 'Bevrijding 1944', in e-mail van Paul Koulen, 06-04-2019.
47 Oostindie & Maduro, *In het land van de overheerser*, II, 198-199.
48 Schouten, *Boy Ecury*, 101.
49 Idem, 106.
50 Zie voor de naoorlogse herinnering aan Ecury: Captain & Jones, *Oorlogserfgoed overzee*, 65-75.
51 Captain & Jones, *Oorlogserfgoed overzee*, 139-140.
52 Idem, 85-92.
53 Idem, 93.
54 Oostindie & Maduro, *In het land van de overheerser*, II, 204. Anti-makamba: anti-Nederlands.
55 *De Rotterdammer*, 10-10-1945.
56 *Het Nieuwsblad voor de Hoekse Waard en IJsselmonde*, 10-09-1948.
57 Poeze, *In het land van de overheerser*, 349.
58 Idem, 352.
59 Willems, *De uittocht*, 27, 43.
60 Molemans, *Opgevangen in andijvielucht*, 14-15.
61 Idem, 122.
62 Tegen de zin van Juliana Goutier-Niks, die zich met haar kinderen graag wilde vestigen in het 'Indische Den Haag', werd het eenoudergezin in Friesland geplaatst (Molemans, *Opgevangen in andijvielucht*, 28-29).
63 In de Toescheidingsovereenkomst van 1949 tussen Nederland en Indonesië was vastgelegd dat Nederlandse burgers (Nederlanders, Indo-Europeanen plus Indonesiërs die als Europeaan waren erkend) hun nationaliteit behielden en dat Nederlandse 'onderdanen' (zogenoemde 'Vreemde Oosterlingen' – waarmee men in de koloniale tijd Chinezen en Arabieren aanduidde – en 'Inlanders' – een aanduiding voor Indonesiers) de Indonesische nationaliteit verkregen. Nederlanders die in Indië waren geboren (lees: Indo-Europeanen) hadden nog twee jaar het recht om voor de Indonesische nationaliteit te opteren. Zie Jones, *Tussen onderdanen*.
64 Molemans, *Opgevangen in andijvielucht*, 84.
65 De gemiddelde leeftijd van de geënquêteerden lag rond de 40 jaar, zij waren afkomstig uit de lagere en middenklasse en 15 procent was in Ind(ones)ië geweest. Cottaar & Willems, *Indische Nederlanders*, 133-140.
66 Cottaar & Willems, *Indische Nederlanders*, 133-140.
67 Willems, *De uittocht*, 12.
68 Habiboe, *Een Molukse thuishaven*, 24.
69 Sahertian, *Vertrapt en vernederd*, 78.
70 Interview met H. Pattiwael, Moluks Historisch Museum (MHM), AVD 0120.

71 Van Mee & Tomasouw, *Andere verhalen.*
72 Weyling, 'Woonoord IJsseloord'.
73 Werkgroep Gedenkboek Capelle, *Panggajo*, 182.
74 Habiboe, *Een Molukse thuishaven*, 35.
75 Idem, 48.
76 Zie: https://www.dehavenloods.nl/nieuws/algemeen/694443/the-walk-vraagt-aandacht-voor-moluks-verleden-n-landelijk-monument-op-lloydkade, bezocht op 14-07-2020.
77 Zie voor meer over de jazzscene de bijdrage door Alex van Stipriaan in zijn boek *Rotterdam in slavernij*, geschreven als deel van hetzelfde project 'Het koloniale en slavernijverleden van Rotterdam'.
78 Zie: https://indo-rock.jimdofree.com, bezocht op 04-05-2020.
79 Smilde, *Helden van toen*, 353.
80 Zie: https://indo-rock.jimdofree.com, bezocht op 04-5-2020.
81 Smilde, *Helden van toen*, 107.
82 Mail van mijn oom Jan Captain, 09-04-2020.
83 Van Wonderen, *Chin.Ind.Spec.Rest.*, 17.
84 Zie: https://www.meerdanbabipangang.nl/chinees-indische-restaurantcultuur-is-immaterieel-nederlands-erfgoed/, bezocht op 01-07-2020.
85 Nieuwsbrief Historische Vereniging Capelle (HVC) 20-2 (2006) 37.
86 Van Wonderen, *Chin.Ind.Spec.Rest.*
87 Zie: http://chinatownology.com/chinatown_rotterdam.html, bezocht op 09-04-2020.
88 Jennissen, 'Instroom'.
89 Oostindie, *Postkoloniaal Nederland.*
90 Jennissen, 'Instroom', 9-31.
91 Oostindie, *Postkoloniaal Nederland*, 30.
92 Koot & Ringeling, *De Antillianen.*
93 Shadid, Kornalijnslijper & Maan, *Huisvesting*, 122.
94 Idem, 121.
95 Knoppe, 'Huisvesting', 27-31.
96 *Het Vrije Volk*, 02-04-1974.
97 Ibidem.
98 Zie: https://www.parlement.com/id/vh8lnhrouwz5/vrije_indische_partij, bezocht op 27-05-2020.
99 Onder meer Myrza O.I. Azwijk, Benito V. Bisambar, Harlow Brammerloo, Olga O. Esser, Juan Jonas, Henk Oedairam, Ram Soekhlal, Eddy R. Soeroikromo, Kenneth Woei-A-Tsoi waren gemeenteraadslid dan wel deelgemeenteraadslid voor de PvdA. Voorts waren er: John Marapin (D66), Wilfried W. Graanoogst (Ouderen Unie 55+), Viren U.P. Bajnath Misier (VVD), Eddy F.P. D'Leon (SP) en Vivian P. Roy (Groen Links). Maikel O. Pierau was deelgemeenraadslid voor IBP, de lokale partij voor Hoogvliet. Pierau ontving de Rotterdamse 4 Leeuwenspeld voor zijn 25-jarige inzet voor de Rotterdamse en Surinaamse gemeenschap. Zie voor Pierau: https://www.waterkant.net/suriname/2020/01/18/rotterdamse-4-leeuwenspeld-voor-maikel-pierau, bezocht op 20-05-2020.
100 *De Volkskrant*, 03-07-1976.
101 Ibidem.
102 André Hart, 'The Sound of Parbo', in: https://wow-rotterdam.nl/oude-westen/kunst-cultuur-ow/the-sound-parbo/, bezocht op 20-05-2020.
103 Captain & Ghorashi, 'Tot behoud', 158.

104 Stadsarchief Rotterdam, archief Surinaams Vrouwenkollektief, toegangsnummer 1619, inventarisnummer 28.
105 *Informatieblad stichting SOBER, voor Surinamers e.a. in Rotterdam*, 5-3 (1988), 14-17.
106 Botman, Jouwe & Wekker, *Caleidoscopische visies.*
107 *Rotterdams Nieuwsblad,* 07-10-1989.
108 Stadsarchief Rotterdam, archief Surinaams Vrouwenkollektief, toegangsnummer 1619, inventarisnummer 42.
109 Deekman & Hermans, 'Heilig vuur', 84-85.
110 Stadsarchief Rotterdam, archief Surinaams Vrouwenkollektief, toegangsnummer 1619, inventarisnummer 12.
111 Stadsarchief Rotterdam, archief Surinaams Vrouwenkollektief, toegangsnummer 1619, inventarisnummer 41.
112 *Rotterdams Nieuwsblad,* 07-10-1989.
113 Alferink, 'Post-colonial migrant festivals', 110.
114 Oostindie, *Postkoloniaal Nederland*, 134.
115 Steijlen, *Indische skyline*, 81.
116 *Algemeen Dagblad*, 06-11-1968.
117 *Het Vrije Volk*, 21-07-1970.
118 Zie: https://onderzoek010.nl/dashboard/dashboard/bevolking, bezocht op 11-05-2020.
119 Zie: https://www.rotterdam.nl/bestuur-organisatie/college-van-benw/ en https://www.rotterdam.nl/gemeenteraad/fracties-en-raadsleden/, bezocht op 22-05-2020.
120 Zie Rozing, Bremmers & Borgers, *Onze Indische buurten* en http://gar.exonetvps.nl/straatnamen-overzicht, bezocht op 22-05-2020.
121 Commissie van advies inzake straatnamen en gedenktekens Gemeente Rotterdam, 20 maart 2020. Zie ook: https://zoek.officielebekendmakingen.nl/gmb-2020-99130.html en https://zoek.officielebekendmakingen.nl/gmb-2020-65419.html, bezocht op 27-05-2020.

LITERATUUR

Alferink, Marga, 'Post-colonial migrant festivals in the Netherlands', in Ulbe Bosma (red.), *Post-colonial Immigrants and Identity formation in the Netherlands,* 99-116. Amsterdam: Amsterdam University Press, 2012.

Blijenberg, Rens, 'Rotterdam', in Dick Rozing, Michael Bremmers en Thijs Borgers (red.), *Onze Indische buurten.* Amersfoort: Dick Rozing Geografie en Onderwijs, 2019.

Botman, Maayke, Nancy Jouwe en Gloria Wekker, *Caleidoscopische visies. De zwarte, migranten- en vluchtelingenvrouwenbeweging in Nederland.* Amsterdam: Koninklijk Instituut voor de Tropen, 2001.

Berg, Odmar van den, *Meer dan Curaçao in Rotterdam 1945-2010. De migratie en cultuur van Rotterdamse Antillianen.* Rotterdam: MA scriptie Erasmus Universiteit Rotterdam, 2010.

Captain, Esther, *Achter het kawat was Nederland. Indische oorlogservaringen en -herinneringen 1942-1990.* Kampen: Kok, 2002.

Captain, Esther, 'Harmless Identities. Representations of racial consciousness among three generations Indo-Europeans', in Philomena Essed en Isabel Hoving (red.), *Dutch Racism,* 53-69. Amsterdam: Rodopi, 2014.

Captain, Esther en Halleh Ghorashi, 'Tot behoud van mijn identiteit.' Identiteitsvorming binnen de zmv-vrouwenbeweging', in Maayke Botman, Nancy Jouwe en Gloria Wek-

ker (red.), *Caleidoscopische visies. De zwarte, migranten- en vluchtelingenvrouwenbeweging in Nederland*, 153-185. Amsterdam: Koninklijk Instituut voor de Tropen, 2001.
Captain, Esther en Guno Jones, *Oorlogserfgoed overzee. De erfenis van de Tweede Wereldoorlog in Aruba, Curaçao, Indonesië en Suriname*. Amsterdam: Bert Bakker, 2010.
Captain, Esther, Maartje de Haan, Fridus Steijlen en Pim Westerkamp (red.), *De Indische zomer in Den Haag. Het cultureel erfgoed van de Indische hoofdstad*. Leiden: KITLV, 2005.
Cottaar, Annemarie en Wim Willems, *Indische Nederlanders. Een onderzoek naar beeldvorming*. Den Haag: Moesson, 1984.
Deekman, Amalia en Mariette Hermans, 'Heilig vuur. Bezieling en kracht in de organisatievorming van de zmv-vrouwenbeweging in Nederland', in Maayke Botman, Nancy Jouwe en Gloria Wekker (red.), *Caleidoscopische visies. De zwarte, migranten- en vluchtelingenvrouwenbeweging in Nederland*, 81-115. Amsterdam: Koninklijk Instituut voor de Tropen, 2001.
Deekman, Amalia, *Kinderen in Holland. Surinaamse studiemigratie 1920-1940*. Utrecht: doctoraalscriptie Rijksuniversiteit Utrecht, 1991.
Fabri, Mau, *Het witte monster*. Rotterdam: Werkgroep voor Arbeidersliteratuur, 1976.
Habiboe, R.R.F., *Een Molukse thuishaven aan de Hollandse IJssel. 50 jaar Molukkers in Moordrecht 1961-2011*. Gouda: Streekarchief Midden-Holland, 2011.
Hondius, Dienke, Nancy Jouwe, Dineke Stam, Jennifer Tosch, *Gids Slavernijverleden Nederland/The Netherlands Slavery Heritage Guide*. Volendam: LM Publishers, 2019.
Horst van der, Liesbeth, *Wereldoorlog in de West. Suriname, de Nederlandse Antillen en Aruba 1940-1945*. Hilversum: Uitgeverij Verloren, 2004.
Japin, Arthur, *De zwarte met het witte hart*. Amsterdam/Antwerpen: Arbeiderspers, 1997.

Jennissen, R.P.W., 'De instroom van buitenlandse arbeiders en de migratiegeschiedenis van Nederland na 1945', *Justitiële Verkenningen* 39-6 (2013): 9-31.
Jones, Guno, *Tussen onderdanen, rijksgenoten en Nederlanders. Nederlandse politici over burgers uit Oost & West en Nederland 1945-2005*. Amsterdam: Rozenberg, 2007.
Keppy, Herman, *Zijn jullie kerels of lafaards? De Indische en Indonesische strijd tegen de Nazi's 1940-'45*. Den Haag: Uitgeverij West, 2019.
Knoppe, Willem, 'Huisvesting van Antillianen en Arubanen in Rotterdam', *Plataforma* 5/2 (1988): 27-31.
Koot, Willem en Anco Ringeling, *De Antillianen*. Muiderberg: Coutinho, 1984.
Loebis, Parlindoengan, *Orang Indonesia di kamp konsentrasi Nazi. Otobiografi Parlindoengan Loebis*. Leiden: Koninklijk Instituut voor Taal-, Land- en Volkenkunde, 2006.
Mee, Tonny van, en Domingo Tomasouw, *Andere verhalen. Molukkers in Nederland met een andere aankomstgeschiedenis of beroepsachtergrond dan de knil-groep in 1951*. Utrecht: Moluks Historisch Museum, 2005.
Molemans, Griselda, *Opgevangen in andijvielucht. De opvang van ontheemden uit Indonesië in kampen en contractpensions en de financiële claims op basis van uitgebleven rechtsherstel*. Amsterdam: Quasar Books, 2014.
Oord van den, Ad, *Allochtonen van nu & de oorlog van toen. Marokko, de Nederlandse Antillen, Suriname en Turkije in de Tweede Wereldoorlog*. Den Haag: SDU, 2004.
Oostindie, Gert, *Postkoloniaal Nederland. Vijfenzestig jaar vergeten, herdenken, verdringen*. Amsterdam: Bert Bakker, 2010.
Oostindie, Gert en Emmy Maduro, *In het land van de overheerser II. Antillianen en Surinamers in Nederland 1634/1667-1954*. Dordrecht/Providence: Foris Publications, 1986.
Poeze, Harry A., et al., *In het land van de overheerser I. Indonesiërs in Nederland 1600-1950*. Dordrecht/Providence: Foris Publications, 1986.

Rozing, Dick, Michael Bremmers en Thijs Borgers (red.), *Onze Indische buurten*. Amersfoort: Dick Rozing Geografie en Onderwijs, 2021.
Sahertian, J., *Vertrapt en vernederd, maar niet gebroken. Een stukje uit de geschiedenis van Molukse Politiejongens in Nederland*. Ridderkerk: [eigen beheer], 1995.
Schouten, Ted, *Boy Ecury. Een Antilliaanse jongen in het verzet*. Zutphen: Walburg Pers, 2003.
Shadid, Wasif, Nora Kornalijnslijper en Ed Maan, *Huisvesting etnische minderheden: een trend- en overzichtsstudie*. Leiden: DSWO Press, 1984.
Smilde, Harm Peter, *Helden van toen. The Tielman Brothers en de Nederlandse rock'n-roll 1957-1967*. Amsterdam: SWP, 2017.
Schwidder, Emile, 'Eerst Nederland, dan Indonesië bevrijden. Indonesiërs in het Nederlands verzet (1940-1945)', in Esther Captain, Marieke Hellevoort en Marian van der Klein (red.), *Vertrouwd en vreemd*, 233-240. *Ontmoetingen tussen Nederland, Indië en Indonesië*. Hilversum: Uitgeverij Verloren, 2000.
Steijlen, Fridus, *Een Indische skyline. Indische organisaties in Nederland tussen 1980 en 2010*. Amsterdam: Amsterdam University Press, 2018.
Stipriaan, Alex van, *Rotterdam in slavernij*. Amsterdam: Boom Uitgevers, 2020.
Vrij, Jean Jacques, 'Leven na de dood. Het nageslacht van Charles Paul Benelle de la Jaille', *Wi Rutu* 13/2 (2013): 23-27.
Werkgroep Gedenkboek Capelle, *Panggajo. Van woonoord naar woonwijk. Geschiedenis van Molukkers in Capelle aan den IJssel 1958-2018*. Bunnik: Dewan Maluku Capelle (DMC), 2019.
Weyling, Paul, 'Woonoord IJsseloord. Een Moluks dorp op Capels bodem', *Nieuwsbrief Historische Vereniging Capelle (HVC)* 20/4 (2006): 103-16.
Willems, Wim, *De uittocht uit Indië 1945-1995*. Amsterdam: Bert Bakker, 2001.
Wonderen, Mark van, *Chin.Ind.Spec.Rest. Een verdwijnend Nederlands fenomeen*, 4e herziene druk. Amsterdam: Rubinstein, 2019.

FRANCIO GUADELOUPE, PAUL VAN DE LAAR & LIANE VAN DER LINDEN

INDISCHE FAMILIEFOTO'S, ZOMERCARNAVAL EN KAPSALON:

CASESTUDIES IN POSTKOLONIAAL ROTTERDAM

'ROTTERDAMS SLAVERNIJVERLEDEN GEEFT INZICHT EN VERBINDT' – DAT IS DE TITEL van de motie van Peggy Wijntuin waaruit in de inleiding is geciteerd. In de vorige hoofdstukken is het verleden uitvoerig aan de orde gekomen en zijn nieuwe inzichten helder verwoord. Aan ons de taak om het verleden te verbinden met de stad van nu en met het Rotterdam van straks. De motie stelt vast dat de erfenis van het slavernij- en koloniale verleden diep verankerd is in onze samenleving. Wijntuin wijst op gebrek aan zelfvertrouwen en onwetendheid, maar ook op regelrecht racisme. Wil Rotterdam een volgende stap zetten, dan gaat het niet alleen om meer kennis, maar ook om de vraag hoe we deze kunnen verbinden met de stad van nu en straks. Hoe overbruggen we tegenstellingen die zichtbaar en te herleiden zijn tot dit koloniale verleden, en de stad op de proef stellen?

Marlon Brown, Zomercarnaval Rotterdam 1993. (Foto: Robert de Hartogh)

Die tegenstellingen zien we vooral terug in de wijze waarop het debat in Nederland – en Rotterdam is daarop geen uitzondering – wordt gevoerd en zich verengt tot een reproductie van binaire categorieën, bedoeld om verschillen te accentueren. Denk hierbij aan: ik zwart/jij wit; ik allochtoon/jij autochtoon; ik puur/jij hybride; ik *Black People of Colour*/jij *Non-Black People of Colour*. Deze tegengestelde identiteiten bestendigen raciale en discriminatoire praktijken. Vanuit postkoloniaal gezichtspunt zijn die onlosmakelijk verbonden met psychologisch-politieke en sociaal-economische effecten van een koloniaal verleden dat in het heden doorwerkt. Maar hoe deze doorwerken, dat is niet eenvoudig te ontrafelen, omdat elke groep vanuit een eigen herinneringscultuur naar de stad van nu kijkt en daar eigen conclusies voor de toekomst aan verbindt. Daarom hebben we er voor dit laatste hoofdstuk in deze bundel voor gekozen om de stad van nu niet door een specifiek Surinaamse, Indische, Molukse of Antilliaanse of Kaapverdische bril te bekijken, maar de stadscultuur als uitgangspunt te nemen, als uiting van postkolonialisme.

De Rotterdamse stadscultuur is veelzijdig en laat zich minder makkelijk in van elkaar gescheiden culturele domeinen of groepen indelen. Verschillen zijn er, maar hier gaat het ons erom hoe we vanuit een breed stadscultureel perspectief kunnen laten zien waar de verschillen in de praktijk overbrugd kunnen worden. Naar ons idee verbinden we hiermee de historische dimensies die in overige hoofdstukken centraal staan met het Rotterdam van nu. Het gaat ons ook niet zozeer om het benoemen van *counter narratives,* want die voeden nieuwe tegenstellingen. Door de stadscultuur als uitgangspunt te nemen, decoderen we de hedendaagse stad en zoeken we aanknopingspunten die richting kunnen geven aan nieuwe verbindingen – of gemeenschappelijkheid – die ruimte maken voor een stap.

Dit hoofdstuk wil ook een brug slaan naar vervolgacties. Daarmee biedt het ook een inleiding tot de door ons geredigeerde bundel, *Rotterdam, een postkoloniale stad in beweging,* die in het kader van de motie-Wijntuin als een afzonderlijke publicatie verschijnt.[1] Hier komen veel meer cases aan bod waaruit een beeld ontstaat van hoe Rotterdammers van nu vanuit hun perspectief de postkoloniale stad ervaren. Die stad is in beweging en dat willen we in dit hoofdstuk aan de hand van drie concepten en drie casestudies laten zien. De gekozen invalshoeken zijn: alledaags herinneren, populaire cultuur en *forbidden touch*. De casestudies zijn gebaseerd op ons eigen historische, urbane of antropologische onderzoek en onze persoonlijke ervaringen. Daarom streven we niet naar volledigheid, maar zoeken we naar stadsculturele perspectieven die het mogelijk maken om de discussies over het verleden en de zoektocht naar counter narratives te verbinden met een eigentijdse blik op een stad die inclusiviteit nastreeft. We openen het venster en laten letterlijk nieuwe geluiden, geuren en visies toe.

POSTKOLONIALE SUPERDIVERSITEIT

Wat bedoelen wij met postkolonialiteit, en hoe kan dit begrip worden vertaald naar het Rotterdam van nu? Sociologen beschouwen Rotterdam als een superdiverse stad,[2] een term die door Steven Vertovec is gepopulariseerd om de diversificatie van diversiteit te benoemen. Vertovec constateerde dat als migratie in hoofdzaak door een etnische lens wordt bekeken, er een eendimensionaal beeld van een in wezen veel diversere samenleving wordt gepresenteerd. Deze benadering voldeed niet meer om de complexiteit van onze hedendaagse diverse samenleving te bestuderen en daaraan beleidsconsequenties te verbinden. Superdiversiteit is als concept in ontwikkeling en wordt in toenemende mate ook in discussies over postkolonialiteit betrokken. Sociologen en antropologen hebben elkaar nog niet gevonden, maar dat is geen probleem. Het is juist belangrijk om zowel overeenkomsten als verschillen te benadrukken. Vooral het ontbreken van een historische dimensie – studies naar superdiversiteit richten zich vooral op recente migratiestromen – wordt als een gemis gezien.

Juist om verschillen van toen en nu te onderzoeken, is een breed historisch perspectief van belang, zeker in landen en steden die onlosmakelijk zijn verbonden met een koloniaal verleden, wat een extra dimensie biedt aan het begrip 'superdiverse stad'. Juist als we de complexiteit vanuit een cultureel-historisch perspectief willen bestuderen bieden postkoloniale percepties houvast, omdat deze zich richten op de effecten van een koloniale erfenis. Het gaat namelijk om politieke-culturele verhoudingen die het gevolg waren van kolonialisme, maar ook doorwerken na de dekolonisatie.[3] Maar we spreken over een stedelijke context die niet alleen gekenmerkt wordt door hedendaagse implicaties van het kolonialisme, maar ook door veranderde perspectieven op de multiculturele stad zoals die na 1970 is ontstaan. Beide narratieven – het postkoloniale en multiculturele – raken en versterken elkaar. Onderkenning hiervan is van wezenlijk belang voor de toekomst van Rotterdam, precies de opgave die in de motie wordt genoemd.

Rotterdam is dus in wezen een superdiverse postkoloniale stad. Die twee perspectieven komen in dit essay samen. De casestudies die we behandelen laten zien dat niet alleen de tweede en derde generatie migrantenkinderen van gastarbeiders hun stempel drukken op de stad, maar ook kinderen en kleinkinderen die het koloniale verleden van Nederland en andere voormalige koloniale mogendheden delen. Alle Rotterdammers – of ze het zich bewust zijn en willen erkennen of niet – hebben ermee te maken. Iedereen is daarmee onderdeel van een postkoloniale toestand en die dwingt tot een herijking van wat we onder stadsgemeenschap verstaan. We moeten begrijpen en proberen te beseffen waar gemeenschappen elkaar raken en verbindingen leggen, zoals politicologe en filosofe Chantal Mouffe dat heeft omschreven.[4]

Het verlangen naar een nieuwe, bredere Rotterdamse gemeenschapsvorming wist het koloniale verleden niet uit. Dat ervaren juist Rotterdammers die zich als Indo-, Suri- of Antilliaanse Rotterdammers identificeren en ook door anderen zo worden getypeerd. Zij ondervinden nog steeds de gevolgen van raciale discriminatie, verankerd in denigrerende koloniale beelden waar hun voorouders mee te maken hadden. Negatieve beeldvorming is niet beperkt tot Rotterdammers die een koloniaal verleden delen. Dit geldt evenzeer voor Rotterdammers wier ouders uit bijvoorbeeld Turkije, Spanje, Portugal, ex-Joegoslavië, Kaapverdië en Marokko als arbeiders in haven en industrie werkten. Dus ook in het huidige Rotterdam, met al zijn diversiteit, kunnen we etnisch-raciale identiteiten niet negeren. Door alléén daarop te focussen ontstaat echter een eenzijdig beeld van de postkoloniale conditie van de stad.

Er zijn verschillende manieren om hiernaar te kijken. We richten ons op drie concepten. Het eerste heeft betrekking op alledaags herinneren dat het etnisch-raciale groepsdenken doorbreekt. Om met elkaar te kunnen samenleven, zal iedereen iets van zijn groepsidentiteit moeten loslaten. In de praktijk gebeurt dat ook, maar daar zijn we ons niet altijd van bewust. Om te kunnen samenleven, moeten we ook in staat zijn te vergeten; iets van de eigen identiteit in te ruilen. Door juist vast te houden aan binaire tegenstellingen, zoals de Wij-Zij-tegenstellingen, en door geen oog te hebben voor hoe mensen in Rotterdam met elkaar omgaan, wordt dat aan het zicht onttrokken.

In dagelijkse ontmoetingen zien we intussen dat de verstarde grenzen van de groepsidentiteit vervagen en soms worden losgelaten, een onvoorspelbare dialectiek van vergeten en herinneren die zich op straat in de openbare ruimte manifesteert. Dat fascineert ons. We kijken daarom vanuit een praktisch-antropologische zienswijze naar subtiele uitingen in de dagelijkse praktijk van de stad. Wie zo te werk gaat, ervaart dat je het postkoloniale Rotterdam van nu niet kunt begrijpen vanuit een exclusieve, op groepsidentiteiten gerichte benadering. Juist in die dagelijkse individuele ontmoetingen, waarvan niet bij voorbaat vaststaat wat de reactie van de ander is, ontstaat ruimte voor gedeelde betekenissen. Negatieve oordelen over elkaars culturele waarheden verdwijnen niet, maar ze worden vergeten, zodat individuen met elkaar kunnen samenleven. In die zin zou je kunnen zeggen dat er een zelfregulerend dynamisch transcultureel systeem ontstaat. Dit inzicht is treffend verwoord door de antropoloog Johannes Fabian, die aangeeft dat leven in het heden nooit volledig kan samenvallen met identiteitspolitiek.[5]

Het tweede aspect dat we willen benadrukken, is de betekenis van populaire cultuur, die een nieuwe dimensie geeft aan alledaags herinneren, door ons opgevat als die artistieke invullingen die ontstaan in de ruimte tussen elitecultuur en traditionele cultuuruitingen. Elite- en traditionele cultuuruitingen worden meestal gebruikt om bestaande identiteiten, culturele verhoudingen en de hegemonie van een bevoorrechte groep te bestendigen, als onveranderlijke grootheden. Populaire cultuur beweegt zich daartussenin en is weliswaar nooit volledig onafhankelijk van elite en traditionele cultuur, maar creëert eigen ruimte, *moments of freedom*.[6] Dit zien we bijvoorbeeld in het Zomercarnaval Rotterdam, dat hier als casestudy wordt behandeld, maar ook in uitingen van hiphopcultuur. Populaire cultuur biedt een ander perspectief en narratief van de stad, waarin etnisch-culturele minderheden hun relaties tot de stad en met elkaar tot uitdrukking brengen. Niemand kijkt meer op van vermenging van Caribische en Arabische invloeden die hier in de vorm van *code-switching* – het mixen van verschillende talen en registers – tot uiting komen.[7] Wie dus de stad van nu wil begrijpen, kan hier niet omheen. Zelfs wie niets heeft met de rappende stad.

In de derde plaats geven we ruimte aan *forbidden touches*.[8] We bedoelen hiermee de onverwachte reacties van mensen, wanneer ze diep geraakt worden door beelden, daden, geluiden en allerlei andere immateriële expressies. Die kunnen ertoe leiden dat ze etnisch-raciale vooroordelen kwijtraken, maar in het ongunstigste geval kunnen die vooroordelen ook worden versterkt. *Forbidden touches* worden herinnerd als speciale gebeurtenissen. Een goed voorbeeld van het eerste is hoe sommige Rotterdamse 'oudkomers' reageerden op een dvd van *In Holland staat mijn huis* van cabaretier Jörgen Raymann. Uit hun reacties bleek dat ze veel ruimer gingen denken over wat het betekent om Nederlander te zijn. Zij zagen toen pas in dat diversiteit en de Nederlandse identiteit goed samengaan, net zoals dat het geval is bij hun geliefde Feyenoord.

Deze drie benaderingswijzen – alledaags herinneren, populaire cultuur en *forbidden touches* – worden hier verder uitgewerkt, telkens aan de hand van casestudies gebaseerd op eerder individueel verricht onderzoek. De voorbeelden zijn exemplarisch voor de thematiek die in deze bundel aan de orde komt. We hebben deze persoonlijke invalshoek als uitgangspunt gekozen. Het is naar onze mening belangrijk om de postkoloniale discussies te kunnen toetsen aan casestudies. Gegeven onze verschillende achtergronden hebben we de cases integraal behandeld en worden deze achter elkaar gepresenteerd. De auteur-onderzoeker belicht de casus vanuit haar of zijn persoonlijke ervaring. Dat ziet de lezer ook terug in invalshoek, gekozen vorm en uiteraard schrijfstijl. Dat is een bewuste keuze en het is goed om dat vooraf duidelijk te maken.

In de eerste casus legt Liane van der Linden aan de hand van Indische familiealbums de focus op herinneren en op hergebruik van herinneringen in identiteitsprocessen van drie generaties Indische Nederlanders. Deze foto's zijn van het privédomein in het publieke domein terechtgekomen, deels ook in een nieuwe vorm, als populaire cultuur. Indische identiteit is in dit voorbeeld geen etnisch keurslijf, het is een veranderlijke culturele uitvalsbasis voor een postkoloniale identificatie en daarmee ook onderdeel van de postkoloniale conditie van Rotterdam.

In de tweede casus beschrijft Francio Guadeloupe hoe non-racialisme in toenemende mate wordt genormaliseerd in de urban scene in Rotterdam. De urban scene refereert naar de uitingen van populaire muziekcultuur, zoals hiphop en r&b, salsa en zouk, kizomba en ritmo kombina, soca en dancehall, afrohouse en Latin house, kuduro en afrobeats, etc. De identiteiten die deze genres uitstralen zijn inmiddels vrijwel allemaal gecommercialiseerd. Maar oorspronkelijk kwamen ze tot stand als culturele overlevingsstrategie van slaafgemaakten, die ze als erfgoed aan volgende generaties hebben doorgegeven.

Als laatste draagt Paul van de Laar de populaire urban snack de 'kapsalon' aan als symbool van transculturele eetpatronen, door Rotterdam omarmd als erfgoed van de toekomst, net zo Rotterdams als Feyenoord en de Erasmusbrug. Kapsalon is behalve een verwijzing naar een Kaapverdiaanse kapperszaak een voorbeeld van creolisering van *food culture:* urban snacks zijn nauw verweven met postkoloniale groepsidentiteiten en een populaire cultuur waarvan de smartphone en sociale media belangrijke dragers zijn.

ALLEDAAGSE FOTO'S UIT HET VOORMALIGE INDIË[9]

Eind maart 2020 plaatste het Stadsarchief Rotterdam ter gelegenheid van 75 jaar capitulatie van Japan een oproep aan 'repatrianten uit Nederlands-Indië' die tussen 1945 en 1951 van Indonesië naar Rotterdam zijn gekomen.[10] Het verzoek was of zij hun dagboeken en foto's uit die tijd aan het Stadsarchief willen overdragen. Nu is 1951 in de migratiegeschiedenis van de meeste Indische mensen nogal willekeurig gekozen. Na het einde van de Tweede Wereldoorlog begon voor hen een dekolonisatiestrijd die pas eindigde met de terugtrekking van Nederland uit Nieuw-Guinea in 1962. Tot die tijd en vlak erna arriveerden in Nederland grote migrantenstromen, samen zo'n 300.000 mannen en vrouwen. In het Stadarchief is over hen maar heel weinig te vinden en dat maakt de actie dan ook bij voorbaat belangrijk en potentieel succesvol.

Een vergelijkbaar verzoek werd al in 1958 gedaan door het Indische tijdschrift *Tong Tong*. Daarna is de vraag nog vele malen herhaald, onder andere door het Indisch Wetenschappelijk Instituut (IWI). Deze organisatie 'erfde' in 1985 de boekerij en het foto- en documentenarchief van *Tong Tong*. Deze verzamelingen waren sinds de jaren vijftig door Indische mensen zelf bij elkaar gebracht. In de jaren erna is de fotocollectie geregistreerd, beschreven en gedigitaliseerd en in 2005 in z'n geheel aan het Tropenmuseum geschonken: 70.000 foto's, glasnegatieven en dia's, waarvan om en nabij de 60.000 familiefoto's, geplakt in albums.[11]

Aan het behoud, de toegankelijkheid en het gebruik van deze collectie heeft Liane van der Linden vele jaren meegewerkt. Dat maakte haar tot een ervaren kijker, van de grootste particuliere Indische fotocollectie van IWI, haar eigen Indische familiealbum en van de Indische fotocollectie van het Wereldmuseum in Rotterdam, waar zij omstreeks de eeuwwisseling werkzaam was. In dit hoofdstuk werkt zij de concepten *forbidden touches* en alledaags herinneren uit aan de hand van haar ervaringen met drie Indische generaties. Als voorzitter van het IWI (1996-2004) begon zij aan een informeel 'veldonderzoek' naar de functie en betekenis van Indische familiefoto's. De circa twintig IWI-vrijwilligers van de eerste Indische generatie die aan de fotocollectie werkten, brachten hun onmisbare ervaringskennis in bij het beschrijven ervan. Met haar eigen tweede generatie maakte Van der Linden exposities, documentaires, boeken en lesmateriaal over Indië en Indisch in Nederland. De laatste jaren kijkt zij met de derde generatie mee naar de letterlijke en figuurlijke verwerking van oude Indische foto's in een eigentijdse, postkoloniale context. Iedere generatie blijkt op eigen wijze de Indische familiekiekjes te gebruiken om haar positie in postkoloniaal Nederland vorm te geven en er haar eigen verhaal mee te vertellen, steunend op de herinneringen die door de foto's worden losgemaakt. Deze veranderen al naargelang hetgeen de 'herinneraars' willen overdragen, aan wie zij dit overleveren en waarom ze dat willen doen. Herinneren gaat ook over vergeten en weglaten, over het recyclen en hergebruiken van herinneringen, over identiteitsprocessen en zelfs over de toekomst. In onze visuele cultuur spelen foto's bij al deze processen een belangrijke, bemiddelende rol. Wat er op een foto staat blijft weliswaar steeds hetzelfde – de afdruk an sich ligt vast –, maar hoe Indische mensen erdoor worden geraakt, verandert niet alleen per persoon en per groep maar, zoals in deze casus, ook per generatie. Het concept *forbidden touches* laat zien hoe Indische amateurfoto's een beknellende en beladen koloniale context weten open te breken en ruimte creëren voor eigen herinnering, voor eigen geschiedenis, eigen identiteit en eigen verhalen als onderdeel van een gezamenlijk, postkoloniaal heden.

HET EIGEN VERHAAL IN PRIVÉKIEKJES

De oproep eind jaren vijftig voor Indische foto's was aanvankelijk bedoeld om het tijdschift *Tong Tong* te kunnen illustreren. *Tong Tong* was een initiatief van schrijver-journalist-voorman Tjalie Robinson, die van het tijdschrift een verzamelplaats wilde maken voor herinneringen aan Indië. Robinson riep daarvoor iedereen uit Indië op om mee te doen: 'Ieder schrijft eerlijk zoals hij denkt of spreekt, zijn eigen stijl. Wie geen goed begin bedenken kan, begint maar aldus: Beste Tjalie! Ik herinner me nog als de dag van gisteren dat ..., nou en daar gaat hij dan!' [12] Hij benadrukte dat niet de stijl maar de ervaringsdeskundigheid van belang was: 'Schrijf, schrijf, schrijf, mensen met je bruine vel, GETUIG DAN.'[13]

Aan dit verzoek en de vele herhalingen erna knoopte Robinson steevast een vraag naar foto's. De eerste keer zette hij de vraag op een verder lege voorpagina. Dat hielp: er werden genoeg foto's ingestuurd om ieder volgend nummer ruimschoots te illustreren. De zo verkregen amateurfoto's, gemaakt voor huiselijke kring, verschoven door de publicatie in *Tong Tong* van het privé naar het wijdere publieke domein. Dat was voor Robinson essentieel; hij wilde de foto's niet in eigen kring houden, maar juist verspreiden onder andere Nederlanders. Zijn eerste fotoverzoek op de voorpagina eindigde in dit verband veelzeggend: 'waarom is het verleden van elk volk en land belangrijk of interessant en van ons niet?! Denk erom Indische Nederlanders, wij hebben niet alleen te vragen, (of zelfs te eisen), maar ook te GEVEN.'[14]

Indië, zo onderstreepte Tjalie Robinson onvermoeibaar, was een bron van kennis voor Nederland en Indische Nederlanders zouden – ondernemend als landverhuizers zijn – zelfbewust en actief een grote bijdrage aan de Nederlandse samenleving kunnen leveren. Robinson bouwde er samen met een groeiende groep gelijkgestemden een infrastructuur voor, bestaande uit het tijdschrift *Tong Tong*, *de Indische Kunstkring*, een jaarlijks festival (Pasar Malam), een uitgeverij en een boekwinkel. Verder werden in het kantoor boeken, documenten en foto's bij elkaar gebracht. Al deze activiteiten hadden niet alleen ten doel Indië als plaats van herinnering te behouden, maar ook een groot publiek over dit verleden te vertellen, het te beschrijven en door middel van foto's te verbeelden. Om, met andere woorden, erkenning te krijgen voor de geschiedenis *daar* van Indische mensen *hier*.

Buiten de Indische kring werden deze activiteiten afgedaan als nostalgische hunkering of op z'n minst als sentimenteel terugkijken. Robinson legde met zijn repliek de vinger op de zere plek:

> Iedere Nederlander mag met 'zoet heimwee' terugdenken aan het oude Mokum, aan het oude Rotterdam, aan zijn jeugdjaren in Stampersgat, zelfs Leo Vroman die de onvolprezen regel 'liever heimwee dan Holland' dichtte. Alleen wij mogen dat niet omdat ons vroegere leven zich in een voormalige kolonie heeft afgespeeld.[15]

Wat hem het meeste stoorde was de politieke framing die het terugkijken naar Indië, de heimwee en de nostalgie wegzette als verkapt prokolonialisme. Over Indië werd in Robinsons tijd, in de jaren vijftig en zestig (en nog lang daarna), bijna alleen in tegenstellingen gesproken: goed of fout, pro of contra kolonialisme, anti-Nederlands en pro-Indonesisch, of andersom. Deze framing was niet alleen politiek van karakter, zij was ook doordrongen van de veel oudere, gangbare koloniale denkwijze waarin Hollanders als de overheersers en Indonesiërs als de overheersten werden neergezet. In deze gesimplificeerde denkwijze kwamen Indische mensen zelfs helemaal niet voor.

Precies dat was de reden voor Robinson om *Tong Tong* te beginnen. Voor hem was het tijdschrift een middel tot Indische geschiedschrijving, van het verleden van de Indische groep, hun migratie naar het 'moederland' tot en met de marginale positie van deze eerste grote groep gekleurde immigranten in postkoloniaal Nederland. Hij zette zich toen al in voor wat Edward Said veel later 'het recht op het eigen verhaal' zou noemen.[16] Hij verzamelde er met crowdsourcing avant la lettre de bouwstenen voor, samen met Indische lotgenoten, precies zoals het Said voor ogen stond. Eerst groeide de fotoverzameling maar langzaam, omdat de Indische groep tijdens twee oorlogen en een landverhuizing veel had moeten achterlaten. Voor hen was het aanvankelijk te vroeg om hun spullen weg te geven. In de loop der tijd groeide de collectie gestaag aan, er meldden zich ook steeds meer vrijwilligers, veelal uit de eerste Indische generatie, die de zorg voor de foto's op zich namen. Het kantoor van *Tong Tong* in Den Haag groeide uit tot een van de weinige ontmoetingsplaatsen voor de eerste Indische generatie, een Indisch huis waar iedereen zonder aanbellen binnen kon komen vallen. Voor hen riepen de foto's alledaagse herinneringen op aan hun vroegere leven in de laat-koloniale Indische samenleving die, hoewel koloniaal, veel dynamischer, gevarieerder en gecompliceerder was dan de etnisch-raciale beeldvorming die in Nederland rouleerde.

HERINNERING, ANKERPUNT, BEELDBRON

'Alles wat nu nog in Holland leeft aan herinnering, wil ik verzamelen. En te boek stellen. Want ik weet zeker dat mijn kinderen en kindskinderen straks hunkeren naar een echo uit onze tijd. En dan zal de door hen begeerde lectuur er zijn.'[17] Robinson voorspelde het al. De tweede Indische generatie hunkerde in de jaren tachtig en negentig naar lectuur en foto's van het Indië van hun ouders, waar immers ook hun herkomst lag. De unieke foto's van het IWI waren hierbij van onschatbare waarde. Instellingen als het Wereldmuseum in Rotterdam en de andere volkenkundige musea in Nederland beheerden weliswaar omvangrijke fotocollecties uit Nederlands-Indië, maar die dateerden grotendeels uit de negentiende eeuw. Bovendien waren deze foto's veelal gemaakt door en voor de Europese elite. Ze brachten de koloniale expansie en verworvenheden in beeld zoals die tot uitdrukking kwamen in expedities, ontginningswerk, grote ondernemingen, wegen- en bruggenbouw; in 'Mooi-Indië'-landschappen, beelden van het energieke, moderne Europese leven en van de Indonesische culturen die eeuwig leken stil te staan.

In de museale collecties zaten ook foto's van de verwoestingen van de koloniale oorlogen op Java, Bali en Sumatra en van de erbarmelijke woon- en leefomstandigheden van Indonesiërs. Hoe gevarieerd ook, al deze foto's verschilden desondanks in hoge mate van die bij het IWI. De laatste waren merendeels amateurfoto's, die in plaats van het officiële en formele leven, het informele dagelijkse familieleven lieten zien. Ze stamden van vlak voor de oorlog tot en met de aankomst en de eerste jaren in Nederland. Maar de bijzondere betekenis van de familiefoto's lag in hun herkomst en inhoud. De albums waren voor het overgrote deel van Indo's en brachten heel specifiek het Indische samenleven in beeld. In Indië waren grootfamilies bijvoorbeeld de spil van het huiselijke leven en dat is ook in alle familiealbums terug te zien. De foto's staan letterlijk vol met ouders met hun kinderen en directe bloedverwanten, inwonende grootouders, pleegkinderen, kostgangers, langblijvende logés en kort logerende verre familie.

Het punt hierbij is niet alleen dat Indische huishoudens veel meer mensen telden dan het totokse (lees Hollandse) kerngezin, dat zich graag liet fotograferen met hun bedienden. Als fenomeen geven beelden van grootfamilies veel inzicht in sociale regels en omgangsvormen. In het huis van de jongere generatie hoorde bijvoorbeeld altijd plaats te zijn voor grootouders, oudtantes en oudooms. Neefjes en nichtjes die geen middelbare school in de buurt hadden, trokken in de schoolperiodes vanzelfsprekend bij hun ooms of tantes in, en voor logés, al dan niet familie, werd hoe dan ook ingeschikt. Wat Indische familiekiekjes ook tonen is hoe Indo's zichzelf graag zagen: als moderne mensen naar Amerikaans voorbeeld, die hun poses afkeken van populaire Hollywoodfilms. Zo is er een foto waarop vier jonge vrouwen met een korte bob, in charlestonjurk, als in een filmscène op de motorkap van de nieuwste Ford van een van hun vaders liggen. Dergelijke beelden van de Indische samenleving kwamen toentertijd in Nederland nog in geen enkele collectie voor. Tot het einde van de vorige eeuw hadden archieven en musea voor familiekiekjes van gewone mensen sowieso weinig belangstelling, en nog minder als ze van Indische mensen kwamen.[18]

Wat Robinson misschien niet voorzag was de aard van de 'hunkering' van de tweede generatie. Die zocht doelbewust naar vorm en invulling van hun 'Indisch-zijn'. Daar stelde de eerste generatie zich geen enkele vraag over; zij wáren gewoon Indisch. Alleen hadden zij zich zo aangepast aan de Nederlandse samenleving dat ze sindsdien worden opgevoerd als hét succesnummer van het assimilatiebeleid in de jaren vijftig en zestig. Later bleek dat ze in hun ijver om zich geruisloos aan te passen hun Indische herkomst en geschiedenis te veel bij hun kinderen hadden weggehouden. Dat wreekte zich. Om die reden ging de tweede Indische generatie in de jaren tachtig actief en doelbewust op zoek naar hun eigen identiteit, naar Indische cultuur en de betekenis van Indisch-en-toch-geboren-zijn in Nederland. In 1980 werd de vereniging Nazaten Indische Nederlanders en Sympathisanten (NINES) opgericht, die zich behalve op Indische cultuur (in Nederland) ook oriënteerde op de Indonesische wortels van het Indische. Drie jaar later begon het nieuwe tijdschrift *Serukun* een dialoog tussen de eerste en de tweede generatie, waarin ook de kritiek van de jongere op de oudere generatie tot uiting kwam. De tweede generatie bekritiseerde de 'aangepaste' manier waarop hun ouders zich in de Nederlandse samenleving onzichtbaar hadden gemaakt. Zij herkenden zich in het werk van de tweede generatie-auteurs als Marion Bloem, Jill Stolk, Adriaan van Dis en Frans Lopulalan, die in de jaren tachtig schijnbaar uit het niets debuteerden met Indische romans: *Geen gewoon Indisch meisje*, *Scherven van smaragd*, *Nathan Sid*, *Onder de sneeuw een Indisch graf*.[19]

De tweede generatie meldde zich ook bij het IWI om Indische foto's als primaire bron in te zetten bij zowel identiteitsvragen als Indische geschiedschrijving. Voor de 'postherinnering' aan Indië van de tweede generatie waren immers slechts de dominante verhalen die in Nederland circuleerden voorhanden: beelden van Mooi-Indië, van een kolonie waar Nederland iets groots had verricht, én van de roemloze dekolonisatieoorlog van 1945 tot 1949, waarin ook Indische mensen aan 'de verkeerde kant van de geschiedenis hadden gestaan'.[20] Aan de hand van de IWI-foto's herschiep de tweede generatie als 'alledaagse herinnering' een beeld van het leven in Indië van hun ouders, een leven dat zij alleen 'tweedehands' kenden uit het familiealbum en de spaarzame familieverhalen. De *forbidden touch* van de collectie legde de focus op het intrinsieke bestaansrecht van de Indische cultuur, die in de gesimplificeerde postkoloniale en raciale beeldvorming grotendeels onzichtbaar bleef. Zo veranderden de familiekiekjes waaraan de eerste generatie haar ervaringsherinneringen verbonden had in de handen van de tweede generatie in bouwstenen van

Indische identiteit en getuigenissen van geschiedenis. Voor het grote publiek, inclusief de meer dan honderdduizend Indië-veteranen, waren de foto's een eerste kennismaking met de vele sociale schakeringen van de Indische samenleving.

Aan die geschiedenis gaf het IWI op diverse manieren vorm en invulling. De fotocollectie werd beschikbaar gesteld voor populairwetenschappelijke boeken als *Uit Indië geboren, Vier eeuwen familiegeschiedenis* (1997). Voor het onderwijs werd *De Rantang* (etensdrager), *leerroutes voor vmbo, havo en vwo* (1999) ontwikkeld en voor de Pasar Malam Besar in Den Haag maakte het instituut de tentoonstelling *Allemaal familie* (2004). Al deze activiteiten waren nadrukkelijk op een breder dan alleen het Indische publiek gericht, precies zoals Robinson al voor ogen stond. Als zijn erfgenaam heeft het IWI alle foto's laten digitaliseren om ze daarna, zo goed mogelijk met kennis uit de eerste hand van de eerste generatie vrijwilligers, te laten beschrijven. Vervolgens is de collectie aan het Tropenmuseum geschonken met het expliciete doel de Indische foto's digitaal toegankelijk te maken als onderdeel van het collectieve geheugen van Nederland. Nu kan iedereen er overal gebruik van maken, in Nederland en Indonesië, als persoonlijke herinnering, als een ankerpunt van identificatie, als verbeelding van Indische geschiedenis. Er kunnen andere betekenissen aan

Eliza Bordeaux, Kumpulan, *2019.*

worden gegeven, andere beelden aan toegevoegd, of zelfs andere beelden mee worden gemaakt, zoals de derde Indische generatie doet.

En zo komen we ook weer in Rotterdam. De Rotterdamse fotograaf Stacii Samidin maakte de fotoserie en de tweedelige minidocu *Merdeka!* over zijn reis naar Indonesië in opdracht van het Wereldmuseum, in het kader van de fototentoonstelling over de kolonisatie en dekolonisatie van Indonesië, *Dossier Indië* (2019).[21] Samidin ging de sporen van Nederlandse aanwezigheid na en reisde onder andere naar de provincie Atjeh, die bekendstaat om de vele oorlogen die er met de Nederlanders gevoerd werden. In Atjeh – dat staat, zo werd hem verteld voor **A**rabs, **C**hina, **E**urope en **H**indu – fotografeerde hij de diversiteit onder generatiegenoten. Met *Merdeka!* gaf Samidin vanuit het heden een persoonlijke kijk op de koloniale erfenis in Nederland en in Indonesië. Ook zijn generatiegenote Eliza Bordeaux onderzoekt het Indische verleden vanuit het heden.[22] Verleden én heden zijn verwerkt in haar foto- en filminstallaties.

HET VERLEDEN ALS DOORKIJKJES IN HET HEDEN

In 2018 studeerde Eliza Bordeaux aan de Willem de Kooning Academie af met de foto- en filminstallatie *Viering van Ontkenning of het Onbestemd Exotische*.[23] De installatie is het resultaat van een onderzoek naar wat zij noemt 'het uitgewiste verleden van de Indische gemeenschap'. Zij liet zich inspireren door Indische foto's uit haar familiealbum en uit particuliere verzamelingen en door foto's uit de collectie van het Tropenmuseum. Typerend voor Bordeaux en veel van haar generatiegenoten is dat de Indische foto's geen herinneringen oproepen, zoals bij de eerste generatie. De historische foto's zijn voor de derde generatie ook geen ankerpunten voor een Indische identiteit, iets waarnaar de tweede generatie, hun ouders, op zoek was. Bordeauxs onderzoek en dat van haar generatiegenoten richt zich nadrukkelijk op het heden: het verleden zien zij als gereflecteerd in het heden. Bij hen gaat het niet om concrete interpretaties van de historische beelden maar om hun eigen associaties met het koloniale verleden.

Voor *Viering van Ontkenning of het Onbestemd Exotische* onderzocht Bordeaux (Indische) *kumpulans* als verbindende ontmoetingsplaatsen waar vooral Indische senioren met elkaar (line)dansen, eten en herinneringen uitwisselen.[24] Wekelijks worden overal in Nederland, ook in Rotterdam, kumpulans georganiseerd. De commerciële grote matinees trekken zo'n tweehonderd bezoekers en naar de kleinere, intieme kumpulans gaan zo'n veertig mensen. Bordeaux bezocht verschillende dansfeesten, het liefst was zij op een van de kleinere kumpulans in Hoogvliet. Daar observeerde zij de dansers, maakte foto's en filmopnamen en danste soms de potjoh potjoh mee.

Wat haar raakte is dat onder de feestelijke sfeer een pijnlijk verleden van dekolonisatie, migratie en miskenning schuilgaat. Dat laat ze zien in haar installatie, waarin het verleden wordt weerspiegeld in het heden, als doorkijkjes. Zij combineert historische zwart-witfoto's van haar vader als kleine jongen op de basisschool in Vorden met eigen kleurenfoto's van een half gesmolten sneeuwpop en een mannenbroek die met knijpers is ingenomen. Op de foto's en in de videofilm zijn Indische senioren enthousiast aan het dansen.[25] Maar de confetti in de beelden is loodgrijs van kleur en de plastic palm in de hoek is helemaal verstoft. In Bordeauxs werk is de kumpulan geen perfecte middag of avondje uit. Valt er wel iets te vieren? vraagt Bordeaux zich af, en 'waarom wordt er wel stilgestaan bij belangrijke gebeurtenissen uit de koloniale geschiedenis, maar staat bijna niemand stil bij de impact die het koloniale verleden, de verhuizing naar "moederland" Nederland en de zogenaamd vlekkeloze integratie hadden?'[26] Wie bepaalt wat er belangrijk is? De fotografe is er echter niet op uit om schuldigen aan te wijzen, ze verbaast zich over 'de Nederlandse onwetendheid over de Nederlands-Indische geschiedenis én over het vermogen van de generatie van haar vader om pijn en verdriet te negeren'.[27]

Dankzij Bordeauxs open, onbevangen en gelaagde verbeelding van een beladen onderwerp is *Viering van Ontkenning of het Onbestemd Exotische* in 2018 genomineerd voor het Steenbergen Stipendium voor jong fotografietalent. Haar project maakte deel uit van een groepstentoonstelling in het Nederlands Fotomuseum van vijf landelijk geselecteerde afstudeerprojecten. De fotografe was regelmatig in het museum te vinden om reacties van Indische en niet-Indische bezoekers op te vangen. Indo's, jong en oud, reageerden vaak geëmotioneerd en gingen onderling of met Bordeaux in gesprek. Bezoekers zonder Indische connectie werden net zoals de jury geraakt door de associatieve lading van de installatie. Een reactie die haar aan het denken zette, kwam van twee bevriende festivalorganisatoren. Zij vonden het werk zo serieus, zo zwaar, en erg gericht op het verleden. Hun eigen events trokken de deur naar het verleden, zeker van specifieke etnische groepen, met opzet dicht. Zij wilden een plaats van samenkomst creëren voor 'alledaagse herinneringen' van iedereen, ongeacht herkomst.

Voor Bordeaux hoeft die deur niet dicht te zijn om verbindingen te creëren tussen generaties, groepen en individuen. Om samen de toekomst te maken, is het niet noodzakelijk om het verleden te delen, al leidt het wel tot wederzijds begrip.

Voor Bordeaux, Samidin en andere derdegeneratiekunstenaars is het verleden een onderzoeks- en inspiratiebron, voor zowel het heden als de toekomst. Dat betekent zeker niet dat al het toekomstige werk van Bordeaux over het Indische verleden zal gaan. Het ligt voor haar nog allemaal open.

Eliza Bordeaux, Dancing opa *(links), 2019,* Don't pin him down *(rechts), 2019.*

ZOMERCARNAVAL

THE ROAD IS MINE

Al sinds eind jaren tachtig, toen hij naar Nederland verhuisde, geniet Francio Guadeloupe van het Rotterdamse carnaval. De avond voor de grote straatparade vindt in de binnenstad van Rotterdam de *battle of the drums* plaats. Brassbands uit het hele land vertonen hun kunsten voor de Golden Drum. De dag daarna kunnen bezoekers genieten van koninginnen en prinsessen op grote praalwagens, gevolgd door leden van carnavalsverenigingen, uitgedost in vrolijke kostuums, gekleurde veren of maskers die sociale kritiek uiten. Zij worden vergezeld door brassbands, steelpans, Caribische bands en dj's op vrachtwagens die de binnenstad van Rotterdam omvormen tot een Caribisch eiland. Bij de *mercado*, het streetfoodfestival van het Zomercarnaval, kunnen de festivalgangers genieten van lekkernijen van overal ter wereld, zoals barbecue ribs, pastechis, johnny cakes, jerk chicken, tornado patato, kebab, aloo chaat, Antilliaanse kroket, saté, shoarma, nasi goreng, taco's, kapsalon, ital, roti, bara met bacalhau, en patat met mayonaise. Na de parade gaat het feest door met prijsuitreikingen en openluchtoptredens van gerenommeerde nationale en internationale artiesten die Caribische, Latijns-Amerikaanse en andere urban genres ten gehore brengen. Naast de activiteiten die gesubsidieerd worden door de gemeente is er ook een verscheidenheid aan private initiatieven. Pre- en afterparty's vinden overal in de stad plaats en artiesten treden op in diverse clubs.[28]

Dit Rotterdamse carnaval begon ooit in Utrecht, in 1983, als een Antilliaans-Nederlands initiatief, maar is vandaag de dag uitgegroeid tot hét zomerevenement van Rotterdam en het grootste festival van Nederland. Het is ironisch dat dit festival is voortgekomen uit een feest dat oorspronkelijk in het Caribische gebied ontstond in een periode waarin tot slaafgemaakten een Europees feest creoliseerden. In de jaren tachtig van de vorige eeuw is dit feest gerecreoliseerd door de commercie om Rotterdam en de rest van Nederland een multiculturele *sense of belonging* te verschaffen. Ook de politiek omarmt het festival, al sinds de Minderhedennota van 1983. Een recent voorbeeld hiervan is dat cultuurminister Ingrid van Engelshoven het feest heeft genomineerd voor de UNESCO-lijst van Immaterieel erfgoed.[29] Ook in de ngo-wereld doet het feest het goed. In 2001 ontving de Stichting Zomercarnaval Nederland de Prins Clausprijs voor artistieke innovatie en het versterken van het bindende en overbruggende kapitaal van etnische minderheden en de etnische meerderheid in het land. Dat het Caribische, Kaapverdische en Braziliaanse Rotterdammers een etnische *sense of belonging* geeft, kan prima samengaan met een multiculturele *sense of belonging* die álle Rotterdammers vertegenwoordigt. Het Zomercarnaval is daarmee een publieke expressie van de postkoloniale conditie van de stad, maar bewust gepromoot als uiting van Rotterdamse diversiteit en tolerantie.[30] Het is hiermee een groot populair straatfeest dat tegelijkertijd ook de kenmerken van ongebreidelde kolonialiteit – de levende erfenis van kolonialisme – maskeert.[31]

Het Rotterdamse carnaval is, net zoals de Arubaanse variant waar Francio Guadeloupe mee opgroeide, een jaarlijks evenement dat mensen uit alle geledingen van de samenleving samenbrengt. Als kind was hij er getuige van dat mensen wier levensstijl door de gegoede burgerij als onbeschaafd werd veroordeeld, datzelfde gedrag gedurende het carnaval onder luid applaus en gejuich vertoonden. Lang voordat de socaband Krosfyah met zijn clubhit 'Sak Pase' carnavalsvierders over de hele wereld 'the road is mine' liet zingen, was dit het credo van de Arubaanse lagere klassen uit zijn kindertijd. Het katholieke carnaval bood een *carnal* cultus voor een diverse bevolking, aangemoedigd om het libido te omarmen in een feest waarin grenzen vervaagden, ook raciale en klassenverschillen. De 'Ander' hoefde enkel te laten zien er ook bij te willen horen door zich op dit bacchanaal te misdragen, een tijdelijke bevrijding uit de strenge hiërarchische verhoudingen op de Caribische eilanden. Carnaval bood een *sense of belonging* binnen de context van structureel onrecht waaronder de bevolking gebukt ging. Het Arubaanse bestuur deed niets aan dit onrecht. Het carnaval, begrensd in tijd en ruimte en dus een gecontroleerde expressie, werd deel van een geïnstitutionaliseerde dominante cultuur die kenmerkend was voor die van het eiland. Onbedoeld schiepen de gezagdragers daardoor ook ruimte voor een tegencultuur die de hegemonie uitdaagde.[32]

Bepaalde uitingen hadden een affectieve revolutionaire lading. Het moment van opgaan in de menigte, de rum, de muziek, het eten en het toelaten van vreemden in een intieme sfeer tartten allemaal de hegemonie. Anders gezegd, de *jouissance* – het genot – liet de deelnemers ervaren dat hun bestaan niet coherent is maar meervoudig en voortdurend aan inconsistente veranderingen onderhevig. Voor etnische en raciale identiteitsvorming is coherentie funest. Met het ervaren van hun incoherente bestaan tijdens het carnaval ontnam men de gezagdragers de mogelijkheden om etnische en raciale verschillen te benutten voor politieke doeleinden. Een dergelijke lichamelijke bewustwording was maar tijdelijk, want gezagdragers en etnische entrepreneurs benadrukten impliciet dat etnische verschillen nu eenmaal onoverkomelijk zijn en het carnaval deze niet fundamenteel kon overbruggen.

Guadeloupe ervoer deze tegenstrijdigheden ook in Rotterdam. Hoe moesten ze al die Antilliaanse, Kaapverdische, Surinaamse, Braziliaanse en Boliviaanse Rotterdammers die de eersten waren die zich het zomerfestival hadden toegeëigend, bij elkaar houden? Het carnaval was voor

Zomercarnaval Rotterdam 1984. (Foto: Robert de Hartogh)

hen een populair-culturele uiting van hun gemeenschappelijke herinneringen die tijdens alledaags contact naar voren kwam. Andere Rotterdammers werden middels deze carnavalsexpressies geraakt; een kwestie van *forbidden touch* omdat zij zich ook als stadsgenoten geroepen voelden mee te doen. De nieuwelingen brachten eigen ervaringen en wensen in en dat leidde tot compromissen, maar ook tot conflicten. Nu heb je bijvoorbeeld gezelschappen die EDM (electronic dance music) en hiphop brengen, in plaats van uitsluitend Caribische en Latijns-Amerikaanse ritmes. Door de commercialisering van het festival met steun van de overheid en Rotterdam Festivals, is het Rotterdamse carnaval een feest van alle Rotterdammers geworden. Het moet een geordende multiculturele *sense of belonging* zijn, die voorbijgaat aan armoede, racisme, antigaysentimenten en seksisme die ook deel uitmaken van het Rotterdam van nu.

Ondanks deze institutionalisering van het carnaval blijven tegenkrachten actief. De carnavalsvierders willen dat het gevoel van vrijheid en waardigheid zich vertaalt buiten het festival om. Ze weigeren hun losbandigheid op te geven en in het gareel te blijven – precies zoals Bob Marley zingt in deze klassieke Caribische tekst:

We refuse to be
What you wanted us to be
We are what we are
That's the way it's going to be, if you don't know
You can't educate I
For no equal opportunity (talkin' 'bout my freedom)
Talkin' 'bout my freedom
People freedom and liberty![33]

YOUTHNICITIY IN ROTTERDAM

Van 2007 tot 2012 deed Guadeloupe etnografisch onderzoek naar het Zomercarnaval, als onderdeel van een postdoctoraal project naar hoe Antilliaanse Nederlanders zich verhouden tot de Haagse assimilatiepolitiek. Nieuwkomers moeten zich na het 'multiculturele drama' aanpassen aan een dominante, Nederlandse middenklassecultuur; de zogenoemde culturalisatie van het burgerschap. Antropologen gebruiken deze term om de conservatieve politieke repercussies aan te duiden van door de overheid opgezette integratieprogramma's. In naam ging het om bevordering van multiculturalisme, in de praktijk betekende dat vooral het zich aanpassen aan Nederlandse burgerlijke normen en waarden.[34]

De culturalisatie van het burgerschap bracht een norm met zich mee waaraan alle Nederlandse burgers – maar dan vooral de nieuwkomers, ook zij die uit het Caribisch gebied afkomstig waren – zich moesten conformeren: de burgerlijke normen van het autochtone, historisch gewortelde Nederlanderschap. Wie zich als nieuwkomer hieraan conformeerde, kon rekenen op extra privileges, vooral degenen die zich konden beroepen op Nederlandse wortels, ook al lagen die overzee. De vooruitzichten van het verworven 'Nederlanderschap' werden slechter naarmate de verworvenheden van de verzorgingsstaat werden uitgekleed en overgedragen aan liberale marktprincipes. Ook de witte arbeidersklasse in steden als Rotterdam moesten zich aan de normen van de middenklasse en het marktdenken aanpassen. Van hen werd verwacht dat zij homohuwelijken en andere liberale waarden accepteerden, terwijl zij tegelijkertijd op financieel gebied en qua baanzekerheid de risico's van de markt moesten trotseren en er maatschappelijk op achteruitgingen. De culturalisatie van het burgerschap gaf hun een psychologische *wage of Whiteness*, een schamele, magere, symbolische compensatie voor de 'witte Nederlander'.[35] Culturalisatie leidde ertoe dat de autochtone Nederlander een abstractie werd, die ver afstond van wat zich op stedelijk niveau voltrok. We zien het protest daartegen terug in de programma's van Leefbaar Rotterdam, nadat Pim Fortuyn aan de Maas het multiculturalisme had doodverklaard.

Guadeloupe ontdekte dat het Rotterdamse carnaval en andere culturele urban-expressies, die allemaal deel uitmaakten van commercieel multiculturalisme, voor Antilliaanse Nederlanders een alternatief waren voor de culturalisering van burgerschap. Hetzelfde gold voor de witte arbeidersklasse in de wijken waar zij woonden. Zijn onderzoeksrespondenten waren Antilliaanse Nederlanders en anderen die in Rotterdam woonden en van urban populaire cultuur hielden.

Door *engaged learning*, gebaseerd op een combinatie van observatie en participatie, ervoer Guadeloupe de diepere betekenis van urban populaire cultuur als levensstijl. Hij volgde salsa- en bachatalessen, schreef rapteksten en zong mee in clubs en concerten. Hij analyseerde nummers en video's en speelde met zijn respondenten basketbal en voetbal, ging naar comedy shows en *spoken word*-voorstellingen. Hij at wat zij aten en leerde hun straattaal. Hierdoor won hij hun vertrouwen, de basis voor diepgaande gesprekken. Als ze familieleden hadden die de vele kerken bezochten in de stad, zoals de Victory Outreach Church, ging hij met ze mee.[36] Hij probeerde zich met behulp van door Freud geïnspireerd droomwerk – een methode om in een droom de diepere betekenis te erkennen – zoveel mogelijk bewust te worden van zijn mogelijke aannames en eigen vooroordelen tijdens zijn onderzoek. Leeftijd deed er niet toe;

Soca versus Dancehall, Zomercarnaval Rotterdam 2017. (Foto: Bryan Bennet)

het idee dat urban populaire cultuur voorbehouden is aan jongeren berust op een mythe. Urban populaire cultuur is weliswaar jeugdig, maar het is een *youthnicity* dat in toenemende mate intergenerationeel is. Er zijn veel Antilliaans-Nederlandse Rotterdammers van middelbare en oudere leeftijd die een specifieke vorm van urban populaire cultuur naleven en dit als een essentieel onderdeel van hun bestaan zien. Dus naast het bezoeken van hotspots als Club Vie, R&B Café en BIRD ging hij ook naar huisfeestjes waar ouderen samenkwamen en dansten op *urban oldies but goldies*, van the Commodores en Mighty Sparrow tot Juan Luis Guerra.

Zo ontmoette Guadeloupe Marlon Brown, de flamboyante Arubaanse medeoprichter van het Zomercarnaval Rotterdam die van Nederland in de jaren zestig zijn permanente thuis had gemaakt.[37] Marlon was opgeleid tot verpleger. Hij was een felle antiracist en moedigde gays en lesbiennes aan voorop te lopen bij de carnavalsoptocht. Dat was op Aruba de gewoonte en hij verdedigde hun rechten in Rotterdam openlijk. Sommigen zeiden dat hij zelf homoseksueel was, maar daarover liet hij zich niet uit. '*No ta bo asuntu/ its none of your business*,' snauwde hij meteen de eerste keer dat Guadeloupe hem ernaar vroeg. Guadeloupe en Marlon spraken vooral over urban populaire cultuur en deelden de liefde voor de daarmee gepaard gaande levensstijl.

Marlon kon zich vinden in Guadeloupes interpretatie van urban populaire cultuur – van calypso en soca tot salsa en bachata, van hiplife en afrobeat tot zouk en kizomba, en ook hiphop en grime – als een alternatieve wijze van belonging die niet gepaard ging met raciale uitsluiting. Zijn liefde voor latin en soca deelde Marlon met Rotterdammers met een andere achtergrond. Hij had ervaren hoe het was om in Rotterdam als een zwarte buitenstaander gezien te worden, die inmiddels tot de oudere en gerespecteerde generatie behoorde. Hij maakte er grappen over dat toen hij arriveerde er amper oude zwarte mensen in de stad waren, terwijl hij vandaag de dag Antilliaanse mannen met wandelstokken zag die nog steeds dat typisch Caribische loopje probeerden uit te voeren. Zij gingen nergens meer heen, Rotterdam was hun stad. Net als zij wilde Marlon begraven worden in Nederland; en zo geschiedde in 2011.[38]

> Autochtonen moeten eraan wennen: ze veranderen van de dominante meerderheid in een van de minderheden. In grote steden leeft 'wit van Nederlandse komaf' al als minderheid naast klassieke migrantengroepen als Surinamers, Antillianen, Turken en Marokkanen en nieuwkomers uit westerse landen.[39]

Mooi gezegd, maar bovenstaand citaat weerspiegelt de realiteit niet helemaal. Wat buiten beschouwing blijft is de transculturaliteit. Antilliaanse Nederlanders trouwen vaker met iemand buiten de eigen groep. Maar ook andere voorbeelden laten zien dat de culturele grenzen poreus zijn. Marlon begreep dit ook toen hij het volgende op karakteristieke wijze uitlegde:

> Antilleans, you is an Aruban man, so you know we eat all kind of meat, beef, pork, chicken, pisca, shoarma, and draadjesvlees. We speak all kinds of language. Bo mes a (you know). Spanish, Dutch, Papiamento, Taki taki, German. Everything for a piece of meat, even in church during Quaresma we still thinking about meat.

Ja, voedsel en eten stemmen tot nadenken! In Marlons opvatting symboliseerde vlees zowel vele etniciteiten als het hebben van geslachtsgemeenschap. Marlon Brown omarmde de multiculturele kracht van het Rotterdam dat hij liefhad. Hij was ook een man die onstuimigheid combineerde met een vast geloof in Jezus. Christenen konden ook *bumpen* en *grinden*, na en tussen de diensten van de methodistenkerk. Het was de gecreoliseerde christelijke metataal, ook op de Nederlands-Caribische eilanden.[40] Volgens Marlon ontstaan tegenstellingen door de mens die deze waarneemt. Guadeloupe probeert Marlon trouw te blijven door op suggestieve wijze te schrijven. Daarin hoeft ook in een religieus geïnspireerd discours het libido niet te ontbreken. Het Zomercarnaval is in deze opvatting een sacrale beleving van postkolonialiteit in Rotterdam, waarin alle drie de elementen – alledaags herinneren, *forbidden touches* en populaire cultuur – samenkomen.

KAPSALON

INZET VAN STEDENSTRIJD

In de *Groene Amsterdammer* van 23 april 2020 kijkt de redactie alvast vooruit naar 2120. Hoe zien de Nederlanders er over 100 jaar uit, hoe gedragen ze zich en wat eten ze. Het is niet toevallig dat in het artikel wordt gewezen op de letterlijk uitdijende bevolking. We eten – beter gezegd we snacken – te veel. De kapsalon wordt ook genoemd; een uitvinding waar Rotterdam trots op is. Toen afgelopen jaar een Amsterdamse grillroom- en shoarmazaak aan de Overtoom claimde dat de kapsalon een Amsterdamse uitvinding is, ontstak Rotterdam in woede. Een twitteroorlog brak uit en Peter van Heemst, Rotterdams politicus en jarenlang gemeenteraadslid, meldde gevat: '"Amsterdam speciality". (gespot op Overtoom Amsterdam) Ha, ha, ha, ha, ha, ha. De hoogste tijd dat Aboutaleb zijn collega Halsema eens bijpraat over de geneugten van de Rotterdamse keuken.'

Niet Feyenoord en Ajax kruisten de degens, maar de snackliefhebbers aan de Maas die het recht op innovatie claimden en tevens de kapsalon neerzetten als het culturele erfgoed van de superdiverse stad Rotterdam. In 2011 riep Paul van de Laar in een lezing voor Studium Generale de kapsalon uit tot cultureel erfgoed van Nederland.[41] De kapsalon bestond al enige jaren, maar kreeg door die lezing veel media-aandacht. Hoewel het *Algemeen Dagblad/RD* en *Elsevier* maar ook het NOS-journaal er al eerder aandacht aan hadden besteed, kwam er nu een echte mediahype op gang. Kranten, tijdschriften, radio- en televisieploegen trokken naar Rotterdam om het verhaal van de kapsalon vast te leggen als een van de nieuwe *urban stories*. De *Tros Nieuwsshow* besteedde er aandacht aan, een uitzending die goed werd beluisterd en leidde tot invitaties voor kapsalonspreekbeurten. Het was serieus bedoeld, want Van de Laar zag het als een symbool voor de veranderingen in de publieke ruimte die in alles de sporen van diversiteit draagt, dus ook van ons koloniale verleden en de landen waarmee Nederland zakendeed of in het verleden ruziede.

Snackend Rotterdam had al enige jaren eerder de kapsalon ontdekt en ontleende hieraan een nieuwe identiteit. De kleine ruzie tussen beide steden acht jaren later bestendigde dat. Naar aanleiding van de snackrel grepen diverse media terug op Van de Laars uitlating in 2011, in *Het Parool*:

> 'Ik omarm de kapsalon als Rotterdams cultureel erfgoed. We moeten er trots op zijn.' Dat de Amsterdammers deze Rotterdamse lekkernij nu als hún uitvinding zien, dat kan natuurlijk niet. Als het heel erg uit de hand loopt, vind ik dat de Rijdende Rechter er uitspraak over moet doen. Hij zal zeggen: Amsterdam is kansloos.[42]

PowNed kwam ook voorbij, en dat is niet zo vreemd want die is er als de kippen bij, de omroep leeft van rellen en incidenten en zal geen gelegenheid voorbij laten gaan om beide steden tegen elkaar uit te spelen. In 2011 registreerde het de Van de Laars lezing. En wat is er leuker dan een voedselrel die niet is ontstaan omdat er met de ingrediënten is geknoeid, maar omdat het gaat om een identiteitskwestie? Bijna een zaak van leven en dood dus! Met PowNed moet je altijd de randen van het betamelijke opzoeken en Van de Laar stelde dus voor dat Amsterdam geen patent had op deze snack, maar wel als eerste in aanmerking zou komen voor een variant, die niet via de mond maar via de neus gaat: de 'snuifsalon'.

CULTURAL MORPHING

Waarom is de kapsalon een interessante casestudy? Omdat een snack wordt gezien als een uiting van populaire cultuur zoals we die in de inleiding hebben omschreven: een vermenging van populaire stadscultuur die zonder diversiteit van de stad niet mogelijk zou zijn geweest.[43] Wie geïnteresseerd is in het oprekken van culturele grenzen in een multiculturele stad, kan niet zonder. De relatie tussen food en populaire cultuur is niet eens zo vanzelfsprekend, omdat voeding als cultuuruiting meestal wordt geassocieerd met beschaving en ontwikkeling: kwaliteitsproducten die behoren tot het assortiment van de bovenste lagen. En wanneer we het over de culturele betekenis en de trends hebben, kijken we toch in de eerste plaats naar de lifestyles – *slow cooking* bijvoorbeeld – waarin de sterrenkoks hun kunsten etaleren. Ze presenteren schotels die voor de meeste stadsbewoners onbetaalbaar zijn. Die laven zich aan de fastfoodtenten die bezit hebben genomen van de stedelijke ruimte.

Chefs als cultuurmakers die zich afzetten tegen een wereld waarin populaire cultuur en snacken toch vooral geassocieerd worden met 'low brow' en 'trash'.[44] Maar vanuit ons gezichtspunt is het van belang om *urban snacking* en populaire cultuur te bezien in relatie tot wat je zou kunnen noemen de *cultural morphing* van de stad, dat wil zeggen dat de stad de afgelopen decennia zo van kleur en cultuur is veranderd dat er een nieuwe werkelijkheid – culturele vorm is ontstaan – waardoor het nauwelijks meer mogelijk is om de stad in sterk van elkaar gescheiden groepen te zien. Rotterdam is van kleur en smaak veranderd en het zijn juist de migratieprocessen die tot een herijking van stedelijke populaire cultuur en de sociaal-culturele gelaagdheid van de stad hebben geleid. In de postkoloniale superdiverse setting van Rotterdam zien we dat terug. Eten dat als etnisch werd aangeduid en daarmee als onderdeel van een minderheidscultuur, werd in een urbane setting via een proces van creolisering onderdeel van een nieuwe hybride stedelijke cultuur, waaraan de stad zijn nieuwe identiteit ontleent.[45] In deze zin kun je ook beweren dat de kapsalon een integrerende werking had en minderheidsculturen – Kaapverdi-

De kapsalon van Turks eethuis El Aviva, 2010. (Museum Rotterdam, foto Joris den Blaauwen)

sche, Turkse – verbond met een meerderheidscultuur die in toenemende mate elementen daarvan opneemt.

Dat was nooit de opzet van de uitvinders van de kapsalon. Het wijst op toevallige ontmoetingen die in een nieuwe stedelijke tussenruimte tot stand komen en van daaruit ons blikveld op de stad veranderen. 'The culinary act is an ideal observation point for the incorporated culture which "carries" mind away from thinking.'[46] Het leidde af van tegenstelling en bracht halal en islamitische gewoonten, katholieke tradities en Hollandse nuchterheid samen. Om onze inleiding aan te halen: een nieuwe identiteit komt tot stand door iets van je eigen cultuur en herinnering los te laten. Ook degenen die zeggen nooit een kapsalon te zullen eten en zich verre willen houden van de urbane populaire cultuur kunnen er niet omheen. Net zomin als degene die de hiphopcultuur als een minderwaardige cultuuruiting beschouwt en *spoken word* niet als poëzie wil erkennen.

Dat de kapsalon inmiddels nationale en internationale betekenis heeft gekregen, doet daar niets aan af. Via Rotterdam – en specifiek Delfshaven – is het uitgerold over het land en via de transnationale contacten die zo kenmerkend zijn voor de stad Rotterdam als een echte saus over de aardbol verspreid. Snacken was al een vorm van massaconsumptie, maar de kapsalon is een urbane variant. Zelfs in Nepal is de snack te krijgen. Toen een Nepalese chef-kok na terugkeer in Nepal werd gevraagd om een typisch Nederlands gerecht te maken, werd het geen stamppot maar kapsalon.[47]

De kapsalon werd een echte hype en door het als cultureel erfgoed te typeren, kreeg het een bijzondere betekenis, alsof de status van het gerecht werd opgekrikt en een icoon werd van het multiculturele Rotterdam. Niet voor niets werd het Kapsalon Festival opgericht, dat letterlijk voor het 'cultureel erfgoed van de toekomst' een monument wilde oprichten.

Een van de initiatiefnemers was Reidar Plokker, die naar aanleiding van het succes van de Rotterdamse kapsalon uitriep: 'Daar hoort een monument bij.' Rotterdam was de stad waar een kapsalon kon ontstaan. Hier kun je niet met een 'broodje kroket' aan komen zetten. 'Met 173 nationaliteiten in één stad ontstaan dit soort nieuwe dingen.' De initiatiefnemers kozen voor een monument zoals Rotterdam er vele telt en die dus passen bij het publieke karakter van bijzondere (historische) gebeurtenissen en personen, maar nu voor eenentwintigste-eeuws erfgoed. De Gouden Kapsalon werd een jaarlijkse wisselprijs.[48] Hier zien we dus een eigentijdse vorm van een herinneringscultuur die zonder populaire cultuur niet begrepen kan worden. Niet zozeer om het verleden te herdenken, of als monument voor aangrijpende gebeurtenissen, als wel als een stedelijk statement gericht op de toekomst. Wat beleidsmakers en politici niet voor elkaar kregen, dat deed de kapsalon wel. Niet geregisseerd, maar spontaan, een brevet van vertrouwen in een superdivers Rotterdam waar de jeugd de toekomst heeft. Hoewel de hype de afgelopen jaren voorbij leek en de kapsalon net zo standaard werd als een McDonalds-burger, zorgde de kapsalonstedenstrijd voor een nieuwe hausse in media-aandacht. En wie tussen de anekdotes en de rellerige aanpak door kijkt, erkent een serieuze ondertoon. Een *forbidden touch,* zoals we dat in de inleiding hebben genoemd.

'KAASVERDIAANSE' CALORIEBOM

Om de kapsalon te onderzoeken begin je in Delfshaven, een multiculturele deelgemeente in Rotterdam-West. Dit stadsgedeelte omringt het historische Delfshaven, ooit de voorhaven van de VOC-stad Delft, in 1886 geannexeerd door Rotterdam. Anders dan in Rotterdam is het koloniale verleden hier zichtbaar. Delfshaven was een soort koloniale havenplaats van het nabijgelegen Delft. In 1672 liet de VOC er een representatief Zeemagazijn met kantoren en pakhuizen bouwen. Het Zeemagazijn wordt nu herontwikkeld, nadat het jarenlang dienstdeed als sodafabriek. Op vijftien minuten loopafstand bevindt zich het slavernijmonument. En hier in Delfshaven ontstond de kapsalon, het cultureel erfgoed van een postkoloniaal deel van de stad.

In 2008 startte Van de Laar met een erfgoedproject in Delfshaven. Met een stagiaire deed hij onderzoek naar de woon- en leefomstandigheden in een van de karakteristieke multiculturele buurten van Delfshaven: Bospolder-Tussendijken, dat deel uitmaakt van een programma dat bekendstaat als 'Veerkrachtig BoTu 2028'. BoTu – de afkorting van Bospolder-Tussendijken – is verkozen als experimenteel gebied voor een nieuwe wijkaanpak. Bospolder-Tussendijken onderscheidt zich niet direct van andere achterstandsgebieden. De bevolking is divers en arm. Dat was in 2008 niet anders. In dit gedeelte van Rotterdam wonen naar verhouding de meeste Rotterdamse Kaapverdianen. De wijk telt veel eenoudergezinnen en in het algemeen hebben de mensen er een laag inkomen of balanceren ze op de grens van het sociaal minimum. Het multi-etnische karakter van de wijk wordt vooral geaccentueerd door het aanbod van etnische ondernemingen.

Om het onderzoek te coördineren, nam Van de Laar zijn intrek in

De kapsalon kent inmiddels vele varianten, hoek Schinkelstraat/Goudse Rijweg, 2010. (Museum Rotterdam, foto Joris den Blaauwen)

shoarmazaken en kwam daar elke week bijeen om te lunchen en werkbesprekingen te houden. Tijdens de werkbijeenkomsten in het Turkse eethuis viel op dat zo tegen een uur of vier de schooljeugd kwam snacken. Turkse pizza's gingen over de toonbank, maar opvallend vaak bestelde een scholier een kapsalon. Tussen het Turks door klonk dan in Turks-Rotterdams het woord kapsalon. Nadere inspectie van de menukaart leerde dat het eethuis de kapsalon in diverse varianten en formaten aanbood. De eigenaar van eethuis Lider vertelde in geuren en kleuren het verhaal van de kapsalon erbij, destijds in Rotterdam al een zeer populaire snack.

Om de hoek van het Turkse eethuis loopt de Schiedamseweg, de belangrijkste doorgaande weg van de stad, die van het centrum via de Nieuwe Binnenweg naar Schiedam gaat. Hier bevindt zich de kapsalon van de Kaapverdiaan Nataniël Gomes, eigenaar van kapsalon Tati, gespecialiseerd in Europees en *black hair*, en een vaste klant van de even verderop gevestigde shoarmazaak El Aviva. In 2003 vond hij de kapsalon uit. 'Ik zat op m'n kappersstoel en had trek. Ik belde toen naar de shoarmazaak op de hoek, El Aviva. Of zij iets met patat, shoarma en salade in een bakje konden maken.' Ook Derwis Bengu, van Turks Eethuis El Aviva, kan zich dat nog goed herinneren. 'Op een gegeven moment wilde personeel van kapsalon Tati iets met patat en shoarma. We hebben toen patat met vlees, kaas, sauzen en salade gemaakt.'

De kapsalon is ondenkbaar zonder patat en mayonaise als typische Nederlandse snackklassiekers, aangevuld met Turkse shoarma, gevolgd door mediterrane groenten en kruiden, Goudakaas en Indonesische sambal en knoflooksaus uit Anatolië. Het gerecht werd oorspronkelijk alleen in deze buurt gegeten en stond bekend als de Emrebak, genoemd naar Emre, shoarmabakker bij El Aviva, geserveerd in een aluminium lasagnebakje en goed voor 1800 calorieën. Bezoekers van de kapsalon zagen Tati genieten van de culinaire lunch en vroegen hem hoe ze het konden bestellen. Tati zei: vraag maar naar de kapsalon. Nataniël is trots op het succes van de kapsalon. 'Het is net als ikzelf een echt Rotterdamse mix. Mensen vragen wel of ik me Nederlander of Kaapverdiaan voel. Ik antwoord dan altijd dat ik KAASverdiaans ben: in Rotterdam geboren met m'n roots op de Kaapverdische eilanden.'[49]

Vanuit Delfshaven verspreidde de kapsalon zich eerst over Rotterdam, waar het een populair gerecht werd bij jongeren die na het stappen een 'vette bek wilden scoren'. Via het uitgaanspubliek en de schooljeugd brak de kapsalonepidemie pas echt door, vooral dankzij de sociale media.

Sinds 2006 was er een Hyves-site waarop kapsalonliefhebbers recepten en ervaringen uitwisselden en hun kapsalonmomenten in beeld en geluid vastlegden, alsof ze beseften dat ze bezig waren met het cultureel erfgoed van de toekomst. Hyves bestaat niet meer als sociale mediawebsite, maar voor de popularisering van de kapsalon was het Nederlandse sociale medianetwerk zeer belangrijk.[50]

De kapsalon werd onderdeel van een nieuwe Rotterdamse identiteit, profilering van een wereldstad waarin nieuwe vormen van populaire cultuur in de openbare ruimte zich goed lieten verenigen met een stedentrots die vooral werd gesymboliseerd met nieuwe stedelijke, nationale iconen. De populairste bijnaam van het nieuwe centraal station is kapsalon, vanwege de aluminiumkleur van het lasagnebakje waarin het gerecht wordt geserveerd en het gekozen materiaal. En dat is niet als een belediging bedoeld, maar als een uiting van stedentrots, zoals dat ook geldt voor de Markthal. Het enige dat aan de plafondschildering ontbreekt is de kapsalon.

De snack laat zich zeer goed verbinden met de urbane hiphopcultuur. De succesvolle hiphopband Broederliefde kan ook niet zonder. Ze weten nog heel goed dat ze met de opbrengst van hun eerste optreden zichzelf op een kapsalon trakteerden.[51] De hiphopband De Likt pleit er zelfs voor dat hun uitdrukking 'Dat haalt de kapsalon nog niet' in de Dikke Van Dale komt. De uitdrukking staat voor: dit gespreksonderwerp is zo slecht dat het zelfs slechter is dan de ingrediënten van een kapsalon.[52] Een briefschrijver in *NRC Handelsblad* vond in september 2011 dat het zijpaneel van de Gouden Koets *Hulde der Koloniën*, waarover bij Prinsjesdag zoveel opschudding ontstond, moest worden overgeschilderd met de kapsalon als afbeelding: bij uitstek het symbool van de hedendaagse geslaagde multiculturele samenleving.[53]

Is de kapsalon erfgoed van de toekomst? Zeker wel voor de jongeren die de kapsalon het vaakst nuttigen en via sociale media ervaringen uitwisselen. Zij voelen zich bij de kapsalon betrokken, als uiting van eigentijdse cultuur die hen met elkaar verbindt. En dat is de essentie van het erfgoed. Museum Rotterdam heeft de kapsalon en zijn bedenkers opgenomen in de actieve collectie Echt Rotterdams Erfgoed. Toen de rel tussen Amsterdam en Rotterdam over de uitvinder van de kapsalon zijn mediahoogtepunt bereikte, toonde Tati zijn oorkonde en certificaat van Echt Rotterdams Erfgoed aan de pers. Dit is Echt Rotterdams Erfgoed; discussie gesloten.

Derwis Bengu (links) van Turks eethuis El Aviva en Nataniël Gomes van Kapsalon Tati. (Museum Rotterdam/Echt Rotterdams Erfgoed, foto Erik van den Akker)

CONCLUSIE

De drie hier gepresenteerde casussen – de betekenis van familiefoto's in de herinnering en identificatieprocessen van drie generaties Indische Nederlanders; het Zomercarnaval in Rotterdam; de kapsalon als cultureel erfgoed van superdivers Rotterdam – geven verschillende uitwerkingen te zien van gemeenschapsvorming en gemeenschappelijkheid in de stad. We zijn begonnen met een kritische bevraging van binaire tegenstellingen zoals wit versus zwart, autochtoon versus allochtoon, en andere soortgelijke opposities die veelal terug te vinden zijn in beleidsstukken en populaire vertogen over de postkoloniale conditie van de stad. In het gebruik van statische conceptualisaties van etnische en raciale gemeenschappen wordt de superdiversiteit van Rotterdam onvoldoende erkend. Om de postkoloniale en superdiverse realiteit van de stad te beschrijven kozen wij bij onze casestudies daarom voor een drietal alternatieve concepten: alledaags herinneren, populaire cultuur en *forbidden touches*.

Voor de eerste casus gaan we terug in de tijd tot 1949, het jaar van de erkenning door Nederland van de onafhankelijkheid van Indonesië, waarna zo'n driehonderdduizend mensen uit de voormalige kolonie naar Nederland en verder emigreerden. Deze Indische immigranten kwamen in Nederland in de naoorlogse decennia nauwelijks in beeld. Net zomin als het Indië waar zij waren geboren (en getogen) en een eigen Indische cultuur ontwikkelden. Nederland had het druk met zijn wederopbouw en wilde het gewelddadige en roemloze verlies van Indië het liefst achter zich laten. Ook Indische Nederlanders richtten zich liever op de toekomst dan op een pijnlijk verleden, gemarkeerd door de Tweede Wereldoorlog, de dekolonisatieoorlog en een landverhuizing. Zij staken hun energie in 'geruisloze' assimilatie en beleefden de Indische cultuur voornamelijk nog in eigen kring. Voor zover Nederland al een beeld had van Indië, Indische mensen en Indische cultuur, zat dat beeld gevangen in een koloniaal en etnisch-raciaal denkraam. Daarin waren Indische mensen koloniale meelopers en was de Indische cultuur niet meer dan een slap aftreksel van hetzij de Nederlandse, hetzij de Indonesische cultuur.

In het doorbreken van deze koloniale tegenstellingen fungeerden Indische amateurfoto's als *moments of freedom*. Ze zetten drie generaties Indische Nederlanders, Nederlanders met Indische connecties en zelfs het brede publiek aan tot alledaags herinneren over Indië en Indisch, toen-en-daar en, postkoloniaal, ook hier-en-nu. De bijbehorende beelden zijn door de werking van *forbidden touches* in het collectieve Nederlandse geheugen opgenomen. De transitie van Indische foto's weerspiegelt dit proces. De amateurfoto's in familiealbums waren gemaakt voor huiselijk gebruik. Na publicatie speelden ze ook een rol in het publieke domein, in eerste instantie vooral als bron van herinnering voor de eerste Indische generatie. Voor de tweede generatie fungeerden de foto's als ankerpunt van identiteitsvorming en als beeldbron van Indische geschiedenis. Eenmaal gedigitaliseerd en ondergebracht bij het Tropenmuseum is de Indische fotocollectie een vanzelfsprekend en geïntegreerd onderdeel van het Nederlandse erfgoed geworden. Iedereen, Indisch of niet, kan er nu vrijelijk uit putten, en dát is precies wat jongere Indische generaties doen: zij maken van historische foto's nieuw werk; ze voegen er eigen werk aan toe en vertellen bij de oude foto's andere verhalen. Hun artistieke interventie transformeert de foto's van privé tot populaire cultuur. Zo geven Indische foto's niet alleen een geschakeerd beeld van het verleden, maar krijgen ze ook een plaats in het postkoloniale geheugen van de toekomst. In deze vorm is de casus een voorbeeld van sociale bewegingen die kritiek geven op de dominante hiërarchische vertogen van Nederland, van Rotterdam. Rotterdam kan pas werkelijk zijn postkoloniale conditie accepteren als hun ervaringen, geschiedenis en de specificiteit van hun etnische identiteit een plek krijgen in de instituties die Rotterdam representeren. Dit onderschrijft ook het Stadsarchief Rotterdam, met zijn uitnodiging foto's aan te dragen, alsmede dagboeken en verhalen van Indische immigranten die in de eerste naoorlogse jaren naar Rotterdam kwamen.

Aan de hand van het Zomercarnaval lieten we zien hoe een oorspronkelijk Antilliaans feest, onder invloed van het minderhedenbeleid van Rotterdam en de verdere commercialisering van populaire cultuur, is uitgegroeid tot een symbool van superdivers Rotterdam. Dit kon gebeuren doordat op allerlei terreinen en momenten van de dag alledaags herinneren plaatsvond tussen Antillianen en andere etnische groepen in de stad. Rotterdammers overbruggen dagelijks hun etnische verschillen. Nog belangrijker is het feit dat het Zomercarnaval met al zijn pracht en praal, sensorische stimulans en opzwepende ritmes, ongevraagd andere etnische groepen raakt. Hier hebben we te maken met de rol van *forbidden touches* in het construeren van een groter, positief narratief over diversiteit in de stad.

De tegenstellingen die we hebben gesignaleerd in de inleiding werken door en zijn niet verdwenen, maar door samen te feesten ontstaat wel de mogelijkheid om te verbinden via gemeenschappelijke achtergronden zoals een liefde voor urban culture. Tijdens het Zomercarnaval ontstaat de mogelijkheid om de herinnering van het pijnlijke koloniale verleden tussen de Antilliaanse eilanden en Nederland tijdelijk los te laten. Dat doen de Antillianen dan ook, als ze opgaan in de vreugde terwijl het carnaval historisch toch ook gebruikt werd als middel om antikoloniale kritiek te uiten. Zij etaleren nog steeds hun ongenoegen over racisme en klassendiscriminatie tijdens het Zomercarnaval, maar doen dit op een feestelijke manier. Hierdoor is er ruimte voor hen, maar ook voor andere groepen die zich misschien niet of maar ten dele bewust zijn van het koloniale verleden, om *moments of freedom* te ervaren. Deze andere groepen geven een eigen invulling aan het Zomercarnaval, door het als urban festival te zien dat wordt gepromoot als een uiting van acceptatie van superdivers Rotterdam.

Het Zomercarnaval is een voorbeeld van alternatieve gemeenschapsvorming en gemeenschappelijkheid onder Antilliaanse Rotterdammers die zich weinig aantrekken van dominante vertogen waarin Rotterdam hiërarchisch wordt opgedeeld, en daar ook geen systematische kritiek op leveren. Andere voorbeelden hiervan zijn Victory Outreach, FunX en de hiphopwereld in Rotterdam, die in de bundel *Rotterdam, een postkoloniale stad in beweging* worden gepresenteerd. Deze vorm van gemeenschapsvorming en gemeenschappelijkheid is de tweede manier waarop Rotterdammers omgaan met de postkoloniale conditie van hun stad.

De kapsalon – de derde casus – is ontstaan als intercultureel product, kenmerkend voor een superdiverse stad als Rotterdam en geclaimd als typisch Rotterdams product. Dat dragen nieuwe en oude Rotterdammers uit via sociale media, op websites en op andere manieren en daarmee vertegenwoordigt de kapsalon de populaire cultuur van een havenstad die diversiteit promoot wanneer het past als een *urban brand*. Zoals het Zomercarnaval het multiculturele Rotterdam representeert, is de kapsalon een identiteitsmarker voor het jeugdige elan van Rotterdam. De city- en soundscape van Broederliefde en De Likt: een tegendraadse jongerencultuur die een uitdaging vormt voor de slow-foodaspiraties die worden gepromoot door een stad die schoon, heel, veilig en in toenemende mate groen moet zijn. Niet voor niets is de kapsalon ontstaan in wijken die door een beleidsbril als problematisch worden gezien en die op de rol staan om gegentrificeerd te worden. De 'wijk' van de ander, die het liefst wordt gemeden. De kapsalon vertegenwoordigt een mix van culturele invloeden die alleen mogelijk is wanneer *niemand* vasthoudt aan zijn eigen culinaire tradities. Het is ook geen gezocht, van bovenaf opgelegd product, maar spontaan ontstaan in een omgeving waarin multiculturaliteit zich op lokaal niveau afspeelt. De kapsalon is een onbedoeld innovatieve manier om te laten zien dat culturen goed kunnen samengaan.

Door het accent van de kapsalon als populaire urban snack te verleggen naar de kapsalon als erfgoed van de stad en voor de toekomst, kunnen we hierin een *forbidden touch* zien, een symbool van wat het betekent om Rotterdammer te zijn in een superdiverse stad. Het klinkt misschien banaal. Maar wie de kapsalon als een symbool ziet voor de creolisering van Rotterdam, legt wel direct een verband tussen de havenstad van weleer met een venster op de wereld en de wereld hier. Het is niet toevallig dat de Rotterdammers met een migratieachtergrond dat erkennen, het diverse Rotterdam met zijn markten en streetfood.

De voorbeelden en casestudies die we in dit hoofdstuk hebben laten zien, bieden een handvat om verbinding te leggen tussen het historisch onderzoek naar het koloniale en slavernijverleden, de huidige superdiverse stad en de toekomst van Rotterdam. Willen we huidige generaties bereiken en bewust maken van dit verleden en hoe dat doorwerkt, dan moeten we aansluiten bij wat er nu in de stad leeft. De populaire cultuur – in al haar verscheidenheid – biedt daarvoor houvast, met de nadruk op de stad in beweging, een stad waarin tegenstellingen zichtbaar zijn die zich echter ook kunnen vertalen in nieuwe vormen van gemeenschappelijkheid. Niet zozeer de ene groep met zijn eigen gekoesterde herinneringscultuur tegenover of in het gunstigste geval naast de andere groepering, alswel met elkaar.

De voorbeelden zijn er. We hebben in dit hoofdstuk slechts een tipje van de sluier opgelicht. In de apart gepubliceerde bundel *Rotterdam, een postkoloniale stad in beweging* wordt dit verder uitgewerkt aan de hand van *best practices*, opgetekend door onder anderen ervaringsdeskundigen. Zij beschrijven uiteenlopende ervaringen die gericht zijn op het zoeken naar alternatieve vormen van gemeenschap, vooral te zien in de populaire cultuur. Dat weerspreekt het bestaande beeld van een Rotterdam dat worstelt met zijn koloniale verleden en hedendaagse superdiversiteit. Deze alternatieve benadering wil bijdragen aan een inclusieve toekomst. Als we ons best doen om het postkoloniale Rotterdam in beweging te willen begrijpen, biedt die bundel een handreiking die als een vervolg op dit hoofdstuk kan worden gelezen. Liefst ook als praktische handleiding voor vervolgstappen!

NOTEN

1 Guadeloupe, Van de Laar & Van der Linden (red.), *Rotterdam, een postkoloniale stad in beweging.*
2 Scholten, Crul & Van de Laar, *Coming to terms.*
3 Voor een recent overzicht, zie Meer, 'Legacies'.
4 Mouffe, 'Radical democracy'.
5 Fabian, *Memory.*
6 Fabian, *Moments* en Hall, 'What is this "Black"'.
7https://www.groene.nl/artikel/jongens-van-de-straat
8 Guadeloupe & Halfman, 'All-inclusive resorts'.
9 Voor dit deel over Indische familiealbums gaat onze speciale dank uit naar Pamela Pattynama, Universiteit van Amsterdam.
10 Het Stadsarchief schat dat er in de eerste jaren na de Tweede Wereldoorlog circa 70.000 mensen gebruik hebben gemaakt van de evacuatieregeling. Na de erkenning van Indonesië in 1949 kwamen in de periode 1950-1951 nog eens 86.000 mensen van Indonesië naar Nederland.
11 Seriese, *Finding history*, 2011.
12 Seriese, *Finding history*, 5.
13 Pattynama, *Bitterzoet Indië,* 201.
14 Pattynama, *Bitterzoet Indië,* 204.
15 Seriese, *Finding history*, 12.
16 Said, 'Cultuur, identiteit en geschiedenis', 75.
17 Pattynama, *Bitterzoet Indie*, 201.
18 Pattynama, 'Colonial photographs'.
19 Seriese, 'Wie dit leez is gek', 207.
20 Uitspraak van minister van Buitenlandse zaken, Ben Bot, tijdens werkreis in Indonesië, 2005.
21 www.staciisamidin.com
22 Scagliola, 'Toen wij uit Rotterdam vertrokken', in dit essay gaat Scagliola uitgebreider in op persoonlijke reacties op de expositie *Dossier Indië* van tweede en derde generatie Nederlanders en Indonesiërs die via hun ouders en grootouders direct betrokken zijn bij de dekolonisatie van Indonesië.
23 Bordeaux, *Viering.*
24 Nederland kent ook verschillende Molukse kumpulans: verenigingen van Molukkers die oorspronkelijk afkomstig zijn van hetzelfde dorp in de Molukken en die zich voornamelijk richten op onderlinge hulp in Nederland en op hulp aan het dorp in de Molukken.
25 Bordeaux, *Ajo, laten we dansen*, https://youtu.be/hFROk4C-5Oc
26 Juryrapport Steenbergen stipendium: https://www.nederlandsfotomuseum.nl/tentoonstelling/steenbergen-stipendium-2018/
27 Idem.
28 https://rotterdamunlimited.com/en/program/program-ru-2019
29 https://www.ad.nl/politiek/minister-wil-zomercarnaval-en-corso-s-als-unesco-erfgoed~a5f3669e/
30 Voor een historisch verslag van het Rotterdam carnaval, zie Alferink, 'Postcolonial migrant festivals'. Vandaag de dag wordt het carnaval gerund door Rotterdam Unlimited, een publiek-private samenwerking, bestaande onder meer uit de gemeente Rotterdam, FunX radio en de Metro. Voor een inbedding van het zomercarnaval in consumptiekapitalisme, zie Van der Land, 'Urban consumption'. Voor een kritisch analyse van het zomercarnaval vanuit het perspectief van etnomusicologie en *critical race studies*, zie Granger, 'Scènes van plezier'.
31 Mignolo, 'Geopolitics'.
32 Anon. (geen jaartal) Stuart Hall and Cultural Studies: Decoding Cultural Oppression (Internet artikel) beschikbaar via: http://www.pineforge.com/upm-data/13286_Chap-

ter_2_Web_Byte__Stuart_Hall.pdf geraadpleegd op 12-02-2020.

33 Bob Marley, 'Babylon system', *Survival*. Jamaica: Island Records, 1979.

34 Duyvendak, Geschiere & Tonkens, *Culturalization*.

35 Du Bois, *Black Reconstruction* en Roediger, *Wages*.

36 Calvert, 'Betekenis'.

37 Ander oprichters zijn Wilbert Djaoen, Rita Duinkerk en Maggie Marshall. Voor een video-interview met Marlon Brown zie: https://www.youtube.com/watch?v=cuM-wED-jG8Q

38 Quito Nicolaas, 'In memoriam van Marlon Brown', *Antilliaans Dagblad*, 22-09-2011.

39 Jendra Terpstra, 'Wit is de "nieuwe minderheid" in grote steden', *Trouw*, 27-03-2017.

40 Guadeloupe, *Chanting*.

41 https://www.rijnmond.nl/nieuws/1492/Kapsalon-is-cultureel-erfgoed-van-toekomst; https://www.youtube.com/watch?v=QL4lNTopZ5E

42 https://www.parool.nl/amsterdam/rotterdammers-boos-om-typisch-amsterdam-se-kapsalon~bd046fa12/?referer=https%3A%2F%2Fwww.google.com%2F

43 https://nlpopcult.wordpress.com/2018/03/17/kapsalon/ https://www.powned.tv/artikel/kapsalon-is-cultureel-erfgoed

44 Parasecoli, *Bite me*.

45 Chen, *Food, race, and ethnicity*; Gunkel, 'Food and culture', 245.

46 Geciteerd in Tibère, 'Food', 88.

47 https://www.snack-nieuws.nl/kapsalon-is-nepal-aan-het-veroveren/; https://eenvandaag.avrotros.nl/item/kapsalon-grote-hit-in-nepal/

48 http://www.facebook.com/KAPSALONROTTERDAM?sk=info.

49 Geciteerd in *Echt Rotterdams erfgoed*, 70.

50 http://kapsalon-doner.hyves.nl/forum/1288422/21k4/Adressenlijst_Kapsalon_salons/

51 https://www.metronieuws.nl/nieuws/binnenland/2016/09/broederliefde-onze-hits-ontstaan-uit-gezelligheid

52 https://www.youtube.com/watch?v=SUBCn076qIA

53 *NRC Handelsblad*, 24-09-2011.

LITERATUUR

Alferink, Marga, 'Postcolonial migrant festivals', in Ulbe Bosma (red.), *Postcolonial immigrants and identity formation in the Netherlands*, 109-116. Amsterdam: Amsterdam University Press, 2012.

Barondess, Jeremiah A. 'Health through the urban lens', *Journal of Urban Health: Bulletin of the New York Academy of Medicine* 85/5 (2008): 787-801.

Blokland, Sara en Asmara Pelupessy (red.), *Unfixed. Photography and postcolonial perspectives in contemporary art*. Amsterdam: Japsam Books, Unfixed Projects, 2012.

Bordeaux, Eliza, 'Viering van ontkenning of het onbestemd exotische', fotografisch afstudeerwerk, Willem de Kooning Academie, Rotterdam, 2018.

Calvert, Robert, 'De betekenis van migrantenkerken voor Rotterdam', in Francio Guadeloupe, Paul van de Laar en Liane van der Linden (red.), *Rotterdam, een postkoloniale stad in beweging*, xx-xx. Amsterdam: Boom Uitgevers, 2020.

Chen, Yong, 'Food, race, and ethnicity', in Jeffrey M. Pilcher (red.), *Oxford Handbook of Food History*, 428-443. New York: Oxford University Press, 2012.

Du Bois, W.E.B., *Black Reconstruction in America: An Essay Toward a History of the Part Which Black Folk Played in the Attempt to Reconstruct Democracy in America, 1860-1880*. San Diego, California: Harcourt Brace & Co, 1935.

Duyvendak, Jan-Willem, Peter Geschiere en Evelien Tonkens (red.), *The culturalization of citizenship: Belonging and polarization in a globalizing world*. Londen: Palgrave MacMillan, 2014.

Echt Rotterdams Erfgoed, deel 1 55 doorzetters, aanpakkers en verbinders/Authentic Rotterdam

Heritage, part 1 55 go-getters, doers and connectors. Rotterdam: Museum Rotterdam, 2018.
Fabian, Johannes, *Memory against culture: arguments and reminders*. Durham: Duke University Press, 2007.
Fabian, Johannes, *Moments of freedom: Anthropology and popular culture*. Virginia: University Press of Virginia, 1998.
Granger, Charissa, 'Scènes van plezier/herinneringen aan onderwerping', in Francio Guadeloupe, Paul van de Laar en Liane van der Linden (red.), *Rotterdam, een postkoloniale stad in beweging*, xx-xx. Amsterdam: Boom Uitgevers, 2020.
Guadeloupe, Francio, *Chanting down the New Jerusalem: Calypso, Christianity, and capitalism in the Caribbean*. Berkeley: University of California Press, 2009.
Guadeloupe, Francio en Jordi Halfman, 'All-inclusive resorts on Sint Maarten and our common decolonial state: on butterflies that are still caterpillars in chrysalis,' in Jocelyne Guibault en Tim Rommen (red.), *Sounds of vacation: Political economies of Caribbean tourism*, 134-60. Durham: Duke University Press, 2019.
Guadeloupe, Francio, Paul van de Laar en Liane van der Linden (red.), *Rotterdam, een postkoloniale stad in beweging*. Amsterdam: Boom Uitgevers, 2020.
Gunkel, Ann Hetzel, 'Food and culture', in Gary Burns (red.), *A companion to popular culture*, 245-65. West Sussex: Wiley Blackwell, 2016.
Hall, Stuart, 'What is this "Black" in Black Popular Culture?', *Social Justice* 20 (1993): 104-14.
Laar, Paul van de, 'Nederland is gek op kaas en patat', *Holland Historisch Tijdschrift* 44/1-2 (2012): 52-64.
Land, Marcos van der. 'Urban consumption and feelings of attachment of Rotterdam's new middle class', *Sociological Research Online* 10/2 (2005): 1-16.
Meer, Nasar, 'The legacies of race and postcolonialism, in S. Karly Kehoe, Eva Alisic en Jan-Christoph Heilinger (red.), *Responsibility for refugee and migrant integration*, 51-64. Berlijn: De Gruyter, 2019.

Mignolo, Walter D., 'Geopolitics of knowledge and colonial difference', *South Atlantic Quarterly* 101 (2002): 57-96.
Mouffe, Chantal, 'Radical democracy: Modern or postmodern?', in Andrew Ross (red.), *Universal abandon: the politics of postmodernism*, 31-46. Minneapolis: University of Minnesota Press, 1988.
Parasecoli, Fabio. *Bite me: Food in popular culture*. Londen: Bloomsbury Publishing, 2008.
Pattynama, Pamela, *Bitterzoet Indië. Herinnering en nostalgie in literatuur, foto's en films*. Amsterdam: Prometheus, Bert Bakker, 2014.
Pattynama, Pamela, 'Colonial photographs as postcolonial social actors: the IWI collection', in Sara Blokland en Asmara Pelupessy (red.), *Unfixed, Photography and postcolonial perspectives in contemporary art*, 126-135. Amsterdam: Japsam Books, Unfixed Projects, 2012.
Roediger, David R. *The wages of Whiteness. Race and the making of the American working class*. Londen: Verso Books, 2009.
Said, Edward, 'Cultuur, identiteit en geschiedenis', in *Edward Said – Denker over grenzen, Spinoza-lens 1999*, 55-77. Amsterdam: Boom Uitgevers, 1999.
Scagliola, Stef, 'Toen wij uit Rotterdam vertrokken ... gingen wij naar Indië', in Francio Guadeloupe, Paul van de Laar en Liane van der Linden (red.), *Rotterdam, een postkoloniale stad in beweging*, xx-xx. Amsterdam: Boom Uitgevers, 2020.
Scholten, Peter, Maurice Crul en Paul van de Laar (red.), *Coming to terms with superdiversity: the case of Rotterdam*. Cham: Springer International Publishing, 2019.
Seriese, Edy, *Finding History. The inheritance of the IWI collection*, Onderzoeksrapport. Amsterdam: PhotoClec, 2011.
Seriese, Edy, 'Wie dit leez is gek', in Wim Willems, et al., *Uit Indie geboren. Vier eeuwen familiegeschiedenis*, 199-212. Zwolle: Uitgeverij Waanders, 1997.
Tibère, Laurence. 'Food as a factor of collective identity: The case of creolisation', *French Cultural Studies* 27 (2016): 85-95.
Willems, Wim, et al., *Uit Indië geboren, Vier eeuwen familiegeschiedenis*. Zwolle: Uitgeverij Waanders, 1997.

PERSONENREGISTER